Albert Rode

Lebens-Wert
… anders

Lebens-Wert
… anders

der Weg einer ganz
besonderen
Reise

Albert Rode

Bibliografische Information der Deutschen Nationalbibliothek:

Die Deutsche Nationalbibliothek verzeichnet diese Publikation in der Deutschen Nationalbibliothek; detaillierte bibliografische Daten sind im Internet über http://dnb.d-nb.de abrufbar

albert@lebens-wert-anders.de

Herstellung und Verlag:
BoD – Books on Demand, Norderstedt

ISBN 978-3-7481-8873-5

Inhaltsverzeichnis

Es war einmal, vor langer, langer Zeit … so begannen einst die klassischen Märchen, die ich noch sehr gut aus meiner Kindheit in der Erinnerung habe. Aber dieses hier soll kein Märchen sein, viel mehr eine Dokumentation entstanden aus einem Reisebericht … oder ist es vielleicht doch ein Märchen? Wer weiß, aber beginnen wir doch einfach einmal mit der Geschichte und sinnvoller weise ganz vorn – sozusagen am Anfang.

Die Zeit spielt keine große Rolle, auch der Ort des Geschehens ist zunächst nur von geringer Bedeutung, und wie sagt man doch so schön:

Sämtliche Handlung, Personen und Namen sind frei erfunden,
… obwohl, sind sie das wirklich?

Beginnen wir also die Geschichte dort, wo sie begann – am Anfang, obwohl es ja eigentlich für mich auch ein Ende war, ein Ende, von dem über viele Jahre eingefahrenen immer wiederkehrenden Alltagstrott, ein Sog, eine Spirale, aus der ein Entkommen scheinbar unmöglich schien, doch manchmal sind es gerade diese kleinen Veränderungen, eine Feinjustierung an einer der vielen Stellschrauben des Lebens, und plötzlich öffnen sich Türen, an die man vorher selbst im Traum nicht gedacht hatte – womit wir wieder bei den Märchen waren oder vielleicht doch nur Träumereien oder Hirngespinsten, wie man so schön sagt, wenn es keine rationale oder logische Erklärung gab?

Jeder soll es selbst beurteilen, es in seine ganz persönliche Schublade packen oder das Buch einfach wieder zuschlagen, doch dann werden viele Fragen unbeantwortet bleiben; nicht zuletzt die Ursprungsfrage, Märchen, Geschichte, Spinnerei oder vielleicht doch etwas ganz anderes, wer weiß?

Ich möchte alle ganz herzlich einladen, mich auf dieser Reise zu begleiten und wünsche viel Spaß beim Spinnen, Träumen, Lesen, beim Erinnern, Wiederfinden oder ganz einfach nur das Leben auch mal aus einer anderen Perspektive zu betrachten, denn glücklich zu sein ist keine Frage des Alters, und das Leben ist auch nicht immer nur schwarz-weiß – wenn man genau hinsieht, ist es sogar

*– leben-**s**-wert ... anders!*

Kapitel

Die Fahrt

Es begann also oder endete bei mir mit den wildesten Urlaubsplanereien, weg vom täglichen Einerlei, weg von dem verplanten Tag, an dem schon morgens feststeht, was der Abend bringen würde. Ich setzte mich auf das Motorrad und fuhr einfach drauf los. Zunächst noch durch das alt vertraute Großstadtgewühl, dort wo man sich wie an einer Perlenschnur von A nach B bewegt, anonym, schon fast unsichtbar im Sog der Blechlawine. Raus aus diesem Lavastrom, der sich unaufhaltsam durch den Tag schiebt, war meine Devise und mein Ziel war – hmm eigentlich war da gar kein bestimmtes Ziel vielleicht einfach nur der Norden. Mit diesen Gedanken ging es auf die Autobahn, die für den Motorradfahrer den höchsten Grad der Einsamkeit darstellt. Fast schon regungslos ging es immer nur geradeaus, selbst die langgezogenen Kurven waren kaum spürbar. Geradeaus, immer nur geradeaus. Langweilig, monoton, ja schon fast einschläfernd zeigte sich meine Flucht aus der hektischen Zeit. Viele Gedanken gingen mir durch den Kopf, während der Fahrtwind und das dumpfe Brummen des Motors unter dem Helm nun meine einzigen Begleiter waren. Innerhalb von nur wenigen Kilometern oder besser noch Stunden, um bei der Zeit zu bleiben, veränderte sich mein Umfeld von hektischem *Wirrwarr* zu nunmehr einschläfernder Einsamkeit. Aber ich konnte diesen Zustand ja jederzeit ändern, womit wir wieder bei der Zeit waren, ich brauchte nur an der nächsten Abfahrt umkehren und der Großstadt wieder entgegen zu fahren. Nein, das war es nicht, was ich wollte und fuhr weiter, aber es war schon ernüchternd, wie schnell man sich doch allein und einsam fühlte. Diese Gedanken trugen mich weiter in Richtung Norden. Das Land wurde flacher und flacher, und ich bemerkte, dass immer weniger Fahrzeuge meine Begleiter waren. Immer mehr Reisende fanden ihr Ziel, ihr Zuhause oder den Platz, den sie angesteuert hatten, nur ich fuhr weiter und weiter dem Horizont entgegen. Die letzten Kilometer habe ich damit verbracht, mit mir selbst Gespräche zu führen, ja sogar Lieder zu singen, die sich zugegeben unter dem Helm sehr fremd, dumpf, weit entfernt und unvertraut anhörten. Aber es war ein Versuch, der Einsamkeit zu entfliehen, war doch kein anderer hier, der diese Einsamkeit auflöste oder wenigstens etwas belebte. Aber diese Einsamkeit oder auch Ruhe hatte auch ihre guten Seiten, viel deutlicher und aufmerksamer registrierte man Kleinigkeiten, unscheinbare Dinge, die im Umfeld der hektischen Großstadt gar nicht mehr so wahrgenommen werden. Tiere, Natur, Düfte, der Himmel, die Vögel und auch der Wind schienen hier irgendwie anders zu sein. Ob es das war, was ich wollte oder suchte, konnte ich zu diesem Zeitpunkt noch nicht sagen, auf jeden Fall fühlte es sich schon einmal gut an. Ich fuhr weiter in die Richtung der Zugvögel und verließ die Autobahn, um mir auf der Fahrt durch die kleinen Dörfer und Gemeinden ein passendes Nachtquartier zu suchen. Es war noch Zeit, die Sonne strahlte noch eine zufriedene Ruhe und Gemütlichkeit aus, und mir fiel auf, dass sich die schon auf den letzten Kilometern der Autobahn abgezeichnete Ruhe in den kleineren Dörfern immer weiter so fortsetzte. Wenn man überhaupt von etwas Hektischem reden konnte, so war es hin und wieder einmal eine Gänse- oder Schafherde, die sich auf den saftig grünen Wiesen tummelte oder ein nostalgischer Lanz Traktor, der donnernd mit ca. 25km/h entgegenkam. Ich klappte das Visier von meinem Helm auf und konnte nun noch deutlicher in die Landschaft eintauchen. Die Großstadt mit den stinkenden Blechlawinen schien Lichtjahre entfernt, und bei jedem Meter, den ich fuhr, erkannte ich mehr und mehr den Sinn meiner Reise und freute mich schon auf das Ziel, wo auch immer es sich für mich auftun sollte. Hatte ich überhaupt ein Ziel, oder sollte es eine Rundreise der Emotionen werden? Mit diesen Gedanken passierte ich Dorf für Dorf und stellte fest, dass zu der Ruhe und Gemütlichkeit der Orte auch eine ganz eigenartige Stille, ja, vielleicht sogar Einsamkeit deutlich zu spüren war. Im Grunde genommen waren alle Dörfer irgendwie gleich, nur beim genauen Betrachten erkannte man die kleinen Unterschiede, die aber genau jedes Dorf wieder für sich besonders interessant und somit wieder einmalig machten, ohne die Menschen und die unzähligen Geschichten der einzelnen Orte zu kennen.

Die Hinweisschilder zu den Dorfattraktionen waren nahezu identisch: Die Gemeindeverwaltung, das Dorfgemeinschaftshaus, die Feuerwehr und der Tante-Emma-Laden wiederholten sich genauso wie die Hinweise zu unzähligen Trödel, Ramsch und Kunstverkäufen, die interessanterweise auch als Dachbodenfunde noch mehr Abenteuer und Schätze einer längst vergangenen Zeit versprechen sollten. Der Dorfgasthof brachte ein wenig Abwechslung, obwohl, eigentlich auch nicht wirklich, denn im Grunde genommen waren es nur die Namen, die eine scheinbare Abwechslung brachten. Es waren altbekannte Namen, wenig spektakulär, aber Namen, die einfach zu den Dorfgasthöfen gehörten:

Zur Post, Dorfkrug, Zur Linde, Zum Anker, Deichgraf, Störtebecker.

Natürlich war die nördliche Region auch entscheidend für die Namensfindung, denn einen Wirtshausnamen aus dem tiefsten Oberbayern hätte hier sicherlich für Verwirrung gesorgt, allerdings ist wahrscheinlich der *„Bayrische Hof"* die Ausnahme, denn einen „Bayrischen Hof" wird man wohl überall finden, auch weit über die Landesgrenzen von Deutschland und Europa hinweg. – Aber zurück zu den Gasthöfen, an denen ich stumm vorbeifuhr. Sie hatten fast alle einen Parkplatz vor der Tür und einen mehr oder weniger gepflegten, teilweise auch wild zugewucherten Biergarten mit rustikalen Klapptischen und -stühlen. Der Bodenbelag bestand meistens aus Kies, und die Bäume, vorrangig Ahorn und Linde, standen dort eingebunden und sollten für die heißen Sommertage Schatten und Wohlsein versprechen. Bei dem Schild ***„Zimmer frei"*** waren sich dann aber alle wieder einig, denn keiner ließ es sich nehmen, dieses Schild nicht deutlich sichtbar an der Vorderfront des Gebäudes, einige sogar an dem ersten Hinweisschild an der Straße, zu positionieren. Um jeden Reisenden, der eine Übernachtungsmöglichkeit suchte, wurde geworben und gekämpft, denn diese teilweise doch sehr versteckten Orte versprachen zwar Ruhe und Gemütlichkeit, aber mit den Attraktionen der einzelnen Gemeinden hielt es sich doch sehr in Grenzen und nur, von den vereinzelten Handelsvertretern, die sich hier auf der Durchreise für eine oder vielleicht auch mal zwei Nächte verirrten, oder von den wenigen Motorradfahrern, die dem Großstadtinfarkt entfliehen wollten, konnten diese Gasthöfe kaum überleben. Oft lohnte es sich gar nicht, die Küche in Betrieb zu nehmen. Sehr häufig musste ein zweites Standbein neben der Gastronomie betrieben werden, um den Kosten gerecht zu werden und dem knappen Personal überhaupt den Lohn bezahlen zu können. In den meisten Fällen bestand das Personal aus Familienmitgliedern, die Betriebe waren von Generation zu Generation weitergegeben worden, jedoch zog es die jungen Menschen immer mehr vom Land in die Großstadt-Metropolen; Ausbildung, Beruf, Geld und das Veranstaltungsangebot waren dort natürlich deutlich größer und reizvoller als auf dem Land. Und so kam es, dass die alten Bäcker-, Schlachter-, Schuhmacherbetriebe und noch viele mehr auf dem Land einfach ausstarben und die Dörfer, die früher Zeiten mit Prunk, Glanz und Gloria erlebten, sich nun zu den ruhigen Dörfern entwickelten, die ich gerade mit meinem Motorrad passierte.

So erreichte ich einen Ort, das heißt es war eigentlich gar kein Ort, als vielmehr nur ein paar Häuser, die sich links und rechts der Straße zeigten. Die Geschwindigkeitsbeschränkung war auch nicht wie in Ortschaften üblich auf 50 km/h zu reduzieren, mit 70 km/h durfte man an diesen Häusern vorbeifliegen. Aber genau das wollte ich nicht – vorbeifliegen; ich wollte dabei sein, erleben, erkunden und erfahren und reduzierte die Geschwindigkeit, dass ich alle Eindrücke in mir aufsaugen konnte, wie ein Erstklässler, der mit seiner Zuckertüte das erste Mal den Schulhof der künftigen Schule betrat.

Wie auch schon in den Orten zuvor waren große Gärten vor den Häusern zu erkennen, die alle sehr schön anzusehen, liebevoll gestaltet und gepflegt waren. In den Vorgärten stellten viele Bewohner alte, historische Relikte zur Schau, sei es eine Egge oder ein alter Pflug aus Holz oder eine leuchtrote Feuertonne, ein alter Schiffsanker oder viele andere Dinge aus der Vergangenheit, von denen sicherlich ein jedes seine eigene Geschichte zu erzählen hatte. Auch die obligatorische Zwei-Personen-Sitzbank fehlte genauso wenig, wie die mit wildem Wein oder Efeu bewachsenen Pavillons oder Rosenbögen, die dem heimischen Vorgarten eine ganz persönliche, liebevolle Note gaben und von denen man aus den vorbeifahrenden Verkehr beobachten konnte, wenngleich er auch nur sehr, sehr gering war. Manchmal war es auch nur ein Motorradfahrer, den es hierher verschlug – so wie mich.

So passierte ich viele Häuser und Anlagen, doch bei einem Grundstück auf der linken Seite vor mir wurde mein Blick gefangen. Ich konnte zunächst gar nicht sagen warum, doch völlig gebannt starrte ich schon fast neugierig auf das Anwesen und versuchte, alle Informationen aufzunehmen. Möglicherweise lag es an dem Fahnenmast, der inmitten eines Blumenbeetes stand, das wie ein Boot geformt und auch so angelegt war. Direkt daneben erkannte ich eine weiße Tisch- und Stuhlgarnitur und noch etwas weiter rechts stand ein großer Leuchtturm, natürlich in den klassischen Farben – rot/weiß und natürlich gestreift. Am Tisch saß nur eine Person allein, alle anderen Plätze waren frei, und im Garten sah ich in gebückter Haltung jemanden, der wahrscheinlich gerade das Beet um den Leuchtturm herum bearbeitete. Von etwas weiter hinten, direkt neben dem rustikalen Fachwerk-Landhaus, kam eine weitere Person mit einer Schubkarre den Kiesweg entlang, der ebenso fein mit weißen Steinen eingefasst war, wie alle Beete, die ich bei meiner kurzen Vorbeifahrt wie in einer Momentaufnahme erkennen konnte.

So – genau so stelle ich mir ein Altersheim vor, dachte ich und war auch schon mit dem Motorrad am Grundstück vorbei, doch meine Gedanken blieben dort, und ich war wie gefesselt von den Eindrücken. Wie von einer inneren Stimme berufen, stoppte ich und fuhr zurück. War es Neugierde? Ich weiß es nicht, aber diese wenigen Sekunden der Aufnahme, diese kurzen Bilder, die wie ein paar Werbespots im Kino an mir vorbeihuschten, sollten, wie sich später noch zeigen wird, wegweisend für meine Reise, für diese Geschichte und für viele andere Gedanken sein.

Kapitel

2

Die Ankunft

Ich stellte das Motorrad rechts am Straßenrand ab, etwas abseits der Einfahrt, die sich auf dem weißen Kies durch den Park bis zum Haus schlängelte. Die Sonne hatte noch ausreichend Kraft, und es war angenehm einfach, nur im Hemd diese Nachmittagsstimmung zu genießen. Ich ging in Richtung der allein sitzenden Person am Tisch und wollte mich gerade vorstellen, da wurde mein Besuch auch schon vom Haus aus registriert, und ich zog es vor, mich zunächst einmal dort bei der Hausleitung zu melden, beziehungsweise den Grund meines Besuches zu erklären.

Aber was war überhaupt der Grund meines Besuches? Fand ich doch das Haus und die Anlage vom Motorrad aus einfach nur einladend und interessant. Konnte man das als Grund angeben, ohne gleich für verrückt erklärt zu werden? Aber so war es ja auch, und warum sollte man es dann nicht auch ganz einfach so sagen dürfen? Zugegeben, es hörte sich auch etwas ungewöhnlich an, viele Besucher werden hier aus diesem Grund bestimmt nicht anhalten. Und gerade in der heutigen Zeit, die an Kriminalität, Angst und Schrecken deutlich zugenommen hat, da war die Sorge beziehungsweise ein berechtigtes Misstrauen ganz sicher nicht ungewöhnlich und auch absolut nachvollziehbar. Ich passierte also den älteren Herrn am Tisch und warf ihm ein *„Guten Tag“* entgegen, doch mit versteinerter Mine, ohne den Blick zu verändern, blieb er fast regungslos sitzen und nur ein kurzes und knappes, *„Moin“,* kam kaum zu verstehen von ihm zurück. Ich erreichte das Haus und wurde bereits von dem Herrn empfangen, der meine Ankunft schon von weitem sah und mich beim Betreten des Grundstücks beobachtete. Ich streckte ihm die Hand entgegen, stellte mich vor und erklärte ihm genau das, was ich zuvor als Grund im Stillen für mich formulierte, und ganz ehrlich gesagt war die Reaktion auch ungefähr so, wie ich sie erwartet hatte. Mit einem Schmunzeln und einem fragenden Gesichtsausdruck spürte ich, dass weiterer Klärungsbedarf notwendig war. Ich weiß nicht, ob es an meinem ungewöhnlichen Wunsch, an meinem plumpen, naiven mit der Tür ins Haus fallen oder vielleicht doch an den ehrlichen Zügen in meinem Gesicht gelegen hat, aber der Herr streckte mir ebenfalls die Hand entgegen: *„Jetzt haben sie mich aber neugierig gemacht“,* sagte er und bat mir auf der Veranda am Tisch einen Platz an. Er stellte sich als **Herr Günther** (58) vor, der verantwortliche Geschäftsführer der Einrichtung, kurz gesagt – er war der Heimleiter.

Ich berichtete ihm von meiner Reise, den Gedanken, meiner Flucht und von meinem Ziel, dem Großstadtgewirr zu entrinnen, bis hin zu dem Moment, in dem ich seine Wohnanlage sah, die nach meiner Vorstellung und Fantasie, der ideale Platz für ein Altersheim wäre. **Herr Günther** hörte mir aufmerksam zu, und als ich mit meiner Geschichte am Ende war, da legte er sich in seinem Stuhl etwas zurück, verschränkte die Arme vor der Brust und ließ etwas Zeit verstreichen, bevor er antwortete.

„Sie haben Recht“, sagte er, *„wir sind in der Tat ein Altersheim, ein Seniorenstift, eine Ruheresidenz oder wie man es auch immer nennen möchte. – Es gibt viele Namen oder Bezeichnungen aber schlussendlich kommt es auf das Gleiche heraus. Hier, in diesem Haus, finden ältere Menschen eine Gemeinschaft, ein Heim, ja man könnte schon fast sagen eine neue Familie oder überhaupt eine Familie, denn einige waren ihr halbes Leben allein, bevor sie hier ihren Platz fanden. Allerdings gibt es auch andere, die den Platz nicht selbst fanden, sondern denen der Platz gefunden wurde, wenn sie verstehen, was ich meine. Sie fielen zur Last, haben gestört, wurden unbequem, brauchten Pflege, sie wurden ausgemustert, abgeschoben, sie wurden schlicht weg einfach nicht mehr gebraucht. Dieses Gefühl, nicht mehr gebraucht zu werden, zu spüren, dass man keinen Platz mehr hat, das lässt sich mit nichts vergleichen. So verbirgt sich hinter jedem Bewohner eine mehr oder weniger aufregende Geschichte.“*

… und jetzt hatte er mich neugierig gemacht!

Diese Geschichten wollte ich erfahren oder wenigstens einen Teil davon, und in meinem Kopf wuchs die Neugierde. **Herr Günther** schmunzelte, denn diese Geschichten waren keine Kurzgeschichten, hier ging es um die Lebensgeschichten von Menschen, und nicht jeder würde gern über die Vergangenheit sprechen, oder möglicherweise alte Wunden aufreißen, die die Zeit mühsam geheilt oder wenigstens die Blutungen mit einem großen Pflaster zunächst einmal gestillt hat. *„Aber dennoch“,* sagte **Herr Günther**, *„dennoch wäre es ein Versuch wert, den einen oder anderen Bewohner ein Stück aus seinem täglichen Trott herauszuholen.“*

An Betreuern mangelte es im Heim ebenso wie an Abwechslung, die von außen her kam. Für **Herrn Günter** und seine Mitarbeiter, die zum Großteil aus ehrenamtlichen Helfern aus den Nachbargemeinden bestanden, war es sehr, sehr schwer, das richtige Paket Betreuung, Seelsorge und Abwechslung zu schnüren, wie man so schön sagt. Man konnte es auch nicht allen Recht machen, und vor diesem Problem standen die Verantwortlichen tagtäglich. Es begann bereits beim Frühstück und zog sich wie ein roter Faden durch den Tag. Was dem Einen große Freude bereitete, war dem Anderen ein Gräuel. Der Musikabend, die Theateraufführung oder einfach nur der Spielabend, konnte genauso falsch sein, wie die Fahrt ins Grüne, der Gymnastikkurs oder aber der Spielfilmabend. – Und warum war das so? Weil jeder seine eigenen Interessen, seine eigenen Wünsche und Vorlieben hatte. Und dieses zusammen in eine harmonische Gemeinschaft zu bringen, das war die Kunst eine Kunst, die der Heimleiter und seine Mitarbeiter jeden Tag aufs Neue versuchten, es ihnen aber nicht immer gelang, die richtigen Programme zusammenzustellen. Möglicherweise ergab sich ja in solchen Gesprächen plötzlich das Interesse, über die eigene Lebensgeschichte zu reden, es wäre ein Versuch wert gewesen, den einen oder anderen oder sogar alle aus ihrem täglichen Rhythmus herauszuholen und vielleicht auch die Mitbewohner mit anderen Augen zu sehen, wenn man einen Teil ihres Lebens, Abschnitte ihres Lebens erfahren würde. Wer weiß, vielleicht entwickelte sich auch durch die neue Sichtweise mehr Verständnis für bereits passierte Dinge oder Reaktionen, die man vorher als stur, verbohrt, senil oder arrogant abgeurteilt hatte.

In der Einrichtung waren einige Gästezimmer vorhanden, für Angehörige, die von weit her kamen und einige Nächte im Haus verbleiben wollten. **Herr Günther** lud mich ein, natürlich auch mit dem Hintergrund, einen, wenn auch nur für kurze Zeit, hilfreichen Unterhalter seiner Bewohner zu bekommen und ich, der sich ja sowieso eine Bleibe für die Nacht suchen musste, fand diese Idee ausgesprochen großzügig und nahm sie dankend an. Zu einem ortsüblichen Übernachtungszins bezog ich ein kleines Zimmer im hinteren Bereich des Hauses, und wir verabredeten uns für 18Uhr im Gemeinschaftssaal zum Abendbrot. Dort wollte **Herr Günther** mich vorstellen, von der Idee meines Besuches berichten und die Mitarbeiter um ihre Meinung und Einverständnis fragen, was meinen Aufenthalt betraf.

Vor noch nicht einmal drei Stunden fuhr ich mit dem Motorrad ziellos durch die Gegend der Ruhe und Entspannung entgegen, und nun saß ich auf dem Bett in einem Altersheim. Aber ganz so abwegig war der Gedanke ja dann auch nicht, denn hier hatte ich alles andere als Stress und Hektik. Ich hatte Ruhe und Entspannung und irgendwie auch Schmetterlinge im Bauch, wie ein Solist vor seinem ersten großen Auftritt. Wie würde ich auf- und angenommen werden? Was wird mich erwarten? Wie werde ich mit den Geschichten, den möglichen Schicksalsschlägen umgehen und klarkommen? War ich überhaupt geeignet, das zu tun, was ich tat? Ich stellte mir die Gegenfrage: *„Was war es überhaupt, das ich tat?“*

Ich wollte zunächst nur zuhören. Vielleicht braucht so manch ein Mitbewohner einfach nur mal einen Zuhörer, nichts anderes als einen Menschen, der da sitzt und mit seiner Anwesenheit signalisiert: *Ich bin da, höre zu, bin interessiert, du bist wichtig und ich habe alle Zeit der Welt – nur für Dich!* **So war die Idee und der Plan.**

Es war kurz vor 17 Uhr, noch Zeit, sich ein wenig frisch zu machen, bevor dann aus dem Lautsprecher im Zimmer ein sanfter Gong ertönte und daneben ein kleiner Kasten mit gut lesbarer Aufschrift „**17:30 Uhr**“, leuchtete. Ein Ankündigungssignal für das bevorstehende Abendessen um 18 Uhr, wie ich später erfuhr. Ich wartete noch ein paar Minuten, dann machte ich mich auf den Weg. In den Fluren traf ich einige Mitbewohner, die langsam und gemächlich in Richtung des Fahrstuhls gingen. Es sah so aus, als ginge jeder seinen eigenen Weg, als wäre er vorgezeichnet. Es war eine schon fast gespenstische Ruhe, und ich hatte das Gefühl, dass keiner meine Anwesenheit so richtig registrierte beziehungsweise wahrnahm. Im großen Saal waren vereinzelte Tischkombinationen zu erkennen, ich sah Zweiertische, Vierertische und auch noch größere Kombinationen. Die Bewohner gingen alle zielstrebig auf ihren Platz zu, es sah auf jeden Fall so aus, als hätte jeder seinen festen Platz. Alles passierte in völliger Ruhe, und die Stimmung wurde mit angenehmer Musik schwach begeleitet. Als sie alle ihren Platz gefunden und eingenommen hatten, verstummte die Musik, und der Heimleiter, **Herr Günther,** trat vor, begrüßte alle Bewohner, wünschte einen gesunden Appetit und stellte mich in diesem Zug als Gast und Teilnehmer an dem Abendessen vor. Beim anschließenden bunten Abend wollte er dann etwas mehr über mich erzählen und lud dazu alle ganz herzlich ein. Ich nickte mit einem freundlichen „Guten Abend“ in die Runde und sollte später noch Gelegenheit bekommen, etwas mehr über mich und meinen Aufenthalt zu erzählen.

Ich setzte mich etwas abseits an einen Zweiertisch und beobachtete zunächst das Treiben. Einige gingen zu dem sehr reichhaltig und schön dekorierten Buffet, während andere von den ehrenamtlichen Helfern oder auch von den noch rüstigeren Bewohnern mit Essen am Tisch versorgt wurden. Verschiedene Brotsorten, Aufschnitt und Obst waren genauso im Angebot wie eine warme Suppe und viele andere kleinen Leckereien. Kalte Getränke und Tee in reichhaltiger Vielfalt sollten keinen Geschmack auslassen. Die Ruhe und Gemütlichkeit setzte sich wie schon zu Beginn weiter fort, was sollte auch Spektakuläres passieren? Gegen 19:15 Uhr verließen die ersten den Saal und schlichen genauso ruhig und langsam zurück auf ihre Zimmer, wie sie auch zuvor gekommen waren, und einige marschierten direkt nach nebenan, wo man sich zum gemeinschaftlichen Abendprogramm treffen wollte. Während ich das Treiben, die Bewohner und das Drumherum beobachtete, vergaß ich fast etwas zu essen, schmierte mir noch schnell eine Käsestulle, holte mir eine Tasse Tee dazu und wanderte auch nach nebenan. Als ich den Raum betrat, da strahlte mir eine wohnliche, sehr behagliche Wärme entgegen, mehrere tiefe schwere Sitzpolster standen im Raum verstreut, und mein Blick fiel auf den großen offenen Kamin, in dem das brennende Holz beruhigend knisterte, und ein großer schwerer Eichentisch erinnerte irgendwie an die Tafel einer Ritterrunde, wie es sie im Mittelalter auf den alten Burgen gab. Vereinzelte Plätze waren schon besetzt, einige saßen zu zweit an kleineren Tischen und hatten Brettspiele vor sich aufgebaut, während andere einfach nur da saßen und in das knisternde Kaminfeuer blickten oder der leisen Musik zuhörten. Auch hier schien jeder seinen Stammplatz zu haben, doch mir viel auf, dass der größte Platz, der große Eichentisch, völlig unbesetzt blieb. Niemand nutzte diesen Platz, er wirkte schon fast wie eine verbotene Zone. Als **Herr Günther** den Raum betrat, sprach ich ihn darauf an, und er erklärte mir, dass dieser Tisch, ganz zu seinem Bedauern, eigentlich nie benutzt würde und sich ein jeder seine eigene Ecke oder Höhle suchte. Auch die Kommunikation hielt sich sehr in Grenzen, ein Flair, wie in einer Bibliothek, die sich im Übrigen mit unzähligen Büchern im hinteren Bereich des Raumes befand.

Niemand suche den Kontakt, alle saßen einfach nur herum, und man hätte fast glauben können, es wäre ein Zeitabsitzen gewesen, wie zu der Schulzeit, wenn man etwas angestellt hatte und nachsitzen musste. Der Raum hatte den Namen Gemeinschaftsraum, aber was war denn das für eine Gemeinschaft, dachte ich, bei der jeder wie an einer Schnur gezogen seinen Platz einnahm und nach einiger Zeit wieder aufstand und den

Raum ebenso stumm wieder verließ und den Weg auf sein Zimmer suchte? Schweige- oder Ruheraum hätte ihn wahrscheinlich besser beschrieben, zeitweise konnte man fast meinen, man säße bei Madame Tusseauds im Wachsfiguren Kabinett. Aber wie sollte man das ändern? Wollten die Bewohner dieses überhaupt – geändert werden und wenn ja, wer sollte es dann tun?

Als zu erkennen war, dass keine weiteren Besucher in den Raum kamen, ich zählte zirka zwölf bis dreizehn Personen, da kam der Heimleiter **Herr Günther** mit einer Tasse Tee vom Teetisch zurück, der sich gleich bei der Bibliothek befand, und rührte mit gleichmäßiger Bewegung in der Tasse herum, ging in Richtung des Kamins, auf seinem Gesicht reflektierten die flimmernden Schatten des lodernden Kaminfeuers, und begann mit ruhiger Stimme zu reden. Er sprach zunächst von allgemeinen Dingen, Dinge des täglichen Ablaufes, dann sprach er einige Mitbewohner persönlich an, doch die Antworten waren zum Großteil emotionslos, einsilbig, knapp und bündig. Dann, nach einigen Minuten, kam er zu meiner Vorstellung. Er beschrieb den Mitbewohnern auch genau so, wie sich die Begegnung mit mir zugetragen hatte und übergab dann das Wort an mich. Ich begrüßte noch einmal alle und bedankte mich, dass ich als Gast an dem Abendessen teilnehmen durfte und begann meine Geschichte so, wie sie begann und spürte, dass weder bei der Schilderung der überfüllten Straßen der Großstadt, noch bei meinem Empfinden der Einsamkeit auf dem Motorrad auch nur irgend eine Regung, geschweige denn ein Interesse zu erkennen war. Ich versuchte, schnell die Kurve zu bekommen und kürzte die Geschichte ab. Sollte ich mich gleich wieder verabschieden; vielleicht morgen nach dem Frühstück meine Reise nach Irgendwo fortsetzen? Das waren meine Gedanken, während mein Mund ganz trocken wurde und parallel ganz andere Dinge sagte, als das, was mein Hirn gerade dachte. Und als ich mit dem Denken fertig war, da hörte ich nur noch, wie mein Mund sagte: *„... und darum würde ich gerne einige Tage hier verbringen, um zu hören, reden, helfen, fragen und zu lernen.“* Es gab kein Nein, aber auch kein Ja, es gab einfach nichts. Sie alle saßen da, genauso wie vor ein paar Minuten, einfach nur da. Keine Einwände, keine Fragen, keine Ablehnung, einfach nichts, als **Herr Günther** wieder das Wort ergriff, mich schmunzelnd ansah und mit einem *„Willkommen in unserer Welt“* die Situation und vor allem aber mich rettete.

Beide besprachen wir uns, wie es weitergehen konnte, und ich bat darum, mit den Bewohnern einfach nur reden zu dürfen; ihrem Einverständnis natürlich vorausgesetzt, sie etwas kennenzulernen und sie vielleicht sogar etwas aus ihrem Schneckenhaus herauszuholen. Vielleicht würde ich sogar Dinge erfahren, die das Miteinander stärken beziehungsweise die Motivation, Lebensfreude oder vielleicht sogar die Gemeinschaft positiv verändern konnten. Im Gegenzug oder auch zwangsläufig würde ich mich natürlich in die täglichen Arbeitsabläufe mit einbringen. Sagen wir es kurzum, ich bat um einen Praktikumsplatz, einen Ferienjob ohne Bezahlung, mit freier Kost und Unterbringung. **Herr Günther** schmunzelte erneut und fand diesen Wunsch doch sehr ungewöhnlich, aber durchaus interessant. Was hatte er denn zu verlieren, beziehungsweise zu investieren? *„Gut“,* sagte er, *„wir werden es ausprobieren, aber den Versuch, oder nennen wir es das Praktikum, bei der geringsten Unruhe oder Störung sofort beenden.“* Das war mehr als ich erwartet hatte, und ich freute mich auf den nächsten Tag, meinen ersten Tag als Praktikant in einem Altersheim.

2.1__ … sie kommen und sie gehen!

Bevor ich zu Bett ging, nahm ich mir auch noch eine Tasse Tee und setzte mich auf den mit einer gegerbten Tierhaut überzogenen Holzschemel direkt vor den Kamin und blickte genauso starr in das Feuer, wie alle anderen. Ich verfiel in tiefe Gedanken, ließ den Tag noch einmal Revue passieren und bemerkte gar nicht, dass ich der scheinbar letzte im Raum war. Alle anderen waren schon zu Bett gegangen. Ich hielt die halbvolle Teetasse immer noch in der Hand, der Tee war mittlerweile kalt, da seufzte ich vor mich hin beziehungsweise redete mit mir selbst so etwas wie: *„Na ja, da bin ich mal gespannt was der Tag morgen bringen wird?“* Da brummelte hinter mir eine noch tiefere, kaum zu verstehende Stimme: *„Auch nichts anderes als heute und gestern“,* dann verstummte die Stimme, und ich erschrak, denn glaubte ich mich doch allein im Raum, und als ich mich umsah, da saß ein älterer Herr in einem großen Ohrensessel, genau die gleiche Person, die ich bei meiner Ankunft allein am Tisch auf der Veranda sitzen sah. Ich drehte mich um, ging zu dem Mann und fragte, ob ich mich zu ihm setzen dürfte, doch er antwortete: *„Was soll sich hier schon ändern? Tagaus, tagein der gleiche Trott, bis es vorbei ist.“*

Seine Stimme war monoton, langsam, ja schon fast resignierend. Ich setzte mich auf den Holzschemel, den ich vom Kamin mitgenommen hatte und hörte dem Mann zu. *„Sie kommen – und sie gehen. Wenn man erst einmal hier gelandet ist, dann dauert es nicht mehr lang.“* Während der Mann erzählte, blickte er nicht nach links, nicht nach rechts, sah mit starrem Blick, wie versteinert, nur nach vorn. *„Ich war früher oft allein“,* sprach er weiter, *„wenn ich manchmal wochenlang mit meinem Schiff auf hoher See unterwegs war, aber da – da war ich mein eigener Herr, da konnte ich entscheiden, was das Beste für mich war, und diese Entscheidungen haben mich so manches Mal aus verzwickten Situationen heraus gebracht, ja, mir vielleicht sogar das Leben gerettet. Und heute, heute bin ich alt, geparkt in einem Haus, in dem alle nur aneinander vorbei schleichen. Es wird dir hier alles gesagt, wann du aufzustehen hast, wann du Hunger haben sollst und was du in deiner Freizeit gerne machen möchtest, das wird dir auch noch gesagt! Woher wollen die wissen, was ich gerne möchte? Heute haben wir zwanzig verschiedene Teesorten, Blasen- und Nierentee, Früchtetee, Grüner Tee, alles was das Herz begehrt – sagen sie, woher wissen die denn, was mein Herz begehrt? – Pah! Früher habe ich mir einen ordentlichen Schuss Rum in den Tee geschüttet. Der ließ mich gut schlafen, hielt mich gesund, und geschmeckt hat er nebenbei auch noch! Und hier, hier kennt man gar keinen Rum mehr – wie so viele andere Dinge auch nicht mehr!“*

Dann wurde er wieder still, und man hörte nur noch das Knistern im Kamin. Ich stand auf, ging zu der Anrichte, auf der die Getränke standen, und goss eine Tasse mit heißem Tee auf, ging zurück und stellte sie dem alten Mann auf den kleinen Beistelltisch, der neben seinem Ohrensessel stand. Dann griff ich in die Westentasche meiner Strickjacke und holte ein kleines Fläschchen heraus, das ich bei meinen Reisen immer bei mir trug, ein Erbstück, eins von den ganz wenigen Dingen, die ich von meinem Großvater neben einer alten Taschenuhr noch als Erinnerung hatte und was mir sehr viel bedeutete, denn leider durfte ich meinen Großvater nicht kennen lernen, er war einer von den vielen Männern, die aus dem Krieg nicht zurückkehrten. Eigentlich trank ich gar keinen Alkohol, aber wenn es der Magen nach einem kräftigen Essen verlangte, dann durfte es schon mal so ein kleiner sein.

Ich öffnete den Flachmann, er war klassisch geformt mit einem Wappen darauf, ich glaube, es war ein altes Familienwappen, und goss einen Schuss in den Tee des alten Mannes und sagte, dass es leider kein Rum sei, aber man ebenso gut danach schlafen könnte. Der alte Mann sah mich an, nahm den Tee, setzte die Lippen an den Tassenrand und schlürfte genussvoll einen kräftigen Schluck und starrte dabei ins offene Feuer. Vielleicht hatte ich es mir nur eingebildet, oder es war tatsächlich so, ich möchte behaupten, einen ganz besonderen Glanz in den Augen erkannt zu haben, einen glücklichen, ja fast schon zufriedenen Ausdruck, als noch ein paar Minuten zuvor. Der alte Mann hielt die Tasse fest in seinen Händen und nippte immer mal wieder und nickte leicht mit dem Kopf auf und ab, wie als Bestätigung, und man konnte fast meinen, dass sein ganzes Leben in Gedanken wie ein Film durch seinen Kopf lief.

Aber was war passiert, fragte ich mich selbst, ich hatte doch nur bei ihm gesessen, ihm etwas Aufmerksamkeit geschenkt, zugehört und ihm einen Schluck aus meiner Magen-apotheke genehmigt. Sollte das schon ausreichen, um einen alten Menschen etwas Freude und Glück zu geben? In diesem Moment hatte ich mich dafür geschämt, wie achtlos und undankbar wir durch das Leben gingen und scheinbar nicht mehr in der Lage waren, mit dem einfachsten der Welt umzugehen. Mit diesem Gefühl ließ ich den alten Mann zurück, stand auf und wollte ihm zur Verabschiedung die Hand reichen, doch er ließ sie nicht von der Tasse ab. Ich legte meine rechte Hand auf seine Schulter und wünschte eine Gute Nacht, bevor ich den Raum verließ und in meinem Zimmer verschwand. Ich lag noch eine Weile wach im Bett, starrte unter die Zimmerdecke und war völlig erschlagen vom Tag. Die Uhr lag schon weit hinter der Mitternachtsgrenze, und die totale Stille der Nacht tat ihr übriges dazu, dass mir die Augenlider zufielen, die nunmehr schwer wie Blei schienen.

Was man in der ersten Nacht in einem fremden Bett träumt, das geht in Erfüllung, hatte meine Großmutter immer erzählt, also war ich gespannt, was für Träume in dieser Nacht über mich einfallen würden, und von weit in der Ferne hörte ich den metallenen Klang der Kirchturmglocke, die zweimal ertönte.

Kapitel

3

Der erste Tag als „Praktikant“

Pünktlich um 7 Uhr wurde ich von dem monotonen Surren meines Weckers aus den tiefsten Träumen gerissen. Eigentlich war es gar kein Wecker, es war mein Telefon, oder heute auch Handy gesagt. Das kann so ungefähr alles, alles was man sich denken und nicht denken kann. Es zeigt dir mit dem Navigationssystem den Weg, hilft dir, dich zu organisieren, erinnert dich an alles, was du vergessen könntest, speichert Fotos, Musik und alles, was nicht in einen Kopf passt. Es ist nahezu perfekt in Grammatik und deutscher Rechtschreibung, und wenn das nicht reicht auch gern in fast allen Sprachen dieser Welt. Was kann es noch – hmm, ach ja, telefonieren kann man damit auch noch. Wieder so ein Ding, das sich im Laufe der Zeit unglaublich schnell verändert hat. Wer es hat, der meint, er könnte ohne so ein Ding nicht mehr leben, und auch ich gehörte dazu, aber es ging auch ohne diese Maschine, und ich war gespannt, wie viele Bewohner im Haus ebenfalls Sklaven dieser Handys waren oder geworden sind?

Ich schaltete also meinen Handy-Wecker aus und ging zielstrebig aber ohne Hast und Eile ins Bad, denn ich wollte nicht der letzte beim Frühstück sein und den Bewohnern hinterher hinken. Frühstückszeit war angeschlagen für **7** bis **9 Uhr**. Kurz vor 8 Uhr betrat ich den Frühstücksraum, und wieder sah ich vereinzelt sitzende Personen, ein ähnliches Bild wie Tags zuvor beim Abendessen. Es duftete nach frischem Kaffee und Brötchen, und ich musste gestehen, ich freute mich auch tatsächlich auf einen leckeren Kaffee und ein Brötchen mit Marmelade. Ich ging an das Buffet, das wieder einmal liebevoll aufgebaut und gestaltet war. Heute Morgen waren dort zwei andere Gesichter als am Abend, die als ehrenamtliche Helfer bei den Mahlzeiten, aber auch bei den anderen täglichen Dingen abwechselnd zur Verfügung standen und mit aushalfen. Gestern Abend waren es zwei ältere Personen, wie ich später erfuhr, das **Ehepaar Mayer** (er 57, sie 54), das nur einen Ort weiter wohnte und sich als ständiger Helfer mit einbrachte. Heute morgen war es eine junge Frau, **Heidi Büskens** (42), die vormittags, wenn ihre Kinder in der Schule sind, mit aushilft sowie **Mathilde** (52), die von allen nur liebevoll die *„Küchenfee“* genannt wird, die für Küche zuständig ist und täglich Dienst hat – und wie ich später erfuhr, eigentlich auch irgendwie zum Inventar gehört. Das Essen kam aus einer zentralen Großküche, wo für das Krankenhaus, zwei Altenheime und eine diakonische Einrichtung zubereitet und ausgefahren wurde. **Mathilde** achtet darauf, dass das Drumherum vom Geschirr bis zur Käseplatte an seinem Platz lag und niemand etwas entbehren musste – so es ihr möglich war.

Ich nahm mir ein Tablett und füllte es mit zwei Brötchen, etwas Aufschnitt, Himbeermarmelade und einer leckeren Tasse Kaffee. Das „leckere“ vor der Tasse Kaffee hatte sich nach dem ersten Schluck schnell relativiert: Kaffee HAG, Schonkaffee war schonend fürs Herz, aber nicht der morgendliche Gaumenschmaus, den ich sonst gewohnt war, aber es gab ja auch Tee, Milch, und eine leckere Tasse Kakao kann man sich auch mal morgens gönnen. Mit diesen leckeren Kostbarkeiten suchte ich mir einen freien Platz, was wiederum nicht schwer war, denn fast alle Plätze waren frei. Ich setzte mich wohlweislich an einen kleinen Zweiertisch neben dem zwei Damen saßen. Es sah so aus, als waren sie bereits mit dem Frühstück fertig, saßen aber noch bei einem Plausch zusammen. Es sah schon irgendwie plump aus, sich direkt an einen besetzten Nachbartisch zu setzen, wenn zwei Drittel der Tische im Raum frei waren. Aber ich suchte ja Kontakt und ließ dafür natürlich keine Gelegenheit aus.

3.1__ Unsere Gitter sind das Alter

Noch während ich nachdachte, wie ich diese Zweier-Frauenfraktion knacken, mit ihnen ins Gespräch kommen konnte, da sprach mich auch schon die eine der beiden Damen an und fragte mich, wie ich denn die erste Nacht hier im Haus geschlafen hätte. Ich war völlig überrascht, denn nicht **ICH** musste den Anfang machen, sondern sie ergriffen die Initiative, ein Zustand der das ganze Gespräch deutlich erleichtern sollte, doch ich war wohl so perplex, dass ich zunächst nur ein Gestammel und dann auch noch zusammenhangloses Zeug zustande brachte. Auf meine Frage, wann denn die anderen Bewohner so in der Regel zum Frühstück gehen würden, da gaben mir die beiden Damen zu verstehen, dass sie zu den letzten der Runde gehörten und eigentlich schon fast alle durch waren. – Dann berichtete ich von der letzten Nacht, dass ich noch lange im Gemeinschaftsraum mit dem älteren Herrn zusammen saß, aber leider seinen Namen nicht erfuhr. *„Zur See muss er gefahren sein“,* sagte ich, das hatte ich mir gemerkt. Die beiden Damen schmunzelten, und wie abgesprochen kam es von ihnen zurück: *„Ach ja, der alte **Hentrich** (92), hat er wieder wirres Zeug geredet? Hin und wieder neigt **Opa Hentrich** dazu, etwas zuviel Seemannsgarn zu spinnen, und dann gehen mit ihm die Pferde beziehungsweise die kleinen Segelboote durch“*, sagte die eine von den beiden Damen, was von der anderen mit schallendem Gelächter begleitet wurde. Ich glaubte, es wäre besser, in diesem Moment nichts von dem Schuss Schnaps in den Tee zu erzählen.

Dann erzählten sie mir, dass **Opa Hentrich** in seiner eigenen Welt lebte. Oft sei er in Gedanken tagelang auf hoher See und nur seine Hülle wäre dort im Heim geblieben. *„Vielleicht gar keine so schlechte Idee, mal für einen Moment, für eine bestimmte Zeit von hier auszubrechen"*, sagte die andere von den beiden Damen. *„Ausbrechen",* sagte ich, *„ausgebrochen wird aus einem Gefängnis, aus einer Gefangenschaft, aber ich sehe hier gar keine Gitter oder Zäune."* Die Damen schmunzelten erneut, aber diesmal war es ein resignierendes Schmunzeln, begleitet durch den Kommentar: *„Junger Mann, unsere Gitter sind das Alter, die Zäune, die Gesundheit und die Mauern unserer Einsamkeit, die uns hier wie Gestrandete auf einer Insel leben lassen."* Dann standen sie auf, gingen ein paar Schritte, als sich die eine Dame noch einmal umdrehte und sagte: *„Robinson Crusoe war viele Jahre als Gestrandeter auf einer einsamen Insel, aber er hatte immer die Hoffnung, gefunden zu werden – diese Hoffnung hat hier keiner mehr, denn wer sollte uns schon suchen oder gar vermissen"*, sie drehte sich zurück und verschwand.

Hatte ich doch gerade noch so großen Hunger, so war er ganz plötzlich wie weggeblasen. Da hatte ich wieder das flaue Gefühl im Magen, das schlechte Gewissen. Interessant war, mit welcher Sachlichkeit, Ruhe und Würde die ältere Dame dieses Beispiel formuliert hatte und mir mit wenigen Worten die Gedanken und Gefühle vieler Bewohner zu verstehen gab. In meinem Kopf drehte es sich wie nach einer Karussellfahrt und ich beschloss, nach draußen an die frische Luft zu gehen. Auf der überdachten Veranda wurde ich freundlich von **Herrn Günther** begrüßt, der mich fragte, ob ich schon Kontakte zu den Bewohnern hergestellt hätte. Ich erzählte ihm von den beiden Damen und von **Opa Hentrich**, und er war sehr überrascht, dass ich schon so weit war. *„**Opa Hentrich** ist ein echtes Original",* sagte er, *„aber die beiden Damen nicht weniger",* fuhr er fort und erklärte mir, dass die eine der beiden Damen eine echte Gräfin war und sie gemeinsam mit ihrer besten Freundin in dieses Heim gekommen sei. Die **Gräfin Charlotte von Naumburg** (79) hatte silbergraues Haar, und mir war sehr schnell klar, welche dieser beiden Damen beim Frühstück die Gräfin war. Ihr Auftreten war sehr elegant, stiel- und würdevoll, ihre Freundin, **Helene Bockels** (78), war da eher ruhig, ja schon fast schüchtern und positionierte sich gern in zweiter Reihe. Diese beiden Damen kannten sich noch aus der Schulzeit, doch dann verloren sich ihre Wege und erst viele Jahre später, als der schlimme Krieg zu Ende und das Leben wieder Normalität zu finden versuchte, trafen sie sich erneut und beschlossen den Weg fortan gemeinsam zu gehen.

Charlotte von Naumburg hatte gemeinsam mit ihren Kindern ein hochherrschaftliches Anwesen, doch zog sie es vor, gemeinsam mit der besten Freundin die Heimat zu verlassen, um an ihrer Seite den restliche Lebensweg zu gehen. *„Was die Gräfin noch dazu geführt hatte, wer weiß“,* sagte **Herr Günther**, *„vielleicht wird sie es ja eines Tages erzählen, nur soviel sei gesagt – sie bekam noch niemals Besuch von der eigenen Familie.“*

Während ich **Herrn Günther** gebannt zuhörte, sah ich **Opa Hentrich** wieder an seinem gewohnten Platz am Tisch vor dem Haus, und er saß dort genauso wie am Tag zuvor, als ich die ersten Bilder im Vorbeifahren in mir aufsog. Nur jetzt wusste ich, wer er war – obwohl, eigentlich auch nicht wirklich, ich wusste nur seinen Namen und dass er zur See gefahren ist; denn um von jemandem zu wissen, wer er ist oder war, da braucht es schon etwas mehr als nur eine Tasse Tee mit etwas Schnaps. Aber ich sah ihn mit ganz anderen Augen als am Vortag, als ich mit einem nüchternen „Guten Tag“ an ihm vorbei ging. Ich musste jetzt sogar schmunzeln, als ich sah, wie er sich eine alte Pfeife aus der Jackentasche zog und sie zwischen die Lippen seines ledergegerbten, von der rauen See und dem Leben geprägten Gesichts schob und genüsslich an der Pfeife zog, die nicht brannte, ja noch nicht einmal mit Tabak gefüllt war. Aber ich glaube, das war ihm völlig egal, denn er sah aus, als wäre er gerade wieder kurz vor dem Kap Horn unterwegs.

Ich setzte mich an den runden Tisch vor der Hibiskushecke und beobachtete das Treiben im Garten vor dem Haus und war erstaunt, wie viel Bewegung dort überall zu erkennen war. Der Gärtner **Rudi** (38), flitzte mit seiner grünen Schürze und den dicken schweren Gummistiefeln von Busch zu Busch und brachte sie mit der Gartenschere in Form. Der große Hut mit den nach unten gebundenen Seitenflügeln gehörte genauso zu seinen Erkennungsmerkmalen wie der schon fast künstlerisch gezwirbelte Bart, was ihm auch den Spitznamen *„Rumpelstilzchen“* einbrachte. **Rudi** machte das nichts aus, dass ihn die Bewohner heimlich so nannten, irgendwie freute es ihn auch, denn er liebte seine Arbeit, was man durchaus erkennen konnte. Er sprach mit den Bäumen, Sträuchern und Pflanzen – sei es Einbildung oder nicht, doch der Garten war in einem nahezu perfekten Zustand, was **Rudi** natürlich ganz anders sah.

Ich hielt es für das Beste, ein paar Aufzeichnungen zu machen, damit ich vielleicht auf das eine oder andere später noch einmal eingehen konnte und natürlich auch, um mir so viel wie möglich mitzunehmen, was ich hier während meines Besuches, während des Praktikums, alles erfahren und lernen durfte. Ich saß also an dem runden Tisch, und ich spürte, wie die Zeit und der Tag an mir vorbei liefen. Aufgeschreckt von einer Fahrradklingel schaute ich nach oben und sah den Briefträger mit dem Drahtesel um die Ecke kommen. Er stieg ab, schob das Rad den Kiesweg entlang, und als er **Opa Hentrich** passierte, da rief er ihm ein: *„Moin Gustaf“* zu, was von **Opa Hentrich** mit einem erhobenen Arm zum Gruß erwidert wurde. Der Briefträger, **Herr Schultz** (48) wurde von allen nur liebevoll *„Postminister“* genannt, und gern hielt man mal ein kleines Pläuschchen mit ihm, denn er war eines der wenigen Türchen zu der Welt da draußen. Post hatte er selten dabei, das heißt in der Ferienzeit schon eher, wenn die Kinder den Senioren bunte Ansichtspostkarten aus fernen Ländern schickten, ihnen schilderten, wie gut es ihnen ging, wie dringend sie doch den Urlaub nötig hatten und hofften, dass auch bei ihnen im Heim alles gut war und ihnen nichts fehlen würde. Es war schon komisch. Viele schafften es zweimal im Jahr oder sogar noch öfter, in ferne Länder zu reisen: Portugal, Spanien, Griechenland waren da nur die nahen Ziele; Asien, Ägypten, Afrika – fremde Welten, neue Kulturen kannten sie deutlich besser als den Weg in das kleine Dorf, wo sie mit einem Besuch bei den eigenen Verwandten für einen kurzen Moment Glück und Wärme hätten geben können. Da tat es die Postkarte ja scheinbar ebenso gut oder das Geschenk zu Weihnachten, mit der Hautcreme wie in jedem Jahr, dem Halstuch und der Packung Spekulatius vom Kaufmann an der Ecke, was dann auch noch liebevoll in Cellophanpapier eingehüllt und mit einer anhängenden Standartgrußkarte ausgestattet war.

„Der Weihnachtsurlaub war ja schließlich schon lange geplant, und ein Skiurlaub in St. Moritz oder der Badeurlaub auf den Seychellen lässt sich nicht so einfach verschieben. Und eigentlich wollten wir Dich ja über die Feiertage zu uns holen, aber diese Strapazen und denk doch an Dein Herz, lieber schicken wir Dir eine schöne Flasche Doppelherz – wir melden uns dann aber gleich, wenn wir wieder zurück sind und an Deinem Geburtstag sehen wir uns dann aber ganz bestimmt – solange er nicht in die Ferienzeit fällt!“ Von diesen Texten hatten alle Bewohner reichlich sofern sie noch Angehörige da draußen in der anderen Welt besaßen. Das wusste auch **Herr Schultz** und setzte sich auch gerade deswegen gern einmal hin, erzählte oder hörte einfach nur zu, so wie es halt ein guter Postminister macht!

3.2__ Runde im Garten

Der Vormittag ging dahin, und ich war fleißig mit meinen Aufzeichnungen beschäftigt; notierte, studierte so wie ein Lehrer in der Schule, der gerade eine neue Klasse übernommen hatte und nun die Namen auswendig lernen musste. Ich unterbrach meine Arbeit für einen Moment, reckte und streckte mich ein wenig und nutzte die kleine Pause für einen Toilettengang. Als ich den Hauseingang betrat, da lagen vor mir lauter Stolperstrippen, Kabel wirr durch den Raum, begleitet vom lauten Brummen des Turbosaugers. Die Putzfrau war im Einsatz. Genauer gesagt waren es zwei, **Gerda Kruse** (52) und **Jaqueline Möller-Brecht** (25), die als harmonisch eingespieltes Team so herumwirbelten, das man eine ganze Armada am Ende der Strippen vermuten konnte. Sie schnatterten in einer Tour, zeitweise übertönten sie sogar die Saugmaschine. Wenn die beide herumwirbelten war Vorsicht geboten, und man hielt sich besser nicht in ihrem Wirkungskreis auf. Da konnte sich schon einmal ganz schnell der Läufer unter den Füßen selbstständig machen oder ein nasser Wischlappen unkontrolliert durch die Luft fliegen, und ich zog es vor, erst einmal draußen zu warten**. Opa Hentrich** sah mich an der Eingangstür stehen, beziehungsweise als ich rückwärts wieder herauskam, schaute mich an und murmelte mit einem verschmitzten Lächeln: *„Wenn das Scheuerlappengeschwader im Einsatz ist, wird das Haus zum Sperrgebiet"*, lachte einmal kräftig und verstummte auch ebenso schnell wieder.

Ich nutzte die Gelegenheit und schlenderte einmal um das Haus, denn im hinteren Bereich des Grundstücks, von der Straße nicht einsehbar, war der Park bald doppelt so groß als im vorderen Teil. Ein Pavillon, eine Terrasse mit mehreren Tischen und Stühlen, eine rustikale Feuerstelle mit großen Schwenkgrill, der mit einem Kupferdach überbaut war, im Halbkreis lagen Baumstämme darum und man hätte das eher einem Jugendlager zugeordnet, als einem Altersheim. Der mit weißem Kies bedeckte Weg zog sich auch im hinteren Parkbereich großräumig weiter, und wenn mich der vordere Gartenteil nicht schon begeistert hätte, spätestens hinten wäre ich dann zum ultimativen Fan geworden. Und so wie mir ging es auch vielen anderen Bewohnern. Ich hatte mich tatsächlich gefragt, wo die nur alle steckten, denn außer **Opa Hentrich** und das Rumpelstilzchen **Rudi** hatte ich vor dem Haus auch keinen gesehen. Ich ging also auf Erkundungsreise und steuerte die große Terrasse an. Zwei Damen und ein Herr saßen entspannt am Tisch, und ich fragte, ob ich mich dazugesellen durfte.

Kaum hatte ich Platz genommen, ließ ich meiner Begeisterung freien Lauf und lobte den Park in vollen Zügen. Bei den dreien hielt sich die Begeisterung in Grenzen, was nicht bedeuten sollte, dass sie anderer Meinung waren, aber sie sprudelten nicht gerade voller Explosivität und waren auch, was das anging, deutlich entspannter als ich. Nachdem auch ich mich wieder beruhigt hatte, versuchte ich herauszufinden, wie der Tagesablauf bei ihnen aussah, ob es zur Gestaltung einen festen Plan gab oder sogar ein Programm für die ganze Woche mit entsprechenden Angeboten und Aktivitäten.

Der alte Herr saß mit beiden Händen auf seinem Gehstock gestützt, den Blick nach vorn auf die Erde gerichtet und antwortete als erster: *„Man steht auf, geht zum Frühstück, sucht sich einem Platz, wo man es bis zum Mittagessen aushalten kann, und dann wartet man darauf, dass der Tag zu Ende geht.“* Lustlos, nüchtern und sachlich kam es aus seinem Mund, bevor er wieder stumm wurde. – *„Friederich“,* sagte die Dame, die ihm gegenüber saß, *„Friederich, werde nicht ungehalten, man gibt sich hier wirklich große Mühe und man kann es doch nicht allen Recht machen.“* Mit Friederich war Herr **Friederich Martens** (86) gemeint, ein alter Kohlenhändler aus Berlin. *„Wir haben schon weiß Gott schlechtere Zeiten erlebt“,* setzte sie fort und begann zu erzählen, wie schwer es war, nach dem Krieg wieder ein normales leben zu finden, Essen oder Trinken zu bekommen. Dann zeigte sie auf ihre Nachbarin und sprach, *„die Johanna, die hat sicher weitaus mehr Grund zur Beschwerde oder zum Jammern, aber sie tut es nicht, habe ich nicht Recht“,* bohrte sie nach, doch **Johanna** (78) war es sichtlich unangenehm, blickte verlegen auf den Boden, bevor sie dann doch einen kurzen Auszug aus ihrem Leben erzählte.

3.3__ Johanna Schneider

Johanna hatte schon früh beide Eltern verloren und verbrachte als Kind, zusammen mit ihrem drei Jahre jüngeren Bruder, viele Jahre im Kinderheim, bevor sie von einem Bauern aufgenommen wurden. Alles schien damals besser als das Heim, in dem man keine Wärme und Liebe bekam, so wie es doch gerade ein junges Menschenkind in der frühesten Entwicklung am aller nötigsten braucht. Der Bauer hatte einen großen Hof, sechs eigene Kinder, es gab Hühner, Schweine, ein paar Schafe, sogar zwei Kühe, und alles schien zunächst gut, doch schon sehr bald schoben sich schwarze, dunkle Wolken vor die Sonne.

Die Kinder des Bauern hatten ihren Platz in der warmen Stube, sie hingegen musste mit dem Bruder im Stall beim Vieh hausen. An Spielen war genauso wenig zu denken wie an den Besuch in der Schule. Die täglichen Essenrationen und den Schlafplatz mussten sie sich schwer erarbeiten, und wenn der Bauer seine Launen hatte, dann gab es auch schon mal den einen oder anderen Tag nur die halbe Ration an Essen. Es war ein unwürdiges Leben, aber man hatte einen Platz, und so traurig es auch klang, es war ein Zuhause und allemal besser als das Kinderheim. Zigeunerpack wurden sie genannt, viel mussten sie einstecken, doch der schlimmste Tag in ihrem Leben war der, als sie ihren kleinen Bruder verlor, der mit einer Lungenentzündung in ihren Armen starb. Der eiskalte Winter, die schlechte Versorgung und ein Stall, durch den der Wind nur so pfiff, das alles war zu viel für den kleinen Wurm. Beigesetzt wurde er in einem Massengrab, denn der schwere Winter hatte viele Opfer gefordert. Noch heute denkt sie oft an diesen Tag zurück, als sie hilflos zusehen musste, wie ihr kleiner Bruder starb und sie ihm nicht helfen konnte. Und immer, wenn sie in ihrem weiteren Leben eine schwere Hürde zu nehmen hatte, dachte und sprach sie gedanklich mit ihrem kleinen Bruder, und war doch irgendwie stolz, für ihn eine kleine Familie gewesen zu sein, auch wenn es nur für wenige Jahre in seinem kurzen Leben war. Mit Glanz in den Augen beendete sie diese Geschichte und hatte sogar ein Lächeln auf den Lippen. – *„Nein,* ***Margarete*** *(74), ich kann mich hier wirklich nicht beklagen, und du hast Recht, wir hatten schon weiß Gott schlechtere Zeiten."*

Irgendwie hatte ich einen Kloß im Hals und war froh, als ich plötzlich einen jüngeren Menschen auf unseren Tisch zukommen sah. Eine sportliche junge Frau, bekleidet mit Jogginghose und Sweatshirt, begleitete einen älteren Herrn, der mit ganz gemächlichem Schritt einen Rollator vor sich her schob. Am Tisch angekommen forderte sie mit kessen Bemerkungen Frau **Margarete Erlenbach** auf, ihr zu folgen, denn es war Zeit für die wöchentliche Gymnastikstunde. Der Herr mit dem Rollator schnaufte wie eine Dampflokomotive und übertrieb natürlich ein wenig und begleitete das mit den Worten: *„Unser kleiner Flummi hat mich wieder einmal durch das Zimmer gewirbelt. Was das Essen unserer Küchenfee hier scheinbar nicht schafft, das wird unsere Kleene bald hinbekommen. Entweder melde ich mich doch noch bei den Olympischen Spielen an, oder ich werde bei dem Tempo einen Herzinfarkt bekommen!"* Mit Kleene war die **Physiotherapeutin Trixi** (23) gemeint, das Küken im Team, von allen nur liebevoll als Flummi bezeichnet, nicht zuletzt weil sie so ein Springinsfeld war, ein nicht kaputt zu bekommender, niemals ruhender Gummiball.

„Ach ***Herr Kleinhans*** *(74), so schlimm war es doch gar nicht, und überhaupt werden sie immer besser und beweglicher und sie werden sehen, wer immer fleißig trainiert, dem wird es auch irgendwann gedankt. Wer weiß, vielleicht brauchen wir diesen sperrigen Rollator dann bald nicht mehr und können mit einem Stock klarkommen? Wer weiß, wer weiß“,* dabei lachte sie und genauso flink wie sie redete, hatte sie auch schon **Frau Erlenbach** eingehakt und marschierte mit ihr in Richtung Haus. *„Viel Spaß, Gretchen“,* rief die Freundin **Johanna** hinterher, während sie an der Buschgruppe um die Ecke verschwanden. *„Wo waren wir eigentlich stehen geblieben“,* fragte ich in die Runde, denn ich wollte wissen, ob es einen geregelten Tages- oder Wochenablauf oder etwas Ähnliches gab; oder ob man nur hin und wieder einmal ein Programm auf die Beine stellte und wenn ja, dann wer?

Herr Kleinhans ergriff das Wort, während die anderen aufmerksam zuhörten und aufpassten, dass auch ja alles richtig erzählt wurde. Alle wichtigen Informationen befanden sich an der großen Informationswand im Treppenaufgangsbereich. Dort musste ein jeder am Tag mehrmals vorbeigehen, denn sie stand genau vor dem Essenssaal. Auf dieser Wand stand alles. Über sie wurde kommuniziert, informiert, Bekanntmachungen ausgehängt und dann von dort mittels Buschfunk von Person zu Person weitergetragen. Die Tagesmenüpläne, Ausflugsangebote, Veranstaltungen oder auch andere geplante Dinge. **Herr Martens** und **Frau Schneider** nickten wohlwollend, doch dann kam der Einwurf von **Frau Schneider**: *„Die Schrift auf den Listen ist nur so klein und das Licht dort im Treppenhaus viel zu schwach, da habe ich schon meine Probleme.“* **Herr Martens** hob den Kopf und haute in die gleiche Kerbe: *„Ja, dunkel wie im Kohlenkeller, da kenne ich mich aus, bin ja als Kohlenhändler mein halbes Leben darin herumgeklettert. Aber heute, da braucht man kaum noch Kohlen, genauso wenig wie uns“,* dann wurde auch er wieder leise, und nur noch schwach konnte man den Nachsatz verstehen, den er sich in den Bart brummelte – *„uns braucht auch keiner mehr“, er* richtete sich etwas auf, streckte den Stock nach oben und rief: *„Stimmt, und viel zu hoch hängen die Zettel auch!“*

Ich beschloss, mir selbst ein Bild davon zu machen und wagte einen zweiten Anlauf, denn den ersten hatte ich ja wegen der Putzarbeiten abgebrochen – und überhaupt, der Toilettengang wurde jetzt schon etwas dringlicher. Ich ging zurück ins Haus, das Untergeschoss war tatsächlich staubsauger- und besenfrei, und marschierte auf direktem Weg zur nächsten Toilette. Der Schonkaffee vom Frühstück konnte es doch wohl nicht sein, denn eigentlich sollte der doch schonen, aber wahrscheinlich nur das Herz und nicht die Blase. Erleichtert und mit entspannten Gesichtszügen kam ich zurück ins Treppenhaus und steuerte zielstrebig auf die Multi Informationswand zu, wo **Frau Schiller**, die gute Seele der Verwaltung, wie sie von vielen, ich denke bestimmt von allen, genannt wurde, gerade neue Informationszettel anheftete, beziehungsweise alte, nicht mehr aktuelle Angebote entsorgte. **Frau Margot Schiller** war die *Chefin der Papiere*, leitete das Sekretariat, war die rechte Hand von **Herrn Günther** und das Herz der Belegschaft. Ich glaube, so ist es treffend beschrieben. **Frau Schiller** hatte immer ein offenes Ohr, nahm sich für alle Zeit und hatte stets ein Lächeln auf dem Gesicht. Das muss angewachsen sein, oder es wurde ihr in die Wiege gelegt, hörte ich später immer wieder – und tatsächlich, sie stand dort, mit der typischen Brille, die am Band um den Hals hing, und warf auch mir gleich ein freundliches Lächeln zu. Ich studierte die Pläne, die nicht nur nach Farben und Wochentagen, sondern auch nach Aktivitäten unterteilt waren. Und **Herr Martens** hatte Recht, die Zettel hingen zum größten Teil wirklich verdammt hoch, und beim Lesen hatte auch ich deutliche Probleme. Die Listen waren übersichtlich und gut gemeint, aber sichtlich zu klein, zu hoch, und zu dunkel war es auch. – Gut gemeint bedeutete nicht unbedingt auch gut gemacht, und ich notierte mir ein paar Stichworte als Erinnerungsnotiz.

Bis zum Mittagessen war noch etwas Zeit, und ich beschloss, mit dem Motorrad in den Nachbarort zu fahren und ein paar Besorgungen zu machen. Ich ging zu meinem Motorrad, das ich an der Seite des Hauses vor dem Holzschuppen geparkt hatte, und sah zwei männliche Hausbewohner davor stehen und konnte gerade noch ein paar Wortfetzen aufschnappen: *„ ... Ja, das waren noch Motorräder."* Als ich näher kam, gingen sie einen Schritt zur Seite und beobachteten mein Tun. *„Wie viel Kubik hat denn das Raumschiff",* wurde ich von dem einen gefragt und hielt einen kleinen Vortrag über das Motorrad, und die beiden standen da, als hätten sie eine Zeitmaschine vor sich stehen. *„1200 Kubik"*, jauchzte plötzlich der eine. *„**Willi**, hast du das gehört, 1200 Kubik. Das ist schon was ganz anderes als deine alte Express-Kiste!"* Gemeint war **Willi Kluge** (74), der die Maschine von vorne bis hinten bemusterte und dann erwiderte: *„In der Tat, das ist dann schon mal viel, aber **Karl**, das waren doch auch andere Zeiten."* **Karl Wucherpfennig** (82) war in seinem Berufsleben als freier Handelsvertreter unterwegs und brachte in den End 60er Jahren den elektronischen Wohlstand in die Bürogebäude und in viele private Haushalte. Sein Verkaufsschlager war die vollautomatische Kaffeemaschine. *„Ja, ja, so ist das mit der Zeit, die Kaffeemaschinen sind auch nicht mehr so wie früher, heute sind das kleine Kaffeeläden. Früher haben wir unterschieden zwischen Bohnenkaffee normal und Import. Heute weiß kaum noch einer den guten Bohnenkaffee zu schätzen, er ist einfach selbstverständlich geworden. Die kennen gar keinen Mucke-fuck mehr – bahhh, das war aber auch ein Zeug. Aber wir haben es getrunken, gab ja auch nichts anderes."* **Willi Kluge** nickte und murmelte so etwas wie: *„Ja, so war das nun mal!"* Ich konnte mich über die beiden amüsieren und sagte ihnen, das ich gern mehr über die alte Express und über die ersten Kaffeemaschinen erfahren würde und verabredete mich mit den beiden nach dem Abendessen im Gemeinschaftsraum.

Dann schob ich das Motorrad einige Meter zurück, startete, verließ das Grundstück, fuhr bis zum nächsten Ort und fand auch gleich den Dorfladen, in dem man einfach alles bekam, alles was das Herz begehrte, so wurde es jedenfalls auf einem Schild an der Tür angepriesen. Was jedoch waren die Wünsche und Ansprüche, die das Herz begehrte? Bei mir waren es sicherlich andere als bei den Bewohnern des Altenheims. Meine Bedürfnisse waren Rasierschaum – und mal sehen, was mir so beim Durchgang des Ladens noch so einfallen würde. Ich nahm einen Einkaufskorb und arbeitete Gang für Gang ab. Als ich am Ende bei der Kasse ankam, da hatten sich tatsächlich neben dem Rasierschaum noch ein paar andere Dinge im Korb eingefunden. Ich bezahlte und verstaute die Sachen in meinem Rucksack, den ich bei Kurzfahrten immer dabei hatte. Für die langen Touren, wie zum Beispiel für die Urlaubsfahrt, da war das Motorrad mit drei Packkoffern und einem großen Tankrucksack dann natürlich voll aufgerüstet. Da konnte man dann schon einmal 'ne ganze Menge Sachen verstauen. In der Tat sah da das Motorrad schon irgendwie anders aus, gar nicht mehr so wie früher, als das Moped noch ein Fahrrad mit Hilfsmotor war, und der Ausdruck *„Raumschiff"* kam dem ganzen doch recht nah. Bevor ich zurück zum Heim fuhr, erkundete ich noch ein wenig die nähere Umgebung und wählte anschließend dann auch einen anderen Weg zurück. Ähnlich, wie noch vor zwei Tagen fuhr ich von Ortschaft zu Ortschaft einfach der Straße entlang, sah Kühe und Schafe auf den Weiden und die Wassergräben, die mit grüner Entengrütze gefüllt waren. Eigentlich war es nicht anders, aber irgendwie doch; denn vor zwei Tagen fuhr ich ziellos immer der Nase nach, und nun hatte ich ein Ziel, einen Endpunkt, wenngleich auch nur einen Platz auf Zeit. Es war ein schönes Gefühl, diesen Platz zu spüren, einen Ort, zu dem man gehörte. Und schon zog ich wieder meine Parallelen zu den Bewohnern des Hauses, auch sie brauchen einen Platz, zu dem sie gehören, und das war das Heim, und die neue Familie waren die Mitbewohner und die vielen Helfer und Aktiven, die das tägliche Leben in und um das Heim gestalteten. Auch ich war ein Teil davon geworden, gehörte plötzlich dazu, wenn auch nur als Gast oder Praktikant, aber ich hatte einen Platz.

Ich bog in einen Seitenweg, der direkt auf die Deichkrone führte, dahinter die raue Nordsee, die als Tor zur Welt endlose Weite und das große Abenteuer versprach. Als ich jedoch die Kuppe erreichte, da war nichts mit großer weiter Welt; das heißt, sie war schon da, nur die Nordsee fehlte. Also kein großes Abenteuer, keine großen Schiffe, die einen Hauch von Fernweh vermittelten – so weit das Auge reichte nur Schlick, Sand, Priele und die Fahrrinne, die zum Passieren der großen Schiffe freigehalten wurde. Das Wasser war weg – wir hatten Ebbe. So ein Spaziergang im Watt hatte durchaus seine Reize, aber dafür sollte zu einem anderen Zeitpunkt noch mehr Gelegenheit sein, denn dafür hatte ich auch nicht die richtige Kleidung an und auch nicht die nötige Ruhe und Zeit dafür mitgebracht, um solch einen Wattspaziergang auch entsprechend zu würdigen und zu genießen. Ich schwang mich also wieder aufs Motorrad und fuhr zurück zum Haus. Das Mittagessen stand kurz bevor, und ich wollte die Zeiten, Abläufe und Regeln im Haus unbedingt einhalten. Mittagessen gab es in der Zeit von 12 Uhr bis 13:30 Uhr, ich war um kurz vor 12 Uhr zurück, schnell die Sachen aufs Zimmer gebracht, etwas frisch gemacht und ab ging es wieder nach unten. Irgendwie fühlte ich mich wie auf einer Schulausfahrt in der Jugendherberge und ertappte mich dabei, dass ich im Treppenhaus sogar stellenweise zwei Stufen auf einmal nahm. Vor dem Essenssaal noch kurz ein Blick auf den Speiseplan:

Dienstag: *Lauchsuppe, Kartoffeln, wahlweise Reis, verschiedene Gemüse, Hühner-Frikassee und zum Nachtisch Schokopudding.*

Eigentlich war es mir vollkommen egal, was auf dem Plan stand, ich war essens-technisch so was von pflegeleicht, aß einfach alles. Zwei kleine Einschränkungen gab es allerdings schon, Sellerie und Kümmel mussten nicht unbedingt sein, was aber nicht immer möglich war, denn in einer deftigen Gemüsesuppe dürfen Sellerie und Kümmel nicht fehlen und müssen natürlich mit eingekocht werden, oder ein echter Harzer Käse ist ohne Kümmel kaum denkbar – da ist es dann halt so, aber freiwillig hätte man mich nicht mit Sellerie oder Kümmel im Einkaufswagen gesehen. Es gab ein paar ganz einfache und schnelle Gerichte, die ich selbst sehr gern aus dem Ärmel schüttelte, dazu gehörte ein Wurstsalat mit einer ganz besonderen Sauce, Nudelsalat mit unglaublich vielen Zutaten, bunter Salat, scharf wie ein Vulkan, Spaghetti Ajoli oder mit Knoblauchquark, bei dem alle Vampire vom Knoblauchgeruch auf Ewigkeiten fern geblieben wären. Vielleicht konnte ich mit diesen schnellen Gerichten ja mal bei unserer Küchenfee **Mathilde** aushelfen, ok, vielleicht nicht unbedingt mit der „Vulkan-Variante“!

3.4__ Zivis – Domenik Schütt, Lars-Hendrik Reimann

Der Essensraum war gut besucht, und ich erkannte einige neue Gesichter, sowohl bei den Bewohnern, als auch bei den Helfern. Zwei junge Männer waren emsig damit beschäftigt, Getränke heranzuschleppen oder sonstige notwendige Dinge, die sie dann den weniger mobilen Personen an den Tisch brachten. Die beiden jungen Burschen waren Zivildienstleistende, **Domenik Schütt** (17) der *„Musiker“*, weil er fast immer mit einem Knopf im Ohr, einem Ohrhörer für Musik, herumlief und oft im Rhythmus der Musik angewackelt kam. Der Zweite war **Lars-Hendrik Reimann** (20), genannt *der Schlaue*. Er machte alles etwas ruhiger, bedächtiger und hatte es faustdick hinter den Ohren oder besser gesagt im Hirn, denn man sagte, er hätte einen IQ von 154 – wow. Aber er hatte keine Starallüren, die Bodenhaftung nicht verloren, machte seine Arbeit ordentlich und sah mit seiner kantigen Brille tatsächlich schon wie ein junger Professor aus. Insgesamt wurde das Altenheim von vier Zivis betreut, die zu unterschiedlichen Zeiten über die Woche verteilt und an den Wochenenden dann abwechselnd zur Verfügung standen. Zwei hatten Dienst von Montag bis Freitag –, in dieser Woche waren es Domenik und Lars-Hendrik, die anderen zwei hatten Wochenenddienst und ich sollte sie also erst am kommenden Samstag kennen lernen. **Sören Grube** (21), genannt *der Sportler*, der bei Wind und Wetter immer mit dem Fahrrad unterwegs war und jede Gelegenheit nutzte, sich sportlich zu betätigen oder auch an Sportveranstaltungen aktiv teilzunehmen. Und dann hatten wir da noch den **Torben Bleibtreu** (17), der schon etwas ganz Spezielles war. Genannt *der Weiche*, er hatte sehr nah am Wasser gebaut, war er das Sensibelchen, sehr still und leise, kein klassischer Anführer, und nicht selten liefen ihm schon mal ein paar Tränen über die Wangen. Besonders die älteren Damen hatten ihn in ihr Herz geschlossen und nannten in liebevoll *„unseren Kleinen“*, dabei war er körperlich gar nicht so klein, kein Riese, aber immerhin 1,78 groß.

3.5__ Mittagsrunde

Doch zurück zum Mittagessen beziehungsweise zu dessen Vorbereitung, denn natürlich wirbelte auch unsere Küchenfee **Mathilde** inmitten des Geschehens herum. Es klapperten Teller, es klimperte das Besteck, und ein weitaus regeres Treiben als beim Abendessen war klar auszumachen. Einige Personen bekamen ihr Essen aufs Zimmer gebracht, wenn sie nicht nach unten kommen konnten, auch dafür wurden die beiden Zivis als Transporter eingesetzt. Heute hatte ich schon etwas mehr Mühe, einen freien Platz zu finden und setzte mich an einen gut besuchten Sechsertisch, an dem es aber noch zwei freie Plätze gab. Mit den Worten: *„Ich hoffe alle hatten einen schönen Vormittag“,* versuchte ich, mich einzubringen und setzte mich, doch ohne aufzusehen schlürften sie weiter an der dampfenden Lauchsuppe. Dann wünschte ich einen guten Appetit und reihte mich in den Takt der Schlürfer ein. An der Stirnseite unseres Tisches saß **Hinnerk Stein** (76), ehemaliger Landwirt. Er wischte sich mit dem Taschentuch den Mund ab, schnäuzte einmal in das Tuch und sagte: *„Lecker – Lauch ist wichtig und gesund, isst man viel zu wenig“,* nahm einen kräftigen Schluck kalten Tee und wartete auf den Hauptgang. Die anderen drei Personen am Tisch waren eine große ältere Dame aus Hamburg, **Frau Paula Drößler** (87), **Frau Hanni Morgenstern** (78) aus Freudenstadt im Schwarzwald und ein älterer, sehr elegant gekleideter Herr mit feinem Tuch am Hals, das unter dem Pullover herausblickte. Er hatte weißes gewelltes Haar, saß vorbildlich mit durchgedrücktem Rücken wie bei einer Knigge Musterveranstaltung und war **Richard König** (78), *Schauspieler* aus Königstein im Taunus. Ich wollte erst schreiben, ehemaliger Schauspieler, jedoch hatte er mich bei der Vorstellung am Tisch dementsprechend korrigiert: *„Man ist nicht ehemalig, man ist, was man ist – und das sein Leben lang!“* Bei diesen Worten hob **Bauer Hinnerk** den Kopf, blickte in die Runde und sagte: *„Ja, man isst was man ist, aber wo ist denn was zu Essen?“* Dabei lachte er wie ein Schelm, und auch die beiden Damen lachten dazu. Ich spürte schon, dass es unglaublich viele verschiedene Charaktere und noch viel mehr dazu gehörige Geschichten gab. Ich musste sie nur den Personen entlocken und so, wie es sich zeigte, war ich auf dem besten Weg.

Dann rollte das Essen an. In die Mitte des Tisches wurde eine große Schüssel mit dem Frikassee gestellt, daneben das Gemüse, der Reis und die Kartoffeln, und jeder konnte sich so viel er mochte auf den Teller füllen. Wie sagte mein Vater immer, wenn denn das Essen auf den Tisch kam und Ruhe einkehrte: *Eine gefräßige Stille ist eingekehrt,* und genauso murmelte ich es vor mich hin. Alle schmunzelten dezent vor sich hin, ich denke, sie kannten das Sprichwort auch, nur **Hinnerk** nahm kein Blatt vor den Mund und polterte seinen Kommentar laut in die Runde: *„An diesem Plätzchen möcht` ich rasten, wie die Sau am Futterkasten",* schob seinen Teller an die Schüssel und füllte ihn mit Kartoffeln und Frikassee. Leicht pikiert rollten die Damen mit den Augen, schüttelten den Kopf, was aber Hinnerk überhaupt nicht störte und er gleich noch einen nachlegte: *„Jau, so is` dat dann!"*

Genüsslich aßen wir uns durch die Schüsseln, und jeder konnte sich von jedem etwas nehmen. Lecker war es, wie man an den leeren Schalen ebenso gut erkennen konnte, wie an den entspannten Gesichtern und den prallen Bäuchen, die sie alle nach vorn streckten. Und kaum waren wir mit dem Hauptgang durch, da ging es auch schon weiter. Die Küchenfee **Mathilde** schob einen Servierwagen durch den Raum, auf den unteren Regalböden stapelte sie das benutzte Geschirr und auf dem oberen Regal standen die Schüsseln mit dem leckeren Schokopudding, und ehe wir uns versahen, da hatten wir auch alle schon ein Schüsselchen vor uns stehen. **Hinnerk** nahm sein Puddingschälchen, streckte es in die Mitte vor sich und sagte: *„Ein Schnaps wäre mir lieber gewesen"* und bot dafür seinen Pudding an. Frau **Drößler** reagierte am schnellsten, schnappte sich den Pudding und sagte: *„Wenn man 87 Jahre alt ist, dann braucht man auf seine schlanke Linie nicht mehr zu achten!"* **Hinnerk** wollte gerade loslegen, da wurde er von **Frau Morgenstern** mit böser Mine angesehen, und man konnte ihm förmlich von der Stirn ablesen, dass es ein bissiger Kommentar gewesen war, der sich da gerade in seinem Kopf zusammenbraute. Glücklicherweise bekam er noch rechtzeitig die Kurve und schob ein rettendes, *„Guten Appetit",* zu ihr rüber.

3.6__ Mathilde (Küchenfee)

So nach und nach wanderten die Bewohner vom Mittagstisch ab, die meisten gingen wohl auf ihre Zimmer um sich einen kleinen Mittagsschlaf zu gönnen, und ich wollte die Zeit nutzen, um mich an einem ruhigen Plätzchen im Garten nieder zu lassen und ein wenig meine interessanten, neuen Informationen des Tages zu notieren. Ich nahm mir noch eine Flasche Mineralwasser mit auf den Weg, und gerade als ich an der Küche vorbei kam, da hielt ich noch ein kleines Pläuschchen mit der guten **Mathilde**, die wie ein Wirbelwind, wie ein Riesenkrake mit vielen Armen, in der Küche für Ordnung sorgte. Ich bedankte mich bei ihr für das leckere Essen, doch sie wischte es leicht verlegen weg, sie wäre doch nur die Bedienung und nicht die Köchin. Vielleicht war das so, doch das Auge isst ja auch mit, und der Ton macht die Musik. Was hätten wohl alle für Augen gemacht, wenn man das angelieferte Essen der Großküche in den Thermotransportbehältern einfach nur in den Raum gestellt hätte und jeder sich dann von dort selbst bedienen musste. Immer freundlich, immer ein offenes Ohr, das waren nur einige Tugenden, warum **Mathilde** von den Bewohnern so geschätzt wurde. Das wollte sie gar nicht hören, wurde ganz nervös und noch verlegener als sie es ohnehin schon war.

„Nicht umsonst nennt man sie hier liebevoll die Küchenfee“, sagte ich ihr, und mit deutlich geröteten Wangen antwortete sie leise: *„Ich weiß, aber ich mache es ja auch gern, denn so wie man es in den Wald hineinruft, so schallt es auch heraus, und das ist nicht nur ein altes Sprichwort, sondern ich spüre es sehr deutlich und sehe diese Arbeit auch gar nicht als Arbeit. In den vielen Jahren, die ich hier schon mit helfen durfte, sind mir das Haus und seine Bewohne, wie eine eigene Familie ans Herz gewachsen; eine Familie, die mir außerhalb der Altersheimmauern leider nie vergönnt war. Aber ich möchte nicht jammern, so hat jeder sein Päcklein zu tragen“,* sagte sie und wühlte inmitten von schmutzigem Geschirr und Essensresten herum. Ich wollte nicht indiskret werden, wünschte ihr für später noch einen schönen Feierabend und hatte gar nicht daran gedacht, dass sie ja bereits schon ein paar Stunden später wieder das Abendessen mundgerecht vorbereitete. Sie hatte Recht, als Arbeit durfte man das wirklich nicht sehen, denn sie strahlte eine Ruhe und innere Genugtuung aus, man konnte nicht nur sehen, man konnte es auch deutlich spüren, dass dieses hier ihre Erfüllung, zumindest aber ein großer Inhalt ihres Lebens war. Später erfuhr ich von **Herrn Günther**, dass **Mathilde** einmal verlobt war und sie mit ihrem Partner Hochzeit, Familie und ganz

viele Kinder geplant hatten, doch innerhalb von wenigen Sekunden wurde dieses Glück auf tragische Weise durch einen schweren Verkehrsunfall zerstört. **Mathilde** erlitt schwere Verletzungen und musste lange Zeit in Krankenhäusern und Reha-Zentren verbringen; ihr Verlobter hatte den Unfall leider nicht überlebt. Als die körperlichen Wunden verheilt waren, da igelte sie sich ein, wurde eine Einzelgängerin und hatte dann vor nunmehr 17 Jahren den Weg rein zufällig in das Haus gefunden, als sie mit der damaligen Gemeindeschwester nur für einen Nachmittag aushelfen wollte. Glücklicherweise folgten dann noch viele Nachmittage, und nun gehörte sie mit zu den Dienstältesten in und um das Altenheim. Nur **Herr Günther**, der das Haus seit neunzehn Jahren betreute und der *Landarzt* **Dr. Berthold Möller** (69), der seit sage und schreibe dreiundzwanzig Jahren zum Urgestein gehörte, waren länger im Amt als sie.

3.7__ Rudi Billerstedt (Gärtner), Bernd Pfeiffer (Hausmeister)

Mit den Unterlagen im Arm wanderte ich durch den hinteren Park und setzte mich in den achteckigen Pavillon, der vor dem kleinen Gartenteich stand. Von dort hatte man einen wunderschönen Blick ins Hinterland. Man sah Kühe, einige Schafe, die irgendwie genau zu dieser ganzen ruhigen Atmosphäre passten. Und vor allem gab es in der Hütte einen Tisch, an dem ich mich nun häuslich nieder ließ. Im ganzen Haus kehrte allgemeine Ruhe ein, nur **Rudi**, der Gärtner, hatte immer etwas zu tun. Mit noch einer Person versuchte er, ein großes Netzt über den Apfelbaum zu bekommen, doch irgendwie fehlte immer eine Hand. Meine Aufzeichnungen konnten durchaus noch ein paar Minuten warten, und es war ja wohl selbstredend, dass ich den beiden meine Hilfe anbot. Als ich um die Ecke des Pavillons kam, fragte ich, wen sie denn mit dem Netz einfangen wollten oder ob sie auf Schmetterlingsjagd waren. Genauso schlagfertig drehte sich der andere Mann neben **Rudi** um und erklärte mir mit halb verdrehtem Hals, dass sie hier im Land der fliegenden Fische seien und noch kurz zuvor ein paar große Exemplare gesichtet wurden, und da wollte man natürlich etwas für die Speisekammer tun. Der schlagfertige Typ hatte einen grauen Kittel an und eine Werkzeugkiste neben sich stehen und sah wie ein typischer Hausmeister aus. Schnell war ich in die Netzmontage mit eingebunden, und während der Mann im grauen Kittel und ich das Netz hielten, kletterte **Rudi** auf der Leiter nach oben und schob das Netz mit einer Holzlatte über die Krone des Baumes.

Der Rest war dann nur noch eine Kleinigkeit, die **Rudi** allein bewältigen konnte. Der Mann im grauen Kittel meldete sich bei Rudi ab und sagte ihm, dass er ihn im Heizungskeller finden würde, falls er seine Hilfe noch einmal benötigte, drehte sich um, warf auch mir noch einen zwinkernden Blick zu und zog mit seiner Werkzeugkiste ab. Während **Rudi** das Netz zusammenraffte und am unteren Stamm verknotete, sagte er mir, dass es so manche Arbeiten gäbe, besonders dort im Garten, wo eine zusätzliche Hand manchmal unerlässlich war, und da würde er sich dann abwechselnd mit **Bernd** aushelfen. – *„Bernd, ist übrigens der Hausmeister“,* sagte er, da lag ich ja mit meiner Einschätzung gar nicht so falsch. **Bernd Pfeiffer** (38) war der Herrscher über die Heizkessel und die Elektrik im Haus. Quietschte die Tür oder wollte eine Lampe nicht mehr brennen, da war **Bernd Pfeiffer** genauso richtig wie bei der Waschmaschine, die sich nicht mehr drehen wollte oder einfach nur bei den täglich anfallenden Reparaturen, die man gar nicht bemerkt, weil sie schnell von Geisterhand oder besser von „Pfeifferhand“. Er klebte Schuhsohlen oder schraubte an Lattenrosten herum, und auch die Wartung von **Herrn Kleinhans**’ Rollator gehörte zu seinen täglichen Aufgaben, wie natürlich viele andere kleinere und größere Dinge auch. Kurzum: Er war nicht weniger wichtig als alle die anderen Helfer und Engel, die dort im Haus ihre Berufung gefunden hatten.

Knapp 24 Stunden waren gerade einmal vergangen, dass ich dort mit meinem Motorrad gestrandet war, und ich fühlte mich, als wäre ich auch schon seit vielen Jahren genauso ein Mosaikstein in dem großen Altersheim-Puzzle. Das konnte nur ein gutes Zeichen sein, und meine anfängliche Angst davor, wie man mich aufnehmen und akzeptieren würde, schien sich förmlich in Luft aufgelöst zu haben. Auch ich beschloss, mich ein paar Minuten auf das Zimmer zurückzuziehen, vielleicht sogar auch, um mich ein paar Minuten auf das Bett zu legen – einfach nur relaxen, nachdenken oder nur für einen Moment die Seele baumeln lassen. Auf dem Weg warf ich noch einen Blick auf die Aktionstafel im Treppenhaus und sah nach, ob irgendetwas auf dem Abendprogramm stand. Unter der Rubrik „Filmklassiker“ war für 20 Uhr im Fernsehraum ein alter deutscher Spielfilm mit Joachim Hansen im Angebot: *„Der Stern von Afrika“* – und natürlich war da noch mein Termin mit den beiden Herren **Karl Wucherpfennig** und **Willi Kluge**, der mir von seiner alten Express erzählen wollte.

Mittlerweile war es 14:30Uhr, und ich musste gestehen, dass ich tatsächlich nichts dagegen hatte, für einen Moment die Beine hochzulegen. Irgendwie war ich über den Tag kaputter als zu Hause mit der Arbeit, dem Lärm, dem Stress – aber dafür wurde ich zu Hause am Abend schlagartig müde und hier, hier gingen noch einige Stunden ins Land, bevor man ans Schlafengehen dachte. Ich schloss für einen Moment meine Augen, hatte aber zur Vorsicht meinen Wecker auf 16:30 Uhr gestellt, damit ich nicht den ganzen Nachmittag verschlief. Ich weiß nicht, ob ich wirklich tief geschlafen hatte, ob ich überhaupt schlief oder ob es tatsächlich nur ein Dahindösen war; auf jeden Fall wurde ich nicht von meinem Wecker, sondern vom Duft des Kaffees geweckt, der sanft durch das Treppenhaus nach oben zu den Zimmern kroch. Ich dachte gar nicht, dass ein Schonkaffee jemals so eine appetitliche Wirkung auf mich haben konnte, machte mich kurz frisch und beschloss, nach unten zu gehen und einen leckeren Kaffee zu trinken.

3.8__ Ehepaar Rodriges (Bernhard & Bianca)

Im Untergeschoss, besser gesagt im Essensraum, da wirbelte diesmal nicht **Mathilde**, wie ich vermutet hatte; wieder waren es zwei neue Gesichter, die Kaffee und Plätzchen reichten und die handvoll Kaffeegäste mit einem Lächeln auf den Lippen bedienten. Ich stellte mich den beiden Personen vor, und auch sie erklärten mir, dass sie als ehrenamtliche Helfer vorrangig nachmittags mit aushalfen oder aber an den Tagen, wenn besonders viel zu tun war. Es war das **Ehepaar Rodriges**. Er (54) hatte den kunstvollen Vornamen **Pedro-Salvatore**, was sich nach einem berühmten Maler wie Picasso oder van Gogh anhörte und sie (50) setzte dem ganzen noch einen „melodischen Flügelschlag“ oben drauf, denn ihr Vorname war kein geringerer als **Carmen-Dulce-Fernanda**. Vor vielen Jahren, kamen sie nach Deutschland und hatten einen Job in einer Großwäscherei, doch leider musste die Firma im Zuge der Wirtschaftskrise den Betrieb einstellen und beide verloren ihre Arbeit. Zunächst hielten sie sich mit Gelegenheitsjobs über Wasser, zum Glück waren beide sehr genügsam und hatten auch keine großen Ansprüche. Ein Dach über dem Kopf und etwas zu Essen, sagte mir **Pedro**, sei oft mehr, als das, was so mancher Mensch in Puerto Rico hätte. Im Nachbarort des Altenheims wohnten sie in einer kleinen Einliegerwohnung eines großen Ferienhauses, und ihre Aufgabe war es, das Haus zu bewachen, den Garten zu pflegen und wenn Urlaubsgäste kamen, auch sie zu betreuen. Kurzum: Sie waren als Aufpasser,

Verwalter, Pfleger im Haus angestellt. Des Weiteren engagierten sich die beiden über die Kirche in einigen humanitären Einrichtungen, denn die Kirche, vorrangig dem Pastor Schulte, hatten sie es zu verdanken, dass sie hier Fuß fassen konnten, in der Gemeinde aufgenommen wurden und dort ihr neues zu Hause gefunden hatten. Da war es für die beiden nur mehr als Recht, auch einen Teil davon zurückzugeben, und sie waren seit fast vier Jahren im Altenheim mit dabei und bekamen von den Bewohnern die Spitznamen: ***Bernhard und Bianca***, denn mit den tatsächlichen Vornamen taten sich alle unglaublich schwer. Ich erzählte den beiden von meinen ersten Eindrücken, von der Umgebung und vom Heim. *„Das einzige, was ich tatsächlich doch sehr vermisse“,* sagte ich und schlürfte dabei mehr oder weniger genussvoll am Schonkaffee, *„ist, man möge es nicht glauben, aber es ist tatsächlich ein leckerer echter Bohnen-kaffee.“* Der Schonkaffee hatte leider nicht den Genuss, den ich als erfahrener, langjähriger Kaffeetrinker und Genießer gewohnt war.

„Na, ja, man soll sich ja an alles gewöhnen können“, sprach ich weiter, *„vielleicht braucht es nur etwas Zeit?“* Da war sie wieder die Zeit, alles schien sich doch früher oder später immer wieder bei der Zeit treffen. Da lachte die **Frau Rodriges** und antwortete in klarem Deutsch, aber mit einem unüberhörbaren südländischen Akzent: *„Sie brauchen den Kaffee nicht zu entbehren, die Kaffeekannen mit dem weißen Deckel haben den Schonkaffee, und die Kannen mit dem roten Deckel haben den normalen Kaffee.“* Beide lachten, und ihr Mann erwiderte: *„Sie können ihr ruhig glauben, bei Kaffee kennt sie sich aus, sie kommt schließlich aus Puerto Rico!“* Dann lachten wir alle drei, und noch ehe man sich versah, nahm ich mir die Kanne mit dem roten Deckel, goss mir eine Tasse von dem gut duftenden, dampfenden Kaffee ein und nahm mir einen von den selbstgebackenen Keksen, die allerdings nicht von **Frau Rodriges** sondern aus **Mathildes** Zauberstube stammten; lehnte mich zurück, schloss die Augen, und als ich das erste Mal an der Tasse nippte – und mir dabei fast den Mund verbrannte, doch die Freude auf den echten Kaffee ließ mich keine Sekunde länger warten –, sackte der Körper förmlich zusammen, und ein wohlwollendes, langgezogenes, *„ahhhh“* kam über meine Lippen.

3.9_ *Sir John McKenzie*

Kaffeezeit war von 15 bis 16 Uhr, aber das nahm man nicht so genau. Bei den Hauptmahlzeiten war das etwas anderes, da musste das Essen zu einem bestimmten Zeitpunkt da sein und natürlich auch entsprechend warm serviert werden können. Beim Kaffee und Kuchen hatte man sich schnell mal etwas über die Zeit festgesessen, war bei tiefgründigen Gesprächen oder auch nur in Gedanken versunken. So war jedenfalls meine Einschätzung, als ich den Blick im Raum kreisen ließ. Irgendwie erinnerte die Atmosphäre an eine große Universitäts-Bibliothek, in der alle vor ihrem Buch, hier in diesem Fall vor ihrem Kaffee und Kuchen saßen und einfach nur vor sich hin schwiegen. Einige lasen im Buch, andere wieder blätterten in Bildbänden herum, so wie die beiden Damen, die ich vor dem Fenster mit Blick zum Garten beobachtete. Einige Gesichter kannte ich noch vom Abend zuvor, und auch hier waren wieder einige neue für mich dabei. Mir fiel auf, dass im Kaffeezimmer überwiegend Damen saßen, genauer gesagt waren es sechs Damen und nur zwei Herren.

Der eine Herr hatte einen unglaublich kunstvoll geschwungenen Bart, dessen knallrote Farbe ihn doppelt interessant machte. Ich beobachtete ihn als er zum Buffet ging, um sich frischen Kaffee zu holen, doch er goss sich weder aus der weißen noch aus der Kanne mit dem roten Deckel in die Tasse, er nahm eine ebenso kunstvoll geschwungene Porzellankanne und goss sich von einem stark dampfenden Tee ein, wie ich später erfuhr. Dazu noch ein guter Schluck Milch, und der Nachmittagstee konnte mit etwas Gebäck genossen werden. Fast schon kunstvoll drehte er mit dem Löffel in der Tasse herum, sah dabei aus dem Fenster in den Garten, und seine Wangenknochen mahlten genussvoll hin und her. Der Bart wippte im gleichen Rhythmus auf und ab, und als er die Tasse zum Mund führte und den ersten Schluck vorsichtig nahm, da konnte man einen entspannten und wohlwollenden Gesichtsausdruck erkennen. Dann legte der Herr seinen Kopf etwas zurück und verschwand zwischen den beiden Seitenteilen des gewaltigen Ohrensessels. Ich ging ebenfalls zu dem Buffettisch, um mir eine erneute Tasse Kaffee zu holen und wollte ihn beim Rückweg fragen, ob er etwas gegen meine Gesellschaft einzuwenden hätte, doch noch bevor ich seinen Platz erreichte, sprach mich eine der beiden Damen an, die unscheinbar, ja schon fast versteckt hinter den großen Grüngewächsen saßen. Es war **Frau von Naumburg**, die ich schon morgens mit noch einer anderen Dame gemeinsam im Frühstücksraum sitzen sah und zu der mir der Heimleiter **Herr Günther** noch einige Informationen gab.

Auch wenn ich mich völlig unbeobachtet fühlte, hatte das nicht zu bedeuten, dass ich nicht ebenso beobachtet und zur Kenntnis genommen wurde und das vielleicht mehr als mir bewusst war. *„Sie dürfen ihn jetzt nicht stören“,* sprach mich **Frau von Naumburg** an und nickte mit dem Kopf in Richtung des rotbärtigen Herrn. Ich zuckte zusammen, war völlig baff, so wie ein Kind, das scheinbar unbeobachtet in der Nase bohrte und plötzlich dabei ertappt wurde, so fühlte auch ich mich, setzte mich völlig perplex auf den Rand des Stuhles an ihren Tisch und stammelte nur heraus: *„Woher wissen sie, wohin ich gehen wollte oder noch besser gesagt zu wem?“* Doch sie schmunzelte nur und sprach weiter: *„Alt heißt doch nicht gleich blind und taub, junger Mann, wenn man in die Jahre kommt, dann wollen vielleicht die Beine nicht mehr Höchstleistungen vollbringen, aber der Geist und die Erfahrungen können auf eine lange Zeit zurückblicken, einer von den wenigen Vorteilen, die das hohe Alter mit sich bringt!“*

Ja, ich musste zugeben, sie hatte mich kalt erwischt, und ohne um Erlaubnis zu fragen, setzte ich mich immer noch irritiert und fast wie unter Schock mit zu ihnen an den Tisch, und es ergab sich eine nette Plauderei. Der Herr, den ich auf gar keinen Fall beim Tee stören durfte, war der Schotte **Sir John McKenzie** (88*). „**Sir McKenzie** ist ein echter Lord“,* flüsterte sie, *„er hat eine ausgezeichnete Kinderstube, Anstand und hervorragendes Benehmen. Ein wirklicher Gentleman, wie man ihn nur aus Büchern oder alten Erzählungen her kennt.“* Während sie weiter sprach, konnte man den Glanz in ihren Augen sehen und eine gewisse Sympathie war eindeutig zu erkennen. Ich beobachtete den Lord, und mit den Informationen von ihr, sah ich ihn mit ganz anderen Augen. Er saß gerade da wie eine Salzsäule, und sein Blick wanderte stolz, erhobenen Hauptes, durch das Fenster in den Garten. Dabei führte er immer wieder die Tasse zum Mund und genehmigte sich einen genussvollen Schluck. **Frau von Naumburg** erzählte mir, dass der Lord sehr zurückgezogen und wortkarg war, und ihre Stimme wurde dabei äußerst leise, damit er auch nicht bemerkte, dass über ihn gesprochen wurde. Sie erzählte, dass er viele Jahre auf einem Schloss in den schottischen Highlands gelebt hatte und sogar seinen eigenen Whisky gebrannt hatte, was für die alten Schotten aber durchaus nichts Ungewöhnliches war. Als der letzte Schluck aus seiner Tasse genommen war, stand er auf, brachte Teller und Tasse zum Geschirrwagen, und als er unseren Tisch passierte, stoppte er kurz, nickte den Damen zu und verabschiedete sich mit einem sehr vornehmen: *„Gnädige Frau“,* womit schon **Frau von Naumburg** gemeint war, die er dabei vorwiegend ansah.

3.10__ Die Domteure

Wieder hatte ich etwas mehr erfahren, ein neues Gesicht, eine neue Geschichte, und es bereitete mir von Minute zu Minute mehr Spaß. Als ich dann ebenfalls mein benutztes Geschirr und natürlich das von **Frau von Naumburg** wegtransportieren wollte, da sah ich drei jüngere Personen an einem Tisch in der Ecke sitzen, die irgendwie gar nicht so richtig in das Bild passten. Auf dem Tisch lagen Ordner und Unterlagen ausgebreitet, und es sah so aus, als würde man dort irgendwelche Pläne besprechen. *„Das sind unsere Domteure",* sagte **Frau von Naumburg**, *„manchmal aber auch die Raubtierbändiger*" und lachte dabei. Gemeint waren die drei Altenpfleger, die die Kaffeepause zur Dienstbesprechung und für andere organisatorische Dinge nutzten. *„Hier hecken sie gerade wieder etwas aus",* sagte sie so laut, dass die drei es unweigerlich hören mussten, oder vielleicht sogar auch sollten, und ihre Augen schlossen sich zu misstrauischen Sehschlitzen, was natürlich nur als Spaß gemeint war. **Kurt Busse** (52), der Oberpfleger von den dreien, sah auf, verzog den Mund und rief: *„Domteure, das ist gar nicht so schlecht, manchmal sind wir aber auch die Fernbedienung. Wir machen das, was nicht mehr so einfach und leicht von der Hand geht. Mal sind wir Schuhanzieher, mal Waschlappen, Friseur und Träger sind wir genauso wie Krankenschwester, Mutter und Freund. Das alles hat man dann in ein Wort zusammengefasst, und nun stehen wir auf der Personalliste unter der Abteilung: „Altenpfleger!"* Die beiden Kolleginnen nickten mit einem Lächeln. Es war Frau **Gerlinde Brecht** (42), die auch schon seit zwölf Jahren dabei war und **Frederike Haussner** (27), die von den Bewohnern oft auch als *„DIE NEUE*" bezeichnet wurde, obwohl sie gar nicht mehr so neu dabei war. Sie hatte die letzten zwei Jahre ihrer Ausbildung im Haus verbracht und war nun auch schon wieder drei Jahre als Altenpflegerin in Amt und Würden.

So ging die Zeit hin, ein kleiner Plausch hier, eine Beobachtung da, und ehe man sich versah, war es schon wieder eine halbe Stunde weiter. Ich beschloss, nach draußen an die frische Luft zu gehen und einfach nur mal ein paar Schritte in die angrenzende Nachbarschaft zu machen, holte meine Jacke und verließ das Haus durch den Vordereingang und ging ein Stück an der Durchgangsstraße entlang und nutzte den ersten Weg, der von der Strasse abging, um zwischen den Feldern, durch die Natur zu pilgern. In der Stille hörte sich mein pustender Atem zeitweise wie das Schnaufen eines alten Walrosses an.

So wanderte ich einige Minuten immer der Nase nach und beobachtete Dinge, Pflanzen und Tiere, die ich so bewusst noch nie registriert hatte. Etwas weiter entfernt sah ich einen Fischreiher, den ich ehrlich gesagt auch noch niemals in der freien Natur gesehen hatte. Genauso wenig wie den Storch, der stolz auf dem Storchennest thronte und das umliegende Land aus seiner sicheren Höhe, seiner Storchenfestung gut überschauen konnte. Stolz wie ein Weißkopfadler in den Rocky Mountains wurde der Storch dort in den Küstengebieten auch gern als Adler des Nordens bezeichnet. Ich setzte mich auf einen am Wegrand liegenden Baumstamm und lauschte ehrwürdig dieser für mich ungewohnten Stille. Es war die Stimme der Natur, die mich fast betäubte und in Trance verfallen lies. Hin und wieder wurde die Stille von einem dumpfen Rauschen begleitet, was von den wenigen vorbeifahrenden Autos der nicht weit entfernten Durchgangsstraße kam und sich schwach mit der Stille und Harmonie der Natur vermischte. Ich bildete mir ein, Dinge zu hören, die ich zuvor noch nie wahrgenommen hatte, und wenn ich die Augen schloss, so war es gleich noch intensiver. Es hatte schon einen Hauch von Magie, einer schönen Magie, bei der man ausreichend Kraft und Energie tanken konnte. So saß ich auf dem Baumstamm und bewegte mich gedanklich zwischen Träumerei und Schlaf als die scheinbar unzerstörbare Ruhe von einem fremden Geräusch gestört wurde. Das fremde Geräusch war die Glocke im Wohnheim, die zum Abendessen ertönte. Noch vor wenigen Tagen war ich der hektischen, schnellen Zeit davongefahren und jetzt, hatten wir nicht gerade erst Kaffee getrunken und überhaupt, wo war denn nur die Zeit geblieben? Aber es war eine andere Zeitreise, als die, aus der ich geflüchtet bin. Die Zeit verging natürlich auch hier nicht weniger langsam oder schnell als anderswo, die Stunde hatte auch hier natürlich nur 60 Minuten, doch die vielen neuen Eindrücke, Personen, das neue Umfeld, alles das hatte mein Kopf zu verarbeiten, und vielleicht erschien es mir auch nur deswegen so, als verginge die Zeit wie im Flug. Wie auch immer, ich machte mich mit schnellen Schritten auf den Rückweg, denn zu spät kommen und negativ auffallen, nein – das wollte ich nicht.

Zurück im Haus, der schon wohl vertraute Weg durchs Treppenhaus nach oben ins Zimmer und im Slalom-Wechselschritt mit teilweise zwei bis drei Stufensprüngen vorbei an Bewohnern, die bereits auf dem Weg nach unten zum Abendessen waren. Rein ins Zimmer, Bad, Wasser, Seife, einmal mit dem Kamm durch die Haare, Hemd und Hose gewechselt und schon ging's retour. Wow, dachte ich, diese Eile und Hektik war ich gar nicht mehr gewohnt, aber der Körper hatte diese hektischen Abläufe und

Vorgänge wahrscheinlich noch gespeichert und aus dem Unterbewusstsein abgerufen. Aber diese Hektik und Hast konnte ich auch glücklicherweise wieder schnell ausbremsen und habe dann mit der nötigen Ruhe und den scheinbar letzten Besuchern den Raum zum Essen betreten. Ein ähnliche Bild wie schon am Abend zuvor, und wahrscheinlich wird es auch künftig so unspektakulär bleiben, denn was und überhaupt warum sollte sich da etwas ändern? Ehrlich gesagt, Hunger hatte ich nicht und nahm mir nur eine Tasse Alibi-Tee, um nicht ganz so hilflos und anteilslos herumzusitzen und beobachtete und studierte lieber die Menschen und das Geschehen und hielt Ausschau nach etwas Neuem, etwas, das ich noch nicht gesehen hatte und es in meinen späteren Aufzeichnungen dokumentieren konnte. Die letzten Bewohner waren noch damit beschäftigt, sich mit Tee, Brot und Aufschnitt einzudecken, da wanderten schon die ersten Gäste wieder ab, die möglicherweise genauso wenig Appetit wie ich hatten, schon mit dem Abendbrot fertig waren oder einfach nur einen ruhigeren Platz suchten als dort, denn das Geschirr-, Besteck- und Teekannengeklapper war natürlich nicht ohne Geräusche möglich. Im Großen und Ganzen war es natürlich schon alles sehr ruhig, auf gar keinen Fall zu vergleichen mit der Uni Mensa oder einer Großkantine, aber man musste sich auch nicht länger als nötig dort aufhalten und die Zeit absitzen, gab es doch dafür wesentlich bessere und schönere Plätze. So setzten sich einige Gäste noch nach draußen auf die Veranda und genossen die Abendsonne, während andere schon damit beschäftigt waren, sich einen guten Platz im Gesellschaftsraum zu suchen oder im danebenliegenden Fernsehzimmer, denn zur Abendunterhaltung stand ja der Film *„Stern von Afrika“* auf dem Programm. Ich füllte meine Tasse noch einmal mit frischem Tee und ging damit ebenfalls nach draußen auf die Veranda, und mein Blick wanderte genauso in Richtung der untergehenden Sonne. Ich weiß nicht, wie lange ich dort stand und den Tag noch einmal Revue passieren ließ, aber es tat genauso gut, wie der Spaziergang zuvor im Einklang mit der Natur.

Im Haus waren sie nun alle irgendwie in Bewegung, unterwegs zur Abendgestaltung oder einfach nur auf dem Weg ins Zimmer, doch als ich in den Gesellschafts- und Fernsehraum blickte, da konnte ich schon deutlich mehr Beteiligung feststellen als noch am Abend zuvor. Hatte sich meine Anwesenheit herumgesprochen, was möglicherweise eine Veränderung im alltäglichen Trott bedeuten konnte, oder lag es vielleicht doch am Filmklassiker, den die meisten Bewohner bestimmt schon mehrere Male gesehen hatten, der einen Hauch von Vergangenheit, von alten Zeiten versprach, oder vielleicht sogar Erinnerungen weckte, die man gemeinsam mit einem lieben Menschen teilte?

Diese Frage sollte mir nicht beantwortet werden, aber das musste sie auch nicht, viel interessanter waren die verschiedenen Gesichtsausdrücke, die Freude, Glück und Aufregung zeigten wie bei Kindern, die sich auf ein ganz bestimmtes Ereignis wie Geburtstag, Weihnachten oder das erste Treffen mit der Liebsten freuten. Ich glaube, ich hatte das gleiche Leuchten in den Augen, denn auch ich konnte mich wiederum darüber freuen, dass die Bewohner sich freuten, dass das Abendprogramm einen Hauch von Abwechslung bringen würde. So hatte jeder für den Abend sein ganz persönliches „Bauchkribbeln“ – und das war auch gut so.

3.11__ Die Geschichte von Willi Kluge

Den „Stern von Afrika“ hatte ich selbst auch schon ein oder zweimal gesehen, und so zog es mich in den Gesellschaftsraum, um die Menschen zu studieren, ihre Geschichten zu hören, das war das, was ich als mein persönliches Highlight des Abends mitnehmen wollte, und außerdem hatte ich ja auch noch eine Verabredung mit den beiden Herren vom Nachmittag, die mein Motorrad bemusterten und es als Raumschiff bezeichneten. Ob sie wohl noch daran dachten, oder war es schon wieder vergessen? Doch diese Frage wurde mir schnell beantwortet, denn bereits beim Eintreten in den Gesellschaftsraum sah ich die beiden Herren in der Ecke an einem kleinen Tisch sitzen, etwas abseits des großen Gemeinschaftstischs, der nach wie vor nicht besetzt war. Beide steckten mit den Köpfen zusammen und unterhielten sich, erst als ich eintrat und sich unsere Blicke trafen, da hob der eine der beiden den Arm als Zeichen, um auf sich aufmerksam zu machen. Mit einem freundlichen Nicken erwiderte ich die Geste und ging zielstrebig auf sie zu. *„Wir dachten schon, sie hätten uns vergessen“,* ergriff der eine der beiden auch sofort die Initiative, und ich versuchte, etwas hilflos die beiden Namen der Männer zu rekonstruieren, doch bekam es auch beim besten Willen nicht hin. Ich entschuldigte mich bei ihnen und bat sie, mir ihre Namen erneut zu nennen. *„Also“,* antwortete der erste Wortführer, *„das hier ist der **Karl Wucherpfennig**, und ich bin der **Willi Kluge**.“* Dann zeigte ich mit dem Finger auf ihn und fügte hinzu, dass er dann der Kaffeemaschinenvertreter war, und der **Herr Wucherpfennig** musste dann der Motorradfahrer gewesen sein. Er beugte sich auf den Arm aufgelegt nach vorn über den Tisch, kniff die Augen zu einem verschmitzten Lächeln zu, und mit einer verneinenden Kopfbewegung antwortete er: *„Nee, junger Mann, dette is denn mal janz anders herum“,* und man brauchte kein Genie zu sein, um am Dialekt zu erkennen, aus welcher Stadt er kam.

„Also noch mal“, antwortete er, *„noch mal für sie zur genaueren Veranschaulichung: Dette da is der **Karl Wucherpfennig**, der war Vertreter und verkofte Kaffeemaschinen, war immer Vertreter, ist bestimmt och als Vertreter aufe Welt gekommen und drehte sie so manches wirres Zeug an, was da mit dem Schiff in seiner Heimatstadt Hamburg aus Übersee ankam. Der **Karl** heißt nicht nur **Wucherpfennig**, er is` och en Pfennigfuchser, aber trotzdem ein feiner Kerl und hatte det Glück och nicht immer auf seiner Seite. – Und icke, icke bin der **Willi** und komme, wie man wahrscheinlich schon jehört hat, aus det schöne Berlin, wa. Es gibt den Karl Valentin, es gibt Karl den Großen, und es gibt sogar einen Gott der Karl heißt – aber icke, icke bin nicht der Helle, nicht der Schlaue, aber ens, det bin icke – icke bin der Kluge, wie er leibt und lebt“,* dann stand er auf und streckte mir die Hand entgegen und sagte: *„Jestatten, **Kluge**, **Willi Kluge**, Bierkutscher aus det schöne Berlin Pankow!“*

Ich drückte ihm die Hand und war mir fast sicher, dass er bei dem zackigen Aufstehen garantiert die Hacken zusammengehauen hatte. Ich musste gestehen, dass ich tatsächlich etwas überfahren wirkte, denn mit soviel Power, mit soviel Redefluss hatte ich ihn zuvor am Motorrad gar nicht gesehen und hätte es auch nicht von ihm erwartet! Aber genau so war es mir natürlich tausendmal lieber, endlich einmal jemand, dem man nicht jedes Wort entlocken musste. Der **Karl Wucherpfennig** saß hingegen deutlich stiller daneben und lauschte ebenso interessiert zu wie ich, obwohl er den **Willi Kluge** und die Geschichten von und mit ihm bestimmt in- und auswendig kannte. Hinzu kam, dass der **Willi** nicht unbedingt leise sprach, er war sehr impulsiv und unterhielt schon den einen oder anderen Nachbartisch mit. Einige lauschten ebenfalls zu, andere träumten nur vor sich hin, und ohne dass er es wahrscheinlich gewollt hatte, war er plötzlich der Mittelpunkt der Abendrunde. Spätestens aber als das Thema aufs Motorrad kam und er von seinen Eskapaden als junger Mann berichtete, gingen mit ihm die Pferde durch, und so mancher stellte sein Hörgerät gleich eine Stufe lauter …oder auch leiser beziehungsweise rückte sich näher mit in die Runde, die zunächst nur mit den beiden Männern in der Ecke still und schon fast einsam begann. **Willi** atmete noch einmal tief durch und begann mit den Worten: *„Ich erinnere mich daran, dass ich als junger Bengel ....“*, und dann war er nicht mehr zu halten, und das Kaminfeuer flackerte genauso in seinen Augen wie die Begeisterung, die in seiner Stimme zu hören war!

Willi wuchs im Haus seiner Großeltern auf, schon früh verlor er beide Eltern auf tragische Weise, wollte aber nicht näher darauf eingehen oder konnte es auch nicht, auf jeden Fall spürte er schon als junger Bursche die volle Härte des Lebens und begleitete den Großvater auf seinen täglichen Fahrten als Bierkutscher. Gemeinsam mit dem Opa durchstreifte er auf dem Kutschbock des Pferdefuhrwerks die Straßen von Berlin und belieferte eine kleine Kneipe nach der nächsten und wurde von allen nur der „Kleene" genannt. Der Kleene musste sich um die zwei Pferde kümmern, während der Opa die mit Berliner Export gefüllten Stahlfässer vom Anhänger auf die gepolsterten Ledersäcke warf. Er gab den Pferden frisches Wasser und sammelte die Pferdeäpfel ein, die sie während der Standpause verloren. Jeder Tag war aufs Neue hart und lang, und nicht selten schlief er auf dem Kutschbock an den Opa gelehnt ein oder verkroch sich unter dem großen Poncho, wenn es wie aus Eimern regnete. So wuchs und reifte er zum jungen Mann, und schon bald wurden die Rollen verteilt, der Opa versorgte die Pferde, und der junge **Willi** war für das Auf- und Abladen der Fässer zuständig. Aus dem Pferdefuhrwerk wurde ein LKW, das Geschäft boomte, und als der schwere Magirus Deutz auf den Hof fuhr, da klopfte der Opa dem Kleenen mit stolz geschwellter Brust auf die Schulter. Hatte man auch nicht viel zu beißen und schon gar nichts zu lachen in jener Zeit, aber getrunken wurde immer. Die Kneipen waren da nicht selten schnell zum zweiten Zuhause geworden, dort tauschte man sich aus, dort knüpfte man Kontakte, dort hatte man jemanden zum Zuhören, viele waren alleine, verlassen vom Partner, von Freunden, der Krieg zog tiefe Gräben und riss schwere, unheilbare Wunden! Das, was man hatte, wurde gehegt und gepflegt, und man wurde Weltmeister der Improvisation.

Der junge **Willi** ackerte die ganze Woche wie ein Kuli und fiel jeden Abend müde und kaputt ins Bett. Die körperliche schwere Arbeit forderte seinen Preis, aber wenn es dann dem Wochenende entgegen ging, da bekam der Körper neue Energie, die zweite Luft, versteckte Reserven und ungeahnte Kräfte wurden freigesetzt, und man freute sich, am Samstag auszugehen. Viele Möglichkeiten gab es nicht beziehungsweise konnte sich der junge **Willi** gar nicht leisten, aber von seiner Oma bekam er pünktlich zum Wochenende schon mal die eine oder andere Mark zugesteckt. Auch die Groschen Trinkgeld, die er die Woche über bekam, verwaltete er sparsam in einer Schatulle, um sich dann am Wochenende ein kleines bisschen Freiheit und Glück zu leisten. Er erinnerte sich ans Tanzvergnügen am Wannsee, das immer gut besucht und gerade bei den jungen Leuten sehr begehrt war.

Nicht selten begann dort die eine oder andere Beziehung und Partnerschaft, die oft über viele Jahre Bestand hatte und zum Teil auch heute noch besteht. Und es war genau diese Veranstaltung, auf die sich der junge **Willi** freute, auf die er eigentlich die ganze Woche hin gearbeitet hatte – da bekam er vom Opa eine ganz besonders wichtige Sonderfahrt aufs Auge gedrückt. Mit hängendem Kopf erledigte er natürlich diese Aufgabe und kam erst spät von der Tour zurück. Mit dem Fahrrad nun noch bis zum Wannsee, da verließen ihn wirklich die Kräfte und vielleicht auch die Motivation. Der Opa war ein schlauer Mann, erkannte die Situation und nahm sich seinen Enkel zur Seite und erklärte ihm, dass es einige wichtige Dinge im Leben gäbe, die er sich beherzt merken sollte. *„Junge“,* sagte er, und **Willi** hatte noch genau die dumpfe tiefe Stimme seines Großvaters im Ohr, *„Junge, behüte und pflege das, was du hast, ärgere dich nicht über das, was du nicht hast und verborge niemals die Dinge, die dir wichtig und wertvoll sind!“* Dabei legte er den Arm um die Schulter seines Enkels und ging mit ihm in den Schuppen, wo ganz hinten der dicke „Magirus“ stand.

Links dahinter in der Ecke stand unter einer Plane abgedeckt Opas Heiligtum. *„Das kommt gleich nach Oma“,* hatte er immer lustig gesagt *„und manchmal auch vor Oma, aber das muss sie nicht unbedingt wissen“,* fügte er dann hinzu. Unter der Plane stand das stolze Motorrad vom Opa. Eine 197er Express. Sie sah gewaltig aus, wenn man das Miele Fahrrad daneben betrachtete, mit dem der Willi am Abend seine Runden drehen durfte. Und für dieses Heiligtum galt natürlich Opas Grundsatz ebenso, – verborgt wird es nicht! Aber der Opa war ja auch nicht mehr der Jüngste, die Oma fuhr schon seit Jahren nicht mehr auf dem Sozius mit, nach jeder Fahrt spürte er anschließend tagelang seine immer älter werdenden Knochen, die Kälte und die Feuchtigkeit sickerten durch die Kleidung und setzten sich zwischen den Knochen fest – und so hatte er beschlossen, dass das Motorrad vom Herumstehen auch nicht besser würde und übergab den Zündschlüssel an seinen Enkel, der immer noch nicht so richtig wusste, was der Opa ihm eigentlich erzählen wollte. Machen wir es kurz, der Opa schenkte **Willi** das Motorrad, denn verborgen war ja nicht drin. **Willi** war völlig aus dem Häuschen, und der Opa freute sich mit ihm. *„Und wenn du dich jetzt beeilst, dann kommst du auch noch rechtzeitig zu deiner Tanzveranstaltung zum Wannsee!“*

Willi verstummte für einen Moment, dann sah er zu mir herüber und sagte: *„Tja, und denne stand sie da, die 197er Express und icke daneben und war völlig baff.“*

Willi schüttelte den Kopf, als könnte er es immer noch nicht fassen. Er durchlief ein Wechselbad der Gefühle. Die Schmetterlinge in seinem Bauch fuhren abwechselnd Achterbahn! Ich nutzte diesen etwas ruhigeren Moment der Erzählung und sah in die Gesichter der Zuhörer, die ebenso gebannt zuhörten wie ich. Von den Nachbartischen rückten einige etwas näher, und man konnte schon eine kleine Gruppe erkennen, die sich um den Erzähler **Willi** gescharrt hatte. Aus dem Nebenraum hörte man den schwachen, dumpfen Ton des Spielfilms, doch das schien hier niemanden zu interessieren, ganz im Gegenteil, und ich bin mir mehr als sicher, dass sie alle dem weiteren Verlauf der Geschichte entgegenfieberten.

Dann fuhr **Willi** fort und berichtete von seiner ersten Fahrt mit seiner Express. Mit diesen Schmetterlingen im Bauch konnte man so natürlich nicht schlafen gehen, und er tat das, was er tun musste! Natürlich schob er die Maschine aus dem Schuppen in die schmale Gasse, steckte den Zündschlüssel in das Zündschloss, das sich direkt vor ihm in der dicken Lampe befand. Auch der Tachometer war dort in der Lampe eingearbeitet. Die grünen Kontrollleuchten waren zu erkennen, noch schnell einmal geprüft, ob er auch nicht den ersten Gang eingelegt hatte, denn mit dem Starten sollte das Motorrad ja nach Möglichkeit nicht gleich losdonnern und schon gar nicht ohne ihn. Seine Finger zitterten, sein Herz schlug wie bei einem Gewitter, und als er mit dem linken Fuß den Starthebel herunter trat und aus dem zunächst leichtem Grollen schon bald das donnernde Geräusch des 197 ccm Motor ertönte, da war es so, als würde das größte Silvesterfeuerwerk über Berlin gezündet werden! Noch nie hatte er ein so schönes Geräusch gehört, dachte er sich, ganz zum Leidwesen der Nachbarn, die zum Teil ihre Fenster zur kleinen Gasse öffneten und sich lauthals über die nächtliche Ruhestörung beschwerten. Aber das war ihm alles egal, sein Gesicht hatte ein Dauergrinsen gepachtet, und die Bewohner würden sich auch wieder beruhigen. Dann stieg er auf die Maschine, legte den ersten Gang ein und fuhr einfach los! Die ganze Welt hätte er umarmen können, und die Tanzveranstaltung war zunächst in weite Ferne verschoben worden. Er donnerte durch die Straßen, den Ku`damm rauf und runter, und natürlich ging es auch raus zum Wannsee. Er fuhr und fuhr und fuhr, machte die Nacht zum Tag, und er weiß bis heute nicht, wann er nach Hause kam, auf jeden Fall muss es spät – oder auch früh gewesen sein, wie man es auch sehen wollte, denn die Gaslaternen am Straßenrand waren schon aus, und die *„Elektrische“*, wie die Straßenbahn kurz genannt wurde, war auch schon unterwegs.

Die letzten Meter in seiner Gasse ließ er das Motorrad ohne Motor rollen, denn die Nachbarn wollte er kein zweites Mal verärgern und schon gar nicht zu dieser frühen Stunde. Das Motorrad stand nun wieder im Schuppen neben dem Magirus, und am liebsten hätte er sich genau daneben gelegt, neben sein Motorrad. Doch die Vernunft siegte, und er verschwand noch schnell für ein paar kurze Stunden in seiner Kammer, bevor der neue Arbeitstag ihn wieder aufs Neue forderte.

Als wären nur einige Minuten vergangen, so wurde der junge **Willi** von der Stimme des Großvaters geweckt: *„Es wird Zeit Junge!“* Doch heute machte ihm die kurze Nacht oder der wenige Schlaf überhaupt nichts aus, er strahlte von Ohrwaschel zu Ohrwaschel, und diese Freude entging natürlich auch nicht der Großmutter, die bereits in der Küche an dem kargen Holztisch saß und für ihre beide Männer noch ein paar Stullen schmierte. *„Hattest du einen schönen Abend“,* fragte sie **Willi** und hatte dabei ein ganz besonderes Lächeln im Gesicht, ein Lächeln, das Mütter oder natürlich auch Großmütter auflegen, das man nicht erlernen und schon gar nicht kopieren kann. Ein Lächeln was so vieles bedeuten konnte. – Sie blickte zu ihrem Mann und flüsterte: *„Ich glaube, der **Willi** hatte einen schönen Abend, und ich spüre, dass er sich wohlfühlt und glücklich ist, er sieht verliebt aus“,* und dabei hoben sich ihre Mundwinkel gleich noch ein Stück mehr, obwohl das eigentlich gar nicht mehr möglich war. *„OK“,* sagte Willi, *„man sah es mir also an, und irgendwie hatte sie ja auch Recht, so wie Mütter und Großmütter meistens richtig liegen, und ich muss gestehen, dass ich schon ungeduldig dem Feierabend entgegen sah, um mich mit meiner **„NEUEN GROSSEN LIEBE“** erneut zu treffen – und dabei hatte die Arbeit noch gar nicht begonnen!“* Getragen vom Glücksgefühl überstand er den Arbeitstag, der nicht weniger anstrengend wie auch die Tage zuvor waren, doch die Schmetterlinge und die Gedanken an den Abend gaben ihm Kraft, Energie und ein Ziel, das er so schnell wie möglich erreichen wollte.

Alle hörten sie Willi gebannt zu, das Kaminfeuer funkelte in seinen weit geöffneten Augen, und leise erzählte er weiter. *„Meine Express“,* beschrieb **Willi** seine erste große Liebe, *„meine Express war an Schönheit kaum zu überbieten. Der zweifarbige Lack, kunstvoll emailliert eingebrannt, die in der Sonne funkelnden Chromteile und der kraftvolle 197 ccm Ilo-Motor von den Pinneberger Motorenwerken, waren etwas anderes als die zahlreichen BMW's oder NSU Max die durch die Straßen knatterten, dieses Motorrad war etwas ganz Besonderes“*, hauchte **Willi** mit in sich gekehrter Stimme und wurde fast melancholisch, – *„ja, sie war etwas ganz Besonderes“,* wiederholte er!

Für einen Moment setzte eine eigenartige Stille ein, niemand wagte, etwas zu sagen, nur das Knistern der Hölzer im Kamin durchbrach die geheimnisvolle Stille. Eine Stille, die jedem noch einmal den Respekt, die große Liebe, diese starken Gefühle zeigte, Gefühle, die man von diesem doch so plump, eigentlich schon fast rau wirkenden **Willi Kluge** aus Berlin Pankow, den sie alle nur den „Icke" nannten, überhaupt nicht kannte und sie ihm im Leben nicht zugetraut hatte. Nach ein paar weiteren stillen Minuten, die sich wie eine kleine, wenn auch sehr angenehme Ewigkeit anfühlte, hörte man die Stimme von **Opa Hentrich**, der sich still und heimlich wie viele andere auch, dazugesellt hatte und mit ruhiger Stimme sprach: *„Donnerwetter, das hätte ich dem alten Bierkutscher gar nicht zugetraut!"* Dabei hob er seine Tasse in die Höhe, was auch immer darin versteckt war, und löste die knisternde Stimmung und das Schweigen, so dass auch die **„Gräfin"** leise und einfühlsam eine Frage stellte: *„Und gab es denn auch noch eine zweite Liebe, denn schließlich hatte so`n Motorrad doch einen Sozius?"* Alle lachten und schauten gespannt der Antwort entgegen, doch **Willi** blieb stumm, immer noch in sich gekehrt, mit leicht geröteten Wangen und einem verlegenen Ausdruck wie ein nachdenklicher alter Mann, und plötzlich konnte man an seinem Gesichtsausdruck erkennen, dass er etwas in seiner Erinnerung trug, etwas was seinen nachdenklichen Ausdruck zu einem schmunzelnden verändern ließ, und nach einer kurzen Denkpause sagte er nur knapp und respektvoll *„... ja, ja, der Sozius, der war selten frei, aber diese Geschichte oder besser diese Geschichten werde ich ein anderes Mal erzählen!"*

Die Freude auf diese Geschichte ermunterte alle anderen, und aus der gerade noch sehr stillen, knisternden Stimmung entwickelte sich im Moment ein fröhliches und buntes Treiben. Einige holten sich einen frischen Tee, **Opa Hentrich** hantierte unter der Tischplatte mit seiner Tasse herum, so dass es keiner sehen, jedoch ein jeder erkennen konnte, dass er sich etwas in die Tasse goss, und das sah nicht nach Süßstoff aus, bevor er seine Hand wieder mit etwas Geheimnisvollem in der Hosentasche verschwinden ließ. Eigentlich wollte ich mich mit den beiden Herren zu einem Dreiergespräch treffen, und als mein Blick durch die Runde ging, da saßen an drei bis vier Tischen bestimmt sieben, acht, vielleicht waren es auch mehr Personen, die sich nicht wie am Abend zuvor anonym und allein an irgend einen freien Platz setzten, sie waren mit dabei, und ich hatte den Eindruck, sie waren auch mit großer Freude dabei, bei der Geschichte von **Willis** erster großer Liebe, und dabei ging es doch nur um ein altes Motorrad, – aber ich glaube, dass der Inhalt nicht so entscheidend war als vielmehr die Geschichte, das Kaminfeuer und ein paar Erinnerungen an eine längst vergangene Zeit.

3.12__ Karl Wucherpfennig – DER Handlungsreisende!

Dankbar ergriff ich die Situation und sprach den zweiten der beiden verabredeten Herren an, der ja nun überhaupt nicht zu Wort gekommen war, und von dem ich nun noch gar nichts wusste. – Wusste überhaupt irgendjemand etwas von dem anderen? Etwas mehr als nur den Namen, die Herkunft und vielleicht noch den Beruf? Nach dieser Geschichte von **Willi Kluge** wagte ich, es zu bezweifeln und hatte die Idee, vielleicht den einen oder anderen aus der Isolation zu locken und seine Geschichte erzählen zu lassen, und wer wusste es schon, vielleicht interessierte es die anderen Mitbewohner auch, schaden konnte es bestimmt nichts, und möglicherweise war es ja auch ganz angenehm und unterhaltsam.

Und um überhaupt erst einmal den richtigen Einstieg für ein Gespräch zu finden, sprach ich ihn auch direkt mit einer Frage an, wie das damals so war, als die ersten elektrischen Filterkaffeemaschinen herauskamen. **Herr Wucherpfennig** zuckte förmlich zusammen, und man hatte fast das Gefühl, er wäre noch im „Träumermodus“ der vorhergegangenen Stimmung und Geschichte und leise, mit gesenktem Kopf versuchte er, der Antwort auszuweichen, und er erklärte sehr schüchtern und schon fast resignierend, dass er an die unglaublich emotionale Geschichte mit der „Ersten großen Liebe“ doch mit einer profanen, langweiligen Kaffeemaschine gar nicht anknüpfen könnte. Doch kaum hatte er ausgesprochen, da meldete sich auch schon eine Stimme aus dem Rückraum: *„Also die erste große Liebe ist die Kaffeemaschine vielleicht nicht, aber ohne sie hätte ich meine erste große Liebe vielleicht nicht so schnell gefunden!“* Begleitet wurde der Einwurf von großem Gelächter, und Stimmen waren zu hören wie: *„Oh, ja, das ist in der Tat so gewesen“,* auch der Satz: „M*agst noch auf einen Kaffee mit hochkommen“,* bekam eine ganz andere Wertigkeit und Bedeutung, und wieder wurde es von lautem Gelächter begleitet. Und plötzlich taute auch **Karl Wucherpfennig** auf, fühlte sich in seinem Bereich bestätigt, und der alte Handelsvertreter kam wieder durch!

„Na, ja“ – sagte er, *die Kaffeemaschine war schon eine kleine Revolution und brachte so manche Veränderung und auch Qualität mit in die Haushalte, aber vielmehr noch in die Büros!“* Während er das sagte, war sein Haupt längst erhoben, die Augen bekamen einen ähnlichen Glanz, wie auch zuvor bei **Willi Kluge** und seiner Express zu erkennen

war, und ohne zu unterbrechen sprach er weiter und rutschte dabei mit dem Stuhl wieder etwas näher an die Gruppe heran, von der er sich in den vergangenen Minuten still und heimlich immer weiter nach hinten entfernte, so, als würde er gar nicht dazugehören. Doch wie bei einem Rennpferd, das plötzlich die Gangart wechselte, besann auch er sich der alten Stärken, krempelte die Ärmel auf und sah die vor sich stehende Kaffeemaschine fertig zur Präsentation.

„Also, es ist ja mal so“, sprach er weiter, *„wir kommen ja alle aus einer Zeit, da waren der Wohlstand und der technische Fortschritt nicht so ausgeprägt, und wenn wir einmal ehrlich sind, dann waren wir doch alle mit dem Wenigen, das wir hatten, auch glücklich und zufrieden. – Könnt ihr euch noch daran erinnern, wie wir uns den Kaffee früher immer aus Malz und vielen geheimen Zusätzen zusammengemixt haben und dass er nur mit den größten Phantasien und nur im Entferntesten etwas mit KAFFEE zu tun hatte, – Muckefuck haben wir ihn genannt, aber wir haben ihn getrunken! Und wehmütig sahen wir die großen Handelschiffe, die aus Übersee in Bremerhafen und Hamburg ankamen und den leckersten Kaffee aus Costa Rica, Brasilien, Kolumbien oder aus Afrika zu uns nach Europa brachten, aber wir konnten ihn uns nicht leisten*“, rief er laut, fast schon schreiend, wie ein Politiker, der seine Partei auf einer Kundgebung gewinnbringend verkaufen wollte. *– Und wenn es dann doch mal Bohnenkaffee sein sollte, dann hatte man ihn sich mühsam vom Mund abgespart, aber auch nur dann, wenn ein ganz besonderes Ereignis anstand, meine sehr verehrten Damen und Herren, und da musste es schon ein ganz wichtiger Geburtstag sein – der siebzigste von der „Omma“ hatte da nicht gereicht, meine Lieben, zumal es bei solchen Veranstaltungen ja sowieso immer nur Jojo-Kaffee gab“,* dabei sah er mit weitgeöffneten Augen in die Runde, bevor er trocken weiter sprach. – *„Ja, genau, Jojo-Kaffee, meine Lieben, ihr habt schon richtig verstanden – eine Bohne an einen Faden gehängt und behutsam im heißen Wasser auf und ab bewegt.* Karl war in seinem Element, steigerte sich immer mehr, und der kleine, sonst so stille Mann, war gar nicht wiederzuerkennen. –_*„Eine Hochzeit oder ein hoher Besuch musste es dann schon wenigstens sein“,* sprach er weite, *„aber auch dann ging man sparsam mit dem schwarzen Gold um, und es wurde getrickst und mit Wasser gestreckt, dass sich die Balken bogen. Erinnert ihr euch noch an den Blümchenkaffee“,* dabei kreiste sein Blick durch die Runde und fand nur fragende Gesichter mit teilweise erstaunten, offenen Mündern –_*„der war so dünn, liebe Leute, da konnte man das Blümchenmuster am Boden der Tasse erkennen, noch bevor man die Sahne dazu gab, so verdammt dünn war das Zeug“* – großes Gelächter durchbrach die Runde, ganz anders

als bei **Willis** Erzählung, denn **Karl Wucherpfennig** band die Zuhörer mit ein, machte sie zu einem Teil der Geschichte, und es gingen gerade die Pferde oder besser gesagt die Kaffeebohnen mit ihm durch. Und sie erinnerten sich alle an jene Zeit und gaben zustimmende Bemerkungen und Zwischenrufe – „jaaahh, genauso ist es gewesen“, war zu hören, begleitet von heftigem Nicken und strahlenden Gesichtern!

„**Aber**“, sprach **Karl Wucherpfennig** mit kräftiger Stimme, die das immer lauter werdende Durcheinandergerede souverän übertönte, *„...**aber**“,* führte er fort, *„liebe Freunde, wenn ich noch um einen Moment ihrer geschätzten Aufmerksamkeit bitten dürfte“,* wow dachte ich, wie sich doch in ein paar Sekunden eine Situation, eine Stimmung, Emotionen und Impulsivität verändern können, *„aber vergessen wir auch bitte nicht, dass wir bei Deutschland, bei unserem geschätztem Vaterland auf ein Wirtschaftswunder zurückblicken, das in der Welt, ja ich möchte fast behaupten in der Weltgeschichte seines Gleichen sucht, und das hatte uns natürlich viele neue Wege aufgezeigt. Wir haben aufgebaut, und auch hier möchte ich noch einmal den Fleiß unserer Frauen erwähnen, die nicht nur den Verlust der im Krieg gebliebenen Ehemänner zu verschmerzen hatten, nein, meine sehr verehrten Damen und Herren, diese sogenannten **„Trümmerfrauen“** hatten sozusagen das Heft, oder sollte ich vielleicht besser sagen die Schaufeln in die Hand genommen und waren maßgeblich daran beteiligt und auch verantwortlich dafür, dass es in und mit Deutschland so schnell aufwärts und voran ging. Dem Fortschritt stand nichts mehr im Weg, – Deutschland blühte, die Wirtschaft boomte, Marken wie **VW, Miehle, Bauknecht, Krups, AEG** und **Siemens** waren nur der Anfang einer Erfolgsstory, die Deutschland bekannt gemacht hatte und wie sie bis heute in der Welt ihres Gleichen sucht, meine verehrten Damen und Herren!“* Mit diesem Plädoyer, dem Aufruf in Ehren der deutschen Geschichte beendete er den eindrucksvollen Vortrag, gönnte seiner Stimme eine kurze Pause und trank einen Schluck vom Tee, der sich in der Tasse vor ihm auf dem Tisch befand.

Der **Karl** redete sich so in Rage, dass ich es zeitweise mit der Angst bekam und hoffte, dass sein Herz stark genug war. Und hatte man auch vielleicht eingangs die geringsten Zweifel, ob dieser **Karl Wucherpfennig** tatsächlich mal als Handlungsreisender unterwegs war, dann waren sie spätestens mit diesem Auftritt aber restlos ausgeräumt. Er war nicht irgendein Handlungsreisender, er war die Mutter der Vertreter, sozusagen:

– **DER** HANDLUNGSREISENDE !

Nachdem er sich mit dem Schluck Tee wieder etwas zurückgefahren hatte, sprach er mit deutlich leiser werdender und schon fast hypnotisierender, monotoner Stimme weiter: *„Ja, meine Damen, und dann kam ich, dann kam ich und hatte für sie den ultimativen Fortschritt in der Aktentasche und nichts geringeres als die Krups 258 mit bis zu vier Tassen in einem Aufbrühvorgang, vollautomatisch mit Glaskolben, Thermoverglasung und einem Haltegriff in gut positioniertem Handabstand zur Schonung der Fingernägel. Ein innovatives Markenprodukt aus elegant verarbeitetem, abwaschbaren Kunststoff in den modischen Trendfarben gelb und orange, passend zu den neuen Nagellacken und Lippenstiften, sehr verehrte Damen, da wird der Kaffeegenuss zum Rendezvous, zum Abenteuer, ach was sage ich denn, da wird der Griff zur Kanne wie eine Reise nach Costa Rica"* – und als er erneut an seiner Tasse nippte, da nutzte die **Gräfin von Naumburg** die Stille der Situation und sprach laut, aber dennoch in einer Ruhe und mit Bedacht: *„Donnerwetter, das war mir damals so gar nicht bewusst"* und wieder ging ein lautes Gelächter durch die Runde, und der liebe **Karl Wucherpfennig** wurde seinem Ruf als Vertreter mehr als nur gerecht, und auch hier bestätigte sich die alte Weisheit, – man war nicht – MAN IST, – der ultimative **MEGAVERKÄUFER !**

Sichtlich stolz, aber trotzdem auch ein wenig verlegen bedankte sich **Herr Wucherpfennig** und murmelte bescheiden noch etwas wie *„...n, ja, so war das halt damals"*, blickte unsicher auf den Boden und wurde sogar etwas rot dabei.

Im Nachbarzimmer war der Film längst beendet, und mehr und mehr Gäste gesellten sich dazu, teils aus Neugierde, teils aus Interesse, denn die verkaufsfördernde „Kaffeefahrt" war unüberhörbar und drang über die Zimmergrenze bis in den Fernsehraum. Das Kaminfeuer hatte den höchsten Flammpunkt längst überschritten, es loderten nur noch ein paar Restflammen in der Glut, trotzdem strahlte der aufgeheizte Kamin eine wohlige Wärme und Gemütlichkeit aus. Im Raum kehrte man zur alten gewohnten Stille zurück, und als ob ein jeder die zuvor erzählte Geschichte erst noch einmal Revue passieren ließ, und vielleicht träumte auch so manch einer von seiner eigenen Geschichte, von seiner alten großen Liebe, seinem ganz persönlichen Abenteuer oder vom Berufsleben, wer weiß, auf jeden Fall waren es keine traurigen, nachdenklichen Gesichter, sie hatten alle einen ganz besonderen Glanz in den Augen, einen Glanz, den ich zu diesem Zeitpunkt noch nicht richtig einschätzen konnte, der aber, wie sich später herausstellen sollte, eine entscheidende Veränderung im Leben mancher Bewohner bedeuten sollte.

3.13__ Liselotte Schwertfeger

Die gemütliche, ja schon verträumte Stille wurde dann plötzlich gestört als sich die Zimmertür schwungvoll öffnete und der Lichtschalter angeknipst wurde. Wie bei einem unerwarteten Blitz ging ein Stöhnen und Raunen durch den Raum, und ein jeder hielt sich die Hand vor die Augen. Dieser unerwartete Blitz wurde von einer jungen Frau ausgelöst, **Liselotte Schwertfeger**, 36 Jahre, die an solchen gesellschaftlichen Abenden, Fernsehaufführungen, Spielnachmittagen oder auch bei Ausflügen ebenfalls als ehrenamtliche Helferin tätig war. Sie war eine Frohnatur, hatte immer einen kessen Spruch auf den Lippen und wurde von fast allen nur *„**Flotter Feger**"* genannt. Aber dieses Mal hatten wir sie kalt erwischt, es hatte ihr förmlich die Sprache verschlagen als sie das Kaminzimmer betrat in der Annahme, es wären alle längst auf den Zimmern und wenn überhaupt, dann nur noch ein paar eingeschlafene Bewohner, die geweckt werden mussten. Mit weit geöffneten Augen und den Händen in die Hüften gestemmt stand sie wie eine strenge Herbergsmutter in der Tür und fragte mit verschmitztem Lächeln ob sie irgendetwas verpasst hatte: Geburtstag, Jubiläum und man konnte ihr den irritierten Blick deutlich von den Augen ablesen. Erneut ging ein sanftes Schmunzeln und Raunen durch den Raum als es wieder **Opa Hentrich** war, der als erster das Wort ergriff: *„Wir waren auf einer Kaffeefahrt",* sagte er mit lauter Stimme, was wiederum von allen mit Gelächter begleitet wurde. **Frau Schwertfeger** runzelte die Stirn, konnte die Situation nicht wirklich einschätzen, spürte aber sehr wohl, dass es den Bewohnern gefallen hatte. Und noch bevor sie die nächste Frage stellen konnte, ertönte der Stundengong der alten Kaminuhr, die ganz sicher auch die eine oder andere Geschichte erzählen konnte, so wie viele der anwesenden Personen wahrscheinlich auch.

Frau Schwertfeger führte die Hände an ihren Mund, rollte mit den Augen und rief: *„Aber HALLO, was ist das denn",* das emaillierte Zifferblatt zeigte 22 Uhr, *„jetzt aber ab ins Bett und hopp, hopp, hopp",* und sie klatschte dabei aufmunternd in die Hände! Wie an einer Perlenschnur setzte sich der Tross der Bewohner in Bewegung und alle gingen zielstrebig in Richtung Treppenhaus beziehungsweise zum Fahrstuhl, so wie sie es gewohnt waren, doch irgendwie gingen sie heute anders zurück, fröhlicher, positiver aber auch nachdenklicher? Nur **Opa Hentrich** musste natürlich noch einen rauslassen: *„Jojojo, jetzt wird's aber wirklich Zeit – nicht dass wir morgen verschlafen und zu spät zum Dienst kommen",* sagte er grinsend, zog dabei einmal mehr an seiner kalten Pfeife und schlürfte den anderen zum Treppenhaus hinterher.

Frau Schwertfeger stand nach wie vor an der Seite des Türdurchgangs, und ihr Blick folgte der Karawane, als sie mich noch als letzten dort an dem Tisch sitzen sah. *–„Sie sind neu hier, habe ich Recht“,* sprach sie, und ich stellte mich ihr als „Praktikant“ vor. Sie erzählte mir, dass es schon sehr ungewöhnlich sei, zu so später Stunde noch so viele Bewohner und dann auch noch als Gruppe miteinander im Kaminzimmer, dann wurde sie wieder sprachlos und schüttelte ungläubig den Kopf. *„Ich kann mich nicht daran erinnern, wann ich das hier zuletzt so gesehen habe“,* sprach sie weiter, und wieder verzog sie das Gesicht zu einem Schmunzeln. Ich konnte es nicht beurteilen, es war mein erster Tag im Haus und zugegeben, er war schon ganz schön vollgestopft von neuen Dingen, Emotionen, Gedanken, Persönlichkeiten, den Menschen, ihren Schicksalen und den unglaublichen Geschichten – ja, dachte ich und seufzte leise vor mich hin: *„Die Geschichten!“* **Frau Schwertfeger** sah mich an und konnte das kaum hörbare Herausstammeln, das eigentlich nur für mich selbst bestimmt war, nicht einordnen und fragte mich, was genau ich mit „Geschichten“ meinen würde, und irgendwie in meiner Träumerei ertappt zuckte ich zusammen, hob den Kopf, blickte in ihre Richtung und sagte: *„Na, ja, die Geschichten halt, die große Liebe, die Express“,* und wieder verzog sie die Stirn in Falten, und am Gesichtsausdruck konnte ich erkennen, dass sie mir nicht folgen konnte. Damit sie nun nicht im Glauben war, ich würde mich in geistiger Umnachtung befinden oder gar angetrunken wirres Zeug quasseln, versuchte ich die Kurve zu bekommen, bevor ich mich um Kopf und Kragen redete und sie noch mehr verunsicherte.

„Ich glaube, es war für ALLE ein ganz interessanter und anstrengender Tag“, sprach ich weiter, *„wir sollten jetzt auch zu Bett gehen“,* stand auf, trank den letzten Rest meines schon längst erkalteten Tees und half ihr, den Raum wieder in den Urzustand zurückzuversetzen – ihre eigentliche Aufgabe, als sie noch vor ein paar Minuten den Raum betrat und unbeabsichtigt die illustre Abendrunde sprengte. Die Stühle wurden in Position geschoben, die Zeitschriften auf dem kleinen Beistelltisch gerade gerückt, obwohl am heutigen Abend niemand einen Blick in eine Zeitung oder gar in ein Buch geworfen hatte. Als wir den Servierwagen in die Küche schoben, da kam uns **Mathilde** entgegen, die nur noch schnell den Frühstücksraum vorbereiten und eindecken wollte. Ja, sie machte ihrem Spitznamen *„Küchenfee“* wieder einmal alle Ehre, und wie der gute Hausgeist wirbelte sie zwischen Küche und Frühstücksraum hin und her.

Müde, geschafft, nachdenklich und mit ganz vielen Dingen im Kopf ging ich mit der gleichen schleichenden Geschwindigkeit wie auch die Bewohner zuvor in Richtung Treppenhaus und sah noch nicht einmal mehr auf die Informationstafel, um mich auf den nächsten Tag vorzubereiten. Es gingen mir auch eigentlich zu viele Dinge durch den Kopf, Dinge, die auch ich erst einmal verarbeiten musste. Im Zimmer angekommen stand ich noch ein paar Minuten am halbgeöffneten Fenster und konnte die Umrisse einiger Vögel erkennen, die sich im Zwielicht am Horizont abzeichneten. Das Blöken einiger Schafe in der Ferne wirkte durchaus beruhigend, und es half mir, die vielen Eindrücke zu sortieren, beziehungsweise die nötige Ruhe zu finden und sie zu verarbeiten. Als ich dann einige Minuten später im Bett lag und entspannt und zufrieden unter die Zimmerdecke blickte, liefen tatsächlich die Bilder des Tages noch einmal wie im Zeitraffer vor mir ab, und ich musste gestehen, dass ich bei einigen Passagen sogar noch einmal schmunzeln musste. **Opa Hentrich** war schon etwas ganz Besonderes, das hatte ich schnell festgestellt, aber eigentlich waren es die anderen auch. Der **Willi Kluge** und der **Karl Wucherpfennig**, zwei unscheinbare ältere Herren, doch dann, als sie aus ihrer Vergangenheit erzählten, wow, das war schon sehr facettenreich! Die Geschichte, die Begeisterung, die Emotionen, die Reaktionen der Mitbewohner und Zuhörer – und wer weiß, vielleicht war es der Beginn von noch mehr Geschichten aus vergangenen Tagen. Wie werden die Mitbewohner damit umgehen? Ganz viele Fragen gingen mir durch den Kopf, und ich muss beim Karussell der Gedanken dann irgendwann eingeschlafen sein.

Kapitel

4

Der Gemeinschaftsraum

Ein neuer Tag beginnt, das hört sich zunächst wenig spektakulär an, gleichwohl ich doch sehr gespannt war, wie er sich im Vergleich zum gestrigen entwickelte. Ja und um das herauszubekommen, musste man natürlich erst einmal aufstehen und sich auf den Weg machen. Ich muss gestehen, dass die Urlaubsfaulheit, oder war es nur Trägheit, mich bereits gut eingenommen hatte, denn nicht so, wie in den vielen Jahren zuvor, in denen ich schon früh morgens wie ein Hochleistungsathlet, wie die Nummer 1 der deutschen Turnerriege, mit einem gestrecktem Sprung aus dem Bett hüpfte, noch bevor der Wecker überhaupt daran dachte, seinen unangenehmen Signalton abzuspielen, tastete ich mich nun erst einmal mit dem Fuß unter der warmen Bettdecke hervor und diskutierte mit mir in Gedanken, ob es nicht sinnvoll wäre, noch ein paar Minuten inne zu halten und dem Körper doch noch ein paar Minuten Zeit zu geben, um auf Betriebstemperatur zu kommen. Ich glaube, meinen Gelenken tat es gut und mit Sicherheit auch dem Herzen, denn dieser brutale Alarmstart am Morgen kratzte immer haarscharf am Herzinfarkt vorbei! Die Sonnenstrahlen fielen schon durch die eine Ecke des Fensters, und langsam schob ich mich nach vorn an die Bettkante. Ich hatte wie ein Stein geschlafen, fühlte mich gut aber dennoch müde, denn beim Aufstehen überkam mich ein tiefer Gähner, begleitet von den nach oben links und rechts wegdrückenden Armen, und einem gefühlten Gesichtsausdruck, als hätte ich gerade in eine frische Zitrone gebissen.

„Kein Grund zur Beunruhigung“, murmelte ich vor mich hin, was von einem erneuten, noch intensiveren Gähner begleitet wurde. *„Ist nur Sauerstoffmangel“,* beruhigte ich mich selbst. Ich öffnete das Fenster und blickte auf die grünen Weiden, die vor mir lagen, den Deich am Horizont und die Vögel, die noch irgendwie unschlüssig von einem Baum zum nächsten flogen, und es sah aus, als könnten sie sich noch nicht so recht entscheiden, welcher Baum für das erste Bad in der Sonne oder vielleicht für das erste Gesangsstück der richtige oder der beste Platz war. Und genauso munter wirbelte auch schon Gärtner **Rudi** (Rumpelstilzchen) im Garten herum und kroch in einem Beet zwischen prachtvoll blühenden Blumen. Rein ins Bad, Morgentoilette und dann nichts wie runter, war ich doch so gespannt auf die Reaktionen der Bewohner, was den vergangenen Abend anging. Die Uhr zeigte bereits 8:20 Uhr, ich war also deutlich später als am Vortag, lag aber trotzdem immer noch gut in der Zeit.

Gut gelaunt verließ ich das Zimmer, ging zielstrebig zum Treppenabgang, und als ich den Frühstücksraum betrat, da waren nur noch drei Personen an vereinzelten Tischen zu sehen, die aber bereits mit dem Frühstück fertig waren und nur noch für einen Moment Ruhe und Stille suchten. Oh Gott, dachte ich, sie haben bestimmt verschlafen und ich hatte ein schlechtes Gewissen, dass ich mit meinem Besuch, mit den Veränderungen, die ich zwar ungewollt aber dennoch gut gemeint provoziert hatte, Schuld war. Vielleicht hätten wir das abendliche Gespräch eher auf den Nachmittag legen sollen, aber es war auch nicht zu erwarten, dass diese Runde gestern Abend so lange durchhielt und darüber hinaus auch noch so einen Anklang fand. Hoffentlich hatte ich den Tagesplan jetzt dadurch nicht vollends durcheinandergebracht, da kam die gute Küchenfee **Mathilde** aus der Küche und rief mir schmunzelnd entgegen: *„Das liegt an der Luftveränderung“,* und ich wusste zunächst nicht, was sie meinte: *„Diese Luft hier an der Küste, die Ruhe und das monotone Blöken der Schafe“,* sprach sie weiter, während sie das benutze Geschirr von den Tischen abräumte, *„da hat schon so manch einer die Zeit verloren“,* setzte sie nach und schob den Wagen zum nächsten Tisch. Dann erst erkannte ich, dass ich als letzter im Frühstücksraum angekommen war, die anderen Bewohner längst mit dem Frühstück durch waren und an ihrer Vormittagsgestaltung bastelten oder wenigstens darüber nachdachten.

4.1__ Butterfahrt der Land- und Weicheier

Ich schmierte ein Brot, nahm eine Tasse Kaffee dazu (natürlich aus der Kanne mit dem roten Deckel) und ging nach draußen auf die Veranda, wo ich auch gleich von **Opa Hentrich** begrüßt wurde, der fast nur darauf wartete, mir einen kleinen Seitenhieb zu verpassen. *„Na, junger Mann, iss wohl ein bisschen länger geworden gestern Abend“*, dabei lachte er verschmitzt mit seinen kleinen Augen, die fast wie Seeschlitze aussahen. Ich fragte ihn, wo denn die anderen Bewohner alle geblieben wären, und er berichtete, dass sie dort sind, wo sie immer sind, mal hier, mal da; und einige sind heute früh schon sehr zeitig mit dem Bus in ein benachbartes Wohnheim gefahren, da hatte man mittwochs die Möglichkeit, sich im warmen Bewegungsbad an der Wassergymnastik zu beteiligen. Begleitet wurde die Gruppe dabei von der Gemeindeschwester **Anna**, der Physiotherapeutin **Svantje von Kaarst** (die Feder) und vom Zivi **Torben Bleibtreu** (der Weiche).

„Für mich ist das nichts, diese Butterfahrt der Land- und Weicheier“, sagte **Opa Hentrich** und machte eine abwertende Handbewegung. *„Ich bin so lange zur See gefahren, da reißt mich heute so ein Geplansche nicht mehr vom Hocker, das ist dann doch mehr etwas für die Süßwasser-Leichtmatrosen! – Allerdings“,* sagte er und verzog dabei das Gesicht, *„allerdings muss man beim Bootsmann schön vorsichtig sein, denn die Gemeindeschwester Anna, oh, oh“,* sagte er und verzog erneut das Gesicht, *„die Schwester* ***Anna****, die hat es faustdick hinter den Ohren, die hat auch schon alle Meere befahren und ist mindestens einmal bei strammer See um's Kap Horn gesegelt!“* Ein unverkennbarer Respekt war dem zu entnehmen, und je mehr er von ihr berichtete, um so leiser und vorsichtiger wurde seine Stimme. *„Man sagt, sie wäre mit dem Teufel um die Wette gesegelt – und dass der auf halber Strecke winselnd über Bord gegangen ist, – also, bei ihr würde ich nicht anheuern!“* Und plötzlich versank **Opa Hentrich** in seiner eigenen Welt, umgeben von Seeungeheuern, dem Fliegenden Holländer und einer Buddel voll Rum!

Tatsächlich war es in der Anlage stiller als die Tage zuvor, doch es lag natürlich nicht nur an der fehlenden Schwimmgruppe, auch aus dem Gemeinschaftsraum ertönten Musikklänge und dazu die piepsige Stimme der anderen Physiotherapeutin, **Trixi Schwan** (der Flummi): ***Noch-1, noch-2, noch-3 und die Beine zusammen und nach links, nach links, nach oben und halten, halten und haaaaalten und absetzen!*** **Trixi** wirbelte einige der Damen auf den ausgerollten Gymnastikmatten hin und her, und mit Gummibändern und den Gymnastikbällen bewegten sich nicht nur die sportlichen Damen im Takt der Musik, auch **Jaqueline Möller-Brecht**, die Raumpflegekollegin von **Gerda Kruse**, die gestern Dienst hatte, schwang voller Elan nicht nur ihre Hüften, auch der Scheuerlappen kreiste hin und wieder über ihrem Kopf! *„Junger Mann, machen sie mit“,* wurde ich durch einen Ruf aus der Frauenmitte aufgefordert, doch ich zog es vor, in den Garten zu gehen und mich mit meinen Aufzeichnungen zu befassen.

4.2__ Fröhliche Bocciarunde

Wieder zog es mich zum kuscheligen Pavillon, der hinter dem Haus, fernab der Straße im idyllischen Teil des Gartenbereichs lag. Als ich hinter der Hibiskushecke Stimmen und eine fröhliches Treiben hörte, legte ich die Mappe mit meinen Aufzeichnungen auf den Tisch, blickte um die Ecke und sah drei Herren, die sich mit Boccia Kugeln auf einem eigens dafür vorgesehenen Sandplatz vergnügten. Sie waren so sehr ins Spiel vertieft und bemerkten gar nicht, dass ich sie vom Rand des Spielfeldes aus beobachtete; und wie drei kleine Jungen, die auf dem Schulhof spielten, vergnügten sie sich mit den Kugeln und schwangen nicht weniger impulsiv mit den Armen und der Hüfte, wie ich es bereits einige Minuten zuvor bei den Damen und ihrer Bodengymnastik gesehen hatte.

Es war schon erstaunlich, wie schnell man zum Voyeur wurde und sich wie ein Spion einfach still und heimlich an die Seite stellt und Menschen beobachtet. Warum machte man das überhaupt? War das Neugierde? Ich glaube, es gab verschiedene Beweggründe, doch meine Motivation war ganz einfach, dieses muntere, nicht gequälte, aktive Miteinander, das Lachen, die Freude und die Begeisterung der drei Herren hatte mich gefesselt und in den Bann gezogen. Rheuma, Muskelreißen und der immer und immer wieder schmerzende Ischiasnerv waren irgendwie im Zimmer geblieben, denn mit eleganten Anläufen, geschwungenen Armen und schon zum Teil kunstvoll ausgeführten Sprüngen versuchte einer den anderen bei jedem Wurf zu übertreffen, was mit exotischen Anfeuerungsrufen lauthals begleitet wurde! Das Spielresultat wurde dabei schon fast zur Nebensache, denn der Spaß, das ganze Drum und Dran, das war es, was die Begeisterung, die Freude auslöste und nicht zuletzt bei mir die Motivation, ihnen zuzuschauen. Es waren bereits einige Minuten vergangen, als meine Anwesenheit bemerkt wurde und anstatt sich in der Begeisterung ein wenig zurückzufahren, weil man sich ertappt oder erwischt fühlte, rief der eine der drei Männer fast schon provokant: *„Achtung Männer, lasst die Biere verschwinden, Spion von rechts!“* Dabei lachten alle fast noch heftiger als zuvor, und ich muss ehrlich gestehen, dass mein Blick sofort in der Runde kreiste, ob dort tatsächlich irgendwo Bierflaschen zu sehen waren, doch auch das war nur ein Ablenkungsmanöver – oder besser gesagt, es hatte mich kalt erwischt, als Spion aufgeflogen zu sein, auch wenn es eine lieb gemeinte und nicht geplante Spionage war. Ich trat etwas näher, denn nun gab es ja keinen Grund mehr, sich weiter im Rückraum aufzuhalten.

„Komm' se ruhig nach vorn Herr Student", sagte der eine, und ich zuckte zusammen, aber wieso Student? Ich begrüßte die drei Herren und entschuldigte mich, dass ich mich so von hinten angeschlichen hatte, was aber als völlig unbedeutend abgetan wurde. *„Bleib'n se mal ganz entspannt junger Mann",* beruhigten sie mich und drückten mir eine Kugel in die Hand: *„Versuchen'se auch mal!"* Na, ja, dachte ich, wenn ich schon mal da bin – ging zwei bis drei Schritte zurück, obwohl ich eigentlich gar keinen Anlauf benötigte, aber nach den schwungvollen Bewegungen mit abschließenden Drehungen, die schon an kleine Pirouetten wie beim Eiskunstlauf erinnerten, wollte ich natürlich auch nicht wie ein Bewegungslegastheniker aussehen und die Kugel wie am Boden festgeklebt werfen. Ich ging also einige Schritte zurück, tat so, als ob ich Maß nahm, bewegte mich schnell nach vorn, ging dabei in die Knie, und der Abwurf sah wie eine Mischung aus Seniorenbowlen, unkoordiniertes Durcheinander und plötzlich auftretendem Hexenschuss aus, was mit einer *„Drei-Mann-Laola"* begleitet und auch dementsprechend kommentiert wurde! Der Zielbereich war zirka 20 Meter entfernt, die geworfenen Kugeln der drei Männer lagen dicht bei der kleineren Zielkugel, die auch gleichzeitig die Zielzone darstellte, doch meine Kugel verhungerte bereits im vorderen Drittel und blieb nach kurzem Gehumpel, Gerumpel und Herumgeeier nach zirka sechs bis sieben Metern liegen. Mit geöffnetem Mund und in der *„Arme-oben-phase"* der Laola stoppte die anfeuernde Begeisterung der drei Männer, sie sahen sich an, und der einzige Kommentar des kleinsten Mitstreiter war: *„**DONNERWETTER**!"* – Oh Gott war mir das peinlich, allerdings wurde diese Panne auch schnell durch gemeinschaftliches Gelächter aufgelöst! *„Das müssen wir aber wohl noch etwas üben"*, sagte der ältere Herr, der mich auch zuvor zum Wurf einlud, streckte mir seine Hand entgegen und stellte sich und seine beiden Mitstreiter vor: *„Ich bin **Iwan**",* sagte er und nicht nur an seinem Namen, auch an der dialektbetonten Aussprache konnte man unschwer erkenne, dass seine Wurzeln weit entfernt von Deutschland lagen. Dann zeigte er auf seinen Nebenmann: *„Das ist der **Walter** und der Kurze hier, das ist der **Claude**, ein echter Franzmann",* fügte er lachend hinzu. Und wieder hatte ich die Möglichkeit, drei neue Personen kennenzulernen und fühlte mich sehr wohl damit. Wie ich aus späteren Gesprächen erfuhr, kam **Iwan Strassniak** gebürtig aus Kasachstan, lebte aber schon mehr als zwei Drittel seines Lebens in Deutschland. Im früheren Leben war er mal Ingenieur, wie er selbst sagte – Elektroingenieur.

*„Und das ist unser **Walter**“*, sagte **Iwan** stolz und klopfte dabei seinem Nachbarn auf die Schulter. **Walter Schneemann** verbrachte die meiste Zeit seines Lebens in Hannover, wo er auch viele Jahre, gefühlt eigentlich sein halbes Leben, als Polizeibeamter unterwegs war, wie er selbst von sich behauptete. *„Der **Walter** passt hier auf, dass bei uns alles mit Recht und Ordnung zugeht“*, sprach **Iwan** weiter, *„denn als Kriminaloberrat kam er gleich nach dem Polizeipräsidenten“,* und dabei öffnete er seine Augen ganz groß, spitzte den Mund und nickte ehrfurchtsvoll und würdigend in **Walters** Richtung. Mit beschwichtigender Handbewegung und leichtem Kopfschütteln antwortete **Walter Schneemann**: *„Kriminalhauptkommissar und nicht Oberrat, das ist noch ein himmelweiter Unterschied!“ „Na, ja“,* fiel **Iwan** gleich ins Wort, *„auf jeden Fall war er nur für die schweren Jungs zuständig!“*

Und dann fehlte nur noch der kleinste von den dreien, der **Claude**, der gerade mit den eingesammelten Kugeln zurückkam. *„**Claude** ist unser „Kurzer“ und ein echter Franzmann“*, berichtete **Iwan** stolz weiter, *„und von ihm haben wir überhaupt auch dieses Spiel gezeigt bekommen!“* **Claude** streckte mir die Hand entgegen, und mit einem sanften Bonjour und einem unverkennbaren französischen Akzent sagte er mir seinen Namen: *„Es freut mich sehr Monsieur, gestatten **Claude Baptiste Chagall**“,* und dabei knallte er die Hacken zusammen. Wow, ein Name, wie er unter einem Gemälde im Louvre nicht passender stehen konnte neben den Rembrandts und Picassos. **Claude** wurde sichtbar verlegen und sagte nur: *„Nein, nein, ich bin nur ein ganz kleiner, völlig unbedeutenden Reisebegleiter gewesen bevor mich meine letzte Reise hierhin verschlagen hat. Das heißt“*, sprach er deutlich leise weiter, *„das heißt, die letzte große Reise steht uns ja allen noch bevor – dem einen früher, dem anderen später, aber wenn die Zeit gekommen ist ...*“ Dann wandte er sich ab und setzte sich auf die etwas abseits stehende Bank. Er lebte mit seiner Frau Louise in Avignon, und sie waren nie für längere Zeit getrennt. Selbst als Reisebegleiter war sie stets mit dabei, und man kannte die beiden nur als Paar, sie waren wie Kanarienvögel, wie die Unzertrennlichen, wie sie von Freunden auch liebevoll genannt wurden, und als sie auf der Suche nach einem Altersruhesitz waren, da bekam sie eine schwere Lungenentzündung, von der sie sich nicht mehr erholte. Hier in dem kleinen Örtchen war eigentlich nur ein Zwischenstopp geplant, bevor es weiter nach Skandinavien, bis zum Nordkap gehen sollte, doch irgend etwas hielt ihn nun hier fest, vielleicht weil es der letzte gemeinsame Platz war, an dem er die Hand seiner geliebten Louise hielt. Wahrscheinlich, wird man es niemals erfahren und es bleibt **Claude's** Geheimnis.

Drei weitere Menschen, drei Schicksale, drei Charaktere, ich war schon sehr betroffen, von diesen vielen kleinen Informationen, die für einige hier so entscheidend, wichtig und wertvoll waren. So persönliche Dinge, die das Leben der Beteiligten geprägt, beeinflusst und verändert haben. Und ich war mir fast sicher, dass kaum jemand so wirklich viel von dem anderen wusste. Vielleicht wollte man diesen Austausch auch gar nicht, vielleicht war es das letzte Stück intimster Privatsphäre, das einem noch blieb? Trotzdem bekam ich immer mehr den Eindruck, dass die Bewohner diesen Kontakt, dieses Kennenlernen als dankbare Abwechslung empfanden, so schien es mir auf jeden Fall am gestrigen Abend, als die beiden Herren **Kluge** und **Wucherpfennig** völlig aus sich herauskamen, als Alleinunterhalter durch den Abend führten und alle Anwesenden in ihren Bann zogen. Manchmal ist es tatsächlich nur so eine Kleinigkeit, ein Signal, ein Blick, eine Frage oder das Gefühl, das man dem Gegenüber vermittelt – **Du bist wichtig** – und schon kamen mir die Worte von **Richard König** in den Sinn, der beim Essen sagte: *„Man ist nicht ehemalig, man ist – und das sein Leben lang!“*

„Was iss jetzt, kann es weitergehen“, sprengte **Iwan** mit lautem Organ die kurze, etwas andächtig gewordene Pause. *„Bald kommen die Wassernixen zurück, und dann ist's vorbei mit der lieben Ruh'!“* Gemeint waren die Schwimm-Ausflügler, die gegen 11:30 Uhr zurück erwartet wurden. *„Wenn wir uns ranhalten, dann schaffen wir noch ein paar Runden“,* rief **Iwan** erneut, schnappte sich die Kugeln, stellte sich an die Grundlinie des Spielfeldes und begann. Ich sah noch einen Moment zu, und schnell waren die drei wieder im Spielmodus versunken, in dem sie alles andere um sich herum vergaßen und ausblendeten. Sie bekamen es noch nicht einmal mit, als ich sie verließ und verschwand genauso still und leise, wie ich mich auch zuvor in die Runde eingeschlichen hatte, und ich setzte mich, wie ursprünglich geplant, an den Tisch hinter die Hibiskushecke und machte mir ein paar Notizen. Eigentlich war es viel zu schön dort im Garten, um die Zeit mit trockenen Schreibarbeiten zu vergeuden, und ich schloss den Deckel meiner Kladde und verschob die Büroarbeiten auf die späten Abendstunden oder eine Schlechtwetterzeit oder – egal auf wann, jedenfalls nicht auf jetzt, und ich ertappte mich schon wieder dabei, einfach mal faul zu sein und Dinge nicht zu erledigen, aufzuschieben, und es fühlte sich jetzt nicht abgrundtief schlecht an. Ich ging ins Haus, um mir einen Kaffee zu holen und bin der lieben „**Bianca**“, wie sie von allen so liebevoll genannt wurde, auf ewig dankbar, dass sie mir das Tor oder besser gesagt den richtigen Deckel zum Bohnenkaffee geöffnet und verraten hatte.

Im Haus gab es viele Geräusche aber keine Personen dazu, jedenfalls sah ich keine. Es klappten Türen, das aus der Ferne surrende Geräusch eines Staubsaugers war genauso klar und deutlich zu hören wie das typische Geräusch, wenn man Tassen und Teller stapelt. Die Bewohner waren unterwegs, saßen im Garten oder auf den Zimmern, und im Hintergrund wirbelten die guten Seelen, damit auch alles entsprechend vorbereitet und funktionsfähig war. Darüber machte man sich auch nie irgendwelche Gedanken, was hinter all' diesen Dingen für eine Planung, Logistik und Organisation stand. Was hatte das zur Folge, wenn jemand ausfiel, wer kaufte dann ein? Wer bestimmte die Mahlzeiten, das Freizeitprogramm, wer half wem? Das interessierte mich schon, doch wenn ich jetzt in die Küche gegangen wäre, um das von **Mathilde** herauszubekommen und dann noch zirka eine Stunde vor der beginnenden Essenszeit, – keine gute Idee. Also tat ich das, was in diesem Moment wahrscheinlich das Beste war: Nicht stören und nach Möglichkeit nicht im Weg stehen. Ich nahm also meinen Kaffee und ging wieder zum vorderen Teil des Grundstücks zurück und sah bereits beim Verlassen des Hauses, dass der Dauergast an diesem Tisch natürlich auch wieder auf der Bank saß und wie gewohnt genüsslich an seiner kalten Pfeife zog. *„Moin **Opa Hentrich**“,* sagte ich einfach mutig heraus und setzte mich zu ihm an den Tisch. Ich hatte eigentlich damit gerechnet, dass er mir irgend etwas erzählen würde; doch schon fast so, als hätte er mich gar nicht bemerkt, saß er einfach nur so da und blickte nach vorn zum Grundstücksende und beobachtete die vorbeifahrenden Autos. Ich kann nicht sagen, dass diese Stille, dieses Schweigen unangenehm war, es tat ehrlich gesagt auch mal gut, und auch wenn kein Wort gesprochen wurde, so konnte ich doch einiges verstehen. Das Schweigen wurde durch den Besuch des Postministers (**Herr Schultz**) kurz unterbrochen, der mit seinem Fahrrad den Kiesweg bis zum Haus geradelt kam und uns mit einem schwungvollen *„Moin“* passierte. In der Hand hielt er Briefe, Prospekte und Zeitschriften, die er gleich hinter der Tür auf einer Anrichte ablegte, und genauso schnell wie er kam, war er auch schon wieder weg und rief uns noch mit winkender Armbewegung zu: *„Bin spät dran heute – schönen Tach noch“,* er schwang sich wieder auf sein altes „Miehle Dienstrad“, das wahrscheinlich schon genauso lange im Postdiensteinsatz war wie er selbst, und wahrscheinlich würden sie auch zusammen in Pension gehen – so wie es halt mit einer alten Liebe oft passiert. Beim Wegfahren klingelte er, warf **Rudi** dem Gärtner, der wie gewohnt zwischen den Sträuchern und Beeten für Ordnung sorgte, auch noch einen Guten-Morgen-Gruß rüber.

4.3__ Helmut König (Busfahrer)

Ja, auch wenn sich mal scheinbar nichts tat, tat sich eigentlich eine ganze Menge, und wahrscheinlich war es genau das, womit sich **Opa Hentrich** beschäftigte! Es vergingen ein paar Minuten, als plötzlich ein kleiner Bus in die Einfahrt zur Wohnanlage abbog. Der Bus hatte eine auffällige, bordeauxrote Farbe, und als bunte aufgedruckte oder lackierte Elemente waren ein Leuchtturm, Möwen, ein Seestern, eine kräftig strahlende Sonne, ein Strandkorb und natürlich das Meer zu erkennen. Rechts oben verlief diagonal ein Schriftzug: ***HIER* pulsiert das Leben!** Im Schritttempo fuhr der kleine Bus die Einfahrt entlang, und der weiße Kies knirschte unter den Reifen. Auch **Opa Hentrichs** Blick wanderte in die Richtung, und völlig emotionslos murmelte er vor sich hin: *„Die Wasserelfen kommen zurück!“* Und genauso war es auch. Der Bus stoppte direkt vor der Tür, und ich erkannte **Torben** (der Weiche), der als erster den Bus verließ, ins Haus hechtete und mit einem Rollator an die Tür zurückkam. Gemeindeschwester **Anna** stand an der Bustür und half beim Aussteigen. Interessant war zu beobachten, dass die angebotene hilfreiche Hand zunächst abgewiesen beziehungsweise gar nicht erst in Anspruch genommen wurde. Es hatte ein wenig den Anschein, als brauchten sie keine Hilfe – HALLO, wir sind doch noch rüstig und fit. Aber trotzdem bestand natürlich die Gefahr, einige Stufen nicht richtig zu erkennen, ins Leere zu treten und zu stürzen. Selbst mir passiert das noch sehr häufig, wenn ich im falschen Winkel durch meine Gleitsichtbrille gucke und von der Fernsicht in den Lesebereich abrutsche. Aber dafür hatten wir ja Gemeindeschwester **Anna**, die überhaupt keine Fragen und Zweifel aufkommen ließ, denn bei jedem, der den Bus verließ, griff sie beherzt zu und stütze am Arm oder an der Hand. Als letztes hüpfte die kleine **Svantje** aus dem Bus und machte ihrem Spitznamen, die Feder, wieder einmal alle Ehre. Das heißt, sie war nicht ganz die letzte, denn der Busfahrer, **Herr König**, den sie den Kutscher nannten, saß noch am Steuer und notierte etwas in eine Mappe, die er vor sich auf dem Lenkrad ausgebreitet liegen hatte. Dann machte er noch einen Kontrollgang durch den Bus, ob nichts liegengelassen wurde, verließ den Bus und kam direkt zu unserem Tisch, begrüßte **Opa Hentrich** und streckte auch mir die Hand entgegen und sagte lächelnd: *„Moin, und ich bin der Kutscher!“* Ich stellte mich ebenfalls vor, doch der Buschfunk im Haus funktionierte sehr gut, denn er war bestens informiert. Er setzte sich zu uns an den Tisch und signalisierte, dass er noch ein wenig Zeit hätte, bevor er eine Kindergruppe vom Strandbad zurück zum Hort fahren sollte.

*„Na, **Gustaf**“,* sagte er, *„wie wird das Wetter in den nächsten Tagen, ich wollte mit meiner Frau am Wochenende eine größere Radtour machen.“* Bei dem Wort ***Gustaf*** war **Opa Hentrich** gemeint und ich zuckte etwas zusammen, denn bislang nannten ihn hier alle nur **Opa Hentrich**. Gustaf zog genussvoll an seiner Pfeife und nach einer ganzen Weile, man hätte fast denken können, er hatte die Frage gar nicht gehört, antwortete er: *„Am Wochenende wird es schön, aber heute Abend und morgen is Schietwetter. Die Möwen sind ganz hektisch und schon seit Stunden auf dem Weg ins Landesinnere aber nicht so weit, das bedeutet, dass sie schnell wieder aufs Wasser wollen, da gehören sie ja auch hin“*, murmelte er etwas leiser, *„ich weiß genau, wie sie sich jetzt fühlen“,* und er blickte dabei hoch, und man konnte in seinen Augen Wehmut und Trauer erkennen. Das erkannte natürlich auch **Herr König**, versuchte, schnell auf ein anderes Thema zu lenken und fragte mich, wie es mir bisher gefiel und wie ich mich eingelebt hätte. Ich erzählte ihm vom bisherigen Verlauf meiner Reise, Geschichte, Abenteuer – wie man es auch immer nennen wollte und fragte ihn gleich bei der Gelegenheit, welches nähere Ausflugsziel ich mit dem Motorrad erkunden konnte, denn als Busfahrer saß er ja direkt an der Informationsquelle. *„Na, ja“,* sagte er, *„da gibt es hier allerhand, was man besuchen und besichtigen könnte, das kommt halt immer darauf an, für was man sich interessiert. Sie können natürlich auch mal an die Informationswand schauen, da stehen auch immer mal ganz nette Ausflugsangebote angeschlagen und so im Bus, in der Gruppe“*, gab er mir mit einem Lächeln zu verstehen, *„muss es nicht schlechter sein als allein auf dem Motorrad. Gell, habe ich nicht Recht*“, fragte er zu **Opa Hentrich** rüber, der ohne seinen Blick zu verändern zustimmend nickte. Ich bedankte mich, und er machte sich auf den Weg zu seiner Kindergruppe. Auch ich stand auf und wollte kurz aufs Zimmer gehen, um meine nicht benutzten Schreibunterlagen wegzubringen; aber auch, um mich etwas frisch zu machen, bevor es dann auch schon wieder zum Mittagessen ging. Ich verabschiedete mich von **Opa Hentrich** mit einem: *„Bis später“,* und er erwiderte es nur mit einer stummen Handbewegung, was bestimmt soviel wie „hab's verstanden“, heißen sollte.

Auf dem Weg zum Treppenaufgang zogen schon die leckersten Essensdüfte durch die Gänge. Es war nicht so, als wäre man ausgehungert, doch ein gesunder Appetit war auf jeden Fall da. Bevor ich nach oben ging, warf ich aus Neugierde oder vom Appetit angetrieben noch einen Blick auf den Essensplan: ***Rinderroulade, Kartoffeln, Erbsen, Wurzeln, Rosenkohl***, was soviel bedeutete wie – auf keinen Fall zu spät kommen.

Im Zimmer war noch etwas Zeit, na, ja und außerdem muss man ja auch nicht als Erster nach unten stürzen und wie ein ausgehungerter Löwe zum Essen rennen. Ich legte mich noch einen Moment aufs Bett und hatte plötzlich das Gefühl, ich könnte mich jetzt auf die Seite drehen und einfach nur die Augen schließen, doch glücklicherweise bekam ich noch rechtzeitig die Kurve und stand wieder auf, sonst hätte ich die Rinderroulade wahrscheinlich doch noch verpasst.

Schon beim Verlassen des Zimmers, konnte man das Klimpern der Teller und Bestecke hören vermischt mit ein paar Stimmen. Die Essensausgabe lief auf vollen Touren. **Mathilde** etwas angespannt aber souverän wie immer füllte Teller für Teller nach den Wünschen der Bewohner und drückte sie dem Zivi Torben in die Hand. Als ehrenamtliche Helfer waren **Liselotte Schwerdfeger** (36) und **Heinz Meyer** (57) mit dabei, die genauso mit herumwirbelten und die Bewohner versorgten. **Frau Schwerdfeger**, der Flotte Feger, flitzte zusammen mit **Torben** von Tisch zu Tisch. Später erfuhr ich, dass der Spitzname fast ausschließlich von den männlichen Bewohnern benutzt wurde, sie es aber als ein liebevolles Kompliment aufnahm. Ich wartete bis alle versorgt waren, nahm mir ebenfalls einen Teller und ging zu **Mathilde**.

„Wow“, sprach ich sie an, *„wieder einmal geschafft? Setzen sie sich doch jetzt auch für einen Moment hin und essen etwas“*, doch völlig erstaunt sah sie mich an, hatte dabei schon wieder eine Bratenform in der Hand und schichtete Fleischstückchen zusammen, blickte zu mir auf und sagte mit einem Lächeln: *„Nach dem Spiel ist vor dem Spiel“* und zeigte nach hinten, wo schon das Dessert vorbereitet stand, aber noch mit leckerer Erdbeersauce garniert werden musste. Ok, war eigentlich eine doofe Frage von mir, ich hätte es mir fast denken können, und irgendwie schämte ich mich sogar, als ich – der den ganzen Tag nichts, eigentlich gar nichts getan hatte – mir gerade hier ein leckeres Mittagessen abgeholt hatte, mich gemütlich und faul an einen Tisch setzte, es mir schmecken ließ während andere im Hintergrund ackerten und wirbelten und dabei stets ein liebevolles Lächeln auf den Lippen oder sogar auch ein freundliches Wort für den anderen übrig hatten. Und da waren wir wieder bei meinen Morgengedanken, als ich genau darüber nachgedacht hatte, was passiert eigentlich alles hinter den Kulissen?

Allgemeine Essensstille setzte ein oder umgangssprachlich auch als *„gefräßige Stille"* bezeichnet, die Gespräche verstummten und, nur noch das Klimpern der Bestecke dominierte im Raum. Das Essen war so, wie es der Geruch schon vermuten lies, sehr lecker, und der anschließende Vanillepudding mit Erdbeersauce, na, ja was soll ich jetzt sagen – so was geht immer! Das leckere Essen und das gemütliche Sitzen halfen einem nicht gerade, munterer zu werden, und bevor ich am Tisch nach vorn überfiel oder ich am Abend im Kaminzimmer im Ohrensessel einzuschlafen drohte, zog ich es vor, mit der nötigen Bettschwere einen kleinen Mittagsschlaf abzuhalten. Ich glaube, dass die meisten der Bewohner den gleichen Gedanken hatten, ganz sicher aber die Schwimmgruppe vom Morgen, denn die waren gleich nach dem Dessert fast ausnahmslos nach oben auf ihre Zimmer verschwunden. Noch bevor die Tische abgeräumt waren, schlich ich mich heimlich davon, in der Hoffnung von niemandem angesprochen zu werden, denn ich hatte tatsächlich sehr mit der Müdigkeit zu kämpfen. Das Zimmer betreten, ausziehen, ins Bett legen und Augen zumachen passierte fast in einer Bewegung, und ich glaube, ich war auch schon im nächsten Moment in den tiefsten Träumen versunken.

Und so, wie ich eingeschlafen bin, so, oder so ähnlich jedenfalls, wachte ich auch auf und lag für einen Moment einfach nur bewegungslos auf dem Bett und blickte monoton unter die Zimmerdecke. Das sind dann die Momente, bei denen man auf die Frage: Was denkst du gerade ... mit *„NICHTS"* antworten würde, obwohl das natürlich nicht richtig ist, denn natürlich denkt man an etwas oder lässt etwas in seinen Gedanken Revue passieren, aber es kommt einem vielleicht als NICHTS vor, weil es entspannt und ohne Druck passiert! Also ließ ich etwas Revue passieren, und das waren ganz sicher diese vielen neuen Eindrücke, die hier täglich, ach was sage ich denn eigentlich andauernd auf mich einwirkten, sogar beim scheinbaren Nichtstun wie am Vormittag, als ich schweigend neben **Opa Hentrich** saß. Es war schon fast erschreckend, dass mich überhaupt nichts an meine Heimat, an mein ach so hektisches Leben erinnerte, das ich ja eigentlich nur ein paar hundert Kilometer entfernt zurückgelassen hatte. Als würde uns ein unüberwindbarer Ozean voneinander trennen, gab es keine Gedanken, vielleicht blockierten meine innere Neugierde und Begeisterung über die neuen Dinge diese alte Vergangenheit und schob sie in weite Ferne. Es war müßig, darüber nachzudenken, und ich war nicht sonderlich traurig und schon gar nicht böse, dass es so war.

Und so kreisten meine Gedanken, und plötzlich meldeten sich zum Hirn auch Stück für Stück die anderen Organe als betriebsbereit zurück. Die Nase signalisierte einen eindeutigen Kaffeegeruch, der unter dem Türspalt ins Zimmer kroch, und nun setzte eine interne Besprechung meine Organe in gemeinschaftlicher Abstimmung mit den Gliedmaßen ein. Die Nase und das Hirn waren im Grunde genommen startklar, das Auge war mit einem Blick auf die Uhr auch schnell überzeugt, doch um die Beine und den Hintern zu motivieren, da brauchte es schon etwas mehr, als nur einen Kaffeegeruch, der sich langsam aber stetig im Zimmer verteilte. Der Magen hielt sich aus dieser Diskussion heraus, die Lippen blieben still, wem sollten sie auch etwas erzählen, denn das Ohr machte auch keine Anstalten, sich irgendwie in die Entscheidungsfindung mit einzubringen, als dann das Hirn als selbsternannter Chef die Initiative ergriff, sozusagen das Startzeichen gab und gemeinsam mit den Händen das Heft beziehungsweise die Bettdecke in die Hand nahm und mit einer *„Gähn-Mund-Arm-Streck-Gemeinschaftsarbeit“* die Kettenreaktion in Betrieb setzte und sich ihnen dann auch noch Blutdruck und Kreislauf anschlossen, hatten die Beine und der Hintern auch keine andere Wahl und mussten sich dem kaum zu stoppenden Aufstehvorgang wohl oder übel unterwerfen und geschlagen geben! – Natürlich konnte man es auch kürzer beschreiben: Nach ein paar Minuten Herumknödeln im warmen, gemütlichen Bett stand ich auf, folgte dem leckeren Kaffeegeruch und ging nach unten!

Aber das war ja gerade das Schöne, man kam auf die verrücktesten Gedanken und Ideen, und ich ertappte mich dabei, wie ich mit meinen Körperorganen zu sprechen begann. Im Badezimmer schnell mit einer Hand voll Wasser den Schlaf aus dem Gesicht gespült und mit dem Kamm durch die Frisur, damit es nicht auffiel? Ja, aber was eigentlich? Damit es nicht auffiel, dass ich einen Mittagsschlaf abgehalten hatte? Das machten doch die meisten, also warum es verheimlichen? Aber nichts desto trotz musste man ja nicht wie der Struwwelpeter leibhaftig beim Nachmittagskaffee erscheinen und die eigentlich immer sehr gut gekleideten und frisierten Damen, die ihren gemütlichen Nachmittagsplausch abhielten, erschrecken und möglicherweise in die Flucht schlagen! So richtig viel hatte das Wasser durch die Haare scheinbar nicht gebracht, denn als ich den Raum betrat, da bemerkte ich schon, dass ich deutlich bemustert wurde und erkannte, wie eine Dame, die mit zwei anderen am Tisch saß, sich die Hand dezent vor den Mund hielt und mit dem Zeigefinger der anderen Hand knapp über den Tisch in meine Richtung zeigte, und als ich den Tisch passierte, da hörte ich auch noch ein tuschelndes Kichern.

Demonstrativ setzte ich mich auch gleich an den Tisch in ihrer Nähe, nur zwei Stühle trennten uns, denn zum einen waren es neue Gesichter für mich, und zum anderen wollte ich ja auch neue Kontakte knüpfen und Geschichten hören, und als ich zu den Damen hinüber sah, da brauchte ich gar nicht lange zu warten, denn ohne Scheu ergriff auch gleich die eine das Wort und sagte: *„Na, so ein Mittagsschlaf tut schon gut, habe ich Recht?“* Ich konnte mir zunächst nicht erklären, woran man es mir angesehen hatte, und instinktiv fuhr ich mir mit der einen Hand über den Kopf, und dann war schnell klar, warum oder besser gesagt, was das auslösende oder verratende Moment war. Ich spürte an meinem Hinterkopf, dass dort einige kleinere Hörnchen vom Kopf abstanden, und kaum hatte ich sie mit meiner Hand erfühlt, da lachten alle drei Damen dezent aber deutlich. *„Ja“,* antwortete ich, *„da haben sie wohl recht, man tut nichts und ist müde“* und schüttelte den Kopf leicht hin und her. –*„Was haben wir denn heute für Kuchen im Programm“*, fragte ich schnell, um aus der peinlichen Situation, aber auch auf ein anderes Thema zu kommen. *„Schwarzwälderkirsch, Käse- und Apfelkuchen“,* erwiderte die eine der drei Damen –*„und natürlich Butterkuchen“*, fügte die andere noch hinzu.

4.4__ Omas Butterkuchen

Hmm, Butterkuchen, dachte ich, bekam einen Kreis im Auge, und schon holten mich die Erinnerungen meiner Kindheit ein. Bei meiner Mutter hieß er immer Zuckerkuchen, und bei meiner Oma war es der Butterkuchen. Als Kind stand ich oft bei meiner Oma in der Küche, konnte gerade so auf die Tischplatte schauen und verfolgte die einzelnen Produktionsschritte, die eigentlich immer gleich waren, und trotzdem faszinierten und fesselten sie mich immer wieder. Der gut geknetete Teig wurde auf dem alten Weißblech ausgerollt, und mit dem Zeigefinger wurden in zirka drei Zentimeter weiten Abständen Vertiefungen in den Teig gedrückt, die dann anschließend mit kleinen Butterstückchen verpropft wurden. Dazu nahm die Oma ein Stück Butter in die Hand und schnitt mit dem alten Messer, schwarzer Holzgriff, breite Klinge, kleine Stückchen von der *„Guten Butter“*, wie sie immer sagte, ab. Der noch warme Kuchenteig ließ die Butter zerlaufen, eine feine Zuckerschicht darüber vermischte sich mit der flüssigen Butter und gab dem Butterkuchen der Oma den unverwechselbaren letzten Schliff – wie wahrscheinlich ein jedes Enkelkind vom leckeren Kuchen der Oma zu berichten vermochte!

Und genauso lief es auch mit dem Schmandkuchen, zu dem mein Vater immer *„Schnuddelkuchen“* sagte, dem Quarkkuchen, Käsekuchen und selbst aus dem allseits bekannten Gugelhopf wurde unter Omas Hand der altbewährte *„Topfkuchen“*. Das war halt die Zeit, da hatte man die Rezepte noch von Hand geschrieben, von der Oma an die Mutter weitergegeben, das Obst kam aus dem eigenen Garten und war natürlich selbstgepflückt, der Boden selbstgebacken, und Dr. Oetker war ein neumodernes Zeug, aus der Tüte, wie sollte das denn auch schmecken? Aber die Zeit ging weiter, und nach der Rührschüssel kam der Mixer, nach Dr. Oetker der fertige Kuchen, Blumen verschickt man heute per Internet, und wenn sich junge Leute unterhalten, dann sitzen sie in der Runde, starren alle auf ihr Handy oder Smartphone und anstatt miteinander zu reden, tippen sie lieber in einer irren Geschwindigkeit Buchstaben über die kleine, für mich kaum und für ältere Menschen gar nicht mehr zu erkennende Tastatur ein und hin und wieder kann man an den Reaktionen erkennen, dass sie noch auf Empfang sind, miteinander reden, kommunizieren oder wie sagt man so schön – miteinander *„chatten“! – „Und wofür haben sie sich nun entschieden“*, wurden meine abgedrifteten Gedanken von einer der Damen unterbrochen. „N*atürlich Butterkuchen“,* sagte ich und musste verstohlen schmunzeln. *„Ah“,* sagte die Dame, *„der gute alte Butterkuchen“,* wie wir zu Hause immer dazu sagten und verzog den Mund ebenfalls zu einem wohlwollenden Grinsen!

4.5__ Die Gute – Alte Zeit

Ich setzte mich zu den drei Damen und berichtete von meinen gerade zuvor durch den Kopf fliegenden Gedanken, und als warteten sie nur auf diesen Startschuss, da begannen auch sie zu erzählen. *„Ja, ja, die Gute – Alte Zeit“,* sprach die erste der drei Damen, die sich als **Clementine Kessler** vorstellte, *„die gute alte Zeit war schön, aber sie war auch nicht immer einfach“,* was von den beiden anderen mit gesenktem Blick und einer nickenden Kopfbewegung bestätigt wurde. *„Aber jede Zeit ist ihre Zeit“,* sagte sie, *„denn fragen sie einmal in 30 oder 40 Jahren ein Kind von heute, dann werden sie von Dingen hören, die zu der Zeit, in‘ waren. Es heißt doch* ***in****“,* fragte sie mit runzelnder Stirn, *„oder? Und genau da haben wir es schon, bei uns hieß das modern“,* und die beiden anderen stimmten mit einem fröhlichem *„Hallo“* und klatschenden Händen zu. Und schon hatten wir unser Thema für die gemütliche Kaffeerunde gefunden, warfen abwechselnd Worte, Bezeichnungen oder Begriffe in die Runde, zunächst noch etwas zögerlich, doch dann von Mal zu Mal intensiver und hatten einen Riesenspaß dabei!

Was früher **knorke** oder **dufte** war, entwickelte sich mit der Zeit zu toll, klasse, spitze, stark, bis zum heutigen *„chillig"*, womit ich ehrlich gesagt gerade eine Zeit betrat, in der ich auch so manche Verständigungsschwierigkeiten hatte. Niemals hätte ich in meiner Kindheit zu sagen gewagt: ***„Man ist das geil"*** – und heute, heute ist es ein so normaler Begriff oder Ausspruch geworden, dass er schon fast wieder vorbei ist und vom *„chillig"* abgelöst wurde. Bei diesem Thema waren die unterschiedlichen Zeiten, Generationen, Entwicklungen und Veränderungen deutlich zu erkennen, ähnlich hatten wir es ja auch bei der Kleidung, die zu einer ganz bestimmten Zeit modern, aktuell oder *„in"* war oder auch bei den Vornamen, aber vieles aus dieser alten Zeit kam auch wieder zurück.

Zur Zeit meiner **Großeltern** waren die alltäglichen Vornamen: *Liesel, Meta, Marta, Gertrud, Waltraud,* um nur einige zu nennen, und bei den Männern waren es: *Gustav, Otto, Paul, Willi, Heinrich, Karl.*

Dann kam die **Zeit meiner Eltern** mit: *Edeltraud, Gabriele, Christel, Gerda, Ingrid, Wolfgang, Georg, Hans, Günther, Herbert, Kurt,*

… **und meine eigene Zeit** war begleitet von Namen wie: *Petra, Susanne, Birgit, Sylke, Sabine, Heike, Ute oder Andreas, Peter, Jürgen, Uwe, Lutz, Michael, Udo*.

Die **Zeit meiner Kinder** hatte dann wieder ganz andere Namen, gerne auch Doppelnamen wie: *Lisa-Marie, Sarah-Sophie, Svenja, Nicole, Mandy, Anne* oder bei den Jungen: *Jan-Niklas, Sven, Lars, Torben, Nils, Kevin*. Aber es gab auch Ausreißer, denn alte Namen kehrten zurück, so gab es durchaus auch wieder: *Eva, Maria, Paula,* wie auch *Paul, Max* oder *Kar*l.

Je intensiver wir das Gespräch führten, und je mehr Namen oder alte Begriffe auf den Tisch kamen und mit den heutigen verglichen wurden, umso lebhafter wurde die Runde, und alle saßen sie noch beim ersten Stück Kuchen und der Kaffee in der Tasse war längst kalt geworden. *„Und genau darum esse ich so gerne Butterkuchen"*, sagte ich und lachte in die Runde. *„Unsere Namen haben sie gar nicht mit aufgezählt, junger Mann",* sagte eine der beiden anderen Damen aus der Runde, *„in welche Zeitepoche haben sie uns dann bitte eingeordnet",* fragte sie und lachte mit fast zugekniffenen Augen. *„Meine Name Martha,* ***Martha Senne*** *und das hier neben mir ist* ***Elfriede Nagel"****,* sagte sie und komplettierte damit das Vorstellen.

Und wieder verging die Zeit wie im Flug, und aus der ursprünglichen Stille entstand schnell eine angeregte Diskussion, bei der man fast den leckeren Kuchen vergaß. Damit sich vom Kaffeetrinken kein nahtloser Übergang zum Abendessen entwickelte, beschloss ich, mich von der Runde zu verabschieden und versprach den drei Damen, dass wir die angenehme Unterhaltung ja auch sehr gern am Abend im Gemeinschaftsraum fortführen konnten. Natürlich tat ich das nicht ganz uneigennützig, denn irgendwie wollte ich ja ihre Geschichten erfahren, und wie konnte das besser gehen als durch Gespräche, Erzählungen und die packenden Geschichten, die ein jeder mit sich trug, aber nur wenige die passende Gelegenheit, den richtigen Weg oder den richtigen Ort dafür fanden, sie zu erzählen oder überhaupt auch zuzulassen. Vielleicht war oder ist dieser Gemeinschaftsraum der richtige Ort, der Schlüssel zum Erfolg, und vielleicht fehlte es nur an einem, der den Anfang machte und erzählte oder einfach nur da war und zuhörte, so wie ich am gestrigen Abend als **Willi Kluge** seine packende Geschichte zum Besten gab, gefolgt von dem MEGAVERKÄUFER **Karl Wucherpfennig** und den vielen anderen Bewohnern, die sich der geselligen Runde anschlossen, interessiert zuhörten und ebenso wie ich die Zeit vergaßen. So lud ich die drei Damen zum Abend ein und fügte hinzu, dass man dort im Gemeinschaftsraum nicht nur angenehm sitzen sondern darüber hinaus sich auch sehr interessante Gespräche und Geschichten entwickeln konnten. **Clementine Kessler** sah mich an und sagte: *„Wir hörten bereits davon, dass dort seit einigen Tagen merkwürdige Dinge passieren“* und zwinkerte mir mit einem Lächeln zurück. *„Also dann bis später am Kamin“,* gab ich zur Antwort, stand auf, zwinkerte zurück und ließ die drei Damen mit dem Kuchen und dem kalten Kaffee zurück.

Der Tag hatte doch gerade erst angefangen, und mir kam es vor, als hätte ich noch vor ein paar Minuten mit **Opa Hentrich** vor dem Haus gesessen und auf die *„Wasserelfen“* gewartet, wie er sie so nett bezeichnete, und nun hatten wir schon das Kaffeetrinken beendet und bereiteten uns auf das Abendessen und den Tagesausklang vor. Es war wirklich unglaublich, wie die Zeit dahinging und dabei hatte man doch gar nichts getan. Vielleicht erklärt das ein wenig das *„Rentner-Zeit-Syndrom“*, wie ich es einmal nennen möchte, denn erfahrungsgemäß haben die Rentner nie Zeit, sind ständig am Tun, am Schaffen und am Machen, – ich weiß es auch nicht, aber es wird mir täglich ein Stückchen klarer.

Ein Blick auf die Uhr, 16:45 Uhr, nicht mehr wirklich viel Zeit, etwas Großes in Angriff zu nehmen. Aber etwas Bewegung wäre vielleicht nicht schlecht, dachte ich und ging einfach hinter dem Haus den kleinen Kiesweg entlang, der irgendwo hinführte, irgendwo zwischen der letzten Hecke, die das Grundstück umschloss und dem nahen Deich, der am Horizont erkennbar war. Tief in Gedanken versunken, knirschte der monotone, sich immer wiederholende Abdruck meiner Schritte im Kies, begleitet durch mein Schnaufen, das wie die zweite Stimme im Chor der Einsamkeit zu hören war, während ich versuchte, die vielen Gedanken in meinem Kopf zu bündeln und auf eine Sache zu fixieren. Es waren immer nur Fragmente, die sich wie bei einem Diavortrag in meinem Hirn meldeten, so wiederholten sich nicht nur die Personen, wie zum Beispiel **Opa Hentrich**, der tagaus, tagein nur vor dem Haus saß und seiner Lieblingsbeschäftigung nachging, ich versuchte auch im Moment der Stille ein wenig hinter die Fassaden zu blicken und immer wieder und wieder projizierte mein Hirn die Gesichtsausdrücke, die Augen und die Reaktionen dieser Menschen, die viel mehr zu sagen schienen als ein Gedicht mit tausend Worten. In diesen Ausdrücken war so viel zu erkennen: Freude, Trauer, Leid, Sehnsucht, Angst, Schmerz, Verlangen, es war wie eine fremde Sprache, die man zwar hörte, aber sie nicht verstand – und ich wollte sie verstehen. Aber dafür gab es keine App fürs Handy, kein Sprachkurs wurde dafür an der Volkshochschule angeboten, und kein Dolmetscher konnte diese Sprache übersetzen. Irgendwie erinnerte es mich an den Turmbau zu Babel, als sich so viele Menschen uneinig waren, sie stritten und zankten und bekamen Gottes Zorn zu spüren, der auf jede Bauebene eine andere Sprache in die Köpfe der Streithähne implantierte. Das hatte zur Folge, dass sie sich nur noch untereinander in ihrer Sprache, auf ihrer Ebene, unterhalten konnten, alle anderen sahen ungläubig zu und verstanden nichts mehr. Ich denke, da brauchen wir gar nicht bis nach Babel zu schauen, auch hier gab es so viele eigene Sprachen, und damit waren nicht die üblichen Landessprachen gemeint als viel mehr die Körpersprache, die Sprache der Seele, der Mimik und des Herzens. Auch **Opa Hentrich** hatte mit seinem Schweigen und einfach nur *„Dasitzen"* seine eigene Sprache, die zwar leise, aber dennoch viel zu erzählen hatte. Einen Hauch davon durfte ich am vergangenen Abend im Gemeinschaftsraum erfahren. Ein Raum, der Gemütlichkeit, Geselligkeit, Wärme, Begegnung und Abwechslung bringen sollte, so wie es der Name beschreibt – ein Raum der Gemeinschaft, doch es saßen nur vereinzelt, sehr einsam und in sich gekehrte Personen anonym, im Kerzenschein kaum erkennbar, an den Tischen, und nur das Knistern des Kaminfeuers machte den Raum etwas lebendiger.

Von Gemeinschaft war das weit, sehr weit entfernt, wenn man mal vom gestrigen Abend absah, doch auch der begann zunächst genau so, wie beschrieben und als hätte man die richtige Sprach-App auf dem Handy gefunden, begann irgendjemand zu erzählen, und plötzlich war es eine Sprache, die auch die anderen verstanden. Und warum ging das auf einmal? Eigentlich war es doch die ganze Zeit möglich, oder hatte man gedacht, dass es niemanden interessieren würde, wenn man seine Geschichte oder vielleicht auch nur eine Episode daraus erzählte. Und plötzlich war jemand da, wie aus dem Nichts, der es wissen und zuhören wollte als **Willi Kluge** von seiner Liebe zur Express berichtete. Immer mehr Zuhörer gesellten sich um den Erzähler, und diese scheinbare Sprachblockade löste sich mehr und mehr, und im flackerndem Kerzenschein waren auf einmal ganz andere Ausdrücke in den Gesichtern der Beteiligten zu lesen: Begeisterung, Glück, Freude, Erinnerung..., und selbst die scheinbar *„Stillsten“* warfen den einen oder anderen Kommentar mit in die Runde. Ja, das war es, was mir gerade durch den Kopf ging und was mich so intensiv beschäftigte und dem ich nun scheinbar ein Stückchen näher gerückt bin. Vielleicht lag da die Bezeichnung *„Herr Student“* gar nicht so fehl, denn plötzlich fühlte ich mich wie ein Sprachstudent im ersten Semester!

Ich war so gefesselt von den Gedanken und spürte gar nicht, wie weit ich mich schon vom Haus entfernt hatte. Der Deich lag deutlich näher vor mir, als das Wohnhaus dahinter, war aber immer noch zu weit entfernt, um ihn rechtzeitig zu erreichen und zu erspähen, wohin der Blick führte, beziehungsweise was sich hinter dieser scheinbaren Mauer verbarg. Hatte man freie Sicht bis – ja, bis wohin eigentlich? Ich war mir ganz sicher, dass ich es einmal herausbekommen würde, im Zweifelsfall konnte ich ja immer noch **Opa Hentrich** fragen. Ein Blick auf die Uhr ließ mich dann sehr schnell aus den verträumten Gedanken in die Realität zurückkommen, um nicht zu sagen: Ich musste mich sputen, denn es war bereits 17:25 Uhr und ehrlich gesagt, es war nicht der Appetit und schon gar nicht der Hunger, der mich zum pünktlichen Abendessen trieb, das reichhaltige Mittagessen und das leckere Stück Butterkuchen gaben überhaupt keinen Grund, schon wieder hungrig zu sein, doch der Drang und Wunsch, pünktlich im Gemeinschaftsraum zu sein, um zu beobachten, wie sich der Abend, die Beteiligung entwickeln würden, wer kam überhaupt, wo setzte sich wer hin – das waren die Dinge, die mich brennend interessierten und vorantrieben! Also machte ich kehrt, erhöhte spontan aber eigentlich auch automatisch die Schrittlänge und -frequenz und mit einer

Mischung aus schnellem Gehen und langsamen Laufen, heute würde man es wahrscheinlich als Walken bezeichnen, steuerte ich zielstrebig zu meinem Ausgangspunkt zurück. Als ich das Grundstück im hinteren Bereich des Gartens betrat, war bereits wieder das Klimpern des Abendgeschirrs zu hören und auch **Mathilde** war schon wieder mittendrin. Rein ins Haus, im Treppenaufgang schwungvoll jede zweite Stufe genommen, und mit Elan ging es um die nächste Kurve als mir schon die ersten Bewohner entgegenkamen. *„Hoppla, nicht so schnell junger Mann“,* hörte ich eine Dame sagen, die sich mit der Hand am Geländer langsam nach unten bewegte. Rein ins Zimmer, schnell ins Bad, Wasser, Gesicht, Bad und was die Seife nicht schaffte, wurde kurzum mit einem *„Zisch“* aus der Deoflasche übergetüncht. Klamotten gewechselt und schon konnte es wieder losgehen. Die Betonung liegt auf gehen, denn die Blöße wollte ich mir nun auch nicht geben, dass ich immer, wenn es zu den Mahlzeiten ging, entweder zu spät, verschlafen oder mit hängender Zunge den Raum betrat. Gemächlich ging ich also den Treppenabgang nach unten und trotzdem, auch wenn mich niemand ansprach und ich völlig entspannt den Essensraum betrat hatte ich das Gefühl, als würden die meisten mein Betreten registrierten, mir mit ihren Blicken genau das sagen wollen, was mir nur wenige Minuten zuvor durch den Kopf ging – und da war sie wieder, die Sprache ohne Stimme!

4.6__ Abendbrot mit Elisabeth Rose und Margot Schiller

Der Hunger war nicht groß, etwas Brot zwei Scheiben Käse eine Tasse Tee, das sollte reichen, und ich setzte mich etwas abseits an einen freien Tisch, als ich hinter mir die Stimme der Dame hörte, die ich noch vor wenigen Minuten im Treppenhaus fast umgelaufen hätte. *„Wir beißen nicht“,* sagte sie und zeigte auf eine zweite Dame, die mit ihr am Tisch saß und bot mir einen der noch zwei freien Plätze am Tisch an. Die beiden Damen waren bereits mit dem Abendessen fertig, und es war mir unangenehm zum einen mit ihnen ein Gespräch zu beginnen und zum anderen dabei in mein Brot zu beißen, also wählte ich die diplomatische Lösung und machte mir eine Käsestulle, einen „Doppler“, den ich mir dann mit in den Gemeinschaftsraum nehmen wollte. *„Das ist aber nicht viel, was sie da essen“,* sagte die Dame, *„wer so sportlich ist, der kommt mit so einer Stulle nicht weit“,* und sie lachte dabei. *„Lass mal gut sein* ***Liesbeth****, der junge Mann wird schon genau wissen, was er macht, denn heute ist das mit der Ernährung ja alles ganz anders als früher“,* und sie rührte dabei gemächlich in ihrem Tee.

„Als Sportler gibt es heute so viele Dinge, die man beachten muss: Kalorien, Proteine, Kohlenhydrate, Eiweiß, das ist alles genau aufeinander abgestimmt, das ist nicht mehr so wie bei uns früher“, sprach sie weiter und hatte dabei ein paar ernste Faltenlinien auf der Stirn. *„Da hast du wohl Recht“,* antwortete **Liesbeth**, gemeint war **Elisabeth Rose**, wie ich zu einem späteren Zeitpunkt erfuhr. *„... da hast du wohl Recht, da konnten wir alles essen, sind auch gesprungen und gelaufen, und Olympia gab es auch schon, nur Doping, das kannten wir nicht“*, erwiderte sie mit ernster Mine und führte den Zeigefinger mahnend ihrer Freundin **Margot Schiller** entgegen. Ich hörte den beiden aufmerksam zu, und damit keine Missverständnisse aufkamen und ich als Hochleistungsathlet oder gar noch als Olympiateilnehmer eingestuft wurde, erklärte ich den Grund, warum ich so in Eile und vielleicht deswegen mit dem sportlichen Anschein kurz zuvor das Treppenhaus nach oben gesprungen bin. Aber ich gab den beiden Recht, auch die sportliche Welt hatte sich verändert. Doping, Blutaustausch, Hilfsmittel, verbotene Substanzen, alles das waren Themen, die leider immer wieder in den Schlagzeilen zu lesen sind. Warum nur? Weil es gar nicht mehr um das Grundsätzliche ging, die sportliche Leistung? Ich war mir sicher, dass es um weitaus mehr ging, um Geld und um Macht. Traurig, ganz traurig. Womit konnte und sollte man denn die Kinder, die jungen Menschen heute noch begeistern und motivieren? Diese Gedanken machten mich nicht nur nachdenklich, ein innerer Zorn überkam mich, und scheinbar hatte ich es den beiden Damen auch mit meiner Körpersprache zum Ausdruck gebracht, denn sie fragten mich, warum ich denn plötzlich so grantig dreingeschaut hatte. Ich wollte gerade mit einer Erklärung beginnen, da stand **Frau Rose** auf und sagte: *„Junger Mann, essen sie erstmal etwas, sie können es uns ja zu einem späteren Zeitpunkt erzählen, wenn sie möchten, wir gehen noch einen Moment in den Gemeinschaftsraum.“* Dann nickte sie ihrer Freundin **Margot** zu und forderte sie damit indirekt auf, ihr zu folgen. Ja, genau, das war es, was ich mir von dem Abend erhofft bzw. versprochen hatte – den Gemeinschaftsraum! Das Thema war eigentlich zweitrangig, aber eine Gemeinschaft zu haben oder sie erst einmal zu finden und zu konstruieren, das fand ich so spannend und interessant, und scheinbar hatte es sich mit dem geselligen Gemeinschaftsraum schon herumgesprochen. Eigentlich war ich auch schon startklar, die Käsestulle war längst geschmiert, doch damit es nicht zu offensichtlich aussah oder zu aufdringlich schien, verweilte ich noch einen Moment am Tisch und blickte durch den Raum. Ich goss mir etwas warmen Tee nach, stellte noch einen Fruchtjoghurt auf den Teller und folgte den Damen in den Gemeinschaftsraum.

4.7__ Das Date im Gemeinschaftsraum

Die Tür war nur angelehnt und mit dem Tee in der einen und dem Teller in der anderen Hand drückte ich sie mit der Schulter auf und blickte in den Raum, um Ausschau nach den beiden Damen, der Abendbrotbegleitung, zu halten. Und noch während mein Blick kreiste, hörte ich auch schon aus der Ecke eine Stimme rufen, eine Männerstimme, die ich zunächst nicht zuordnen konnte, die mir aber irgendwie bekannt oder sogar vertraut erschien, denn der harte Akzent war unverwechselbar. *„Hallo, guten Abend Herr Student, schön, dass sie auch hier sind“,* kam es aus dem hinteren Bereich des Raums, ganz in der Nähe des Versorgungswagens, der mit Wasser und Tee ausgestattet war. Hallo – Herr Student, fragte ich mich, warum sagen eigentlich fast alle hier Herr Student? Und noch während ich meine Gedanken versuchte der Stimme zuzuordnen, da rief die Stimme erneut: *„Oder sollte ich lieber sagen Herr Spion“,* was mit breiten, lautem Lachen begleitet wurde. Spätestens jetzt wusste ich, wer sich hinter der Stimme oder besser gesagt hinter dem Ruf verbarg, denn es war Iwan, **Iwan Strassniak**, den ich zusammen mit dem kleinen Franzosen Claude, der den so schön klingenden Namen **Claude Baptiste Chagall** hatte, und dem Hauptkommissar **Walter Schneemann** am Vormittag im hinteren Bereich des Gartens beim Boccia spielen zunächst beobachtete und es dann unter dem Gelächter der dreien auch einmal selbst versuchte. Ich hob den Kopf und signalisierte ihm, dass ich ihn erkannt hatte und wollte gerade in seine Richtung steuern, als ich die beiden Damen meiner Abendverabredung etwas rechts an einem anderen Tisch sitzen sah und natürlich dort hinsteuerte. Meine Frage *„darf ich mich zu ihnen setzen“* war mehr als ein lustiges Zeichen als eine höfliche Bitte gemeint, was auch ebenso lustig und spontan mit fester und beherzter Stimme von **Frau Rose** erwidert wurde: *„Quasseln sie nicht soviel herum, junger Mann, wir haben ein Date“,* und lachte dabei mit zusammengekniffenen Augen zu ihrer Freundin, die etwas schüchterner dreinblickte. *„Du brauchst gar nicht so mit den Augen zu rollen“,* sprach sie laut zur Freundin, so laut, dass es auch die anderen Personen im Raum klar und deutlich verstehen konnten. *„In unserem Alter müssen wir mit Verabredungen sorgsam umgehen, denn wenn sich schon einmal die Gelegenheit bietet, sollten wir sie auch nutzen, denn wer weiß, wie viele da noch kommen werden“,* und sie lachte noch herzlicher als zuvor, und auch aus dem hinteren Bereich des Raumes gab es zustimmende Kommentare: *„Ja, genau so ist das, wo sie Recht hat, da hat sie Recht!“*

Margot Schiller hingegen schien die Situation etwas unangenehm zu sein, zumal sie direkt von der Freundin angesprochen wurde, und eine verlegende Röte war in ihrem Gesicht zu erkennen. Auch ich musste gestehen, dass ich mit dieser Spontanität oder besser gesagt Schlagfertigkeit so nicht gerechnet hatte und setzte mich kommentarlos hin. Noch während ich mein kleines Gedeck – Tee, Joghurt und Käsestulle – vor mir in Position brachte, kreiste mein Blick weiter durch den Raum, und wie ein Scanner, wie eine Überwachungskamera in einem Kaufhaus saugte ich alles auf, um mir einen Überblick zu verschaffen. Es waren Zweier- und Dreiergrüppchen zu erkennen, alles noch etwas neutral, nüchtern, vielleicht sogar etwas kühl, so als würde man in einer Diskothek stehen und der DJ war noch nicht da, um die Musik aufzulegen. Aber der Abend war ja noch jung, und irgendjemand würde schon den Anfang machen. Die Drei-Männer Boccia-Gruppe war da noch am muntersten, denn sie standen mit noch zwei anderen Männern zusammen und unterhielten sich angeregt wobei eigentlich Iwan mit seiner markanten Stimme als Wortführer herausstach.

4.8__ Doping

So wanderte mein Blick durch den Raum, und ich bemerkte gar nicht, dass ich dabei von den beiden Damen an meinem Tisch beobachtet wurde. Als ich es registrierte und mich ertappt fühlte, lachten mich beide an und **Frau Schiller** sagte: *„Na, alles gesehen, was sie sehen wollten?“* Schnell konzentrierte ich mich auf unsere Dreierrunde, denn schließlich hatten wir uns ja auch verabredet – und hatten ein Date! *„Na, junger Mann, wollen sie uns jetzt vielleicht verraten, warum sie vorhin im Essenssaal zu grantig geschaut haben“,* sprach **Frau Rose** weiter. Ich überlegte kurz, was unser Thema beim Abendessen war, und **Frau Rose** erkannte schnell, dass ich etwas hilflos dreinschaute und irgendwie den Faden verloren hatte. Ich versuchte, ihn aber krampfhaft wiederzufinden, und glücklicherweise gab sie mir auch einen hilfreichen Steilpass. *„Wir sprachen über Ernährung, Sport, Leistung, Doping, junge Menschen und Motivation, und jetzt sind sie dran junger Mann.“* Dieser Steilpass war sehr hilfreich, den verlorenen Faden zu finden, und noch während ich meine Gedanken neu sammelte und mit dem Gespräch begann, kam schon der erste Kommentar aus dem hinteren Bereich des Raumes: *„Doping – haben wir das richtig verstanden“,* ertönte es wieder mit **Iwans** unverwechselbaren Akzent. Und noch während er den Zwischenruf formulierte, wanderte er auch schon zu uns an den Tisch, und ich konnte erkennen, dass er keinen

Tee in der Hand hielt, es war ein Glas Bier, und er streckte es uns mit den Worten entgegen: *„Wo fängt Doping an, und wo hört es auf? Ein Schmerzmittel ist das Doping, als Leistungssportler schon, aber was machen die, wenn sie Schmerzen haben?“* Für einen Moment war es nachdenklich still, da meldete sich **Frau Schiller** leise zu Wort, die bisher nur unscheinbar und unbeteiligt in der Runde saß. *„Na, ja, da gibt es doch sicher klare Richtlinien, was man wann nehmen darf und was nicht, wenn man krank ist, und außerdem sind da ja auch noch Ärzte, von denen man ständig kontrolliert und betreut wird, das ist mir so zu pauschal und etwas zu einfach dargestellt“*, sagte sie mit fester Stimme. *„Wir sprechen über Doping, über Dinge die den Körper übernatürlich beanspruchen und ihn dauerhaft schädigen, und das darf nicht sein und muss den jungen Menschen deutlich verinnerlicht werden, aber wenn sie sehen, dass man immer wieder damit durchkommt, wird es schwer sein, die ehrlichen Sportler noch bei der Stange zu halten und weiter zu motivieren! Es steht doch wohl außer Frage, dass, wenn ein Sportler Medikamente benötigt, dass er diese oder ähnliche bekommt, aber bitte auch nur diese, die auch entsprechend geprüft und freigegeben sind und nicht ein Monster aus dir machen!“* Die Tonlage von **Frau Schiller** wurde kräftiger, und man spürte, wie sie sich in Rage redete.

Iwan ruderte einen Schritt zurück, versuchte die Kurve zu bekommen und wechselte vom Doping zum Alkohol – und das war dann, wie man so schön sagt: Öl aufs Feuer gießen! „*Guck mal*“, sagte er, „*beim Alkohol ist es doch nicht anders, wenn ich da mit einem Bier stehe, dann sagen alle: Der säuft! Sitzt aber eine Frau am Tisch und trinkt ein oder zwei Gläser Wein, dann schmunzeln alle, und sie sagen: Ein gemütlicher Schoppen am Abend – liegt das jetzt am Bier, am Wein oder an Mann oder Frau“*, fragte Iwan, und auch seine Stimme kletterte dabei eine Oktave höher. „*Weder noch*“, ertönte es von hinten, „*das hat nichts mit Bier oder Wein oder mit ihm oder ihr zu tun, es liegt ganz einfach an dir mein lieber Freund*“, und dabei legte ein von hinten kommender Mann den Arm um **Iwan**, und plötzlich brach ein lautes Gelächter von allen los, denn der Mann war sein Boccia-Kollege **Walter Schneemann.** *„Schon von Berufswegen kenne ich mich mit solchen Typen wie dir aus, denn als Hauptkommissar bekommt man mit der Zeit ein feines Gespür dafür, wer die Guten und wer die Bösen sind! Guck doch mal selbst, es beginnt beim Trinken, du stehst hier mit der Flasche in der Hand und ich“*, dann streckte er ihm sein Glas Bier entgegen und sprach in leisen, fast schon flüsternden Ton weiter, „*aber mein Lieber, es gibt auch Ausnahmen“*, was von noch lauterem Gelächter begleitet wurde.

4.9_ Claude Baptiste Chagall

Mittlerweile kamen auch die anderen Männer nach vorn, die sich zunächst noch beim Versorgungswagen aufhielten, und positionierten sich um den Tisch, an dem ich mit meinen beiden Damen saß. Und noch während die Stimmung sich unter dem Gelächter deutlich auflockerte, arbeitete sich der kleine Franzose, **Claude Baptiste Chagall** von der hinteren Reihe bis nach vorn an unsere Tischkante, stellte stumm eine Flasche Wein und drei dazugehörige Gläser auf den Tisch, sah die Damen an und sprach mit seinem charmanten französischen Akzent: *„Die Damen sitzen hier bei einem Tee, so wie wir ihn zum Abendbrot trinken, darf ich sie vielleicht zu einem Gläschen Wein verführen*“, und noch bevor er eine Antwort bekam, hatte er schon fachmännisch den Korken aus der Flasche gezogen und die drei Gläser gefüllt. Den Damen hatte es die Sprache verschlagen und ehrlich gesagt, allen anderen auch, und ich dachte mir so, Donnerwetter, was für eine außerordentlich nette Geste und wollte gerade zu dem Glas greifen, doch auch da kam mir der **Claude** zuvor, denn das dritte Glas war nicht etwa für mich gedacht, nein, nein, dieses hielt er genauso elegant mit seinen beiden Fingern, wie er es auch den beiden Damen zuschob und sie mit *„Achantè*“ zum Trinken einlud. Als er zu mir herüber sah und bemerkte, dass auch ich gern ein Glas Wein mitgetrunken hätte, sagte er: *„Lieber Herr Student, sie können sehr gern mit uns trinken, sie finden ein Glas in der Anrichte, dort im hinteren Bereich des Raumes.“* Mit halb geöffnetem Mund, zum einen weil ich so überwältigt von dieser spontanen Aktion war und zum anderen – ich weiß es eigentlich gar nicht – ging ich zur Anrichte und holte mir tatsächlich ein Weinglas, denn mit einem Tee, einer Käsestulle und einem Joghurt wollte ich dieses erste Date nun auch nicht beenden.

Im hinteren Teil des Gemeinschaftsraums angekommen sah ich im flackerndem Schein des Kaminfeuers **Opa Hentrich** sitzen, der allein wie versteinert in die Flammen blickte und natürlich an seiner kalten Pfeife saugte. Als ich direkt neben ihm stand, sprach er emotionslos, so wie wir ihn kannten und ohne den Kopf dabei zu bewegen: *„Das hätte man dem kleinen Franzmann gar nicht zugetraut“*, dann hielt er einen Moment inne, als würde er nachdenken und sprach weiter, *„aber das können sie – und die Italiener noch viel besser, denn schließlich haben sie ja auch den Casanova erfunden“*, er führte seine Tasse zum Mund, und ich schätze mal, dass da nicht nur Tee in der Tasse war!

Zurück am Tisch hatte es sich Monsieur **Claude** schon auf meinem Platz bequem gemacht und war mit den beiden Damen in ein ausgiebiges Gespräch vertieft. Ich nutzte dankbar die Gelegenheit, mich etwas abseits zu stellen, schenkte mir etwas Wein ins Glas und konnte von dieser Position alles sehr gut sehen und mitbekommen.

Claude war in seinem Element, und ich fing einige Wortfetzen auf wie Mode, Chagall, Bretagne, Champs Elysee, Louvre, er sprudele gerade so vor Begeisterung, und für einen Moment, wenn man die Augen schloss und nur seiner Stimme lauschte, hätte man sich auch in einem kleinen französischen Bistro wiederfinden können, es fehlten nur noch die Klänge eines Akkordeons. **Margot Schiller** und **Elisabeth Rose** hörten ihm andächtig zu, und ich glaube, wenn man so in die Tiefe ihrer Augen blickte, ich glaube das **Claude** sie auch ein Stück weit mit in die Ferne der Welt genommen hatte. Ja und **Claude**, der immer sehr zurückhaltend und still war, sich eigentlich immer nur im Hintergrund aufgehalten hat, nie von der Vergangenheit erzählte und wenn, dann doch das eine oder andere von ihm heraussickerte, dann zog er sich auch genauso schnell wieder zurück in sein Schneckenhaus und niemand kam so richtig an ihn heran. Die Gedanken seiner Vergangenheit trafen immer wieder auf seine Frau, mit der er viel mehr als so manch anderer mit seinem Partner erleben durfte. Aber heute, in der netten Abendrunde, da war er wie ausgewechselt, und um es kurz zu beschreiben, an diesem Abend war er: *– DER REISEBEGLEITER!*

4.10__ Madeleine Oruè und die Patience

Während **Claude** mit den beiden Damen tief im Gespräch versunken war und **Walter Schneemann**, **Iwan** und zwei weitere Männer immer noch oder jetzt noch intensiver als zu Beginn die ursprüngliche Frage zerlegten und diskutierten, sah ich eine allein-sitzende Dame an einem Zweiertisch, die für sich selbst eine Patience legte. Völlig unbeeindruckt von der Geräuschkulisse, die noch lauter war als am Abend zuvor als nur einer erzählte und alle anderen Beteiligten stumm und aufmerksam zuhörten. Mit dem Glas Wein in der Hand ging ich in ihre Nähe, und ohne dass sie mich bemerkte, blickte ich ihr von hinten über die Schulter und verfolgte ihr Tun. Man hatte fast den Eindruck, sie würde nicht großartig überlegen und nachdenken, denn in einer fast fließenden Bewegung reihte sie eine Karte an die nächste bis wieder eine Reihe oder heißt es Brücke oder Straße bis zum Ende aufgebaut war.

Als das Spiel beendet war, nahm sie einen Schluck Tee, blickte dabei rechts über ihre Schulter, lächelte mich an und sagte: *„Manchmal geht es auf und manchmal nicht“,* und sie schob die restlichen Karten zusammen, um sie durch erneutes Mischen für ein weiteres Spiel vorzubereiten. „*Legen sie auch Karten*“, fragte sie, doch ich erklärte ihr, dass meine Kartenerfahrungen oder eigentlich waren es nur Erinnerungen in die frühe Kindheit bzw. Schulzeit zurückgingen. Mau-Mau oder Schummeln waren meine Helden der Vergangenheit, die dann später von Skippo und Kniffel abgelöst wurden. Skat, Poker, 66 waren ja etwas für die *„Harten Hunde“* zu denen ich genauso wenig gehörte wie zu den *„Romantikern“*, die mit Bridge, Romme oder Canaster sich den Abend verschönerten. Aber ich konnte stundenlang zusehen, und gerade diese entspannten Spieler oder eigentlich mehr die Kartenleger, die unermüdlich eine Karte an die nächste bauten, strahlten für mich eine solche Ruhe und Entspannung aus, dass ich es gar nicht selbst spielen musste. *„Wenn ich darf, würde ich gern einfach nur zusehen“,* antwortete ich, und ohne ein Wort zu sagen, lächelte sie mich an und bot mir mit Handzeichen den gegenüberliegenden Platz an. Mit entspanntem Gesicht und freundlichem Dauerlächeln legte sie eine Karte nach der nächsten, und ich verfolgte jeden ihrer Schritte.

Nach einer kurzen Weile sprach sie mit leiser Stimme und ohne dabei den Blick von den Karten abzulassen: *„Patience ist französisch und bedeutet – Geduld“,* dann sah sie doch zu mir, lächelte mich an und fragte weiter, *„haben sie Geduld?“* Wobei die Betonung auf „**SIE**“ lag, und noch ohne meine Antwort abzuwarten, legte sie fleißig wie eine Arbeitsbiene, weiter Karte für Karte auf die entsprechende Position, und ich war wie gefesselt von der Ruhe und der Entspannung, die von ihr ausging. Auch diese Patience ging auf, was sie mit den Worten: *„Sehr schön“* kommentierte, mir die Hand entgegen streckte und sagte: „**Oruè**“, was sich irgendwie so, wie ein Schlusswort anhörte, so wie *„olè“* oder *„fini“*, ich nickte ihr respektvoll zurück und wiederholte den Ausspruch: „*Genau, Oruè*“, sagte ich und zeigte einen Daumen nach oben, und plötzlich begann sie herzhaft zu lachen, und gar nicht mehr so still, schüchtern und zurückhaltend sah sie mich an und erwiderte: *„Oruè, das ist mein Name*“ und lachte weiter, „***Madeleine Oruè***“, und es war mir sichtlich peinlich, dass ich ihren so melodisch klingenden Namen als einen Ausruf deutete.

Aber es war schnell erklärt, und ich bekam gleich noch eine weitere Unterrichtseinheit in Sachen Patiencen, denn die amerikanische, aber auch die kanadische Patience sind sogenannte *„Zank-Patiencen“* oder auch *„Zweier-Patiencen“* und werden auch als „Solitär“ bezeichnet, *„nicht zu verwechseln mit dem Brettspiel Solitär“*, erklärte sie mit erhobenen Finger. Donnerwetter, dachte ich, und genauso guckte ich auch und mein einziger Kommentar war: *„Nein, ich glaube, so viel Geduld habe ich nicht.“ – „Aber man kann es lernen“,* sprach sie weiter *„ein gemütliches Glas Wein, eine beruhigende Patience, das ist gut fürs Gehirn, schult den Geist, und von einem möglichen Herzinfarkt ist man meilenweit entfernt! – Und wie lautet ein altes Sprichwort“*, fragte sie und stand auf, *„wenn es am schönsten ist ...“, sie* lächelte mich erneut an, bedankte sich für die Gesellschaft und verabschiedete sich.

Ja, irgendwie passte Patience zu ihr, sie hatte etwas Stilles, Elegantes, ja schon fast Geheimnisvolles. **Madeleine Oruè**, diesen Namen sollte ich mir bestimmt merken. Und so saß ich da noch eine Weile allein am Tisch, blickte durch den Raum aus der Distanz auf den Kamin und bemerkte gar nicht, was in der Zwischenzeit so alles in meinem Umfeld beziehungsweise an den Nachbartischen passierte, so gefesselt und konzentriert war ich von den Patiencen, oder war es die Ausstrahlung der Mademoiselle **Oruè**? Aber scheinbar hatte man mich auch nicht vermisst, denn aus der anfänglichen kleinen Gruppe mit **Frau Schiller** und **Frau Rose**, die ja bestens vom Charmeur **Claude** unterhalten wurden, hatte sich mittlerweile eine größere Gruppe über zwei Tische verteilt.

Für mich war es wieder einmal ein sehr schöner aber auch sehr vollgepackter Tag mit vielen neuen Dingen, Gesichtern, Geschichten, Schicksalen, und bevor ich es der **Frau Oruè** gleichtat und zu Bett gehen wollte, schlenderte ich mit meinem immer noch halbvollen Weinglas zum Kamin, setzte mich in einen der alten massiven Ohrensessel und starrte ins Feuer. Das Knisternde Geräusch, die wohlige Wärme und der Blick, der von den Gedanken übermannt und aufgefressen wurde ließen mich in einen fast tranceähnlichen Zustand verfallen. Es war kein Schlafen, aber wach war es auch nicht; eine Situation, in der die Gedanken den Moment bestimmten, sie führten bei diesem Tanz. Ich weiß nicht, wie lange ich dort so saß, wann meine Gedanken mich aus diesem Bann wieder freiließen, doch als ich wieder zur Besinnung kam oder besser gesagt, als meine Sinne wieder aufnahmefähig waren, wieder sehen, hören, riechen und auch wieder sprechen konnten, da erkannte ich, dass es schon deutlich still im Raum geworden war.

Die Zweiertischgesprächsrunde hatte sich aufgelöst, ein paar Personen saßen noch über den Raum verteilt und führten wahrscheinlich ähnliche Gespräche mit sich selbst, wie auch ich es in den letzten Minuten tat – oder waren es sogar Stunden?

Vielleicht die richtige Zeit für mich, um auch ins Bett zu gehen, dachte ich, stand auf und wollte mich gerade vom Kamin abwenden, da sah ich **Opa Hentrich** gar nicht so weit entfernt von mir in einem anderen Sessel sitzen. Das Feuer spiegelte sich in seinen geöffneten Augen, aber es schien, als wäre er mit seinen Gedanken weit, weit entfernt. Ich überlegte, ob ich ihn aufwecken und zum ins Bett gehen auffordern sollte, doch irgendetwas hinderte mich daran. Es war schon eigenartig, nicht ich musste mich um **Opa Hentrich** kümmern, es schien fast so, als hätte er auf mich aufgepasst. Ich stand auf, ging zu ihm rüber, klopfte ihm mit einem: *„Gute Nacht“,* auf die Schulter, und als ich schon auf halbem Weg zur Tür war, da hörte ich ein kaum verständliches Gemurmel, was durch die im Mund steckende Pfeife nicht verbessert wurde, und ich verstand nur Fragmente wie *G – mmmte Nacht – hmm Junge –_erste Bootswache – bis hmna – Klabautermann*, dann wurde es zu undeutlich und still.

Ja, so gab es wieder einige neue Geschichten, erzählt mit lauter, aber auch mit leiser Stimme oder mit Patiencen, selbst **Opa Hentrich** hatte eine seiner Geschichten erzählt, natürlich auf seine Art und Weise, und auch ich war heute mal Erzähler, auch mal Zuhörer, auf jeden Fall aber ein Teil der Gemeinschaft in diesem Raum

– **dem Gemeinschaftsraum**.

Kapitel

5

Donnerstag

Mit Gedanken eingeschlafen – mit Gedanken aufgewacht!

Es heißt doch, dass die Gedanken, die man kurz vor dem Einschlafen noch im Kopf hat, jene sind, aus denen sich die Träume entwickeln: Dinge die das Hirn auch nach dem Einschlafen weiter verarbeitet und mögliche Geschichten daraus konstruiert. Ich glaube das auch, dass, wenn man zum Beispiel während der Einschlafphase an einen lieben Menschen denkt und vielleicht im tiefsten Unterbewusstsein nicht möchte, dass dieser liebe Mensch mit negativen Dingen in Verbindung gebracht wird, können so schnell Albträume entstehen, Szenarien, die einen schweißgebadet aufwachen lassen. Aber diesen Fall hatte ich nicht – heute nicht, denn ich kann mich an keinen Traum und schon gar nicht an einen Albtraum erinnern. Aber ich weiß wohl, dass ich beim zu Bett gehen noch eine Zeitlang nachgedacht hatte oder besser ausgedrückt, ich ließ den Tag tatsächlich noch einmal Revue passieren und stellte fest, dass ich mich zwar an das große Ganze des Tages nicht, aber an kleinere Dinge erinnern konnte. So waren mir einige Namen nicht mehr geläufig, und ich muss ehrlich gestehen, dass ich das auch ein wenig unterschätzt hatte. Also beschloss ich, Aufzeichnungen zu machen, natürlich auch rückwirkend, zu den Personen, ihren Geschichten und zu Dingen, die mir zugetragen oder aufgefallen waren. Eigentlich gar keine schlechte Idee, denn ich bekam ja nicht nur permanent Informationen, es entwickelten sich auch bei mir Fragen, die ich auf der entsprechenden Personenkarte notieren und zu einem späteren Zeitpunkt klären konnte. Was jetzt aber nicht bedeuteten sollte, dass ich wie ein Oberbuchhalter nur noch mit Kladde unter dem Arm, wohlmöglich noch mit einem Karteikasten durch die Gegend laufen sollte. Im normalen Tagesbetrieb konnte ich diese Dinge in meiner Notizbuchfunktion vom Handy notieren und sie dann später den entsprechenden Karten zuordnen. Je mehr ich darüber nachdachte, umso begeisterter war ich von dieser Idee und konnte es kaum abwarten, damit zu beginnen.

Einige benötigen Frühsport, um gut in den Tag zu kommen, bei mir war es geistiger Frühsport, denn noch bevor der Weg mich ins Bad führte, reifte dieser Gedanke. Mit den Mundwinkeln nach oben und einem lächelnden Nicken stand ich vor dem Spiegel, sah meinem Spiegelbild tief in die Augen und sprach mit wacher, fester und motivierter Stimme: „*Genau so machen wir es*“, nahm die Zahnbürste, zog einen Streifen Paste auf die Borsten und begann, den fahlen Geschmack der Nacht zu entfernen, während meine Gedanken schon deutlich weiter waren.

Diese neue Aufgabe ließ meine Gedanken laufen und aus dem Laufen wurde schnell ein Rennen, wie ich selbst spüren konnte. Warum war das so? Und wieder machte ich mir darüber Gedanken – weil ich plötzlich eine Aufgabe hatte, das Gefühl hatte, etwas zu tun, etwas Sinnvolles zu tun, etwas, das möglicherweise auch für andere von Nutzen sein könnte. Eigentlich war es bei mir auch nicht anders als bei den Bewohnern der Einrichtung. Sie hatten alle ihren täglichen Rhythmus, jeder ging seinen Weg, aber trotzdem ging ihn jeder irgendwie für sich allein, war allein unter vielen. Vielleicht gab es die eine oder andere Freundschaft, aber so richtig viel wusste man doch von dem anderen nicht. Bei den ersten Geschichten im Gemeinschaftsraum war es doch eine ähnliche Situation. Der Raum wirkte kühl, leer, still, ja schon fast traurig – und dann, dann begann plötzlich jemand mit einer Geschichte, zunächst leise und schüchtern, und nach wenigen Minuten saßen plötzlich ganz viele Zuhörer um ihn herum und hörten gespannt zu. Am nächsten Abend steigerte sich dieses Interesse, und aus dem *„Raum der Stille“* wurde ein *„Raum der Begegnung“*, und ich war mir sicher, dass das erst der Anfang war, und es sich noch weiter entwickeln konnte.

Es musste auch nicht nur geredet werden, am Abend zuvor hatte ich ja selbst festgestellt, dass zusehen oder einfach nur dasitzen auch eine Art von Kommunikation sein konnten, und dafür konnte es viele Gründe geben:

- Jemand interessierte sich für MEINE Geschichte.
- Man hörte einfach nur gern zu.
- Man sprach miteinander, stellte Fragen.
- Meine Einschätzung und Meinung war gefragt.
- Leid und Freud wollte mit anderen teilen und Vergangenes aufarbeiten.
- Man konnte über das sprechen, was einen bewegte oder das, was man vermisste.
- Man bekam Antworten auf so viele *„**Warums**“*
- Man lernte auch im hohen Alter noch dazu.
- Man konnte zu der Erkenntnis kommen: Ich bin ja doch nicht allein!

Wahrscheinlich konnte man diese Liste noch bis ins Unendliche führen, aber genau das war es ja, was ich gerne gemeinsam mit den Menschen herausbekommen wollte und es schon nach dieser kurzen Zeit an ganz vielen Dingen und Beispielen erfahren durfte.

5.1__ Trauma, Krisenmanagement, jung & alt

Alle essen die Erbsensuppe, weil sie am Donnerstag auf dem Plan steht. Oder hätte der Satz besser lauten müssen: Alle essen die Erbsensuppe, nur weil sie am Donnerstag auf dem Plan steht, der nach bestem Wissen und unter ernährungstechnischen Richtlinien mit medizinischer Begleitung und den wirtschaftlichen Möglichkeiten erstellt wurde. Aber von wem erstellt wurde? Vielleicht sollte ich auf meine Karteikarten auch die Lieblingsspeisen aufnehmen und das, was sie gar nicht mögen. Was sie bewegt, belastet, verärgert, freut aber noch viel wichtiger, was ihnen weh tut, sie vielleicht verfolgt; Momente, die sie nicht vergessen können, Trauma, mit denen sie alleine gelassen wurden. Und wenn wir über genau diese Generation einmal ehrlich nachdachten, dann war es genau die, die mit Altlasten geradezu vollgestopft war; Dinge, Momente der Vergangenheit oft über Jahrzehnte tragen mussten und die sich tief ins Herz und in die Seele gebrannt hatten. Krieg, Schmerz, Leid, Vertreibung, Hunger – viele standen vor dem Nichts und hatten nie die Möglichkeiten, es aufzuarbeiten, darüber zu sprechen, sich zu öffnen und jemandem anzuvertrauen. Möglichkeiten, die im heutigen sozialen Gefüge fast selbstverständlich geworden sind, gab es nicht, da wurde über solche Probleme geschwiegen, Sorgen und Schmerz mussten geschluckt werden: *„Stell dich nicht so an ...“*, bekam man stattdessen zu hören. Heute gibt es für alles Hilfe, die richtige Betreuung, Seelsorge, Unterstützung, Versorgung – kurz als Krisenmanagement bezeichnet.

Früher waren sie ihr eigenes Krisenmanagement – was heißt waren, mussten sie sein. Man hat versucht zu überleben, und das mussten in den meisten Fällen die Frauen alleine bewältigen, denn viele Männer sind aus dem Krieg nicht zurückgekehrt. Ohne Wohnung, Nahrung, Einkommen, schlechte medizinische Versorgung, viele hatten Kinder oder ältere Menschen dabei, die sie versorgen oder – wie sagte meine Oma immer so treffend – durchbringen mussten. Es wurde improvisiert und gearbeitet, Schmerz und Angst trieben sie voran, Nullbock-Stimmung, Timeout, Orientierungsphasen konnte man genauso wenig in Anspruch nehmen wie, *„nein, danke, aber dieser Job entspricht nicht meiner Qualifikation oder meinen Vorstellungen!“*

Natürlich war es für junge Menschen schwer, diese „alten Geschichten“ immer wieder und wieder zu hören, sie fast schon täglich aufs Brot geschmiert zu bekommen, da waren die Reaktionen rollende Augen und Meinungen wie: *„Jetzt kommt wieder diese alte Kriegs-Laier“*, fast schon nachvollziehbar, doch diese alte *„Kriegs-Laier“* gehörte genauso zum Leben wie bei jungen Menschen das Smartphone, chillen und Facebook. Sie gehörte deswegen dazu, weil es nicht nur ein Teil unserer Geschichte und Entwicklung war sondern vielmehr ein Teil der Menschen, die mit uns gemeinsam in dieser Gesellschaft leben. Diese alte *„Kriegs-Laier“* sollte genauso oft auf den Tisch kommen wie natürlich auch die neue, die junge Laier – ich nenne sie mal die *„Chill-Laier“*, bis beide Generationen verstehen, dass sie zusammen gehören, und es nicht heißen kann:

Ihr – alt – Krieg – EURE Sache,

Wir – jung – chillig – UNSERE Sache!

Ich habe bewusst *„Generationen“* gesagt und vermieden, von *„Seiten“* zu sprechen, denn wenn sich erst einmal Seiten gebildet haben, sind Lager auch nicht mehr weit, und wenn diese dann von einander abdriften – dann haben wir verloren!

Für viele junge Menschen sind die *„Alten“* einfach nur merkwürdig, weltfremd und jenseits von Gut und Böse.

Für viele alte Menschen sind die *„Jungen“* einfach nur merkwürdig, weltfremd und jenseits von Gut und Böse.

Ja und genau das wollte ich damit zum Ausdruck bringen, wenn jeder von dem anderen etwas mehr erfuhr, konnte er auch besser verstehen, vielleicht auch ganz anders einschätzen, bewerten und – wer weiß, vielleicht hören wir ja dann bald schön öfter:

- Die Alten, sind schon echt *„**knorke**“* und
- Ja, ja, diese jungen Leute sind **cool drauf** und einfach nur **chillig**.
  (und wenn wir das dann auch noch von **Opa Hentrich** hören – dann haben wir es geschafft!)

Und einmal mehr hatten sich meine Gedanken auf und davon gemacht – hmm, wo waren wir doch gerade noch stehengeblieben – ach ja, beim Zähneputzen!

5.2__ Nachtwanderung

Nach diesen intensiven Gedanken sollte der Zahnbelag der Nacht weggeschrubbt sein, mit ein paar Händen voll kaltem Wasser durchs Gesicht, Kamm, Scheitel, Creme – fertig. Das heißt, rasieren? Ach was, dachte ich mir, geht auch mal ohne und überhaupt, Dreitagebart war modern! Frisches Hemd, frische Hose, das Bett zum Lüften über die Bettkante gehängt, Fenster auf und – Moment, irgendetwas war anders als sonst, es war ruhig, sehr ruhig, es war dunkel, und als ich einen Blick auf meine Uhr warf – oh man, es war 4:45 Uhr! Wie konnte mir das passieren? Da haben mir wahrscheinlich die vielen Gedanken einen Streich gespielt, oder es war die Umschaltphase vom Normalschlaf in den Tiefschlaf, in dem ja die Träume entstehen sollen. Hmm, dachte ich, Träume, nee, die hatte ich tatsächlich nicht. Aber Fakt war, es war 4:45 Uhr, und ich war startklar. Na, ja, dachte ich – ein kleiner Spaziergang in Richtung Ortseingang, etwas Bewegung kann auch nicht schaden, und ich verließ leise das Zimmer. Die Gänge und das Treppenhaus waren nur mit schwacher Notbeleuchtung ausgestattet, was aber völlig ausreichend war. Ich schlich mich an den Zimmertüren vorbei und arbeitete mich leise bis zum Hauseingang vor. Zum Glück hatte ich ja von **Herrn Günther** einen Hausschlüssel bekommen, sonst wäre bereits hier, meine frühmorgendliche Reise beendet gewesen.

Ich verließ das Haus, sperrte die Tür wieder ordnungsgemäß hinter mir zu, und auch auf der Bank vor dem Haus war es ein anderes Bild als sonst; nicht, weil es einfach nur dunkler war, nein, **Opa Hentrich** fehlte, was ja auch um diese Zeit so zu erwarten war, und wenn es nicht so gewesen wäre, hätte ich mir doch große Gedanken gemacht. Trotzdem musste ich Schmunzeln und ging von der Veranda auf den Weg, doch der feine Kies knirschte so laut unter meinen Füßen, was man sonst über den Tag gar nicht so wahrnahm, doch in der Stille wirkte es gleich deutlich lauter, und ich ging einen Schritt zur Seite auf die Rasenkante, damit ich nicht doch noch irgend jemanden zu früh aus dem Schlaf holte. Direkt am Tor angekommen bog ich nach links in Richtung des Ortes, der nur knapp einen Kilometer entfernt lag. Glücklicherweise war es keine zu stark befahrene Straße, man konnte früh genug erkennen und hören, wenn sich ein Auto näherte. In Gedanken versunken, mit den Händen in den Jackentaschen und dem Blick nach unten gesenkt, marschierte ich gerade zu und bemerkte gar nicht, dass mir eine Person am Wegesrand entgegen kam und mich, kurz bevor wir drohten zusammenzustoßen, anrief: *„Hey, was machen sie den hier um diese Zeit und dann noch auf der falschen Straßenseite“,* und bei diesem Zusatz erhöhte sie gleich die Stimmlage und zeigte mit dem drohenden Finger. Ich erschrak, zuckte zusammen und erkannte **Mathilde**, die gute Küchenfee, die mit Tüten, Taschen und einer gesunden Gesichtsfarbe wie aus dem Nichts kommend plötzlich vor mir stand. Zum einen freute ich mich, um diese Zeit und dann auch noch da, wo ich es ja nun überhaupt nicht erwartet hatte und dann auch noch jemanden den ich kannte, zu treffen, aber ich war auch so perplex, dass ich außer einem wirren Gestammel und einem mageren: „*Und sie*“, nichts herausbrachte. Sie sah mich an, stoppte gar nicht, marschierte vorbei und rief nur über die Schulter*: „Bin spät, muss mich beeilen und sie, vergessen sie nicht, Frühstück ab 7:30 Uhr, und wenn sie früher da sind, können sie mir helfen“*, dabei lachte sie und war auch schon wieder in der Dunkelheit verschwunden. Na, ja klar dachte ich, **Mathilde**, denn das Frühstück machte sich ja auch nicht per Knopfdruck von allein, und schon war ich wieder in meinen Gedanken versunken.

Kaum hatte ich das Ortsschild erreicht, war auch gleich mehr Leben und Bewegung zu erkennen. An der Tankstelle auf der anderen Straßenseite lief wahrscheinlich der Brötchenverkauf auf vollen Touren, die Haupteinnahmequelle um diese Zeit, denn fast alle Personen, die herauskamen, hatten eine Papiertüte in der Hand und die Zeitung unter den Arm geklemmt. Hinter den Fenstern einiger Wohnungen brannte bereits Licht, und bei einigen konnte man sogar bis in die Wohnstube blicken. Durch die Fensterspalten kroch wohlriechender Kaffeeduft, und hinter dem Schaufenster des *„Tante Emma Ladens“* waren auch schon rege Aktivitäten zu erkennen. Der Verkehr nahm zu, die ersten Berufspendler waren auf dem Weg zur Arbeit, Zulieferfahrzeuge brachten ihre Waren zu den Geschäften, die Stimmen wurden lauter, ja, die gesamte Geräuschkulisse nahm sehr schnell und deutlich zu, und irgendwie war es für mich wie ein Dejavue, es erinnerte mich ein wenig an genau das, wovor ich noch vor ein paar Tagen geflohen bin, wenngleich das dort in diesem kleinen Ort nur ein Bruchteil von dem zu sein schien, was ich zurückgelassen hatte. Aber möglicherweise kam es mir nur so deutlich vor, weil ich in den vergangenen Tagen in eine ganz andere Welt, einen ganz anderen Rhythmus eintauchen durfte.

Für heute früh hatte ich genug gesehen und beschloss, den Rückweg anzutreten. Als ich wieder auf der Höhe der Tankstelle war, aber diesmal auf der richtigen Seite ging, da hörte ich eine Männerstimme rufen: *„Guten Morgen, sollen wir sie mitnehmen?“* Es waren die beiden netten Helfer, **Bernhard** und **Bianca**, wie sie von den Bewohnern kurz genannt wurden, gemeint war das nette **Ehepaar Rodriges**, das auch auf dem Weg zum Wohnheim war, es hatte Frühdienst und wollte **Mathilde** beim Frühstück und den anschließenden Mittagsvorbereitungen helfen. Gern nahm ich das Mitfahrangebot an, und noch ehe ich auf die Rückbank des stahlblauen alten VW Käfers klettern konnte, saß da auch schon **Frau Rodriges**, deren wunderschön klingender Vorname wie ein Feuerwerk der Freude war. **Carmen-Dulce-Fernanda** hatte immer ein strahlendes Lächeln im Gesicht, so auch an dem Morgen, und sie begrüßte mich, indem sie sich von der Rückbank zwischen die beiden Sitze nach vorne beugte und mich fragte: *„Ja was machen denn sie um diese Zeit hier schon auf den Beinen“,* und als ich ihnen meine Geschichte beziehungsweise von meinem Zeitfehler berichtete, da prusteten beide los, und sie klopfte mir dabei von hinten auf die Schulter. Kaum waren wir gestartet, da waren wir auch schon angekommen und bogen auf dem Kiesweg in die Einfahrt, und **Herr Rodriges** parkte an der Seite hinter dem Haus, wo auch der **Gärtner Rudi** seinen Geräteschuppen hatte. Ich bedankte mich für den Shuttleservice und betrat mit den beiden das Haus durch den Hintereingang. Beide gingen schnellen Schrittes direkt durch bis in die Küche, es war 5:55 Uhr, und ihr Dienst begann um 6:00 Uhr. Ich denke, dass man es nicht so punktgenau nahm, und auch **Mathilde** hätte wahrscheinlich nichts gesagt, wenn die beiden ein paar Minuten später aufgetaucht wären, aber nein, die beiden wollten pünktlich sein, und das waren sie auch, und überhaupt, neben ihrer immer freundlichen Art und Ausstrahlung waren sie auch sehr gewissenhaft und zuverlässig, und ich denke nicht nur **Mathilde** und **Herr Günther** wussten, was sie an ihnen hatten, ich denke, auch die Bewohnern hatten sie in ihr Herz geschlossen. Auch hier traf wieder einmal das alte aber auch sehr schöne Sprichwort zu:

Wie man in den Wald hinein ruft, – so schallt es heraus!

5.3__ Frühstück und Frühstückshelfer

Als ich einen Blick in die Küche warf, da sah ich bereits **Bianca**, die mit einer Schürze um den Hals die Aufschnittplatten für das Frühstücksbuffet vorbereitete und **Bernhard**, der sich um diverse Kaffee- und Teeautomaten kümmerte. **Mathilde** wirbelte überall herum, so, wie man sie eigentlich auch nicht anders kannte. Wie ein Krake mit neun Armen machte sie gleich mehrere Dinge auf einmal, und kein Weg war unverplant. Ging sie nach links, hatte sie etwas auf diesem Weg zu transportieren und kam sie wieder zurück, war es etwas anderes, das sie in der Hand hielt. Sie wirkte wie ein allround Straßenmusikant an einer U-Bahnstation, der mit Fußschellen, Trommel, Gitarre, Mundharmonika und noch vielen anderen Dingen Musik machte, als würde eine komplette Band musizieren – und sie lachte auch noch dabei! Ich warf ihr einen Blick zu und bot ihr meine Hilfe an, denn bei unserer Begegnung zuvor auf der Straße hatte sie mich ja indirekt zum Helfen eingeladen. *„Was soll ich tun“,* fragte ich mit motivierter Stimme und klatschte dabei in die Hände. Sie stoppte kurz und war tatsächlich etwas irritiert, denn damit hatte sie tatsächlich nicht gerechnet, doch **Mathilde**, die keine Frau der langen Gedanken sondern schneller Taten war, drückte mir ein Geschirrtuch in die Hand, zeigte im Vorbeigehen auf die Spüle und rief: *„Gläser spülen, Geschirr, Tische eindecken und ...“*, sie verharrte einen Moment, stoppte ihren Küchenmarathon, drehte sich erneut mit Blick zu mir und sprach mit breitem Grinsen weiter – *„und das Ganze aber zackzack“,* und dabei lachte sie so herzlich, dass sich auch **Bianca** nicht zurückhalten konnte.

Klare Worte, dachte ich und legte los. So hatte jeder seine Aufgabe, **Bernhard** kam hin und wieder in die Küche und transportierte die vorbereiteten Dinge in den Essensraum. Voll konzentriert spülte ich die Gläser und einige andere Sachen, die **Mathilde** heute schon in Gebrauch hatte und konnte mir einen Blick über die Schulter nicht verkneifen. Es war schon enorm, wie sie durch die Küche wirbelte und sich dabei trotzdem noch mit **Bianca** unterhalten konnte. Der erste Teil meiner Aufgabe war erfüllt, und ich ging mit dem Tablett der frisch gespülten Gläser in den Essensraum, um die Tische einzudecken, doch **Bernhard** war bereits fertig damit, und so wie **Mathilde** und **Bianca** in der Küche am Zaubern waren, hatte auch **Bernhard** den Frühstücksraum startklar gemacht, sogar die große Terrassentür zum Garten geöffnet und für frische Luft gesorgt. Als ich die Gläser beim Getränkewagen abstellte, sah ich ihn gerade an der Radioanlage stehen, wie er noch für angenehme, leise Hintergrundstimmung sorgte. Ein Blick auf die Uhr, **7:13 Uhr**, ein Blick in die Küche – *„oh Gott*“ dachte ich, das wird nichts mehr, das Chaos war perfekt, es sah aus wie in einem Handgranatenwurfstand, nur **Mathilde** war die Ruhe selbst, zwinkerte mir zu, zeigte den Daumen nach oben und sagte völlig entspannt, *„wir liegen guuut in der Zeit!“*

Irgendwie war es wie auf einer Autobahnbaustelle. Wahrscheinlich tue ich jetzt gerade ganz vielen Bauarbeitern bitteres Unrecht, aber diese Gedanken begleiteten mich mein Leben lang. Die Baustellen waren groß, lang, es waren Berge von Baumaterial aufgetürmt, Bagger fuhren von links nach recht, LKW-Fahrer saßen mit weißem Feinripp-unterhemd gelangweilt im Führerhaus ihrer Wagen und warteten auf die Ladung. Architekten und Bauleiter liefen mit Helmen, Gummistiefeln, sportlicher Windjacke und natürlich einem großen Plan herum, und Vermessungstechniker standen hinter den Messgeräten, vor denen die Autofahrer immer Angst hatten, weil sie dachten, dass das Radargeräte seien. Das Bauarbeiter Fußvolk stand in der Regel etwas abseits des Geschehens, aufgestützt auf eine Schaufel oder sitzend auf einem Stapel Rohre und zur Zigarettenpause verdonnert, und am Ende des Bauabschnittes, da stand das Prunkstück der Baustelle, ein megagroßer Kran, der an Halteketten die Kreissäge in unerreichbarer Höhe gesichert und aufgehängt hatte. Viele Menschen, großes Durcheinander und mit Ausnahme von ein bis zwei Bagger- und LKW-Fahrern und natürlich dem Bauleiter, der den Plan halten musste, sah man eigentlich nie so richtig jemanden arbeiten, mehr so ein dasein, stehen, gucken rumlaufen – aber komischerweise war dann dieses schier unendliche Chaos auf einmal, fast über Nacht, sauber, ordentlich, weg und fertig. Ich glaube, es lag daran, dass ich meistens nur am Wochenende auf den Autobahnen unterwegs war, Dinge wie hochgehängte Kettensägen sah und so mein falsches Bild von den Straßenbautrupps entstand. Ich möchte mich hier und in aller Form bei allen Bauarbeitern entschuldigen und sie symbolisch zu Rittern schlagen, denn wenn wir euch nicht hätten, würden wir bei diesem steigenden Verkehrsaufkommen wahrscheinlich nur noch in Staus hängen oder auf kaputten, alten oder längst zu klein gewordenen Autobahnen unterwegs sein; genervt, müde schlagkaputt und verspätet unser Ziel erreichen.

Ja und so war es vergleichbar mit der Großbaustelle *„**Küche**“,* und als ich sie erneut betrat, da stand **Bauleiter Mathilde** zwar nicht mit dem Plan, aber mit einem Brötchenkorb direkt vor mir, lächelte völlig entspannt und sagte: *„Fertig“* und drückte mir den Korb in die Hand. Ich war sprachlos, nickte zustimmend, und als ich zurück in den Essensraum ging, wanderte mein Blick zur Armbanduhr, aber natürlich so diskret, dass es keiner erkennen konnte, ich wollte nicht, dass es so aussah, als hätte ich es dem Team nicht zugetraut. Die Uhr zeigte 7:22 Uhr und – Donnerschlag, ja, damit hatte ich nicht gerechnet, nicht, als ich noch einige Minuten zuvor in die Küche geblickt und **Mathilde** ein fest eingebackenes Teil inmitten des Chaos‘ war. *„Respekt“,* dachte ich und war auch irgendwie stolz, ein Teil dieser Leistung gewesen zu sein, auch wenn ich wahrscheinlich eher zu dem Fußvolk gehörte, das sich auf der Schaufel stützte.

Frühstück

Das Frühstück sah ich heute mit ganz anderen Augen, konnte es ganz anders einordnen und wertschätzen, denn bisher war es einfach jeden morgen *„da“*, aber was genau alles dahinter stand, das hatte ich nun selbst einmal erleben und erfahren dürfen. Der Raum füllte sich wie an jedem Morgen, einige Personen saßen schon an ihren angestammten Plätzen, einige wirkten still und nachdenklich während andere schon putzmunter waren und ohne Punkt und Komma redeten. Ich hatte keinen Stammplatz, ich suchte mir einen freien Tisch etwas abseits, so konnte ich auch für einen Moment in mich kehren und die schon vielen erlebten Dinge des eigentlich gerade erst begonnenen Tages sortieren. Dazu ein lecker Tasse Kaffee – ja, klar – selbstverständlich aus der Kanne mit dem roten Deckel! Eigentlich hatte ich gar keinen Hunger, obwohl man doch meinen sollte, dass nach dem Morgenspaziergang und den vielen zu verarbeitenden Dingen der Körper Nachschub an Energie und Nahrung brauchte, hmm Appetit hatte ich wohl, aber keinen richtigen Hunger, und ich machte mir nur ein leckeres Käsebrot, das ich auf den Teller mit ein paar Gurken- und Tomatenscheiben legte. Einen Orangensaft, ja, den nahm ich natürlich auch gern, denn genau das waren die Gläser, die ich nur wenige Minuten zuvor abgespült und kunstvoll an der Saftbar aufgebaut hatte. Dann setze ich mich an den kleinen in der Ecke befindlichen Tisch und dachte eigentlich, dass ich dort von kaum jemanden gesehen und erkannt werde, doch tatsächlich bekam ich einige freundliche Gesten zugenickt, die wahrscheinlich so was wie *„**Guten-Morgen**“* heißen sollten.

Ich verrührte gerade den Schuss Milch im Kaffee, da stand **Frau Orué** vor meinem Tisch, sie hatte sich ebenfalls einen Orangensaft geholt und begrüßte mich mit einem freundlichen Lächeln: *„Na, junger Mann“,* sagte sie, *„haben sie von gestern Abend auch alles schön behalten“* und lachte dabei. Ich bedankte mich noch einmal für die ausführlichen Erklärungen und: *„Nein“*, sagte ich, *„ich denke, ich habe kaum etwas behalten, dafür ging es dann doch zu schnell, aber vielleicht geben sie mir ja heute Abend noch eine zweite Unterrichtsstunde.*“ *„Heute Abend leider nicht, mein lieber Freund*“, sagte sie, *„heute ist Donnerstag, und da ist immer der Kinoabend, Spielabend ist immer am Mittwoch.“* Wieder hatte ich etwas Neues erfahren, aber was für ein Film am heutigen Abend gezeigt werden sollte, das wusste sie im Moment auch nicht, könnte man aber vorn im Treppenhaus an der Informationswand ablesen. Dann wandte sie sich ab und ging zu ihrem Platz. Ich träumte noch etwas vor mich hin und griff in Gedanken noch einmal meine Idee des gestrigen Abends auf, eine Datei zu erstellen beziehungsweise bald einmal mit ein paar Aufzeichnungen zu beginnen, sonst würde ich am Ende diese vielen Dinge gar nicht mehr richtig zuordnen können. Also beschloss ich, mir nach dem Frühstück irgendwo ein ruhiges, lauschiges Plätzchen zu suchen, wo ich nach Möglichkeit in aller Ruhe überhaupt mal einen Anfang finden konnte und ich nicht ständig von neuen Dingen abgelenkt würde. So war der Plan! Ich räumte also mein benutztes Geschirr auf den Geschirrwagen und verließ den Essensraum. Also, kurz aufs Zimmer, etwas frisch machen, die Aufzeichnungsmappe holen, dachte ich, sprang gleich die ersten drei Stufen der Treppe nach oben, doch **HALT**, ich wollte ja noch sehen, welcher Film am Abend auf dem Programm stand, machte auf dem Absatz kehrt und sprang genauso elegant die drei Stufen wieder nach unten.

Die Informationswand war in farbige Wochentage unterteilt, und schnell konnte man im Bereich Donnerstag unter Abendprogramm den *„**Film der Woche**“*, wie er genannt wurde, ablesen: *„Der Stern von Afrika“* mit Joachim Hansen – Donnerwetter, dachte ich, den haben doch bestimmt alle schon mindestens drei- bis viermal gesehen, wenn nicht noch öfter, aber wenn es dann ihr Wunsch war – hmm, war es denn ihr Wunsch, oder wurde er auch genau wie der Speiseplan einfach vorgesetzt, nach dem Motto: *Der Film ist aus der Zeit der meisten Bewohner, da werden sie schon Freude haben, in alten Erinnerungen schwelgen, und verstehen werden sie ihn auch!* Da interessierte mich, wie die Nachfrage, die Begeisterung und der Wunsch nach diesem Film bei den Bewohnern ankam, und ich beschloss, ebenfalls am Filmabend teilzunehmen, der um 20 Uhr, direkt im Anschluss ans Abendessen, beginnen sollte.

5.4__ Weil Donnerstag iss ...

Kurz frisch gemacht, den Schlafanzug für heute Abend in Position gelegt, das Bett noch schnell gerichtet, und dann konnte es eigentlich losgehen. Ich packte meine Umhängetasche mit den notwendigen Schreibunterlagen, stellte mich an mein noch geöffnetes Fenster und überlegte, wo genau ich mich für meine Aufzeichnungen ungestört hinsetzen konnte, und mein Blick schweifte von links nach rechts durch den Garten, doch meine Gedanken waren ganz woanders. Sie waren bei dem Spaziergang, den ich am gestrigen Nachmittag in Richtung Deich unternommen hatte, und war es die Neugierde, oder war es der Wunsch nach einem neuen Abenteuer oder nur der Wunsch nach einem stillen lauschigen Plätzchen, auf jeden Fall festigten sich mehr und mehr meine Gedanken, mir einen ruhigen Platz außerhalb der Anlage zu suchen, und ich beschloss, mich nach einigen Tagen Pause wieder einmal auf das Motorrad zu setzen und einfach drauf los zu fahren, ein nettes Plätzchen würde sich dann bestimmt finden. Fenster zu, Tasche über die Schulter, die Motorradsachen, Helm, Jacke und Nierengurt hatte ich ja in den Packtaschen direkt am Mottorad gelassen, und ich ging nach unten. Als ich gerade auf der unteren Ebene ankam und eigentlich zielstrebig in Richtung Haupteingang gehen wollte, da sah ich, dass schräg gegenüber der Informationstafel, in einem Gang, den ich bis dahin noch nicht so bewusst registriert hatte, einige Bewohner langsam und gemächlich hineinwanderten. Ich stoppte meinen Weg, ging zwei Schritte zurück und warf ebenfalls einen Blick in diesen Gang. Einige Damen verschwanden links in einem Raum, während sich die Männer auf einer im Gang befindlichen Stuhlreihe niederließen und sich wie beim Tanztee brav, still, unauffällig verhielten und scheinbar auf die Damen warteten. Was ging da vor, dachte ich, schmunzelte und war mir aber sicher, dass ich es noch erfahren würde. Mit einem breiten Grinsen machte ich kehrt und verschwand wie geplant in Richtung Ausgang. Als ich die Veranda betrat, saugte ich einmal tief die Luft ein um zu signalisieren, ja, ich bin da, und der Tag kann beginnen, was von **Opa Hentrich**, der natürlich dort wie gewohnt thronte, nur mit einem kurzem Blick zur Kenntnis genommen wurde. Einfach nur so kommentarlos an ihm vorbeizulaufen, das wollte ich aber auch nicht, und so war es doch die beste Gelegenheit, mich über dieses eigenartige Abwandern der Damen und Herren in den Seitengang zu erkundigen. Ich stützte mich auf die Lehne des vorderen Stuhls und fragte **Opa Hentrich**, warum die Männer dort säßen und auf die Damen warteten. Es dauerte einen Moment, sein Blick blieb starr nach vorn gerichtet, und ohne den Kopf zu bewegen, antwortete er mit monotoner Stimme: *„Weil Donnerstag iss!“*

Ich wartete einen Moment, denn ich dachte, da wird ja jetzt noch eine weiterführende Erklärung kommen, doch er blieb stumm, und sein Blick blieb unverändert nach vorn gerichtet. *„Donnerstag“,* fragte ich *„und was bedeutet das?“* Und wieder dauerte es einen Moment, bis er antwortete*: „Donnerstag ist Balztag, da putzen sich die Puten und Hennen raus und die Hähne auch“,* er stockte einen Moment, und plötzlich wanderte sein Blick doch zu mir herüber. *„Und die Hähne“,* sprach er weiter, *„die Hähne werden auch ganz rollig“* und verdrehte dabei die Augen. Balztag, Puten, Hähne, rollig – ehrlich gesagt, ich wusste nicht, was er meinte, wäre es abends gewesen, dann hätte ich tatsächlich den Tanztee oder so etwas vermutet, aber morgens, gleich nach dem Frühstück, hmm, und tatsächlich saßen die Herren da mit durchgedrücktem Rücken und akkuratem Scheitel, der bei den wenigen Haaren überhaupt noch möglich war, und wagten sich nicht zu bewegen. Ich hatte mir dabei nichts Außergewöhnliches gedacht, doch nun wurde ich neugierig, zog den Stuhl zurück, setzte mich aufgrund dieser neuen Informationen zu ihm an den Tisch, verschob meinen Ausflug und die Aufzeichnungen, denn dieses Geheimnis durfte ich mir natürlich nicht entgehen lassen. **Opa Hentrich** spürte, dass er etwas wusste, was ich nicht wusste, es aber sehr gern wissen wollte, und er genoss ein Stück weit diese überlegene Situation und begann zu schmunzeln. *„Na, junger Mann, jetzt sind ‘se neugierig geworden was“,* sprach er bedächtig und leise *„und jetzt woll’n ‘se bestimmt, dass ich es ihnen erkläre, oder?“* Ich stülpte meine Lippen zu einer pfeifähnlichen Stellung, pustete die Luft heraus und schüttelte den Kopf mit einer teils verneinenden aber auch zustimmenden Bewegung. Natürlich hatte es mich brennend interessiert, und je länger **Opa Hentrich** herumeierte und es genoss, mich auf die Folter zu spannen, umso neugieriger wurde ich.

„Donnerstag“, begann ich erneut mit einer fragenden Mine. *„Ja, genau, Donnerstag“,* antwortete er und zog sich seine alte Pfeife aus der Westentasche und steckte sie gemächlich, in aller Ruhe in den Mundwinkel. Nach ein, zwei kalten Zügen setzte er fort: *„Am Donnerstag sind doch immer* ***Blondi*** *und* ***Sternchen*** *da!“* Er schmunzelte und verkniff seine Augen zu einem fast schon hinterhältigen Grinsen, doch nur allein mit **Blondi** und **Sternchen** konnte ich auch nichts anfangen, was er natürlich wusste, und so musste ich alles bröckchenweise aus ihm herausziehen, doch dann löste er endlich die quälende Bremse und erzählte.

5.5__ Blondi und Sternchen

Mit ***Blondi*** und ***Sternchen*** waren die kleine **Mandy Müller** und **Fr. Dr. Sybille Stern** gemeint.

Mandy Müller, eine kleine quirlige 24-jährige Friseurin, kam immer am Donnerstagvormittag zum Frisieren ins Haus. Dafür wurde dann ein kleiner Raum, der sonst als Wirtschaftsraum benutzt wurde, kurzfristig zum Frisiersalon umgerüstet. Einige Stühle standen aneinandergereiht, zwei große Garderobenspiegel wurden aufgestellt, zwei Trockenhauben auf einem langen Standfuß waren genauso dabei wie ein fahrbares Schwenkwaschbecken. Natürlich waren die Mittel beschränkt, aber dennoch vermittelte dieser kleine Umbau einen Hauch von Salon, in dem sich die Damen verwöhnen lassen konnten. **Mandy** wirbelte zeitweise zwischen drei Plätzen herum, und jede der Damen genoss diesen Moment der Entspannung. Im Hintergrund kam leise Musik aus dem Radio, das aber zeitweise vom Föhn, der Trockenhaube oder auch manchmal vom Gelächter der lustigen Damen übertönt wurde, die natürlich nicht nur still in eine Zeitung vertieft waren, sondern sich untereinander lautstark unterhielten; so, wie es halt bei einem Friseur auch üblich war. Die kleine **Mandy** konnte sich so etwas dazuverdienen, und zeitweise brachte sie sogar noch eine Kollegin mit, wenn die Arbeiten oder die Vorbestellungen zu umfangreich waren.

Kommen wir nun zu den Herren der Schöpfung, die mustergültig wie an einer Perlenschnur aufgereiht im Gang auf den Stühlen verweilten und warteten, bis einer nach dem anderen aufgerufen wurde. Dann standen sie auf, richteten noch einmal die Hose, den Scheitel und marschierten gerade, aufrecht, mit strammem Schritt und eingezogenem Bauch beziehungsweise zogen die Hose soweit hoch, dass sie den Bauch verdeckte, ins Zimmer sobald die Aufforderung *„**der nächste bitte**"* mit einer freundlichen, fast schon liebevollen Stimme zu hören war. Sämtliche Gehbeschwerden waren in weite Ferne gerückt, Gicht-, Rheuma- oder Arthroseschmerzen wurden mit einem breiten Grinsen übertüncht, und auch der Gehstock wurde schon fast lässig hinterher gezogen, als wollte man signalisieren – **hey**, ***eigentlich brauche ich ihn gar nicht****!*

Jetzt hatte ich verstanden, was **Opa Hentrich** mit seinem
– ***und die Hähne werden rollig*** – meinte!

Frau Dr. Stern war die Kollegin, Assistentin, Vertreterin vom hauptverantwortlichen Hausarzt **Herrn Dr. Möller**, der aufgrund seiner 69 Jahre und denen als Landarzt über viele Jahre gesammelten Erfahrungen die Diagnosen und auch Behandlungen fachlich gut, kompetent und ohne großes Brimborium anging, was ihm allerdings auch den unrühmlichen Beinamen ***„Dr. Frankenstein“*** einbrachte. **Frau Dr. Stern**, die in der Woche hauptverantwortlich eine externe Arztpraxis leitete, während **Herr Dr. Möller** vorrangig auf Hausbesuchen unterwegs war, hatte lange blonde Haare, die allerdings in der Regel zu einem Pferdeschwanz zusammengebunden oder einmal gedreht nach oben gesteckt wurden. Mit 30 Jahren war sie natürlich nicht nur deutlich jünger als ihr ehrenwerter Kollege **Herr Dr. Möller**, auch die anderen optischen Dinge bis hin zur liebevollen Stimme brachten ihr schnell den ebenso respekt-, wie auch liebevollen Spitznamen ***„Sternchen“*** ein. **Opa Hentrich** hatte es mir zwar nicht so gesagt, doch ich glaube, dass dieser Spitzname vorrangig von den männlichen Bewohnern erfunden, vergeben und natürlich auch so benutzt wurde.

Ja und eben am Donnerstag, da hatte **Herr Dr. Möller** seinen freien Tag und **Frau Dr. Stern** übernahm **alleine** die Sprechstunde, kümmerte sich um die Wehwehchen, Schmerzen und Sorgen der fast ausnahmslos männlichen *„Harten Jungs“,* was natürlich jeder wusste, keiner darüber sprach und es irgendwie alle genossen!

Frau Dr. Stern hatte damit überhaupt kein Problem, war da völlig souverän und genoss es natürlich, auch ein stückweit so beliebt zu sein, – ***die Damen*** waren die nölenden Männer für einen Moment los, konnten sich selbst etwas Gutes tun und sich daran ergötzen, wie sich die Männer herausputzten und wie pubertierende Junghähne der Frau Dr. den Hof machten – ***die Herren***, ich denke, die hohe *„Donnerstags-Krankheitsrate“* erklärte es von selbst, – ***die kleine Mandy*** konnte ihr Taschengeld etwas aufbessern, und ein kleines Trinkgeld war meistens auch noch drin, – ***Herr Dr. Möller*** fand es sowieso gut, zum Einen hatte er vollstes Vertrauen zu seiner reizenden Kollegin, die ja schlussendlich auch in ein paar Jahren nicht nur die Praxis sondern auch die Hausbesuche übernehmen sollte, und außerdem war es sein freier Tag, an dem er viel lieber zum Fischen ging und – ***Opa Hentrich***, der sich grundsätzlich aus allem heraushielt, zelebrierte dieses Theaterstück, das sich jeden Donnerstag aufs Neue wiederholte und ***ich*** – ich atmete tief durch, brachte einen Seufzer hervor und war überaus glücklich nun mitreden zu können, wenn es in der nächsten Woche wieder hieß,

– *„weil es Donnerstag iss!“*

Kapitel

6

Ein lauschiges Plätzchen

Nachdem nun ausgiebig über den „Donnerstag“ oder besser gesagt über seine besondere Bedeutung und den Stellenwert im Haus berichtet wurde, konnte ich nun doch endlich meinen Weg fortsetzen und mir ein lauschiges, ungestörtes Plätzchen suchen. Ein Blick auf die Uhr ließ mich erschrecken, denn eigentlich wollte ich doch schon früh auf Tour gehen, und nun war es doch wieder fast 10 Uhr. Aber diese wichtige *„Donnerstag-Information“* war unerlässlich! Ich schnappte meine Tasche und Jacke, verabschiedete mich von **Opa Hentrich** und wollte gerade zu meinem Motorrad hinter dem Haus gehen, da kam mir der Heimleiter **Herr Günther** entgegen. Ich stoppte, begrüßte ihn, und er erkundigte sich nach meinen Gedanken und Eindrücken der letzten Tage. Ich berichtete im Schnelldurchlauf, denn für einen ausgiebigen Bericht wäre es dort, zwischen Tür und Angel, denkbar ungeeignet gewesen, gleichwohl ich ihm sehr gern von meinen Gedanken und Einschätzungen erzählt hätte. Er fragte mich, was ich für den Tag geplant hatte, und ich erklärte ihm, dass ich in Richtung Deich fahren wollte, um mir ein ruhiges Plätzchen für meine Notizen beziehungsweise meine Gedanken suchen wollte, die ich in den vergangenen Tagen bekommen hatte und sie nun für mich bündeln und niederschreiben wollte. *„Hochinteressant, sehr gut“,* sagte er, fand die Idee spannend und fragte mich, ob ich ihm später dann auch einen Einblick gewähren würde. *„Wenn sie wollen, fahre ich sie gerade zur Strandhalle, oben auf der Deichkrone“,* sagte er plötzlich und spontan, *„dann können sie sich ein gemütliches Plätzchen suchen und anschließend einen Spaziergang zu Fuß zurück zum Haus machen, sie sind doch gut zu Fuß, oder“,* fragte er mit lachendem Unterton. Eine sehr gute Idee dachte ich, so musste ich auch nicht erst die Motorradklamotten anziehen, das Motorrad aus der gut verstauten Parkposition herausholen und hatte noch ein paar Minuten mit **Herrn Günther**, dessen Zeit ja auch immer sehr knapp bemessen war. *„Sehr gern“,* sagte ich und nahm die freundliche Einladung an. *„Im Gegenzug berichten sie mir von ihren Erkenntnissen und Eindrücken, auf die ich wirklich sehr gespannt bin“,* fügte **Herr Günther** hinzu, und so stiegen wir in seinen Opel Mokka und verließen das Grundstück.

Bis zur Deichkrone waren es mit dem Wagen keine fünf Minuten, und schnell stellten wir bei dieser kurzen Fahrt fest, dass es scheinbar sehr viele Dinge gab, über die man sich austauschen könnte – sicherlich zum Interesse beider, und wir beschlossen, in den nächsten Tagen einen gemeinsamen Termin dafür zu finden.

An der Strandhalle auf dem kleinen Parkplatz drehte **Herr Günther** eine Ehrenrunde, stand sogleich wieder in Wegfahrrichtung, und bevor ich den Wagen verließ, gab er mir noch ein paar ortskundige Informationen und zeigte mir, in welche Richtung ich später für meinen Heimweg gehen musste. Ich wünschte ihm einen schönen Tag, und dann stand ich auch schon allein dort oben auf der Deichkrone. Der Parkplatz war klein, fasste vielleicht 30 Autos, wenn er denn einmal voll belegt war, andernfalls hatte man natürlich noch die Gelegenheit, direkt an der Straße hinter dem Deich zu parken, was aber wahrscheinlich nur an ganz besonders schönen Tagen oder an Sonntagen der Fall war, denn dieser Deichabschnitt war jetzt nicht gerade die Hauptpromenade, wie mir **Herr Günther** erklärte, als vielmehr ein Geheimtipp für wenig Trubel und ruhige Momente, und genau das hatte ich ja auch gesucht. Hinzu kam, dass es nur zirka 30 bis 50 Minuten Spaziergang zurück zum Haus waren, je nachdem wie sportlich und schnell man unterwegs war.

Hinter dem Deich, also mit Blick ins Landsinnere, sah es wenig spektakulär aus. Einige vereinzelt liegende Gehöfte, Weiden, Wiesen, Wassergräben, ein paar Kühe und etwas weiter entfernt ein paar zusammenstehende Häuser, dort wo sich auch das Wohnheim befand. Dafür war der Blick in die andere Richtung deutlich interessanter. Vom Parkplatz trennte eine kleine hüfthohe Mauer den Eingang zur Deichanlage. Direkt daneben hing ein Schaukasten, in dem das Naturschutzgebiet *„Wattenmeer“* mit den aktuellen Tidezeiten auf einer Karte dargestellt war. Das Wattenmeer lag direkt vor mir, oder wenigstens der Teil davon, der zu sehen war, denn anstatt schäumender Gischt und Brandung, die ich jetzt vermutet und erwartet hatte, sah ich eigentlich nur das Watt, das Meer war noch unterwegs. Sand, Schlick, Matsch soweit das Auge reichte, ein paar Möwen, die über mir kreisten oder auch vereinzelt im Watt standen und im Schlick nach Nahrung, Muscheln und kleinen Krebsen suchten. Einige Meter weiter hinten inmitten dieser kargen Landschaft sah man ein Schiff, das durch die Fahrrinne schipperte, eine ausgebaggerte Wasserstraße, die es den Schiffen auch bei Ebbe ermöglichte, durch die matschige Landschaft den nächsten Hafen anzulaufen. – Das waren nun die Worte, der Versuch der Erklärung eines Städters, oder wie **Opa Hentrich** jetzt wahrscheinlich sagen würde, eines Landeis, und ich bin mir sicher, dass er sich bestimmt fachmännischer ausgedrückt und garantiert noch weiterführende Erklärungen zur Fahrrinne abgegeben hätte. Es sah alles nicht besonders aufregend aus, es war ruhig, schon fast still, ein leichter Wind blies mir um die Nase, und nur das Kreischen der Möwen gab dem Windgeräusch ein wenig Abwechslung.

6.1__ Kiosk am Deich

Ein kleines, kurzes Wiesenstück, das vom Deich kommend in den Sand überging, ließ erkennen, wie weit hier das Wasser bei Flut oder wie man hier sagte bei Hochwasser in der Regel stand. Einige vereinzelt stehende Bänke standen da genauso einsam wie ich, und auch der Kiosk der Strandhalle hatte bestimmt schon bessere Zeiten erlebt. Ich war mir auch gar nicht sicher, ob er überhaupt geöffnet hatte, allerdings stand an der Seite ein einsamer alter VW Golf auf dem Parkplatz. Ich trat an die Kioskscheibe, legte beiden Hände als Sichtschutz ans Fenster und wollte gerade einen Blick ins Innere werfen, als eine Stimme von hinten rief, dass noch nicht geöffnet war. Ich drehte mich um, und ein Mann, etwa in meinem Alter, stand dort mit brauner, weiter Cordhose, Langarmshirt, breiten blauen Hosenträgern, rustikalen Gummistiefeln und einem Eimer in der Hand. *„Noch nicht“,* sagte der Mann, *„wenn sich hier mal jemand hin verirrt, dann ist das meistens erst am Nachmittag“*, sprach er weiter. Ich erklärte ihm, dass ich eigentlich gar kein Tourist war, gar nicht so weit herumlaufen wollte und eigentlich nur einen ruhigen Platz suchte, um meine Aufzeichnungen niederzuschreiben, und je mehr ich versuchte es ihm zu erklären, desto eigenartiger und misstrauischer schaute er drein. *„Also, natürlich bin ich schon ein Tourist“,* erklärte ich weiter, *„aber nicht so der klassische“,* und spätestens jetzt bemerkte auch ich, dass ich mich mit jedem Wort mehr um den Verstand redete. Sein Blick sah aus, als würde es ihn aber auch überhaupt nicht interessieren und mit den Worten: *„Na dann mal viel Spaß“* wandte er sich von mir ab und verschwand im Haus. Ok, dass an der Küste nicht so viel gesprochen wurde, das hatte ich ja nun schon mitbekommen, doch ich dachte eigentlich, dass das mehr eine Generationsfrage als eine regionale Eigenart war, denn **Opa Hentrich**, der stundenlang über das Meer, Schiffe, Klabautermann und Co reden konnte aber für andere Dinge wenig übrig hatte, schien dann doch nicht so eine Ausnahme zu sein. Aber egal, ich war ja auch nicht zum Quasseln dort zum Deich gekommen, es war ruhig, es war still, an der Strandhalle war sogar ein Tisch, und ich hatte alles was ich und vor allem wie ich es mir vorgestellt hatte. Ich setzte mich, öffnete die Schreibkladde und – nix und, schon wieder ertappte ich mich dabei, wie ich meine Umgebung aufsaugte und spürte, dass selbst der quietschende Wetterhahn, der sich auf dem Mauervorsprung drehte, mehr Aufmerksamkeit von mir bekam, als es für meine Aufzeichnungen nötig war.

Hmm, der Platz war zwar schön, aber vielleicht doch nicht so geeignet, um abzuschalten und den Kopf in Gedanken zu vertiefen. Vielleicht wäre mein kleines Zimmer im Wohnheim dafür dann doch besser geeignet gewesen. Irgendwie erinnerte es mich an meine Jugend, es war irgendwie so, als müsste man für eine schwierige, wichtige Klassenarbeit lernen, und draußen war das schönste Wetter, alle Freunde zogen johlend vorbei, nur man selbst musste in der Stube sitzen und konnte sich genauso wenig konzentrieren, wie ich gerade dort am Tisch der Strandhalle. Mein Blick wanderte vom äußerst linken Sichtfeld bis zum rechten, und wie ein Radargerät registrierte ich jede Bewegung, jede auch nur noch so geringe Veränderung, einfach alles, was das scheinbar ruhige Bild veränderte. Es war zwar ein großes Gebiet, was sich von hier überblicken ließ, doch die nennenswerten Veränderungen hielten sich tatsächlich in Grenzen, so dass ich dann doch noch die nötige Ruhe fand, um mit den Aufzeichnungen zu beginnen.

Ich notierte mir die Namen der Personen, mit denen ich schon Kontakt hatte und alles, was ich bisher von oder über sie erfuhr. So entstand eine Art Datenbank, obwohl sich das sehr statisch und theoretisch anhört, aber es war zunächst die einzige Möglichkeit, die vielen neuen Dinge nicht zu verlieren. In den ersten Tagen waren es alles fremde Menschen, die in einer scheinbar anderen Welt lebten, doch es war schon erstaunlich, wie schnell man gerade noch wildfremde Personen, Gesichter und die Geschichten den jeweiligen Namen zuordnen konnte. Ähnlich ergeht es ja auch Lehrern, wenn sie zu einem neuen Schuljahr eine neue Klasse übernehmen, dann werden auch zunächst Namensschilder und ein Sitzplan aufgestellt, und je nach Beteiligung oder dem Grad des Auffallens prägen sich diese Namen langsamer oder schneller ein. **Opa Hentrich** zum Beispiel, der war in meinem Gedächtnis wie in Stein gemeißelt oder **Mathilde** ganz sicher auch. **Frau Oruè**, **Willi Kluge** gehörten genauso dazu wie **Iwan**, und ich war erstaunt, wie viele Personen ich schon so spontan zu meinen Favoriten zählte, dabei hatte ich doch noch gar nichts mit ihnen unternommen, sie hatten nur Geschichten erzählt. Und wieder wurde mir schnell klar, dass alleine diese Art der Kommunikation – REDEN – ein ganz wichtiger Punkt für das Empfinden war:

– Wen kenne ich, wen kenne ich gut, und wer zählte zu meinen Favoriten!

Bekannt waren mir schon eigentlich recht viele Personen, beziehungsweise konnte ich schon nach diesen wenigen Tagen ihre Namen zuordnen, aber andere hingegen, mit denen ich noch nicht so viel Kontakt hatte, die liefen im Moment noch an mir vorbei, doch ich war mir sicher, dass im Laufe der nächste Tage oder bei anstehenden Aktivitäten der eine oder andere neue und ganz sicher auch tieferer Kontakt entstehen würde. Die Zivis zum Beispiel, ich wusste ihre Namen, aber das war es dann auch schon oder **Pastor Schulte**, von dem ich bisher nur gehört hatte, ihm aber noch kein Gesicht zuordnen konnte oder die guten Seelen vom Pflegedienst, **Gerlinde Brecht**, **Frederike Haussner** und **Kurt Busse**, die ja vorrangig auf den Zimmern zu tun haben und täglich dafür sorgen, dass alle gut in den Tag und am Abend auch entsprechend in die Nacht kamen. Ach, da gab es noch so viele, die ich hätte aufzählen können, und ich war ein wenig stolz, dass ich mit diesen Gedanken und Erinnerungen eigentlich schon ganz tief und fest beschäftigt war, was ich anfangs so mühsam zu starten versuchte. Ich war mittendrin in meinen Aufzeichnungen, vergaß die Zeit, und sie vergaß mich, und ich notierte, schmunzelte, dachte nach und notierte weiter, und ein Blatt nach dem nächsten füllte sich. Es war nach wie vor still um mich herum, auch der Kioskbetreiber war nicht mehr zu sehen, man hörte ihn ab und zu hinter der dünnen Holzwand herumwerkeln, und einmal kam er sogar aus seinem Versteck heraus, stellte demonstrativ die Eistafel an die Hauswand, und dabei sah er der Auffahrt, der Deichstraße entgegen als wollte er den vermeintlichen Besucherstrom mit seinen Blicken ausmachen. Doch der Besucherstrom hielt sich in Grenzen, einige Spaziergänger liefen auf der Deichkrone herum, direkt an der Wasserlinie war ein Jogger zu erkennen, der durch seine leuchtend bunten Laufsachen ganz besonders gut auszumachen war, aber die größte Bevölkerungsdichte lag ganz klar im eingezäuntem Deichbereich, in dem sich die Schafe aufhielten und zwischen blöken und fressen hin und her wechselten. Und genauso wie bei mir, kreiste auch beim Kioskbetreiber der Blick, und als er sich umdrehte und zu mir sah, da fragte ich ihn, ob es bei ihm nur Eis oder auch etwas zu trinken gab.

„Hier gibt es fast alles“, antwortete er mir stolz und mit hochgezogenen Augenlidern. *„Es gibt hell und dunkel, süß und bitter, stark und schwach, kalt und warm, groß und klein, viel und wenig“* und als er bei einer Atempause nach weiteren Aufzählungen des scheinbar endlosen Sortiments suchte, musste er selbst schmunzeln und aus dem zunächst emotionslos aussehenden Gesicht kamen plötzlich ganz andere Signale.

Noch bevor er fortfahren konnte, unterbrach ich ihn und sagte: *„Donnerwetter – und das ist alles in so einer kleinen Bude drin“*, fragte ich mit einem ebenso verschmitztem Lächeln. „U*nd noch viel, viel mehr“*, antwortete er, *„das war jetzt nur die Tageskarte“,* fügte er hinzu, und sein Lächeln ging ins Lachen über. Ich fragte, was man denn bei ihm an der Küste üblicherweise trinken würde, wenn man den ganzen Tag damit beschäftigt war, Eiskarten aufzustellen und auf das Meer zu achten. *„Also“,* sagte er und wollte gerade loslegen, als ich ihn bat, zwei Getränke herauszubringen, die er selbst entscheiden konnte – ich wollte mich einfach überraschen lassen. Er blieb noch einen Moment stehen, drehte den Kopf zur Seite, presste die Lippen zusammen, und es sah aus, als hätte er es nicht verstanden oder war es nur ein unschlüssiges Nachdenken, doch dann zeigte er mit dem Finger auf mich, wahrscheinlich, um mir zu signalisieren, dass der Groschen gefallen war und verschwand hinter der Holzfassade seiner Bude. Mein Blick schweifte unterdessen noch einmal von links nach rechts, doch außer ein paar veränderten Positionen bei den Schafen dem Deich gab es nichts Neues zu erkennen. Das Klimpern und Krumpeln in der Bude verstummte, und mit schlürfendem Schritt kam der Budenwirt mit zwei dampfenden Henkelmännern zurück und stellte sie emotionslos auf den Tisch. *„Bitteschön*“, kroch es ihm über die Lippen, und sein Blick war dabei auf die vollen Tassen fixiert. Ich fragte ihn, was das denn nun genau wäre und, als hätte er die Frage nicht richtig verstanden, runzelte er die Stirn und sagte leicht zögernd: *„Tee, natürlich, der ist gesund, wärmt, gibt Kraft, Energie, Lebensmut“* und sprach weiter und weiter und zählte Vorteile auf, von denen ich im Entferntesten nicht gedacht oder erwartet hätte, dass sie mit Tee in Verbindung standen – *„gute Haut, ordentliche Verdauung, scharfer Blick, freie Nase, Manneskraft, nötige Bettschwere“,* und er redete und redete in einer Monotonie, als hätte man eine Spieluhr aufgezogen. Ich nahm die Tasse, versuchte das Aroma zu definieren und den Geruch mit der Nase aufzusaugen, doch alles was sie mir sagen konnte, hatte nicht viel mit Tee zu tun als vielmehr mit einer Alkoholfreihandelszone, einer Butterfahrt nach Dänemark. *„Wow, nur Tee ist das aber nicht“,* warf ich ihm mit weit geöffneten Augen entgegen. Er stoppte seinen Vortrag, gerade als er bei ausgewogenem Biorhythmus angekommen war und antwortete ebenso trocken wie monoton: *„Na, ja, ein kleiner Schuss Tee muss schon rein, iss so wie das Salz in der Suppe, ein friesischer Geschmacksverstärker sozusagen“* und führte die Tasse zum ersten schlürfenden Schluck an den Mund. *„Und überhaupt ist es ja auch noch früh am Morgen, da iss man immer etwas vorsichtig mit der Mischung“* und schaute den kreischenden Möwen hinterher.

Ich nahm ebenfalls einen Schluck, dachte, mir haut es die Schuhe von den Füßen, und einige der zuvor von ihm aufgezählten Dinge zeigten sofortige Wirkung und Reaktion. Freie Nase, Wärme und Biorhythmus (knallrote Wangen) waren meine Spontanreaktionen, und wahrscheinlich folgte denen auch sehr schnell die nötige Bettschwere. *„Wow“,* dachte ich noch mal, diese Mischung hatte es in sich, und ich war froh, nicht mit dem Motorrad gefahren zu sein. Den *„Schussgehalt“* betreffend, gingen unsere Meinungen aber so was von auseinander, und ich fragte ihn, was er genau als Schuss zugegeben hätte. Und wieder sah er mich fragend an, hmm, war es eine blöde Frage, eine typische Städterfrage? Ich wurde unsicher und sah plötzlich **Opa Hentrich** in Gedanken neben mir sitzen, wie er gerade wieder mit unverständlichem Kopfschütteln und Augenrollen begann. *„Ich mache uns noch mal einen, und dann will ich es ihnen gern erklären“,* sagte er, und ich sah ihn mit noch größeren Augen als zuvor an, denn ich hatte gerade einmal einen ersten Schluck probiert während seine Tasse schon auf Grund gelaufen war. *„Für mich nicht – danke, ich habe noch“,* rief ich ihm schnell und auch ängstlich hinterher, denn er war bereits um die Ecke und in der Bude verschwunden. Einen zweiten konnte ich mir nicht vorstellen, sonst hätte sich das nicht nur mit den Aufzeichnungen sondern auch mit dem restlichen Tagesprogramm ganz sicher relativ schnell erledigt. Während seiner Abwesenheit schlürfte ich einen weiteren Schluck und hatte echt Mühe, den Tee herauszuschmecken. Nach einigen Minuten kam er erneut um die Ecke, hielt seinen frisch aufgebrühten – na, ja, nennen wir es mal *„TEE“* in der Hand, setzte sich zu mir an den Tisch, streckte mir die Hand entgegen und sagte: *„Ich bin der **Georg**.“* So langsam er auch zuvor schien, umso munterer wurde er bei jedem weiteren Schluck aus der Tasse. Sensationell, dachte ich, denn bei mir zeigte die zuvor beschriebene Bettschwere immer größere Wirkung!

6.2__ Georgs Zaubertrank

„Ja und was kommt da denn nun rein in den Tee“, fragte ich erneut *„und vor allem aber wieviel“* und zog dabei die Augenbrauen nach oben. *„Es gibt kein **Wieviel** und schon gar kein **Zuviel**“*, sagte er mit lachendem Unterton, dann legte er los! *„Zunächst einmal ist wichtig, dass die Basis stimmt“,* begann er, und ich dachte Basis, hmm, was redet er da? *„Also, die Basis ist natürlich Tee, in der Regel schwarzer Tee, denn der transportiert das Aroma nahezu perfekt und fehlerfrei“,* was er auch immer damit meinte. *„Natürlich kann man auch jeden anderen Tee dazu nehmen, aber dann ist es nicht Georgs Stimmungstee“,* sagte er und hob mahnend den Finger in die Höhe. Er selbst gab ihm diesen Namen, ein Tee, der ideal zu jeder Stimmung passte, es kam nur auf das richtige Mischungsverhältnis an.

„Also“, setzte er fort, – *„die Basis“: Wir brauchen Wasser, idealerweise heiß, einen Teefilter oder Tee-Ei (aber nicht aus Metall, das verfälscht das Bild und leitet das Aroma ab!) Auf einen Liter Wasser kommen vier Messlöffel Tee. Das siedende Wasser nicht gleich in den Filter gießen, zirka. eine Minute warten, sonst verbrennen die guten und wichtigen Geschmacksstoffe. Dann sieben Minuten ziehen lassen, und die Basis wäre geschafft, der Grundstein sozusagen. Und nun, kommen wir zum wichtigsten Teil“,* und dabei wurde seine Stimme leiser, ja, fast schon mystisch, als wollte er mir sein größtes Geheimnis, einen verwunschenen Zauberspruch aus Merlins Zauberfibel verraten. *„Die Zugabe“,* flüsterte er mit weit geöffneten Augen! Dann griff er zur Seite und holte eine dunkle verstaubte Flasche hervor, ohne Etikett. – Ich erinnerte mich an die Worte meiner Großmutter, die mir einmal sagte: *„Junge, hüte dich vor Flaschen mit einem selbstbeschriebenen Etikett und nehme Reißaus, wenn gar kein Etikett auf der Flasche zu erkennen ist!“* Ja, was sollte ich nun tun? Ich hörte erstmal weiter zu und behielt die weisen Worte der Oma im Ohr.

„Die Zugabe“ – flüsterte er und zelebrierte weiter. Ich wollte ihn Fragen, was denn nun genau die Zugabe beziehungsweise der Inhalt der ominösen Flasche war, doch zum einen traute ich mich nicht, diese geheimnisvolle Geschichte zu unterbrechen, noch wollte ich ihm seinen Enthusiasmus nehmen. Er öffnete die Flasche, indem er den alten schon angeschwärzten, speckigen Korken mit einem quietschenden Pfump aus der Flasche zog, seine Nase genussvoll an die Öffnung des Flaschenhalses setzte und kräftig

inhalierte. *„Was der Vater mir und der Großvater ihm und alle anderen davor über Jahrhunderte weitergaben, werde auch ich in Ehren tragen und darauf achten, dass die Tradition bestehen bleibt!"* Wow, dachte ich, es fehlten nur noch Blitz und Donner, und der Zauberspruch wäre perfekt gewesen. Noch immer stand er dort mit der geöffneten Flasche, und seine Augen leuchteten, dass sich die Möwen darin spiegelten. *„Und diese Zugabe muss man nun ganz fein dosieren*", führte er fort als ich schon dachte, es würde nicht weitergehen. *„Man nehme also die Basis, fülle sie in einen großen Henkelmann, und entscheidend wichtig ist nun, dass man nach oben noch genügend Platz in der Tasse lässt, die Zugabe muss sich auch richtig vermischen und entfalten können."* Irgendwie hörte es sich an als würde er einen Kuchenteig beschreiben, der nach Zugabe der Hefe erst noch zu dem richtigen Volumen aufquellen muss. Er legte die Flasche an seine halbgefüllte Tasse, schüttete den ***„Zaubertrank"*** hinzu und sprach: *„An ganz normalen Tagen wie diesen, da reicht dann auch eine ganz normale Mischung",* und während er diesen Satz sagte, plätscherte der geheimnisvolle Trunk munter von der Flasche in die Tasse. Dann kontrollierte er mit seiner Nase ob das Mischungsverhältnis stimmte, und mit einem wohlwollendem Grinsen sagte er: *„Perfekt, auf diese Nase ist Verlass"* und streckte mir die Tasse zum Anstoßen entgegen.

„Und sollte sich der Tag einmal schlechter zeigen, nun ja", sagte er, *„dann muss man nur die Dosierung erhöhen. Hat man natürlich einen richtig schlechten Tag an dem scheinbar nichts mehr geht, dann"* – ich fiel ihm ins Wort und antwortete: *„Dann muss man wahrscheinlich die Dosierung noch einmal erhöhen"*, lachte dazu und freute mich, ihm zu signalisieren, dass ich es verstanden hatte. Doch **Georg** sah mich an, die gerade noch groß geöffneten Augen wurden zu Sehschlitzen, Falten bildeten sich auf seiner Stirn, und mit einem verneinendem Kopfschütteln antwortete er fast schon empört: *„Eben nicht, genau das ist der große Fehler. Wenn sich der Tag als „Schiettag" herausstellt, dann machst du genau das gleiche wie zuvor, es werden nur die Zutaten gewechselt."* Ehrlich gesagt wusste ich nicht so genau, was er meinte, ich hatte eine Vermutung, doch dann sprach er auch schon weiter. *„Du beginnst wieder mit deinem Henkelmann, füllst ihn in diesem besonders schweren Fall nicht mit Tee, sondern wir beginnen mit dem Zaubertrank"*, meine Vermutung hatte sich bestätigt *„und dann gießt du etwas von dem heißen Tee darüber, aber schöööön vorsichtig",* und dabei hob er wieder mahnend den Finger. *„Ah, verstehe",* sagte ich, *„damit das Mischungsverhältnis auch stimmt"* und lachte ihn mit einem zwinkernden Auge an.

„Blödsinn“, erwiderte er, *„schön vorsichtig, damit du dir dabei nicht die Finger verbrennst, für das richtige Mischungsverhältnis reicht ein Schuss vom Tee, um die Färbung zu bekommen, sozusagen als Alibi für das schlechte Gewissen“,* und dann lachte er wie zuvor mit breitem Mund und dem verschmitzen Blick. Ich war sprachlos und froh, dass heute ein *„normaler Tag“* war, gar nicht auszudenken, wenn er mir so eine Hammermischung gemacht hätte. *„Das hilft übrigens auch bei Schietwetter, Liebeskummer, Heimweh und Verstopfung“,* fügte er hinzu und nahm einen erneuten Schluck aus dem dampfenden Pott.

Ich wusste aber immer noch nicht, was das nun für ein geheimnisvoller Zaubertrank war und fragte **Georg** erneut. Er wusste es auch nicht, aber dafür wusste er, was da alles an Zutaten drinnen war und wie es hergestellt wurde, doch so genau wollte ich es dann doch nicht wissen. Und auf meine Frage, was er denn machen würde, wenn die Flasche einmal leer würde, sah er mich genauso unverständlich an, wie zuvor, als ich wissen wollte, was denn da in den Henkelmännern drinnen war. *„Die Flasche leer“,* wiederholte er fragend mit sorgenvoller, faltenreicher Stirn, *„wie, leeeer, die war noch niemals leer“*, sprach er weiter *„und sie ist schon seit über 200 Jahren im Familienbesitz, aber leer war sie noch nie!“* **Donnerwetter**, dachte ich, also doch eine Zaubertrank oder war ich gerade seinem Seemannsgarn auf den Leim gegangen? Und wieder lachte er mit verschmitztem Blick zu mir rüber und flüsterte: *„Sie wird niemals leer werden, denn du musst sie natürlich immer im richtigen Moment wieder nachfüllen und dafür haben wir ein großes Eichenfass, das vor einem großen Eichenfass steht, was wiederum vor einem großen ...“* und dann hielt er mir wieder lachend den Henkelmann entgegen und sagte: *„Möchte`n se auch noch einen“,* doch ich schüttelte energisch den Kopf, *„ein alkoholfreies Weizenbier, das wäre jetzt genau richtig für mich“,* konterte ich, und da war er wieder, dieser komische Blick mit den Sehschlitzen und der runzeligen Stirn. Er stand auf, ging in Richtung der Bude und murmelte etwas wie: *„Kann man trinken, muss man aber nicht“*, schüttelte den Kopf und verschwand um die Ecke.

Also Tee war das Allheilmittel, dachte ich, lachte leise vor mich hin und ließ einen erneuten Kontrollblick über das Watt, das Meer und die Dünenlandschaft schweifen. Am Horizont war ein Kutter zu erkennen, der langsam durch mein Sichtfeld tuckerte. Irgendwie kam ich mit meinen Aufzeichnungen nicht wirklich voran, um nicht zu sagen, das Blatt war noch genauso leer wie zu Beginn, als ich über den guten Vorsatz nicht hinaus kam, aber ehrlich gesagt war ich vom Tee-Seminar immer noch so fasziniert und notierte mir schnell einige Angaben zu Georgs Geheimrezeptur, denn wer wusste schon, wofür man es vielleicht noch einmal brauchte.

Die Ruhe, das monotone Kreischen der Möwen, das beruhigende Rauschen der See, man hatte fast das Gefühl, die Zeit wäre stehengeblieben, doch ein Blick auf die Uhr signalisierte mir das Gegenteil. 13:30 Uhr – und dabei war ich doch gerade erst angekommen. Ok, das Mittagessen hatte ich sowieso nicht in meiner Planung, doch ich hatte ja immer noch den Heimweg und wusste nicht genau, wie lang er werden und ob mich unterwegs noch etwas aufhalten würde. Ich ging um die Bude herum, lehnte mich durch die Öffnung des Kioskfensters und wollte mich von **Georg** verabschieden, da hörte ich ihn von hinten rufen: *„Na, woll`n se jetzt doch noch einen?“ „NEIN, um Gottes Willen, der eine hat mir gereicht und überhaupt, für mich ist heute ein ganz normaler Tag!“* Ich bedankte mich, versprach wiederzukommen, ließ mir von **Georg** die Richtung zeigen und machte mich auf den Weg.

Es gab zwei Wege zurück zum Haus, das heißt eigentlich drei Wege, sie waren nur unterschiedlich lang. Rechts entlang, zunächst ein Stück auf der Deichkrone und dann nach links der Straße nach, auf der ich auch zuvor mit **Herrn Günther** kam, zirka sechs Kilometer. Vom Kiosk aus gesehen nach links ging es zu einem kleinen Leuchtturm, der direkt hinter dem Deich stand und dann in einem etwas größeren Bogen zurück zum kleinen Ort, in dem ich ja heute morgen schon meine Frührunde gedreht hatte. Dieser Weg war zirka acht Kilometer lang, hatte aber durch den Leuchtturm seinen ganz besonderen Reiz. Ich entschied mich für die dritte und kürzeste Möglichkeit, da ging es im Zickzack querfeldein, genau in der Mitte durch und war mit zirka vier Kilometer dabei. Den Leuchtturm hatte ich mir gemerkt und wollte zu einem späteren Zeitpunkt einen Ausflug dorthin machen und marschierte los. Diagonal an der Landseite des Deichs nach unten und nahm den ersten Feldweg, den ich passierte um durch die Felder in die Richtung Haus zu gelangen. Unmittelbar hinter der Deichkrone verstummte das Rauschen des Wassers und nur noch das Kreischen der Möwen durchdrang die Stille. Ich hörte die Abdrücke meiner Schritte, die abwechselnd mal knirschend auf dem Kies und mal quatschend auf der feuchten Erde zu hören waren, und begleitet wurde diese Monotonie von meinem dem Schritt angepassten Schnaufen.

Sah man nach vorn, hatte man das Gefühl, dass man gar nicht voran kam, so weit und Flach war das Land, erst ein Blick nach hinten ließ erkennen, wie weit entfernt man schon vom Deich und der darauf stehenden kleinen Kioskbude entfernt war. Auch das Kreischen der Möwen wurde immer schwächer und schon nach nur wenigen Metern vom Blöken einer Schafherde abgelöst, die völlig entspannt auf einer abgetrennten Wiese graste. Die Wiesen waren nicht mit Zäunen eingesäumt, Wassergräben trennten sie voneinander, und so wirkte das ohnehin schon flache Land noch viel, viel flacher und weiter. Die Gräben dienten allerdings vorrangig zum Entwässern der Wiesen, die ja nur knapp über der Grundwasserkante lagen und bei nur geringem Regen, aber auch mit den Gezeiten Mengen an Wasser ins Landesinnere und wieder zurück transportierten, sonst wäre die Landschaft hinter dem Deich nicht begehbar gewesen und hätte einer Sumpflandschaft geglichen. Diese Wassergräben waren mit einem grünen Bio-Teppich bedeckt, der schnell dazu verleiten ließ, einfach darüber hinweg zu laufen, so dicht und tückisch sah er aus. Schon so mancher Tourist war in diesen kleinen unscheinbaren Gräben ertrunken, sei es als Fußgänger, der sich aus dem sumpfartigen Matsch nicht mehr befreien konnte oder auch Autofahrer, die im Winter von eisglatter Straße abkamen und kopfüber im Graben landeten, die Türen nicht öffnen konnten, weil sie links und rechts an den Grabenseiten feststeckten und somit in dem verunglückten Fahrzeug ertranken, oder an der grünen *„Entengrütze“* erstickten, wie dieser mockige, grüne Matsch genannt wurde.

Und so wanderte ich im Zickzack einen Wiesenrand nach dem nächsten ab, und als ich die Schafherde passierte, standen die älteren Schafe nur ein paar Meter entfernt, sahen mir misstrauisch nach, ohne ihre seitlich mahlende Kaubewegung zu unterbrechen. Die kleinen jüngeren Lämmer interessierten sich überhaupt nicht für mich, und mit wilden, teilweise noch unkoordinierten Bocksprüngen tobten sie wild durch die Herde. Weiter, immer weiter marschierte ich, und es tat mir gut, denn in den letzten Tagen hatte ich alles andere als Bewegung und schleppte mich nur von Raum zu Raum oder gerade mal von der Veranda in den Garten, aber trotzdem war ich jeden Abend schlagkaputt, als hätte ich einen Marathon absolviert. Hmm und wieder dachte ich nach, – wenn ich schon so kaputt vom Nichtstun war und das bereits nach wenigen Tagen, wie soll es dann den Langzeitbewohnern ergehen? Man musste ja nicht gleich einen Marathon absolvieren, aber irgendwas sollte es doch noch dazwischen geben. Und so stapfte ich weiter und weiter, und ein Blick auf meine Uhr gab mir gleich noch einen zusätzlichen Schub, denn die Kaffeezeit war nicht mehr weit entfernt.

Am Ende der nächsten vor mir liegenden Felder, das heißt, es waren ja Wiesen, sah ich die Umrisse einiger Häuser, die sich bei jedem Schritt größer und besser abzeichneten. Nach vielleicht 15 Minuten erreichte ich das Haus, einen abseits gelegenen Hof, der neben dem Haupthaus noch eine große Scheune und zwei kleinere Stallungen hatte. Aus der geöffneten Scheune kamen unüberhörbare Geräusche, die schnell erkennen ließen, dass es sich hier um einen milchverarbeitenden Betrieb handelte, denn das laute *„MUHH“* signalisierte – Kuh, satt, zufrieden, glücklich, maulig, was auch immer, und noch während ich so in Gedanken an dem Hof vorbeischlenderte, wurde ich schlagartig in die Realität zurückgeholt, denn ein Hund jagte bellend im Garten hinter dem Haus herum und tat das, was ein guter Hofhund auch zu machen hatte: Aufpassen, schön aufpassen – und das tat er! Gut die Hälfte der Strecke hatte ich schon zurückgelegt und ehrlich gesagt, eine schöne Tasse Kaffee und ein Stück leckerer Kuchen (hmm, ganz egal welche Sorte), ich glaube, das hätte mir gefallen, und kaum hatten meine Gedanken diesen Vorschlag in den Raum geworfen, da mischten sich auch gleich die Geschmacksnerven ein, funkten eine kurze Info an der Magen, der wiederum einen deutlichen Befehl an die Beine schickte. Ich konnte nichts dagegen tun und ließ mich, angetrieben von den hungrigen Organen, mit erhöhter Taktzahl vorantreiben. Das Haus war schon am Ende des langen Feldweges klein am Abschluss des Horizontes zu erkennen, und mit jedem Schritt wurde es wie mein Appetit größer und größer. Das Ohr und das Auge mussten sich ebenfalls unterordnen, sie waren in der Minderheit. Die Nase verhielt sich neutral, was sich allerdings schlagartig veränderte, als ich das Grundstück von der hinteren Gartenseite her betrat und vorbei am Pavillon, zielstrebig zum Haus steuerte, denn wie bei der Kaffeewerbung im Fernsehen lag schon ein unverkennbarer Kaffeegeruch in der Luft. Wie ein Drogenspürhund mit der Nase hoch im Wind so kam es mir jedenfalls vor, erreichte ich das Haus und konnte bereits die ersten Bewohner durch das große Fenster im Aufenthaltsraum erkennen und sah **Mathilde**, die wie gewohnt mit Kannen und Tellern auf dem Arm herumwirbelte.

15:10 Uhr, gut in der Zeit – schnell aufs Zimmer, Hände waschen, einmal mit dem Wasser durchs Gesicht, kehrt marsch und wie aus einer Bewegung ging es auch schon wieder den Gang entlang und rein in die gute *„Kaffee-Stube“*. Mit gemütlichem, schlendernden Gang steuerte ich direkt auf die Kuchentheke zu und musste mich entscheiden zwischen Apfel oder Mohn, ja, was soll ich jetzt sagen, wieder schalteten sich meine Organe ein, und nach kurzem hin und her, sprach der Verstand ein Machtwort – und ich nahm von beiden ein Stück!

Ich schob die beiden Stücke auf meinem Teller so dicht zusammen, dass es zunächst wie ein größeres Stück aussah und es nicht gleich auffiel, doch kaum drehte ich mich um, da bekam ich auch schon den ersten Kommentar einer hinter mir stehenden Dame: *„Das machen sie richtig, ich kann mich auch immer nicht entscheiden, aber die Stücke sind so groß, da teilen wir sie untereinander",* und sie zeigte auf einen Tisch, an dem zwei weitere Damen saßen und das Gespräch aus der Distanz verfolgten. Wie ein Schuljunge, der beim Abschreiben erwischt wurde, sah ich verstohlen auf meinen Teller und nickte kommentarlos. Als ich einen freien Tisch im hinteren Bereich des Raumes ansteuern wollte, musste ich natürlich den Tisch der Damen passieren, und als ich direkt auf ihrer Höhe war, da sah ich in der Mitte einen großen Teller stehen, auf dem gleich mehrere Stücke Kuchen lagen, allerdings waren sie deutlich kleiner als die zwei auf meinem Teller. Ich stoppte, und man erkannte wohl unschwer, wie ich versuchte, eine passende Antwort dafür zu finden, und noch während ich überlegte, hörte ich die gleiche Stimme wie zuvor am Kuchenbuffet: *„Sehen sie und so machen wir es, wir teilen die Stücke auf, und so kann jeder von jedem kosten und probieren."* Und als ich mich umdrehte, sah ich in das schmunzelnde Gesicht der Dame, die es genoss, mich ein zweites Mal kalt erwischt zu haben. *„Sie können sich gern zu uns setzen",* sprach sie weiter, *„wenn sie mögen",* zeigte auf den freien Platz, und während sie sich setzte, sah sie zu ihren Damen und murmelte deutlich leiser *„und wenn sie sich trauen"*, dabei rollte sie kess mit den Augen. Auch diese Einladung nahm ich dankend an, denn wenn die Bewohner schon auf mich zukamen, dann war das wie eine Steilvorlage, und so etwas schlug man natürlich nicht aus. Ich brauchte also nicht lange zu überlegen, meine Mundwinkel zogen nach oben und mit einem: *„Vielen Dank, sehr gern",* saß ich auch schon mit bei ihnen am Tisch. Einen Platz hatte ich, nette Damen zur Unterhaltung auch, ein Kaffee fehlte noch und als ich aufstand um ihn zu holen, da rief mir die eine Dame hinterher: *„Wenn sie Tee möchten, den haben wir hier in der Kanne am Tisch."* Bei dem Wort Tee zuckte ich zusammen, drehte mich um und antwortete spontan: *„Tee, nein, vielen Dank, den hatte ich heute schon zur Genüge, und zuviel Tee soll auch nicht gut sein"* und lachte dazu.

Ich ging nach vorn zum Versorgungswagen, nahm mir einen Pott mit Kaffee, und auf dem Weg zurück zum Tisch überlegte ich mir eine Strategie, wie beziehungsweise mit welchem Thema ich die Damen in ein Gespräch verwickeln konnte, doch kaum war ich am Tisch zurück und hatte meinen Platz wieder eingenommen, da sprach mich auch schon gleich die erste Dame an: *„So, so, sie sind also Kaffeetrinker“,* und dann folgte ein Vortrag über Koffein, Herzbelastung, Schlaflosigkeit und allen seinen negativen Eigenschaften – und abschließend noch den gutgemeinten Rat, es doch hin und wieder auch einmal mit Tee zu versuchen, denn Tee hätte deutlich mehr Vorzüge als Kaffee, und bevor sie nun auch diese noch aufzählen wollte, unterbrach ich sie mit den Worten: *„Ich weiß, Tee ist besonders hilfreich bei Schietwetter, Liebeskummer, Heimweh und Verstopfung, aber nur wenn die Mischung stimmt.“* Als hätte man von einem Filmprojektor den Stecker herausgezogen verstummten die Damen, saßen wie versteinert mit geöffnetem Mund und blickten mich wie das achte Weltwunder an. Diesmal hatte ich sie kalt erwischt, und es dauerte einige Sekunden, bis die ursprüngliche Wortführerin zu meiner linken ihre Sprache wiederfand und fragte: *„Wer hat ihnen denn so einen Mist erzählt“*, verzog dabei den Mund und schüttelte den Kopf mit Unverständnis hin und her. Die beiden anderen Damen schlossen sich dem an, und plötzlich lachten alle herzhaft über diesen Konter der Frauenrunde. Auch ich begann zu lachen und erzählte ihnen die Geschichte, mein Abenteuer am Deich, ich erzählte von **Georg** und von dem Tee, oder sollte ich lieber Zaubertrank sagen, und wie gebannt hörten sie mir zu und ohne, dass auch nur irgend jemand darauf achtete, waren zum Ende meiner Geschichte der Tee in der Tasse kalt und der Teller mit den vielen kleinen Kuchenstückchen leer. Nur mein Teller mit den beiden großen Stücken stand noch völlig unberührt vor mir, und erst als **Mathilde** durch die Reihen ging, um das nicht mehr benötigte Geschirr abzuräumen, sah sie mich an und sagte: *„Na, hier waren die Augen wohl mal wieder größer als der Magen“,* und plötzlich prusteten wir alle vier am Tisch lauthals los.

Auch mein Kaffee war inzwischen kalt geworden, und ich schlug vor, mit Kaffee und Tee unser Vierergespräch vielleicht nach hinten in den Garten zu verlegen, denn anstatt neue Informationen von den Bewohnern zu bekommen, hatte in den letzten 20 Minuten fast ausschließlich ich gesprochen, bis ich schlussendlich von **Mathilde** aus meiner Geschichte herausgeholt wurde. Aber es schien den Damen gefallen zu haben, denn sie folgten meinem Vorschlag, und zusammen wanderten wir durch den hinteren Ausgang in den Garten, durch den ich knapp 45 Minuten zuvor mit schnellem Schritt und dem leckeren Kaffeeduft in der Nase hineingestürzt bin, und nun hatte ich Kaffee und zwei große Stück Kuchen auf dem Teller und war genauso weit wie 45 Minuten zuvor. Irgendetwas hatte meine innere Stimme und den Wunsch nach Kuchen besiegt, war es der Verstand, der sich spontan anders entschied, die Beine hielten sich da raus, die hatten Pause und waren müde, ich glaube es waren Anstand und Höflichkeit, die sich gegen die Magen- und Nasenverschwörung durchgesetzt hatten. Aber sie sollten ja auch noch zu ihrem Recht kommen.

Im Garten angekommen zeigte die eine der Damen auf einen Tisch im Halbschatten direkt vor der windgeschützten Hecke, von der man auch einen wunderschönen Blick auf den gepflegten Gartenteich hatte. *„Was haltet ihr hier von diesem Tisch“,* fragte sie in die Runde, *„das ist doch ein lauschiges Plätzchen!“* Und wieder musste ich lachen, doch ich versuchte es als ein allgemeines, *„ja, hier gefällt es mir auch“* zum Ausdruck zu bringen, denn das *„Lauschige Plätzchen“*, das ich schon seit heute früh gesucht hatte, wollte ich nun nicht auch noch erklären müssen, denn dann wäre mein neuer Kaffee gleich wieder kalt geworden und ich hätte meine beiden üppigen Kuchenstücke zum anschließenden Abendbrot mitnehmen können. *„Na, da haben sie ja etwas Tolles erlebt“,* sagte die eine der drei Damen mit dem gleichen kessen Gesichtsausdruck wie zuvor in der *„Kaffee-Stube“. – „Meine Damen, vielleicht sollten wir auch einmal einen Ausflug zum Deich machen“,* sprach sie in Richtung der Damenfraktion, hob dabei das linke Augenlid, und die beiden anderen Frauen nickten zustimmend zurück. – *„Was sagten sie doch gleich, wie war der Name des Kioskbetreibers, oder sollte ich lieber sagen des „Tee-o-logen“,* dann brachen alle Dämme, und auch ich konnte mich nicht mehr halten und prustete ebenfalls in die Runde. *„**Georg**“,* sagte ich, *„der „Tee-o-loge heißt Georg“*, und bei der Gelegenheit stellten auch wir uns einander vor.

6.3__ Henriette van der Mult

Die so redselige Dame war **Frau Berta Möller**, die im früheren Leben mal Chef-sekretärin war und von sich selbst behauptete, immer das Heft in die Hand zu nehmen und Klartext zu reden. Ihr gegenüber saß **Frau Eva Schleedorn**, sie schwamm so mit, war nicht dafür und nicht dagegen, kam aus Frankfurt und arbeitete viele Jahre in einem Reisebüro. Und die dritte Dame in der Runde war **Frau Henriette van der Mult**, ein Name, der schon unschwer vermuten lies, dass sie aus Holland kam. Sie wirkte sehr schüchtern, still, verschlossen, eigentlich das genaue Gegenteil von **Frau Möller**, aber wie sagt man so schön: Gegensätze ziehen sich an, und vielleicht waren sie deswegen befreundet oder verbrachten wenigstens die Zeit miteinander.

*„**Henriette van der Mult**“*, sagte ich, *„ein sehr melodischer Name, und ich überlege mir gerade, was ich mit diesem Namen verbinden beziehungsweise assoziieren würde, wenn ich die Augen schließe?“ – „Na, da bin ich jetzt aber gespannt“,* sagte die bisher so stille und schüchtern wirkende **Frau van der Mult**. *„Dann legen sie mal los“,* sprach sie mit dem typisch holländischen Akzent, und auch die beiden anderen Damen rutschten ein Stück näher an die Tischmitte. Ja, das hatte ich ja mal wieder toll hin-bekommen, dachte ich und blickte wehmütig auf die beiden immer noch unberührten Kuchenstücke, die vor mir auf dem Teller lagen und nur darauf warteten, dass …, nur noch einmal zur Erinnerung, es war Mohn und Apfel!

„Also“, begann ich: *„Holzschuhe, Frau Antje, Tulpen, Amsterdam, Grachten, Wind-mühlen“*, waren die spontanen Dinge, die ich in die Runde warf. Und kaum hatte ich es ausgesprochen, da knüpfte **Frau van der Mult** direkt an meinen Satz an: *„Rudi Carrell, Amsterdam und vor allem Käse haben sie vergessen“* und schmunzelte mit einem Gesichtsausdruck, den zuvor auch schon **Frau Möller** zweimal auf dem Gesicht hatte, als sie mich kalt erwischte. *„Oder sind das nicht die klassischen Klischees, die man von den Holländern hat“,* fragte sie weiter? Oh, ich hatte es verstanden, wollte ihr auf gar keinen Fall zu nahe treten oder sie gar beleidigen und sie an den typischen – da hatte sie ja Recht – Klischees festmachen, aber scheinbar trat ich genau in diesen Fettnapf hinein und das wahrscheinlich sogar gleich mit beiden Füßen. Ich eierte herum, versuchte zu retten, was zu retten war, und je mehr ich redete, umso tiefer zog mich die Schraube der Verstrickung in die Tiefe, und ich bemerkte gar nicht, dass ich mich um Kopf und

Verstand redete und mich abermals ins Abseits, ins Seitenaus manövrierte. Und das Schlimmste war, dass ich noch nicht einmal bemerkte, dass die drei Damen es genossen, mich so zu verstricken, und nach einer gefühlten Ewigkeit, als ich mal wieder erneut nach Luft rang, da löste keine geringere als eben die **Frau van der Mult** den Knoten und fragte mich: *„Schmeckt ihnen der Kuchen nicht, oder hätten sie lieber ein Käsebrot?"* Und als hätten sie sich abgesprochen oder unter dem Tisch getreten gab es den anschließenden Kommentar von **Frau Schleedorn**: *„Aber bitte den Käse aus Holland"* und **Frau Möller** haute dann noch den letzten raus: *„Genau, und zwar den von Frau Antje!"* Dann war es für einen Moment still, bevor das Feuerwerk der Häme über mich einbrach.

OK, diese Runde ging eindeutig an die Damen!

In den anschließenden Minuten erzählte uns **Frau van der Mult** aus ihrem Leben, aus ihrer jahrelangen Tätigkeit in einer Porzellanmanufaktur, wo sie das weltbekannte Delfter Edelporzellan von Hand bemalte. Holzschuhe trug sie in den Ferien, die sie bei den Großeltern auf dem Lande verbrachte, und Rudi Carrell war, wie sie uns erklärte, der Exportschlager Nr.1 nach Deutschland. *„Und Frau Antje",* da lachte sie, *„Frau Antje war eigentlich auch nur eine Erfindung der Deutschen!"* Gespannt hörten wir ihr zu, und ich hatte endlich Gelegenheit, mich über meinen Kuchen herzumachen, und der Kaffee, wie sollte es auch anders sein, der war natürlich schon wieder kalt! So wurde aus meinem ursprünglichen Heißhunger nach Kaffee und Kuchen zunächst der peinliche Moment, in dem ich die zwei Stück Kuchen auf meinem Teller kaschieren und verstecken wollte, daraus entstand eine erste Kontaktaufnahme, dann ein erweitertes Gespräch im Garten und nun, nach mehr als anderthalb Stunden hatte ich wieder drei Namen, drei Menschen von denen ich mehr wusste als nur, dass sie Bewohner des Hauses waren.

Wir wollten unsere Gespräche zu einem späteren Zeitpunkt fortsetzen und trennten uns für den Moment, denn bis zum Abendbrot und der anschließenden Filmvorführung war nur noch wenig Zeit. Ich verabschiedete mich von den Damen und bekam von **Frau van der Mult**, wie konnte es auch anders sein, ein freundliches *„Daag"* zur Verabschiedung zugerufen und nahm mir vor, mich ganz schnell von den typischen Klischees zu trennen, ob es mir jedoch gelingen sollte – na, wir werden sehen.

Rückzug in mein stilles Kämmerlein, Kladde auf und die neu erworbenen Informationen und Kontakte schnell in das Aufzeichnungsbuch niedergeschrieben, als mich ein kleines Gefühl der Müdigkeit überkam, und ich beschloss, natürlich nur für einen klitzekleinen Moment auf dem Bett zu ruhen und noch einmal über dies und das nachzudenken. Glücklicherweise hatte ich den kleinen Reisewecker dabei im Auge, der auf meinem Nachttisch mittlerweile schon etwas weit nach hinten geschoben war, schaffte es gerade noch den Ausschalter auf „an“ zu stellen und dann war ich auch schon im Reich der Sinne verschwunden, ohne auch noch kontrollieren zu können, welche Weckzeit überhaupt eingestellt war. Und so dachte ich nach – mehr über dies, als über das und man konnte fast behaupten, das die Suche nach einem lauschigen Plätzchen damit erfolgreich abgeschlossen war, als ich von einem zunächst leisen, zärtlichen leichten pieppiep-Ton, sanft angeruckelt wurde, doch aus dem sanften Anruckeln und dem leichten pieppiep folgte in immer kürzen Abständen ein immer lauter werdendes piiiiieeeeep, piiiieeeep bis hin zum PIIIIEIEEEIIIEPPP, was in ein nicht auszuhaltendes Tröööööööööötttttt überging. *(Die Reisewecker von heute waren auch nicht mehr das, was sie einmal vorgaben und boten keine Basis für eine tiefe und innige Freundschaft.)*

Der Körper saß auf der Bettkante, die linke Hand lag auf dem Wecker, der Geist war noch in den tiefsten Träumen und mit dem *„DIES-und-DAS“* beschäftigt. Nachdem die Augen wieder zurück im Arbeitsmodus waren und die Uhrzeit erkennen konnten, folgten die restlichen Organe wie bei einem Alarmstart, denn die Uhr zeigte, 20:10 Uhr. Wow, dachte ich, dann hatte es der Körper wohl auch gebraucht, oder war es doch *„Georg's Zaubertee“?* Egal, Abendbrot war durch, aber die Filmvorführung im Gemeinschaftsraum lief bereits seit zehn Minuten. Nicht, dass ich mich unbedingt nach dem Klassiker der Schwarzweißfilmzeit gerissen hätte, doch ich wollte die Stimmung, die Resonanz, das Drum und Dran bei so einem Filmabend beobachten und bewerten. Also schnell durchs Gesicht, einmal durch die Haare und Treppensprint ins Untergeschoss. Ein kurzer Blick nach links in den Frühstücksraum, auch dort war schon alles auf Feierabend eingestellt, teilweise waren die Tische schon für das Frühstück eingedeckt, was durch die schwache Notbeleuchtung gerade so zu erkennen war. Leise öffnete ich die Tür zum Gemeinschaftsraum, der mit der Filmvorführung eine ganz andere Stimmung transportierte als noch am Abend zuvor als gesprochen und gelacht wurde, und das knisternde Feuer im Kamin wohlige Wärme transportierte.

Nach Kino sah es allerdings auch nicht aus, im flimmernden Halbdunkel des Raumes konnte man nur die Sessel, Stühle und die Ledercouch erkennen; nicht aber, wie viele Zuschauer im Raum waren – beziehungsweise waren überhaupt welche da? Ich setzte mich auf den mir nächsten freien Platz und – ja nichts und, der Film riss mich nicht vom Hocker, die Stimmung auch nicht, und die Luft im Raum schon mal gar nicht, und das änderte sich auch nicht als der alte legendäre deutsche Filmheld Joachim Hansen über den Bildschirm flitzte. Aber gut, vielleicht war es der Wunsch der Bewohner, ihr Highlight, ich wollte es in den nächsten Tagen herausfinden, und noch ehe die nächste packende Filmszene fesseln konnte, dachte ich schon wieder über *„DIES-und-DAS"* nach, nur mit dem Unterschied, dass ich den kleinen Reisewecker nicht bei mir hatte. Aber das brauchte ich auch nicht, denn pünktlich zum Ende des Filmes wurde ich brutal und abrupt aus dem Schlaf gerissen, das angeschaltete Neonlicht war so grell und brutal, hatte den Scharm eines entgegenkommenden Düsenjets, und ich weiß nicht was schlimmer war, die Lichtkeule oder das Piiiieeeeeiiippp-Tröööööööt meines Reiseweckers im Zimmer zuvor? Ich blickte durch die Runde und konnte gerade einmal fünf Personen ausmachen, von denen drei den gleichen Gesichtsausdruck wie ich hatten und ebenso mit dem Wechsel der Helligkeit zu kämpfen hatten. Kommentarlos, kein gut oder schlecht, alle standen sie auf, verließen den Raum und schlichen stumm zu ihren Zimmern. – Ja, was sollte ich dazu sagen? Begeisterung sah anders aus!

Geschlafen hatte ich nun genug, mein Biorhythmus war sowieso durcheinander, im Haus tat sich scheinbar auch nichts mehr, und nachdem ich nun ein weiteres lauschiges Plätzchen gefunden hatte, allerdings mit der schlechtesten Luft von allen, schlich auch ich in mein Zimmer und setzte mich an den kleinen Tisch, öffnete meine Kladde und begann nun endlich mit den Aufzeichnungen.

Meine Aufzeichnungsmappe, war eigentlich nur ein einfacher Memoblock, den ich mir für eigene Notizen mitgebracht hatte, das Memo hatte ich schon vor Tagen mit einem Zettel überklebt, mit dem neuen Titel: ***Eindrücke einer Reise***. Doch diesem Titel wurde die Kladde nun nicht mehr gerecht, und ich überklebte sie erneut mit einem neuen Titel: ***Das Haus, die Leute, ihr Leben***, aber auch das schien mir nicht treffend genug, und bei meinen Überlegungen, beim *„DIES-und-DAS"*, überdachte ich ihn ein weiteres Mal und klebte zum dritten Mal einen Titel darüber: ***Die Reise***, denn irgendwie war es ja auch eine Reise, – ich wusste nur noch nicht wohin.

Kapitel

7

Der – freie – Tag

Der Tag war lang, die Nacht war kurz, aber man sollte es nicht für möglich halten – ich hatte dann doch tatsächlich in meinem kleinen Kämmerlein das lauschige Plätzchen gefunden, wonach ich den ganzen Tag mühsam gesucht hatte. Ich weiß gar nicht, wie lange ich noch am Abend oder besser gesagt in der Nacht mit den Notizen beschäftigt war, hatte aber einiges zu Papier gebracht. Gegen 1:30 Uhr warf ich einen Blick auf den Wecker, und da war ich noch mittendrin. Irgendwie war es so, als säße ich in der letzten Reihe eines Kinos, und es würde genau der Film gezeigt, den ich mir ausgewählt hatte. Man wusste den Ausgang, aber trotzdem war es spannend, teilweise sogar lustig, wenn ich nur an **Georg** und den Zaubertee dachte. Aber was war gestern Abend mit dem Kino und dem Fernsehfilm, dem Kinoklassiker von einst? Hier wusste doch auch jeder, wie er ausging und trotzdem kaum Reaktionen, keine Kritik, geschweige denn Schmunzeln oder Gelächter. Warum nur? Ich wollte es herausbekommen und hatte es ganz weit oben auf meiner *„To-do-Liste“* stehen.

Ein neuer Tag begann, und ich war für meinen Teil motiviert und gleichermaßen gespannt, was es wieder Neues oder aber auch Altes, zu erfahren gab. Ich lag gut in der Zeit, war im Bad bereits durch, das Fenster weit geöffnet, Wetter war hervorragend, blauer Himmel, Sonnenstrahlen, muntere Vögel, die sich abwechselnd im großen Baum ein Stelldichein des Gesangs gaben. Die besten Startvoraussetzungen für einen guten Tag. Gegen 7 Uhr verließ ich das Zimmer und versuchte, den Tönen der Vögel angepasst ein munteres Liedchen zu pfeifen und tippelte dabei mit schnellem Schritt jede Stufe nehmend die Treppe hinunter. Kurzer Stopp an der großen Informationswand zur Orientierung und Planung des weiteren Tages; beziehungsweise, um mich mit den Angeboten des Hauses für den Freitag abzustimmen.

Die Angebote hielten sich für jeden Wochentag sehr in Grenzen und eigentlich waren es auch nur die feststehenden, sich immer wiederholenden Aktivitäten und Angebote, die an der Wand noch einmal groß und überschaubar angeschlagen waren, obwohl sie sowieso ein jeder in- und auswendig kannte. Neue unerwartete Dinge, Ausreißer oder sogar Highlights waren dort eher selten zu finden, was die Tafel schnell unspannend werden ließ, sie eigentlich kaum noch einer beachtete, und die meisten stumm und achtlos daran vorbeiliefen.

Montag:	Musikabend
Dienstag:	frei
Mittwoch:	Schwimmen, Gesellschaftsspiele
Donnerstag:	Kinoabend
Freitag:	Gymnastik
Samstag:	Fernseh- und Spielabend
Sonntag:	Gottesdienst

Dienstag war frei, dachte ich, vielleicht konnte ich den Nachmittag oder Abend mit etwas Sinnvollem füllen, ich hatte zwar noch keine genaue Vorstellung aber dennoch ein paar interessante Ideen. Es sollte etwas sein, das die Bewohner in den Bann zog, wo sie gern dran teilnahmen und das für sie eine Freude, ja vielleicht sogar ein wöchentliches Highlight werden könnte, so wie es die vergangenen Gespräche oder Geschichten im Gemeinschaftsraum gezeigt hatten, als einige aus dem Schneckenhaus herausgekrochen kamen und scheinbar über sich hinauswuchsen. Es sollte schön sein, Spaß machen, motivieren, den Wunsch nach mehr mitbringen. Für kleine Kinder hörte sich das wie ein Überraschungsei an, eine Wundertüte, die Spannung und Freude bereitete. Keine so leichte Aufgabe, denn was dem einen Freude bereitete, war möglicherweise dem Anderen ein Gräuel.

Bestes Beispiel war doch der Donnerstag, was dort für die Damen eine sehr große Freude war, wurde von den Herren der Schöpfung mit Augenrollen und Unverständnis kommentiert und umgekehrt – es musste also etwas sein, was beide Geschlechter gleichermaßen interessierte. Vielleicht sollte ich mit meinen Überlegungen anders beginnen. Und schon wieder war ich in Gedanken versunken und bemerkte gar nicht, dass bereits hinter mir der stille Marsch der Bewohner zum Frühstücksraum unterwegs war. Ich lag immer noch gut in der Zeit, holte mir einen Kaffee und wollte diese neue Idee in einer ruhigen Ecke ungestört überdenken, ging vor das Haus auf die Veranda, wo natürlich bereits **Opa Hentrich** saß und aufpasste, träumte, oder wie man auch immer dazu sagen wollte. Eigentlich fiel er dort auf seiner Bank gar nicht mehr auf, er gehörte einfach dazu, war sozusagen mit ihr verbunden. Ich glaube, wenn er einmal nicht dort an dem Platz gesessen hätte, was außerordentlich selten passierte, dann wäre es allen ganz sicher sofort aufgefallen.

So setzte ich mich zu ihm an den Tisch, blickte genau wie er ins Nichts, und ein gegenseitiges Moin war alles, was wir uns in diesem Moment zu sagen hatten. Ich nippte am Kaffee, **Opa Hentrich** an der kalten Pfeife, und meine Gedanken oder besser gesagt die kleinen grauen Zellen unter der Schädeldecke arbeiteten wie in einem Hochleistungsuhrwerk, wo sich unzählige kleine Räder drehen, Pendel bewegen und alles irgendwie schnell, nicht hektisch aber trotzdem strukturiert am Arbeiten ist. Vielleicht sollten die Bewohner einfach selbst sagen, wozu sie Lust hatten, was ihre Wünsche, Träume, Sehnsüchte waren. Hmm, aber wie sollte ich das anstellen? Bei der direkten Frage bekam man nur in den seltensten Fällen eine ehrliche oder überhaupt eine Antwort, sei es aus Schüchternheit, aus Scham aus was auch immer, ich musste es anders herausbekommen aber der Dienstag Nachmittag war ja schon mal eine gute Möglichkeit und Bühne dafür. Um diese Antworten zu bekommen, wollte ich einen Fragebogen erstellen, nicht zu viele Fragen, vielleicht acht bis zehn Punkte, nicht zu schwer, damit sich niemand überfordert fühlte, ich wollte diese Fragen den Bewohnern erklären, in der Hoffnung und Erwartung, dadurch etwas mehr zu erfahren über die Themen, die für sie wichtig oder interessant schienen, und verkaufen wollte ich das ganze als eine Studie im Rahmen meiner anstehenden Diplomarbeit. Also musste ich mir ein paar mögliche Kernfragen ausdenken, die mir später nach der Auswertung die Möglichkeit gaben, daraus ein *„Dienstag-Nachmittag-Programm“* zu konstruieren, das die Bewohner ansprach, sie mitnahm und soweit motivierte, gerne daran teilzunehmen. Bei einem Flopp, na ja, – was hatte ich zu verlieren, im schlechtesten Fall war der Dienstagnachmittag wieder frei.

Ich war von der Idee überzeugt, ok, vielleicht fehlte noch ein wenig der Feinschliff, aber das Grundgerüst, das Gerippe war schon nicht schlecht. Natürlich wollte und musste ich das zuvor mit **Herrn Günther** besprechen, es mir absegnen lassen, aber er wollte sich ja sowieso mit mir treffen und austauschen. Meine Mundwinkel zogen nach oben, und ich saß da wie ein Honigkuchenpferd, was selbst **Opa Hentrich** bemerkte und sagte: *„Genau, manchmal ist das halt so“,* was genau er damit meinte, weiß ich nicht, doch möglicherweise war das seine Antwort auf meine positive Ausstrahlung. Ich sah zu ihm herüber, und während ich aufstand und zurück zum Frühstücksraum gehen wollte, neigte ich mich ihm entgegen und erwiderte: *„Genau **Opa Hentrich**, schön das wir wieder einmal über alles gesprochen haben“* und lachte leise vor mich hin. Was genau in **Opa Hentrich** vorging, konnte ich nicht sagen, auf jeden Fall blieb er regungslos sitzen, und sein Blick war auf den gleichen Punkt fixiert wie immer.

In meinem Kopf ratterte es vor Ideen, und ich konnte sie nicht schnell genug zu Papier zu bringen, doch zuvor ein kleines Frühstück, ja, das sollte schon sein, denn vielleicht war es auch gut so, die Gedanken noch einen Moment sacken zu lassen. Aber leicht gesagt, wenn man so von einem Gedanken gefesselt war. Ich bemerkte gar nicht, dass ich schon im Frühstücksraum stand, schon eine Tasse mit Kaffee in der Hand hielt und insgeheim hoffte, dass ich intuitiv die Kanne mit dem roten Deckel erwischt hatte! Wie in Trance setzte ich mich an einen freien Platz während sich meine Gedanken immer noch weit entfernt auf einer ganz anderen Baustelle befanden. Völlig in Gedanken versunken saß ich da an meinem Tisch und rührte mit dem Löffel in der Tasse herum, als ich eine männliche Stimme sagen hörte: *„Bitteschön, nehmen sie ruhig Platz."* Ich zuckte zusammen, und wie nach einem spontanen Weckruf schüttelte ich den Kopf und blickte in das lächelnde Gesicht des Herrn, der mir gegenüber saß. Er war mir nicht fremd, aber sein Name kam mir auch nicht gleich wieder in den Sinn, ich konnte ihn nur mit den Gesprächen der Bewohner im Gemeinschaftsraum verbinden, ein Zeichen mehr, meine Liste und die Aufzeichnungen schnellstmöglich voranzutreiben. Und noch während er lachte, stellte ich fest, dass ich mich einfach unhöflicherweise zu ihm an den Tisch gesetzt hatte, ohne ein Guten Morgen, ohne zu fragen, ob der Platz frei oder meine Gesellschaft überhaupt erwünscht war. Sichtlich peinlich und unangenehm berührt, schaute ich ihn an und stammelte etwas wie: *„Oh, ich bitte um Entschuldigung, ich hatte, ähm, meinte nur, ich wollte und ähm ..."* Ich stotterte vor mich hin, und er befreite mich aus der Verlegenheit indem er lächelnd antwortete: *„Alles gut, manchmal ist das so, da treiben die Gedanken und Emotionen einen voran und man selbst läuft irgendwie planlos hinterher."* Stimmt, dachte ich und musste sofort an den Wartebereich vor der Donnerstags-Sprechstunde von **Frau Dr. Stern** denken, denn da trieben auch so manche Gedanken, Emotionen – und vielleicht noch etwas anderes, die Herren der Schöpfung voran und ließen sie wie hypnotisiert, fast schon ziellos, hintereinander herlaufen!

Auf jeden Fall war ich in der Realität zurück, entschuldigte mich und lächelte ebenfalls. *„Übrigens"*, sprach er weiter, *„wenn sie sich jetzt noch etwas Milch in den Kaffee geben, dann macht das Umrühren auch richtig Sinn"* und lachte erneut dazu. Das war schon eigenartig, wie schnell man sich von seinen Gedanken fesseln ließ und zeitweise gar nicht mehr wusste, was man gerade tat. So etwas konnte böse Folgen haben und mehre als nur ins Auge gehen, wenn man mal daran dachte, wie schnell man in

Gedanken versunken beispielsweise beim Autofahren oder auch als Fußgänger beim Überqueren einer stark befahrenen Straße gar nicht bei der Sache war und sich nur noch vom Unterbewusstsein leiten ließ. Da konnte man dann nur hoffen, dass der Automatismus, die innere Uhr, wie wir es auch immer nennen wollten, intuitiv das richtige tat, man beim Überqueren der stark befahrenen Straße, an der Fußgängerampel den Knopf zum Signal drückte und natürlich auch beim Führen eines Fahrzeuges der Verkehr und das Umfeld nicht aus der Wahrnehmung verloren ging. Nichts desto trotz waren die Reaktionszeiten deutlich eingeschränkter, was nicht weniger schlimm und dramatisch enden konnte. Also nicht nur die Augen auf im Verkehr – auch mit den Gedanken konzentriert dabei!

7.1__ Die schallende Ohrfeige in der 5b

Zum Unterbewusstsein fällt mir da eine lustige Geschichte ein, das heißt, es war mehr eine alte Geschichte, die ich als Kind immer staunend mit weit geöffnetem Mund in einem Kinderbuch gelesen und gesehen hatte, ich aber irgendwie nie so richtig verstand. Der Schlafwandler, der auf dem Dachfirst mit geschlossenen Augen und ausgestreckten Armen dem Mond entgegen marschierte, konnte sich wie eine Katze auf dem Dach bewegen, man durfte ihn nur nicht anrufen und dadurch aufwecken, denn dann war es vorbei mit dem Wandeln, und er fiel wie ein Stein vom Dach. Das stimmte, denn wenn man aus der Tiefschlafphase brutal herausgerissen wurde, konnte einen die Realität schon schmerzhaft einholen, … so geschehen während meiner Schulzeit, genauer gesagt in der 5. Klasse, der „**5b**“, als mich eben genau diese Realität kalt erwischt und noch schneller wieder auf den Boden der Tatsachen zurück gebracht hatte.

Es war die *„Fünf-Minuten-Pause“*, die Fenster waren weit geöffnet, einige Schüler standen auf dem Gang vor der Klasse, einige bildeten Grüppchen im Klassezimmer, und dann gab es noch die Verträumten, die in Gedanken versunkenen – und genau zu denen gehörte ich. Linker Ellenbogen aufgestützt, Kopf, beziehungsweise Kinn lag in der Hand und blickte verträumt, völlig in Gedanken versunken ins Nichts, so wie **Opa Hentrich,** einfach ins Nichts! Ich erinnere mich daran, dass es sich gut anfühlte, es war schön, entspannt, die Sonne schien durchs Fenster, wahrscheinlich hatte ich irgendwie an Fußball gedacht, denn genau zu dieser Zeit drehte sich bei mir fast alles vorrangig um Fußball, Sport und Blödsinn machen, doch plötzlich veränderte sich die Stimmung. Die gerade noch so warmen und wohligen Sonnenstrahlen auf meinem Gesicht wurden durch irgendetwas gestört, genauer gesagt durch irgendjemanden, und es war keine geringere als meine Klassenkameradin Elke, die sich vor mir aufgebaut und die Hände dabei wie auf Krawall gebürstet in die Hüften gestemmt hatte, was eigentlich überhaupt nicht zu ihr passte, denn Elke war grundsätzlich still, unauffällig, ja eigentlich sehr schüchtern und hockte immer nur mit ihrer Freundin Josefine zusammen. Stimme dünn und leise aber sie war hübsch, was die ganze Sache wieder relativierte. Lange dunkelbraune Haare, braune Augen, scheuer Rehblick. Bei Schulfeten oder beim Bummel über den Rummelplatz war sie der Knaller, der Traum aller, mit ihr an der Seite wollten sie ALLE, aber keiner traute sich – soviel zu Elke!

Ja und genau diese gerade beschriebene, schüchterne und scheue Elke baute sich wie ein Racheengel vor mir auf, was mich schlagartig aus den Träumen riss, und ich möchte noch einmal ausdrücklich betonen, dass es in diesem Traum nicht um Elke ging, ich völlig baff und verdattert nach oben blickte und in ein Gesicht sah, das wir von ihr sonst gar nicht so kannten. Höflich wie ich war, stand ich auf, sah sie fragend an, und noch ehe ich mich versah und es richtig realisieren konnte, hatte ich auch schon ihre flache rechte Hand in Form einer schallenden Ohrfeige im Gesicht. *„Wow“* – und zeitgleich mit dem Klatschgeräusch war auch schlagartig das warme, wohlige Gefühl zurück, wenngleich es auch nur linksseitig zu spüren war. Donnerwetter, dachte ich und mit mir wahrscheinlich der Rest der Klasse, der das Spektakel miterlebt hatte und scheinbar genauso überrascht war, wie ich selbst auch. Die Mädchen jubelten und tobten aus Gründen, die ich bis heute nicht nachvollziehen kann, allerdings jubelten die Jungen auch, denn die wiederum glaubten, dass ich endlich Bewegung in die unnahbare Elke gebracht hatte. Für die Mädchen war ich der Besiegte, das Opfer, für die Jungen ganz klar der Held und warum? – Was hatte ich eigentlich getan? Ich glaube der einzige, der in dieser Situation nicht gelacht hatte, – war ICH!

Nachdem sich die aufgeheizte Stimmung wieder gelegt hatte, klärte sich das Missverständnis dann auch schnell auf, es konnte nur ein Missverständnis sein, und ich bekam die Auflösung. Doch spulen wir zunächst noch einmal gedanklich zurück. Ich saß da also mit dem Kopf, Kinn, Mund in der Hand aufgestützt und schaute verträumt ins Nichts, dummerweise saß genau am Ende des *„Nichts“*, Elke, die wiederum meinen verträumten Blick als plumpe Anmache mit Handkuss deutete und völlig empört darüber … , na, ja, der Rest war ja bekannt! Tief in Gedanken versunken bemerkte ich gar nicht, was um mich herum passierte, denn wäre ich wachsamer gewesen, hätte ich möglicherweise frühzeitig erkennen können, dass Elke nur scheinbar lieb, schüchtern und leise war und hätte der drohenden Gewalt vorzeitig ausweichen können. In diesem Fall hatte mein Unterbewusstsein keine Chance zu reagieren und schon mal gar nicht intuitiv, denn als die Sonnenstrahlen mein Sichtfeld verließen, da waren es nicht etwa die dunklen Wolken, die sich davor schoben, als vielmehr Elke – und natürlich die schallende Ohrfeige, die ich geflammt bekam!

Also, Vorsicht mit den Gedanken und ja, er hatte Recht, ich hatte tatsächlich vergessen, mir Milch in den Kaffee zu geben! Was aber viel schlimmer und unangenehmer war, dass ich mich nicht mehr an seinen Namen erinnern konnte. Nun hatte ich mal in der Vergangenheit gelernt, wenn DU etwas wissen möchtest, dann eiere nicht lange herum, sondern frag, denn schnell entstehen sonst Missverständnisse und falsche Gedanken. Ich sprach ihn also an, bat um Entschuldigung, dass ich mir seinen Namen nicht gemerkt hatte, ihn aber wohl den Unterhaltungen im Gemeinschaftsraum zuordnen konnte, als **Willi Kluge** seine eindrucksvolle Geschichte erzählte. *„Ja, ja, der Willi“,* sagte er, *„der ist wirklich ein Original und die Geschichte war ja auch mehr als nur beeindruckend, die kannte ich noch nicht, – ich glaube, die kannte hier noch niemand – wie so viele andere Dinge auch“*, fügte er mit leiser werdender Stimme nach einer kurzen Pause hinzu. *„Mein Name ist **Karl Wucherpfennig**, – Kaffeemaschinen.“* Und da machte es auch schon *„Klick“* bei mir, und wie aus der Pistole rief ich, *„der Pfennigfuchser“* und hielt mir verlegen und aus Scham für diesen spontanen Ausruf die Hand an den Mund. *„Entschuldigen sie, das war nicht böse gemeint“,* fügte ich hinzu, doch er lachte nur und antwortete vielleicht sogar ein bisschen stolz, *„ja, genau, so nennt man mich, so hat jeder seinen Spitznamen, seine Eigenheiten, Ecken und Kanten, Vorzüge und Nachteile, Stärken und Schwächen“*, dabei schaute er sehr nachdenklich, *„nur wissen es die wenigsten“,* sprach er leise weiter.

… nur wissen es die wenigsten – und war es nicht genau das, was ich ändern wollte?

7.2__ Guter Kaffee – Bohnenkaffee

Ich holte mir eine Scheibe Brot, Butter und etwas Honig, denn wie sagte meine Mutter immer so schön: *„Junge iss Butter und Honig – das ist Nervennahrung.“* Warum das so ist oder wo es herkommt, konnte ich nicht sagen, vielleicht war das eine Redensart aus den schlechten Zeiten, als man eben nicht alles im Überfluss hatte, wo Butter eher die Seltenheit war und man zum *„Guten Kaffee“* auch noch Bohnenkaffee sagte.

Wenn man heute im Internet den Suchbegriff *„Kaffee“* eingibt, dann, – boah, was war da die gute alte Zeit doch überschaubar, denn da hatten wir:

Muckefuck, Karo-Kaffee, Bohnen-Kaffee … und heute?

- ***Milchkaffee***
- ***Espresso***
- ***Macciato***
- ***Latte***
- ***Flat White***
- ***Cappucino***
- ***Mokka***
- ***Doppio***
- ***Pharisäer***
- ***Irisch Coffee***

Und das war jetzt nur ein kurzer Auszug, sozusagen der Oberbegriff verschiedener Sorten, würde man ins Detail gehen, so war dem Überfluss wahrscheinlich kaum eine Grenze gesetzt! Bei uns im Haus hielt sich das Sortiment sehr in Grenzen, war gut und überschaubar, bestens sortiert, denn es gab nur zwei Sorten, … den mit normalem und den mit rotem Deckel – das war meine Sorte!

„Aber natürlich erinnere ich mich an Sie“, antwortete ich **Herrn Wucherpfennig**, während ich mein Honigbrot schmierte. Ich erklärte ihm, dass es schon sehr viele neue Eindrücke, Namen und Gedanken für mich gab, die man sich in dieser Menge und in der kürze der Zeit gar nicht bis ins Detail merken konnte, ich aber bereits an einer Lösung arbeitete und es schnellstens ändern wollte. Ich erzählte ihm von meinen Aufzeichnungen und kratzte schon mal vorsichtig das Thema Dienstag, freier Tag, an. Er lehnte sich zurück, nippte genüsslich an seiner Tasse, legte den Kopf ein wenig zur Seite und antwortete, dass es ganz sicher eine Menge Möglichkeiten gäbe, Sinnvolles mit dieser Zeit beziehungsweise mit dem freien Nachmittag anzustellen. Es kam halt immer darauf an, wozu der einzelne Lust hatte, was er entbehrte, vermisste oder ihn, in welcher Form auch immer, motivierte und weiterbrachte oder was sie sogar geändert haben wollten, und dabei musste man noch nicht einmal aktiv an der Sache beteiligt sein, auch als Zuschauer oder Zuhörer konnte es spannend und unterhaltsam werden.

Das waren wichtige, *„gaaaanz“* wichtige Dinge, die ich da gerade zu hören bekam, die ich mir unbedingt merken und ganz weit nach oben in meine Überlegungen mit einfließen lassen wollte. Ich fragte ihn, ob er mir bei diesen Gedanken mit Vorschlägen behilflich sein wollte und wann immer ihm etwas dazu einfiel, es sich mit einer kurzen Notiz auf einem Zettel zu vermerken, *„aber bitte nur, wenn es ihre Zeit zulässt“,* fügte ich hinzu. – *„Zeit“*, sagte er und lachte leise, *„wenn es etwas gibt, das wir hier haben, dann ist es Zeit, davon haben wir so viel, dass wir sehr oft nicht wissen, was wir damit anstellen sollen“,* erklärte er mir und, dass es ganz viele Dinge gab, die altersbedingt zwar nicht mehr möglich waren, ok, das war dann halt so, wie es mit vielen anderen Dingen im Leben auch so ist, aber dafür gab es dann auch wieder andere Dinge, die sehr gut möglich und machbar waren, vielleicht sogar noch besser als bei manchen jüngeren Menschen. – *„Noch einmal 25 sein, aber mit dem Wissen und der Erfahrung von heute“,* sprach er mit kräftiger Stimme weiter und hatte ein breites Grinsen im Gesicht, dass selbst die zwei Damen am Nachbartisch aufsahen, wohlwollend lächelten, nickten und von etwas weiter hinten sogar ein, *„GENAU“,* zurückgerufen kam.

Ich war mir sicher, auf dem richtigen Weg zu sein, und vielleicht brauchten wir auch gar keinen Fragebogen, vielleicht entwickelten sich schon Vorschläge und Ideen ganz allein aus den Gesprächen mit den Bewohnern, und dafür benötigten wir nur Zeit – aber davon hatten wir ja reichlich!

Herr Wucherpfennig versprach, mich zu unterstützen, und wir trennten unser nettes Frühstücksgespräch, denn er hatte noch einen wichtigen Termin, wie er sagte, hielt sich dabei die Hand an den Mund und flüsterte, als würde er mir ein Geheimnis anvertrauen. Auf dem Weg zur Tür räumte ich mein benutztes Geschirr in den dafür vorgesehenen Wagen, wollte mir gerade aus dem Zimmer die Schreibutensilien holen und erneut ein gemütliches, ungestörtes, lauschiges Plätzchen suchen, als ich am Ende des Ganges gerade noch die wehenden Rockzipfel von **Herrn Günther** um die Ecke fliegen sah. Jetzt oder nie, dachte ich und verfolgte ihn mit einem zusätzlichen Ruf: *„Hallo **Herr Günther**“*, doch er war schon verschwunden. Ich versuchte es ein zweites Mal und zog den Ruf übertrieben in die Länge: *„Herr Güüünther“* und siehe da, Hartnäckigkeit zahlt sich aus – und siegt, denn eine Tür öffnete sich und kein geringerer als **Herr Günther** steckte den Kopf zurück in den Flur. *„Wer ruft, wer schreit, wer braucht mich, wo brennts“,* kam es von ihm zurück, und als er mich sah, da rollte er scherzhaft mit den Augen, stöhnte und ein gelangweiltes, – *„ach Sieee schon wieder“*, kam mit genervtem Unterton über seine Lippen.

Die Chance musste ich nutzen und ging ihm schnell entgegen. *„Guten Morgen **Herr Günther**“,* rief ich und streckte ihm die Hand entgegen. *„Ich brauche einen Termin, ein „Date“, wir müssen reden“,* konterte ich spontan und warf ihm ein paar kurze Auszüge meiner Gedanken entgegen. Eine ausführliche Berichterstattung zu den Erkenntnissen der letzten Tage, beziehungsweise zu *„meinen“* Erkenntnissen der letzten Tage wollte ich ihm ja sowieso noch geben, allerdings nicht zwischen Tür und Angel, sehr gern mit etwas Zeit, gern vor dem Kamin und gern mit einem Glas Wein oder auch zwei. – *„Na, junger Mann, jetzt wollen wir mal sehen, wie spontan sie sind“,* sagte er mit einem Lächeln in der Stimme. – *„Ok“,* sprach er weiter, *„was haben wir für einen Monat“,* und als er meinen perplexen Gesichtsausdruck bei dem Wort *„Monat“* hörte, da musste er erneut lachen, und er sprach: *„Ok, ich hab`s verstanden, also kurzfristiger“,* fuhr in Gedanken die Termine in seinem Kalender ab, überlegte kurz und antwortete erneut, *„also, heute oder morgen Abend“!* Upps, dachte ich, denn damit hatte ich jetzt so kurzfristig nun auch nicht gerechnet, und bevor sein nächster Terminvorschlag dann doch deutlich später ausfiel, sagte ich sofort für den nächsten Abend, Samstagabend, zu. Für heute war es selbst mir zu kurzfristig, ich wollte ja noch die Aufzeichnungen und Gedanken komplettieren, um dann auch entsprechend vorbereitet in das Gespräch zu gehen.

„Prima", kam es von ihm zurück, *„also morgen 19 Uhr, im Gemeinschaftsraum, vor dem Kamin, sie kümmern sich um den Wein – rot"*, rief er noch lachend hinterher und war mit einem *„ich freu` mich"* auch schon wieder hinter der Tür verschwunden.

Ja, dachte ich, das klappte ja mal perfekt, und nun hieß es, machen, schreiben, arbeiten und sich nicht wieder von irgendwelchen Dingen ablenken lassen. Zurück zum Treppenhaus, hoch ins Zimmer, alle wichtigen Schreibutensilien in den Rucksack gepackt und zurück ins Untergeschoß. Das Wetter war toll, Sonne, blauer Himmel, ideal sich einen schönen Platz im Garten zu suchen. Ganz hinten, schon fast am Ende des Grundstücks sah ich einen kleinen Pavillon, etwas abseits des Geschehens und aus der Ferne betrachtet genau der richtige Platz, ideal für meinen Zweck.

7.3__ Frühschoppen im Pavillon

Vorbei an den Sitzgruppen, wo ich schon an den Tagen zuvor saß, vorbei an der Sandbahn, die spielfrei war – und als ich am Pavillon ankam, da blickte ich in sieben erschrockene Männergesichter, die mir ein lautes, chorähnliches: „***BESETZT***", entgegen riefen, begleitet von lautem Gelächter. Ich dachte ich traue meinen Augen nicht, denn im Pavillon sah es nach einem faustdicken und knallharten Männerstammtisch aus. Es standen Bierflaschen auf dem Tisch, ein paar leere Kümmerling-Flaschen lagen daneben, und während drei von ihnen einen zünftigen Skat kloppten, wurden sie von den anderen angefeuert, die scheinbar für den Nachschub und das Schmierestehen zuständig waren. Es war eine Mischung aus rotzfrecher Powenzbande, Sodom und Gomorra und noch während mein Blick durch die Runde kreiste, hielt man mir auch schon eine kleine Flasche Bier entgegen. *„Bitteschön, nehmen se`"*, sagte eine kleiner, hagerer Mann, *„denn wer mittrinkt, der kann uns nicht verpfeifen."* Alle lachten erneut, und als ich noch zögerte, da rief von hinten eine Stimme, die mir schon etwas vertrauter schien und die ich am harten, rollenden und russischen Akzent sehr gut wiedererkannte: *„Los, nehmen se` schon – das ist kein Angebot, das ist eine Aufforderung"*, und wieder lachten sie alle, und es war kein geringerer als **Iwan**, den ich schon beim Bocciaspiel auf dem Sandplatz kennenlernen durfte. Natürlich wollte ich kein Spielverderber sein, nahm die mir angebotene Flasche und hielt sie zum Prost nach vorn in die Runde. *„Und natürlich werde ich dichthalten und sie nicht bei* ***Herrn Günther*** *verpfeifen"*, rief ich mit aufrichtiger Stimme in die Runde und drückte dabei das Kreuz durch.

„Wieso bei ***Herrn Günther****“,* kam es zurück, *„****Schwester Anna*** *ist das Corpus Delicti, – SIE macht uns die Hölle heiß und einen Kopf kürzer, wenn sie uns beim Saufen erwischt“,* rief eine andere Stimme von hinten und wieder lachten und prusteten alle herzhaft dazu. **Schwester Anna** war im Grunde genommen die gute Seele, die alles beisammen hielt, aber trotzdem gab es Dinge, von denen sie besser nichts wusste – und so sollte es auch bleiben. Wie ich später erfuhr, war **Herr Günther** sogar hin und wieder bei dem lockeren Frühschoppen mit von der Partie, der jede Woche Freitag gleich nach dem Frühstück und natürlich streng geheim dort abgehalten wurde. Jetzt konnte ich mir auch den dringenden Termin von **Herrn Wucherpfennig** erklären, der gerade in diesem Moment als achter Beteiligter dazu kam, und er sollte nicht der letzte bleiben! Ich fragte in die lustige Runde, ob denn diese außergewöhnliche Veranstaltung auch an der Aktionswand im Treppenhaus angeschlagen stand und zog dabei die Mundwinkel von einem Ohrwaschel zum nächsten und bekam als Antwort ein promptes und ebenso gemeinschaftliches *„****aber selbstverständlich****“* mit fast schon arrogantem Augenrollen zurück. *„Das hat alles seine Richtigkeit, ist ordnungsgemäß angemeldet, geprüft, eingetragen, von oberster Stelle genehmigt und stattgegeben – sehen sie später einfach mal an die Wand“,* erklärte mir einer der Herren *„und wir halten uns auch genau an die Vorgaben – na ja, mehr oder weniger – also so gut es geht – auf jeden Fall aber bemühen wir uns sehr“,* kam es fast schon bröckchenweise mit immer leiser werdender Stimme zurück, dafür war das anschließende Gelächter umso größer, fast schon ein Gejohle und endete mit einem erneutem Prost.

Na, da war ich aber gespannt, was ich später auf der Aktionswand für Freitagvormittag zu lesen bekam. Irgendetwas stand da, aber ich konnte mich nicht mehr daran erinnern und spektakulär konnte es auch nicht sein, das wäre mir ganz sicher aufgefallen und in Erinnerung geblieben. – ***Frühschoppen, Männerrunde, allgemeines Besäufnis mit Glücksspiel,*** – nee, das konnte ich mir beim besten Willen nicht denken, aber ich sollte es ja bald erfahren. Für einen Moment leistete ich der munteren Truppe noch Gesellschaft, doch der Verstand siegte, wenngleich ich noch gern geblieben wäre, aber wenn ich nun nicht tatsächlich mit den Aufzeichnungen begonnen hätte, dann wäre meine Vorbereitung für das morgige Gespräch mit **Herrn Günther** mehr als nur in die Hose gegangen. Ich zog also ab, und mein Blick schweifte einmal mehr durch die Gartenanlage, doch mir war fast klar: Wo auch immer ich mich niederließ, es gab immer etwas, das mich ablenkte und so war es doch am besten, die Aufzeichnungen tatsächlich ins stille Kämmerlein zu verlegen.

So schwer es mir auch fiel, insbesondere da das Wetter sich ausgesprochen einladend und schön entwickelt hatte und sich gerade an so einem schönen Tag ins Zimmer zu verziehen, das fühlte sich an, wie in der Kindheit, wenn man mit Krankheit das Bett hüten zu musste. Solche Kinderkrankheiten bekam man natürlich nur an Tagen mit wolkenfreiem blauen Himmel und nahezu 30 Grad im Schatten, ganz klar in den Ferien, – wann auch sonst – wenn ausnahmslos alle deine Freunde mit dem Fahrrad klingelnd und kreischend vor deinem geöffneten Fenster vorbeifuhren und auf dem Weg in die Badeanstalt oder zum Baggersee waren. Und garantiert waren auch genau an solchen Tagen dann immer die Mädchen mit von der Partie, die man angehimmelt hatte, die sonst nie mit dabei waren und an die man während der Schulzeit niemals, auch nur näher als bis auf fünf Meter auf dem Schulhof herankam, ja – und genau so fühlte es sich gerade an!

Ich trat also mit hängenden Ohren den Rückzug an und ging zielstrebig zurück ins Haus, denn eins, durfte ich natürlich nicht versäumen – die Freitagsaktivität an der Infowand!

7.4__ Das Scheuerlappengeschwader

Als ich das Haus betrat, standen Wischeimer und Besen wild umher, Fußmatten waren hochgeklappt, und aus dem Frühstücksraum war das Dröhnen des Megasaugers zu hören. Es war die Zeit der **Gerda Kruse**, die im straffen Zeitplan die untere Etage auf Vordermann brachte. Ihre Kollegin **Frau Möller-Brecht** hatte in dieser Woche frei, und für die obere Etage war eine dritte Raumpflegerin eingeteilt, die ich an diesem Freitag dann auch tatsächlich das erste Mal zu Gesicht bekam. Ich stand just vor der Infowand als eine junge Frau wie ein geölter Blitz mit einem Eimer in der Hand und grünen Gummihandschuhen bis zum Ellenbogen hinter mir vorbeilief, und als sie mich passierte mit heller, quiekender, schriller Stimme, lachend rief: *„Achtung, nicht erschrecken, ich bin's nur"* und mit einem *„Wuschhh"* auch schon vorbei war. Ich drehte mich um und sah nur noch die wehenden Zipfel ihres Kittels und murmelte vor mich hin: *„Was war jetzt das",* als ich plötzlich, wie aus dem Nichts, auch prompt eine Antwort darauf bekam: *„Nicht „WAS", sondern „WER" muss es heißen",* kam es mit leiser und bedächtiger Stimme zurück.

Ich sah nach rechts und zuckte zusammen, denn keine geringere als **Schwester Anna** kam hinter der Wand zum Vorschein. Sie hatte sich nicht etwa angeschlichen oder versteckt, es lagen noch einige Türen hinter der Wand von denen ich allerdings nicht wusste, wo sie hinführten. Und warum zuckte ich zusammen, hmm, sie hatte mir nichts getan, und ich hatte überhaupt keinen Grund, ein schlechtes Gewissen zu haben, aber vielleicht war es einfach nur das Gefühl, dass hier scheinbar alle hatten, beziehungsweise es damit assoziierten: Schwester Anna – Achtung – Oberfeldmarschall, eine Frau der man irgendwie unterstellte, dass sie emotionslos und spaßresistent war, und wenn sich doch einmal versehentlich der Ansatz eines Lächelns in ihr Gesicht verirrte, dann ging sie dafür bestimmt in den Keller. Und da stand sie nun vor mir, und ich muss gestehen, dass sie auch in fast allen zuvor beschriebenen Punkten oder Unterstellungen das Klischee erfüllte, um nicht zu sagen, es passte wie Faust aufs Auge. Hinzu kam noch ihr äußeres Erscheinungsbild, klein, untersetzt sehr stark gebaut, die Haare eng anliegend, streng nach hinten mit einigen Klammern oder Spangen befestigt. Gelblich, braune Hornbrille auf der Nase, Bluse, Strickjacke, knöchellanger grauer Rock und schwarze Schnürschuhe. Weit entfernt von bunt, die vorrangigen Farben waren: Schwarz, Weiß und Grau – halt so, wie man sich auch eine Gemeindeschwester vorstellte. Zugegeben, es war schon schwer, sie in eine andere Schublade zu stecken, aber das wollte sie auch gar nicht, denn dafür gab es ja noch genügend andere, die genau in diese Schubladen passten.

Erschrocken stand ich da mit halbgeöffnetem Mund vor ihr, vielleicht war ich auch nur überrascht, weil sie so unerwartet und plötzlich aus dem Nichts kam, oder es lag doch am Vorbeihuschen der – ja, wer war das jetzt eigentlich? **Schwester Anna** erkannte das Fragezeichen auf meiner Stirn und sprach genauso emotionslos weiter: *„Das war Sturmtief Helga“,* was meinen Mund weiterhin geöffnet ließ, denn mit allem hatte ich gerechnet, aber ganz sicher nicht, dass gerade von **Gemeindeschwester Anna** solch eine kesse Antwort beziehungsweise Bezeichnung **Sturmtief Helga** kam. – *„Machen `se den Mund zu, sonst kommen noch Fliegen rein“,* haute sie gleich noch einen hinterher. *„Sturmtief Helga“,* sagte ich, *„Donnerwetter, die macht ja ihrem Namen alle Ehre“* und lachte **Schwester Anna** an. Dann erklärte sie mir, dass **Helga** die dritte Reinigungskraft war, im wahrsten Sinne des Wortes, wie ein Wirbelwind durchs Haus fegen würde, immer begleitet von pausenlosem Geschnattere, ohne Luft zu holen, ohne Punkt und Komma.

Irgendwie schaffte sie es, überall zur gleichen Zeit zu sein, jedenfalls sah es danach aus, haute mit dem Feudel zwischen den Beinen herum oder wischte über das Spielbrett, wenn sich zwei Personen zu einer ruhigen Partie Schach zurückgezogen hatten und gab dann mit ihrer quiekenden Stimme einen Kommentar wie: *„Hoppala“* und stellte die umgefallenen Figuren einfach irgendwo wieder hin. Sie saugte auch immer genau da und dann, wenn es etwas zu besprechen gab oder man ans Telefon gerufen wurde, und sie hatte ein unglaubliches Talent, im richtigen Moment, fast immer das Falsche zu tun! Und sie wusste über alles Bescheid, steckte ihre Nase in alles rein, beteiligte sich an fast jedem Gespräch, und wenn man etwas geheim halten wollte, dann durfte Helga an diesem Tag keinen Dienst haben – man nannte sie auch die Bild-Zeitung des Nordens, die nicht nur alles wusste, sondern natürlich auch immer zuerst!

– **Helga Grube**, genannt *Sturmtief Helga*, das konnte ich mir merken!

„Ok“, sagte ich, *„das habe ich verstanden, und das ist dann wahrscheinlich auch der Grund dafür, dass das Haus um diese Zeit so menschenleer und verlassen wirkt, habe ich Recht“*, fragte ich **Schwester Anna** und tat so, als würde ich mich auf der Infowand über die aktuellen Angebote informieren, wo denn die Bewohner zu diesem Zeitpunkt sein konnten. Mein Blick fuhr an den Wochentagen entlang, und als ich beim Freitag-vormittag ankam, da waren nicht nur meine Augen weit geöffnete, ich bekam auch noch ein breites Grinsen, wie schon einige Male an diesem Tag.

„Ahhh“, sagte ich langgezogen mit weit geöffnetem Mund, *„die sind heute alle zur Gymnastik“,* denn an der Aktionswand stand:

Freitag: ***Sport / Gymnastik***
Fingerfertigkeit, Krafttraining, Team- und Gruppenarbeit

7.5__ Schwester Anna

Und während ich die Freitag-Aktivität kommentierte, sah ich zu **Schwester Anna**, die mit einem deutlich tiefen, schwer pustenden und schon fast übertriebenen Ausatmer, begleitet von einem noch deutlicherem Augenroller und dabei verzogenem Mundwinkel antwortete: *„Die einen sagen so, die anderen ...“* und dabei sah sie mich mit ernstem Blick über den Rand ihrer Hornbrille an; ein Blick, der mich an meine alte Religions- und Musiklehrerin Frau Collmar erinnerte, die genau, aber auch ganz genau eins zu eins der Beschreibung von **Schwester Anna** entsprach. Ich wusste nicht genau, was sie meinte oder was sie mir damit sagen wollte und verzog mit einer fragenden Mine das Gesicht. – *„Die einen sagen so und die anderen ...“,* wiederholte ich ihren Satz – *„und die anderen“,* führte sie fort, *„die anderen glauben, ich wäre doof“*, sie rollte wieder mit den Augen und lachte so, wie es wahrscheinlich keiner auch nur annährend von ihr gedacht, vermutet oder sogar erwartet hatte.

Upps, dachte ich, was meinte sie genau? Doch dann erzählte sie mir, dass die eine Gruppe, vorrangig Damen, mit nur einer männlichen Ausnahme das Gymnastikangebot, so wie an der Wand beschrieben, in Anspruch nahmen. Dafür trafen sie sich in einem kleinen Raum, der für Aktivitäten dieser Art zur Verfügung stand, wozu auch eine der verdeckten Türen hinter der Infowand gehörte. Die beiden Physiotherapeuten **Trixi** und **Svantje** wechselten sich wöchentlich ab und begleiten das Programm mit den unterschiedlichsten Übungen, einfach nur, um in Bewegung zu bleiben und nicht einzurosten. *„Und der andere Teil der Truppe“,* sprach sie weiter, hob die Stimme und Tonfrequenz, *„ausschließlich Männer“,* und beim Wort *„ausschließlich“* zog sie gleich noch eine Oktave höher, *„die harten Jungs, wie sie meinen – das sind genau die, die glauben, dass ich doof wäre und nicht wüsste, dass sie sich jeden Freitagvormittag dort hinten am Pavillon treffen, um ihren Frühschoppen abzuhalten und sich einen nach dem anderen in die Birne zu kippen“,* zeigte genau in die Richtung und hatte ein ebenso breites Grinsen, wie auch ich es zuvor bei der Truppe der *„Harten Jungs“*, hatte! *„Aber das ist schon ok“*, sprach sie weiter, *„es ist auch noch nicht einmal verboten, was die da treiben, doch die Herren der Schöpfung haben ein so schlechtes Gewissen, dass sie meinen, es geheim halten zu müssen. Und das Bier, das sie da wegzischen“,* und dabei wurde ihre Stimme wesentlich leiser, *„das Bier ist übrigens alkoholfrei – sie wissen es nur nicht“*, kniff schadenfroh die Augen zusammen und zog die Mundwinkel erneut übers ganze Gesicht.

Warum das Etikett der Flaschen allerdings etwas anderes aussagte, das sollte ihr Geheimnis bleiben. – *„Gottes Wege sind unergründbar, lassen wir sie in dem Glauben und hey“,* sagte sie schon fast kess, mit leisem Flüsterton – *„beim Glauben, da kenne ich mich aus*“, zwinkerte mir zu, wünschte mir noch einen schönen Tag und verschwand genauso geheimnisvoll, wie sie auch kurz zuvor erschien! Wow, dachte ich und war deutlich beeindruckt. Ich glaube, solch einen Auftritt hatte bestimmt niemand von **Schwester Anna** erwartet. Einen nach dem anderen haute sie raus, furztrocken, wie man so schön und treffend sagt, und ich stand da, in der Hoffnung mich nicht zu verplappern, mimte den Ahnungslosen, und dann kam *„sie“*. Ja, ja, stille Wasser sind tief, und wenn an jedem Sprichwort auch etwas Wahres dran ist, dann war **Schwester Anna** der Pazifische Ozean unter den stillen Gewässern!

Noch sichtlich beeindruckt trottete ich die Treppenstufen empor, verschwand in meinem Zimmer und machte mich nun aber endlich an die Hausaufgaben. Und so saß ich da, blickte aus dem geöffneten Fenster, und zum Glück fuhren keine Freunde auf dem Rad vorbei, die auf dem Weg in die Badeanstalt waren. Ich dachte nach, kaute am Ende des Stiftes herum und fand irgendwie nicht den Einstieg. Im Grunde genommen hatte ich ja zwei Aufgaben zu lösen, zum Einen die Aufzeichnungen, die ich von den beteiligten Personen und dem ganzen Drum und Dran machen wollte, meine Eindrücke, die ich auf dem Titel dieser Mappe schon als *„**Die Reise**“* gekennzeichnet hatte und zum Anderen die Fragen, um aus den Bewohnern Informationen herauszulocken, aus denen dann ein Dienstagnachmittag-Programm gebastelt werden konnte. Dieses Programm schien mir als zunächst wichtiger, wahrscheinlich waren die Fragen und Themen auch schneller erstellt, als die mittlerweile doch sehr umfangreichen Fakten, Informationen und Dinge, die ich bisher erleben und erfahren durfte. Die Anlage einer Personenliste oder Datei mit den Besonderheiten der Beteiligten war da schon etwas aufwändiger und wesentlich umfangreicher. Und außerdem hatte ich ja auch schon am nächsten Abend mein *„Date“* mit **Herrn Günther** – also waren die Prioritäten klar gesetzt!

7.6__ Oma`s Witz – "Wahrscheinlich"

Nichts desto trotz saß ich deswegen nicht weniger rat- und hilflos am Tisch vor dem geöffneten Fenster und kaute immer noch am Ende des Stiftes, der immer noch nicht schmeckte. Ich überlegte und dachte und dachte und überlegte, so verfällt man schnell ins Träumen, und dabei fallen mir dann immer alte Geschichten und Anekdoten ein. Und so sehr ich mich auch zu konzentrieren versuchte, ich kam einfach nicht an dem Witz vorbei, den mir einmal meine Oma erzählte und bei dem es der beteiligtem Person ähnlich erging wie mir gerade mit dem Stift im Mund vor dem geöffnetem Fenster.

Es sei noch einmal ausdrücklich erwähnt, dass dieser Witz mir von der Oma zugetragen wurde zu einer Zeit, als an den Zeitungskiosken die abgedruckten Damen in Bademode noch mit einem quer darüber geklebten Papierstreifen verhüllt wurden, zur Wahrung der Moral und zum Schutz der Jugend – wohlgemerkt Bademode und nicht Nacktbilder! Ich war zu diesem Zeitpunkt mit der harten Prägephase der frühkindlichen Entwicklung durch, war gerade achtzehn Jahre alt, hatte mein erstes eigenes kleines Auto, und für die Oma war es wohl genau der richtige Zeitpunkt, diesen Witz zu erzählen, auch ohne Sorge, dass sich daraus nennenswerte Schäden oder gar entwicklungstechnische Einschränkungen für mich ergeben konnten.

<u>Der Witz:</u>

Klein Fritzchen *(... so hießen „sie" übrigens immer in den Oma-Witzen!)* bekam in der Schule eine Hausaufgabe:

*„Bilde drei sinnvolle Sätze, in dem das Wort, `**wahrscheinlich**' vorkommt."*

Mit dieser Aufgabe in der Tasche machte er sich nach Hause auf den elterlichen Bauernhof, setzte sich in der großen Wohnküche an den Tisch, blickte durch das geöffnete Fenster von wo aus er einen perfekten Blick über den ganzen Hof und auf die gegenüberliegenden Stallungen hatte. Er beobachtete und beobachtete – doch es tat sich nichts, nichts über das er hätte berichten können und schon gar nichts, was man mit „wahrscheinlich" in Verbindung bringen konnte.

Die Aufgabe schien schwieriger als erwartet, als er plötzlich die Magd sah, wie sie mit einem Korb unter dem Arm diagonal über den Hof schlenderte, das große Scheunentor öffnete und dahinter verschwand. Kurz überlegt er, und mit einem Lächeln im Gesicht notierte Fritzchen seinen ersten Satz:

„Die Magd geht in die Scheune – ***wahrscheinlich*** *holt sie Stroh!“*

Nummer eins wäre damit geschafft, dachte er und blickte weiter erwartungsvoll durchs Fenster, um Material für den zweiten Satz zu finden. Er brauchte auch gar nicht lange zu warten, denn nur einen kurzen Moment später sah er den Knecht über den Hof laufen und ebenfalls in der Scheune verschwinden. Fritzchen zog die Mundwinkel nach oben und notierte seinen zweiten Satz:

„Der Knecht geht in die Scheune – ***wahrscheinlich*** *holt er auch Stroh!“*

Na, wenn es mal läuft, dachte er, es fehlte nur noch der dritte Satz, und die Hausaufgabe war geschafft und er konnte zum Spielen gehen. Wieder blickte er erwartungsvoll auf den Hof, doch es tat sich nichts da draußen. Kein Tier, kein Blatt bewegte sich, nichts was ihn weiterbrachte und seinen finalen Satz notieren ließ. Ungeduldig rutschte er auf dem Stuhl hin und her und kaute immer hektischer am Ende des Stiftes herum, aber es war wie verhext – es tat sich nichts. Da fiel ihm ein, dass ja die Magd und der Knecht in die Scheune gegangen waren, und er wollte nachsehen – vielleicht bekam er so den letzten und dritten Satz der Hausaufgabe. Gesagt getan, er verließ die Wohnküche, überquerte den Hof, öffnete die Scheune, blickte hinein – blickte erneut, und mit großen weit geöffneten Augen rannte er zurück zu seinem Platz, nahm den Stift und schrieb:

„Die Magd liegt tot am Boden,

– der Knecht liegt oben auf,

er zuckt noch mit dem Hintern,

– ***wahrscheinlich*** *stirbt er auch!“*

Ja und so blickte ich auch durchs geöffnete Fenster, kaute am Stift, doch weit und breit keine Magd, geschweige denn ein Knecht zu sehen, und ich musste den Anfang dann doch anders hinbekommen. Was wollte ich denn überhaupt wissen, was waren meine Erwartungen? Ich hatte beobachtet, dass es beim Filmabend nur geringes Interesse mit mäßiger Stimmung gab – warum? Also fragen wir doch einfach, was es für Wünsche gibt, dachte ich, da hatte doch bestimmte ein jeder einen verstecken Wunsch, war er auch noch so klein oder vielleicht sogar auch groß? Das Spektrum, die Kategorien war so breit gefächert und gingen ins schier Unermessliche:

Film/Fernsehen, Essen, Spiele, Ausflüge, Sport, Religion, Basteln, Technik, Musik, Literatur, Handarbeiten, Raterunden, Wissenschaft, Theater/Komödie. Wie konnte man die Aktivitäten etwas spannender und interessanter gestalten oder überhaupt erst einmal anbieten? Was war generell möglich? Wie konnte man so etwas organisieren? Wer kümmerte sich um was? Wer trug die Kosten, wenn sie entstanden? Wo gab es Grenzen oder Tabus? Gab es versicherungstechnische oder rechtliche Dinge zu beachten? Für eine praktikable Durchführung dachte ich an eine Art Kummerkasten mit einem Stapel Kärtchen davor. Dort konnten die Bewohner, wann immer sie etwas auf dem Herzen hatten, diesen Wunsch, ihr Verlangen, die Beschwerde oder was auch immer sie loswerden wollten, aufschreiben, in den Kasten werfen und einmal in der Woche, vielleicht sogar am Dienstagnachmittag, konnte es in der Gruppe ausgewertet und besprochen werden und schlussendlich Dinge ins Leben gerufen werden, die es für den einen oder anderen etwas angenehmer, einfacher oder sogar auch lebenswerter machten. So bekamen die Bewohner nicht nur die Möglichkeit, sich zu äußern, sondern auch das Gefühl der Aufmerksamkeit und Beachtung, sie konnten ihre Wünsche und Bedürfnisse auch frei thematisieren und benennen.

Ich fand, dass sich das echt fair und spannend anhörte, und dafür brauchte man jetzt gar keinen aufwendigen Fragenkatalog zu erstellen. – ***Warum in die Ferne schweifen, wenn das Gute ist so nah***, dachte ich und freute mich, so schnell eine passende Lösung gefunden zu haben. Natürlich konnten alle, die nicht so gern schrieben, die Wünsche auch mündlich formulieren und bei den Auswertungen dann persönlich vortragen, es musste nicht geheim und anonym passieren. Diese Idee, diesen Vorschlag, wollte ich am nächsten Tag **Herrn Günther** vorstellen und ihm berichten, wie beziehungsweise warum ich überhaupt zu dieser Idee kam, was wieder mit den Augen und Ohren des neutralen Betrachters zusammenhängen konnte.

Wie auch immer, ich war gespannt, was er dazu sagen würde und freute mich auf den nächsten Tag. Da ja nun der erste Teil der Hausaufgaben deutlich schneller erledigt war als zunächst erwartet, machte ich mich doch noch an die Aufzeichnungen und begann: *„Die Reise“*. Zuerst erstellte ich mehrere Excel-Tabellen für Frauen, Männer und Helfer, in die ich alle Beteiligten eintrug – so, wie ich sie im und in der Umgebung des Hauses kennenlernen durfte – Briefträger **Herrn Schultz** durfte genauso wenig fehlen wie **Mathilde**, **Herr Pfeiffer**, **Frau Dr. Stern** und natürlich **Georg**, der als Original vom Deich einen ebenso festen Platz bekam wie viele andere auch. Diese Tabelle war wie ein digitaler Karteikasten aufgebaut, wo für jede Person ein elektronisches Kärtchen erstellt wurde, in die dann wiederum alles, was diese Person betraf, eingetragen und hinterlegt werden konnte.

(Diese Einträge waren das Resultat meiner subjektiven Wahrnehmung, meine ganz persönlichen Gedanken und alles was ich sah, hörte, damit assoziierte, empfand oder aufsaugte hinterlegte ich als eine Art Gedächtnisstütze und sollte ausschließlich mir, meiner Arbeit und natürlich dem Wohl der Bewohner dienen.)

Der Grundstein war gelegt und ähnlich einer Liste, wie sie die Lehrer in der Schule zum Schuljahresbeginn mit einer neuen Klasse vor sich liegen hatten, konnte auch ich nun fleißig wie vor einem Vokabeltest die Namen und die dazugehörigen Informationen studieren und freute mich schon darauf, vielleicht sogar schon bald den einen oder anderen beim Namen anzusprechen, damit es mir nicht wieder so peinlich erging, als ich mich nicht mehr an **Herrn Wucherpfennigs** Namen erinnern konnte, zumal er auch noch die eindrucksvolle Geschichte des Kaffeemaschinenvertreters nur wenige Stunden zuvor im Gemeinschaftsraum, erzählt hatte. Einige Personen waren aber bereits jetzt schon tief in mein Gehirn gebrannt, wie in Stein gemeißelt standen natürlich ganz oben auf der gedanklichen Liste **Opa Hentrich**, **Mathilde**, genauso **Herr Günther**, **Willi Kluge**, dessen packende Geschichte mich noch lange gefesselt hatte und natürlich, ganz klar, der Pazifische Ozean – **Gemeindeschwester Anna**!

Und so saß ich da in meinem Kämmerlein und begann zu schreiben: *„Die Reise“,* im Grunde genommen war es ja auch ein Reisebericht, eine Niederschrift meiner letzten Tage beginnend mit der Flucht raus aus dem Lärm, Gestank und Gewusel der Großstadt bis zum jetzt, einer Mischung aus Tagebuch, alten Erinnerungen, Gedanken, die immer wieder aufkamen. Es war schon ein komisches Gefühl, noch einmal in die Geschichte der vergangenen Tage einzutauchen als würde man es alles noch einmal aus der Vogelperspektive betrachten. Plötzlich waren es meine Gedanken, die mich leiteten, hörte nicht mehr das Zwitschern der Vögel vor meinem weit geöffneten Fenster, blickte nicht mehr zur Uhr, nichts anderes konnte mich mehr stören oder gar ablenken, und ich schrieb und schrieb und schrieb. Irgendwann jedoch wurde ich aus diesem Lauf geweckt, ja, es war schon fast so wie bei dem Schlafwandler, der auf dem Dachfirst wanderte, und als ich das scheinbare Bewusstsein zurückerlangte, da saß ich nicht mehr am Tisch vor den Aufzeichnungen, ich saß in der Ecke des Zimmers auf einem Sessel, und die Füße lagen bequem davor auf einem Hocker. Hatte ich das ganze nur geträumt?

Ich stand auf, ging zum Tisch, wo meine Schreibunterlagen und das aufgeklappte Laptop lagen, und sah, dass ich wohl von den Gedanken gefesselt und angetrieben viele Seiten und Informationen geschrieben hatte. Irgendwann muss es mich dann bei einer Pause erwischt haben, die ich real gar nicht mitbekam und hatte wohl den Platz am Tisch gegen einen bequemeren im Sessel eingetauscht, wo die Gedanken dann die Kontrolle übernahmen und für den Rest des Tanzes führten. In tiefster Form der Konzentration, vereint mit entspannten Muskeln und fallendem Blutdruck, muss ich dann irgendwann eingeschlafen sein. Hmm, wie konnte das nur passieren, aber es war kein Tiefschlaf, denn irgendetwas holte mich ja zurück. Der Blick auf den Wecker zeigte 15:15 Uhr, das Mittagessen hatte ich somit schon mal verschlafen, und die Kaffeezeit war mittendrin. Möglicherweise war es auch der Kaffeeduft, der mich aus den tiefen Träumen zurückholte, als er sich langsam, wie ein gespenstischer Bodennebel vom Frühstücksraum über die Treppenstufen nach oben arbeitete. Was auch immer es war, ich war zurück, wollte den restlichen Nachmittag nun nicht auch noch im Zimmer versauern und beschloss einen kleinen Ausflug in den Ort zu machen, um wenigstens schon einmal den Rotwein für das morgige Treffen mit **Herrn Günther** zu besorgen und mir gedanklich schon ein paar Stichworte zum anstehenden Gespräch zurecht zu legen.

Das Wetter war nach wie vor schön; allerdings versteckte sich die Sonne hin und wieder hinter ein paar kleinen Wolken, was aber nicht unangenehm war. Ich streifte mir nur die leichte Windjacke über, verließ das Zimmer, passierte die Informationswand mit einem unterschwelligem Schmunzeln, und beim Verlassen des Hauses hob ich einfach den Arm zur Winkbewegung, ohne überhaupt kontrolliert zu haben, ob jemand rechts der Tür auf der Bank saß. Wahrscheinlich tat man das schon automatisch, denn eigentlich saß da ja immer jemand! Der Kies knirschte unter den Schuhen und mit strammem zielstrebigen Schritt marschierte ich dem Ort entgegen, fühlte mich gut, hatte etwas geschafft, hatte einen Plan, ein Konzept und ohne zu wissen, was der Tag oder Abend noch brachte, freute ich mich schon auf den nächsten Tag!

7.7__ Der Tante Emma Laden

Die Mittagszeit war lange durch, die Geschäfte wieder geöffnet, doch was hieß hier Geschäfte, „DAS“ Geschäft hatte wieder geöffnet, denn in dem kleinen Örtchen gab es nur einen kleinen *„Tante-Emma-Laden“*, der aber ein sehr breit gefächertes Sortiment hatte. Für die klassischen Urlauber ausgelegt, die in den zahlreichen Ferienhäusern ihre Ferien verbrachten. Der klassische Postkartenständer fehlte genauso wenig wie das Schild mit dem Hinweis auf die tägliche Portion „*BILD*-ung“. Das Schaufenster war bis auf den letzten freien Platz mit Nippes und Dönekens voll gestellt, die Keramik-Robbe, die den bunten Ball auf der Nase jonglierte, das mit Muscheln besetzte Schmuckkästchen gehörten genauso dazu, wie die klassischen friesischen Fischerhemden, die unter dem Schild: *„Dies und Datt“* hingen. Eimer, Förmchen, Schaufeln und Wasserpistolen brachten das Kinderherz zum Lachen, das reichhaltige Teesortiment und die nicht weniger große Auswahl der aktuellen Tratsch- und Klatsch-Boulevardpresse das Herz der Mütter höher schlagen – tja und die Männer kamen natürlich auch zu ihrem Recht, sie waren da etwas genügsamer, denn ein paar Flaschen Bier, natürlich mit dem klassischen Keramik *„Plopp - Verschluss“* und dem aus der Werbung bekannten Slogan *„friesisch herb“* versetzten sie gleich noch ein Stück mehr in Urlaubsstimmung. So fand ein jeder auch genau das, was er brauchte, wollte oder was ihn zumindest zufrieden stellte – und wenn er nichts fand, dann hatte er auch nichts gebraucht, wie man an einem weiteren Schild an der Ausgangstür lesen konnte.

Ich betrat den Laden und wurde auch gleich mit dem klassischen und langgezogenen Moooin begrüßt, das sich schon fast wie gesungen als wie gesprochen anhörte. Vorbei ging es an der kleinen Kassenkonsole, die nur wenig größer war als die vom Kinder-Kaufmannsladen meiner Schwester. Standart der 1960er Jahre, auch da war die Zeit erkennbar stehengeblieben. Zunächst musste ich einen kleinen Slalomparcours durchlaufen, denn die Strandmatten, Luftmatratzen und Schwimmdelphine nahmen einen Großteil des Eingangbereiches ein und verhinderten ein direktes Eintreten und Durchmarschieren. Jeder noch so kleine und freie Platz wurde mit Verkaufsware gefüllt. Weiter ging es an vollgestopften Regalen mit den unzähligen Marmeladensorten, Nähzeug, Konserven, Kaffeekannen-Tropfenfänger und noch vielen anderen Haushaltshelfern, von denen ich gar nicht wusste, dass es sie überhaupt noch gab. Am Ende des Ladens marschierte ich direkt auf die Käse-, Fleisch- und Frischetheke zu, wo sich in der Regel immer mindestens zwei Personen aufhalten (so war es in meinem Fall). Die Verkäuferin, sehr oft auch die Inhaberin des Ladens, und eine Kundin, im Regelfall eine Ortsansässige, die sich über die neusten Dinge austauschten. Unter den Blicken der beiden Damen marschierte ich also zunächst auf sie zu und bog dann direkt vor dem Tresen ab, um auf der anderen Seite des Ladens wieder zurück zu gehen. Als ich die beiden Damen passierte, da wurde das Gespräch zwischen ihnen so eindeutig laut, dass ich nicht nur über die Art und Weise, als auch über den Inhalt schmunzeln musste – *„dann nehme ich noch ein viertel Pfund von dem Hackepeter!“*

Ja, *„Neue“* wurden hier schnell erkannt und bemustert. Zurück ging es dann auf der Gegengeraden, wo mir ein kleiner älterer Mann mit weißem Kittel und nur noch wenigen nach hinten gekämmten Haaren entgegen kam, das heißt, er stand dort und war am Regale einräumen und wirkte etwas gestresst und genervt, obwohl es in dem Laden überhaupt keinen Grund dafür gab – vielleicht war es auch der Filialleiter und somit der Ehemann der Käse-, Fleisch- und Wurstfachverkäuferin, was dann den verbissenen Gesichtsausdruck wieder relativierte. Auch bei ihm hatte ich das Gefühl, dass mich seine Blicke verfolgten, und als ich vor dem Spirituosenregal halt machte, da hatte auch er plötzlich direkt in meiner Nähe zu tun. Ich suchte das Regal nach Rotwein ab und ehrlich gesagt hatte ich überhaupt keine Ahnung, was Wein und dann auch noch Rotwein anging. Das Regal war groß, um nicht zu sagen sehr groß, nicht weniger als das Regal der Marmeladen und Konserven auch, doch zum Glück war das Weinangebot überschaubar und hielt sich in Grenzen. Das Regal war vollgestopft mit Schnaps und hochprozentigem Zeug, dass mir schon vom durchsehen schwindelig wurde.

Vom *„Seedunst"* über *„Möwenshiet"*, vom *„Krabbenkutterschluck"* zum *„Doppelten Deichgraf"*, Rum in allen Variationen, alles was den alten Klabautermann wieder zum Leben erweckte! (**Opa Hentrich** wäre da bestimmt der perfekte Einkaufsberater gewesen.) Ich bat den kleinen Mann im weißen Kittel um Hilfe, doch mit Wein schien er es auch nicht so zu haben, war mehr auf schnapstechnische Beratung eingestellt, wie sein unspektakulärer Gesichtsausdruck signalisierte. *„Gucken 'se mal rechts um die Ecke, da müsste noch Wein stehn"*, sagte er und war auch schon wieder hinter dem nächsten Regal verschwunden. Wow, dachte ich, das läuft ja hier, und als ich um die Ecke blickte, standen da doch tatsächlich zwei Kisten Wein, die beide nur noch mäßig gefüllt waren. Ich nahm eine Flasche in die Hand und egal, wie ich sie auch drehte, sie wurde nicht schöner – und ich nicht schlauer. Der kleine Mann kam ebenfalls um die Ecke, und sofort ging der alte Kaufmann mit ihm durch: *„Sekt habm wir auch."* Aber es sollte nun mal Wein sein und auf meine Frage, welchen er empfehlen könnte, nahm er eine Flache aus der Kiste, schob sich die Brille von der Nasenspitze ganz nach oben und las mir das Etikett vor: *„Rote Reebe, Traube, vollmundig, – der ist nicht schlecht, wird immer gern genommen und kostet nur 2,75 Euro – wenn 'se natürlich was richtig Hochwertiges habn wollen, dann nehm 'se diesen hier"*, und er griff nach hinten in die gleiche Kiste. – *„Öchsle-Auslese, in spanischer Sonne gereift (Südhang), handverlesen und im Eichenfass gereift, bekomm 'se hier für 3,99."* Donnerwetter, dachte ich, obwohl, war das mit dem – ***im Eichenfass gereift*** – nicht der Werbeslogan von *„Jack Daniels Tennessee Whisky?"* Und noch ehe ich etwas dazu sagen konnte, schob der Starverkäufer gleich noch einen kühlen Friesengag hinterher: *„Und der Knaller ist, beide sind korkfrei, haben 'nen Schraubverschluss"* und rollte sich dabei fast ab!

Ich nahm beide Flaschen, wollte mir von diesen hochwertigen EU-Erzeugnissen selbst ein Bild machen und steuerte direkt auf die Kasse zu. Dort wartete eine junge Dame, eine Mischung aus Praktikantin und Auszubildende im ersten Lehrjahr mit Nasen-, Augenbrauen- und Zungenpiercing, die gelangweilt auf ihrem Kaugummi herumkaute: *„Macht dann zusammen 6,74 Euro"* und hielt mir die ausgestreckte Hand entgegen. Die anschließende Frage, ob ich Treuepunkte sammelte, verneinte ich, steckte das Wechselgeld ein und verließ den Laden. (Die beiden Frauen standen übrigens immer noch an der Fleischtheke und unterhielten sich – ja, so ein viertel Pfund *„Hackepeter"* wollte auch gut überlegt sein.)

Im Laden waren die Aufgaben und Positionen klar definiert und verteilt, die Chefin stand hinter der *„Tratschtheke“* und hatte nicht nur den Laden und die Kunden als natürlich auch ihren Mann im Blick, der als DvD (*„Depp vom Dienst“*) eigentlich alles machen musste, in der Kundenbetreuung zu Hause war, und dann war da noch *„Chantal“,* die für das verantwortlich war, was die anderen nicht machten – na ja, für den Rest halt. Beim Rausgehen duckte ich mich noch unter dem blauweiß farbigen Fähnchen des Eisanbieters hindurch, das gleich neben dem Schild hing: *„Täglich frische Brötchen, Sonntags von 9 bis 12 Uhr geöffnet.“*

Und so zog ich mit den beiden Flaschen *„Pennerglück“* in der Hand wieder ab, in der Hoffnung, dass mich auf dem Weg zurück auch keiner sah oder erkannte. Aber nicht umsonst gab es ja *„Murphys Gesetz“*, es hatten mich zwar nicht alle gesehen, aber ein paar Mal musste ich den Arm heben und vorbeifahrenden Autos zuwinken (natürlich mit den Flaschen in der Hand), und einige Male hupten sie sogar oder blinkten mit den Lichtern auf. Die Personen in den Fahrzeugen erkannte ich nicht, nur bei einem Auto war es glasklar, denn so viele alte, mausgraue VW Käfer gab es dort nicht, die mit krächzender Hupe und rasantem Fahrstil an mir vorbeidüsten. Und so stapfte ich weiter in Richtung Haus wie beim Nordic Walking mit zu kurzen Stöcken oder einem doppelten Staffellauf. Ich erreichte das Haus und ging extra neben dem Kiesweg auf der Rasenkante zum Haus, obwohl es eigentlich Blödsinn war, doch mit zwei Flaschen in der Hand hatte ich doch irgendwie ein schlechtes Gewissen. Aber warum nur, es war nur Wein, Traubensaft?

Als ich die Veranda betrat und **Opa Hentrich** passierte, da blickte er tatsächlich zu mir rüber und kommentierte die Situation mit einem knappen und kurzen: *„Oh“,* mit hochgezogenen Augenlidern. Ohne Stopp, mit schnellem Schritt und an der Treppe wieder gleich zwei Stufen auf einmal steuerte ich direkt nach oben auf mein Zimmer zu, und gerade, als ich den Schlüssel in die Tür steckte, da kam natürlich genau in dem Moment meine Nachbarin aus ihrem Zimmer, sah mich an, ein Blick auf die beiden Flaschen und ein neckisches Schmunzeln mit leicht verlegenen Blick nach unten waren ihr einziger Kommentar. Nichts zu sagen, war in diesem Fall viel schlimmer, sozusagen die Höchststrafe und überhaupt, warum kam sie gerade in diesem Moment aus dem Zimmer? Wir hatten uns noch nie an den Zimmertüren getroffen. Ehrlich gesagt, ich wusste bis dahin auch gar nicht, wer direkt neben mir wohnte, doch nun wusste ich es – und sie auch.

Aber so war das nun mal mit dem alten Murphy, wenn es nicht passieren sollte, dann passierte es und immer genau dann, wenn es nur zwei Möglichkeiten gab, eine *„Bitte-Nicht"* und eine *„Ist-Egal-Variante"* – dann landete das Marmeladenbrot immer auf der geschmierten Seite, was jetzt noch nicht so sensationell war, als vielmehr die Frage: Woher wusste der alte Murphy das nur?

17:30 Uhr, der Tag ging dahin, Mittag verschlafen, zur Kaffeezeit unterwegs und ehrlich gesagt, auf das anstehende Abendbrot hatte ich mich nun richtig gefreut. Bis dahin war gerade noch Zeit, sich für ein paar Minuten auf den Hintern zu setzen und für einen Moment durchzuschnaufen. In Gedanken lief der Tag noch einmal im Schnelldurchlauf vorbei, der geheime Männerstammtisch, **Schwester Anna**, der *„Tante Emma-Laden"* und natürlich meine Zimmernachbarin, und genau bei diesen Gedanken musste ich deutlich Schmunzeln. Für den restlichen Abend hatte ich mir vorgenommen, ein paar Stichwörter zu notieren, die ich für das kommende Gespräch mit **Herrn Günther** ansprechen beziehungsweise nicht vergessen wollte. Ich machte mich kurz etwas frisch, wechselte das Hemd, nahm meinen Memoblock, einen Kuli und schlenderte langsam nach unten. Das Geschirrgeklimper signalisierte, dass das Abendbrot schon begonnen hatte, obwohl es gerade erst fünf Minuten nach sechs war.

Auch das war mir aufgefallen, dass die Zeiten von den Bewohnern vorbildlich, mehr als nur pünktlich eingehalten wurden. Lag es an der alten Schule oder am Pflichtbewusstsein, wobei das ganz sicher nicht der richtige Ausdruck war, doch was war es dann? Bei vielen jüngeren Menschen ist die Pünktlichkeit nicht so wichtig, da hört man schon öfter mal, *„ist doch egal, halb so schlimm, bleib doch entspannt, passt schon, bin doch schon da, mach nicht so'ne Welle"* oder sie zitieren das berühmte *„Akademische"*, womit das akademische Viertelstündchen gemeint war, das sich die Studenten immer gern als Ausrede bei Verspätungen einräumten. Ich verstand beide Seiten, hatte es aber von meinen Eltern und Großeltern mit diesen Tugenden vorgelebt bekommen und denke schon, dass es die alte Schule war, wo es einfach gang und gebe war, dass man sich an Absprachen, Zeiten und Bestimmungen hielt, so wie es der Name schon sagte, es wurde *„ge-**regel**-t"*!

7.8__ Schmalzbrot mit Harzer und Gurke

Zwei Scheiben Brot, Käse, Wurst, einen Joghurt, eine Tasse Früchtetee, und mein Tablett war bestückt. Doch halt, was war das? Etwas weiter hinten, fast schon versteckt, stand auf dem Tisch ein kleines Töpfchen mit Griebenschmalz. Ich nahm es in die Hand, führte es zur Nase und roch daran, und sofort kamen alte Kindheitserinnerungen in mir auf. *„Und dazu ein Stück Harzer und eine Gewürzgurke"*, hörte ich eine leise, fast schon flüsternde Stimme hinter mir. Ich zuckte zusammen, drehte mich mit eingezogenen Schultern um und stand vor einer älteren Dame, die ich hier zwar schon gesehen, aber bislang noch keinen weiteren Kontakt zu ihr hatte. *„Das gibt es hier nicht oft, aber wenn, – dann heißt es schnell sein"* und lachte dazu. Ich lachte ebenfalls, nahm mir etwas aus dem Töpfchen und natürlich eine von den fetten Gewürzgurken, die unübersehbar auf dem Tisch standen, aber manchmal sieht man den Wald vor Bäumen nicht. Mit einem breiten, wohlwollenden Grinsen zog ich mit meinem Tablett los und suchte mir einen freien Platz an einem Zweiertisch.

Ich bemusterte noch einmal die Dinge auf dem Tablett und mit einem *„lecker"* war der Startschuss gefallen. Das leckere Schmalzbrot mit einer Priese Salz, dazu den Harzer in Scheiben geschnitten und ein Stück von der Gewürzgurke – einfach nur unschlagbar lecker! Genussvoll nahm ich Stück für Stück und das Käse- und Wurstbrot sind dadurch aber so was von nach hinten durchgereicht worden, dass ich im Grunde genommen gar kein anderes Brot gebraucht hätte. Und während ich so genussvoll das Brot aß, da musste ich doch tatsächlich auf die anderen Tische beziehungsweise Teller blicken, wer denn die gleichen Vorlieben hatte wie ich. Upps, dachte ich, so viele waren es gar nicht, doch die nette Dame vom Buffet hinter mir, ja, sie hatte natürlich auch diesen Geheimtipp der Genießer auf dem Teller, und als ich sie etwa zwei Tische entfernt von mir ausmachte, da schmunzelte sie erneut, zeigte mir die Gabel mit einem aufgepicktem Stück Gurke und nickte wohlwollend dazu.

Wieder hatte ich etwas dazugelernt, Augen auf, sonst entgehen dir die schönsten Dinge, wenn sie vielleicht auch noch so einfach sind: Schmalzbrot mit Harzer und Gurke, ebenso köstlich wie günstig und rustikal!

Als ich aufstand, um mir noch etwas Tee zu holen und den Tisch der Dame passierte, stoppte ich und flüsterte noch mal ein *„DANKE“* zu ihr rüber und streckte dabei den linken Daumen nach oben. Ich war schon fast an ihr vorbei, da sah ich auf ihrem rechten Tellerrand eine andere Scheibe Brot liegen, als ich sie hatte. Um die Harzer-Kombination perfekt zu machen, brauchte es nicht irgendeine Scheibe Brot, das Sahnehäubchen, der i-Punkt, der ultimative Gaumenschmaus war nur mit einer ganz bestimmten Sorte zu erreichen, doch daran wagte ich noch nicht einmal im Traum zu denken, zumal Vollkorn- und Graubrot eigentlich zum Abendbrot-Standartprogramm gehörten, doch sie hatte eine andere Scheibe auf dem Teller, mit dicken, gerösteten Einschlüssen, und es war kein geringeres als ein leckeres, dunkles, Zwiebelbrot. Völlig baff stand ich da, und mein erstauntes Gesicht war unverkennbar. *„Ja, das hatten sie jetzt nicht erwartet oder“,* sagte sie und hatte dabei wieder dieses ganz besondere Schmunzeln in der Stimme. *„Aber irgendwie gehört es doch auch zusammen, Griebenschmalz, Salz, Harzer, Gewürzgurke und das alles natürlich auf einem leckeren Zwiebelbrot – es kam aber leider erst aus der Küche, als sie schon auf dem Weg zum Platz waren“*, zog dabei die Schultern nach oben, als wollte sie sagen – das ist dann wohl mal äußerst dumm gelaufen!

Ja in der Tat, das gehörte wahrlich zusammen, so wie die grüne Mütze zu Peter Pan, der Kohl um die Roulade oder die kalte Pfeife zu **Opa Hentrich**, und egal, was sie von mir dachten, ich steuerte zielstrebig zum Buffet, stellte den Tee gedanklich ganz hinten an und holte mir eben gerade noch einmal genau diese leckere Zusammenstellung, die *„Harzer-Gourmet-Variante“* ohne wenn und aber! Beim erneuten Passieren der Dame bedankte ich mich abermals, und alle, die es mitbekommen hatten, schmunzelten, ja lachten sogar, und es war schon erstaunlich, wie man sich doch an solchen Kleinigkeiten erfreuen konnte. Was brauchte man den Hauptgewinn in der Lotterie, wenn man Harzer mit Zwiebelbrot bekommen konnte. Nachdem ich auch diesen zweiten Gang genussvoll aufgegessen hatte, ach was sage ich denn, ihn fast in Ekstase auf der Zunge zergehen ließ, machte ich mir von den beiden ursprünglichen Scheiben, die immer noch einsam auf dem Teller lagen, einen *„Doppler“* und wollte ihn mir dann zusammen mit einem Henkelmann Früchtetee mit in das Kaminzimmer nehmen. Den Joghurt ließ ich in der Jackentasche verschwinden, für den Fall – wenn der kleine Hunger kam!

Ich verschwand als einer der ersten aus dem Essensraum und hatte im angrenzenden Kaminzimmer freie Platzwahl. Ein Tisch in der Ecke mit etwas Licht, der Platz war perfekt, und ich konnte mich nun in aller Ruhe meinen Notizen widmen:

- Wo komme ich her, der Grund meiner Flucht, meine Gedanken der Fahrt, mein erster Eindruck als ich das Haus sah.

- Die Neugierde, was verbirgt sich hinter der Fassade, die unterschiedlichen Menschen, die Geschichten, das Erlebte, die Erfahrungen.

- Gespräche, die Gelegenheit seine eigene Geschichte zu erzählen, im Rampenlicht zu stehen, zuhören, sich kennenlernen.

- Wünsche, Entbehrungen, Ängste, Vergangenes verarbeiten, das Gefühl zu bekommen, wichtig zu sein, zu etwas nutze zu sein.

- Neue Aufgaben, aus dem Schneckenhaus herauskommen, alte Zöpfe abschneiden, lachen, planen, trauen, freuen.

- Wer ersetzt wen? ... Mathilde?

Ich war mittendrin und bemerkte gar nicht, dass sich hin und wieder die Tür öffnete und mehr und mehr Personen den Raum betraten. Einige, die nur einen ruhigen Platz suchten um – was auch immer zu tun – und einige wie die wie zwei Damen ganz hinten am Tisch vor dem Fenster zum Garten, die damit beschäftigt waren, Spielkarten vor sich aufzubauen. Ich erkannte sie wieder und beschloss, meinen Platz zu ihnen zu verlagern. Der Nachbartisch war noch frei, und ich fragte die beiden Damen, ob ich mich an den Tisch zu ihnen gesellen durfte. Die eine Dame war die nette Schmalzbrot-Bekanntschaft vom Abendbrot, und die andere Dame war meine Zimmernachbarin, also eine gute Gelegenheit, mit beiden in Kontakt zu treten und wieder zwei Menschen dieser Gemeinschaft kennenzulernen.

Ich stellte mich ihnen vor, und die Schmalzbrot-Bekanntschaft reagierte als erste: *„Aber natürlich dürfen sie sich zu uns setzen“* und zeigte auf den freien Platz am Nebentisch. *„Ich kenne das Problem mit dem „Harzer Käse“,* sagte sie, *„der schmeckt lecker, macht aber einsam“* und lachte herzhaft dazu. *„Harzer ist auch nicht gleich Harzer“,* sprach sie weiter, *„der eine isst ihn gern mit einem noch leichte, quarkigen Kern, bei dem anderen muss er durch und durch sein, kleben und fast schon davonlaufen, aber das muss jeder für sich selbst entscheiden.“* Dann stellte sie sich als **Dorte Dremmler** vor, die als alte Göttingerin sogar aus dem Harzer Vorland kam und noch über viele andere dieser stinkenden Leckerbissen der vergangenen Zeit berichten konnte.

„Grundsätzlich habe ich gegen den Harzer nichts einzuwenden“, sagte die andere Dame, meine Zimmernachbarin, *„wie ich auch gegen viele andere Dinge nichts habe, doch wenn man sich in einem gehobenen Alter bewegt wie wir meine Liebe“* und blickte dabei mit hochgezogenen Augenlidern zu **Frau Dremmler**, *„dann sind einige Dinge nicht mehr so einfach, jedenfalls nicht mehr in der Öffentlichkeit“* und lachte dazu verlegen. *„Bei so einem klebrigen Käse, macht oft das Gebiss nicht mit, und es entstehen ganz schnell sehr peinliche Momente“,* sagte sie und hob dabei mahnend den Finger, verstummte kurz und fuhr fort *„seeeeehr peinliche Momente, wenn ihr wisst, was ich meine“* und lachte genauso herzhaft wie zuvor **Frau Dremmler**. ***„Ilse Matuschek“,*** sprach sie weiter und streckte mir die Hand entgegen *„und geben sie mir früh genug Bescheid, wann bei ihnen auf dem Zimmer die Party steigt, damit ich mich entsprechend darauf einstellen kann“* und lachte ganz zum Unverständnis ihrer Kollegin **Frau Dremmler** weiter, denn die konnte damit nun gar nichts anfangen. Ich allerdings wusste den Seitenhieb genau zu werten und erwiderte: *„Wenn **Herr Günther** mir nicht ausdrücklich Damenbesuch auf dem Zimmer untersagt hätte, dann hätte ich jetzt und hier an sie beide eine Einladung ausgesprochen*“, lachte ebenso spontan und warf den Ball beziehungsweise den Seitenhieb geschickt zurück, womit es wieder ausgeglichen, um nicht zu sagen *„unentschieden“* stand. **Frau Dremmler** fischte immer noch im Trüben, konnte uns beiden überhaupt nicht folgen, und so erlöste ich sie, indem ich von meinen geplanten alkoholischen Exzessen berichtete und wie ich dabei von **Frau Matuschek** erwischt wurde! Und wieder entstand ein Gespräch wie aus dem Nichts, ein Abtasten, Kennenlernen, und was war der Auslöser? Ein Schmalzbrot mit Harzer und Gurke – es konnte so einfach sein!

Ich sah den beiden Damen noch einen Moment beim Kartenspiel zu, konnte aber nicht schlüssig erkennen, um welches Spiel es sich handelte. Es war keine Patience, die ich ja schon vor einigen Tagen von der lieben **Frau Orue** gezeigt und erklärt bekam, es sah mehr nach Rommè oder Canaster aus, auf jeden Fall waren beide sehr aufmerksam und konzentriert.

Ich nutzte die Zeit für ein paar weitere Notizen und natürlich, um die beiden Namen der neuen Bekanntschaft in die Liste einzutragen. Es war nicht sehr spät, aber trotzdem war man müde, vielleicht war es auch die Ruhe, die dort im Raum herrschte, die Kopfaufgaben, das Schreiben, Überlegen, Reden, Dinge, die einen mitunter mehr ausmergeln können als ein großer Spaziergang, denn da bleibt das Blut in Bewegung, zirkuliert, und der Körper wird permanent mit Sauerstoff versorgt. Ich war müde, schämte mich aber kein Stück dafür, warum auch, man war niemandem Rechenschaft schuldig. Trotzdem zog ich es vor, mich zurückzuziehen und verabschiedete mich von den Damen, bevor ich den richtigen Zeitpunkt dafür verpasste und verließ den Raum. In den Fluren brannten bereits die Notbeleuchtungen, ein deutliches Zeichen, dass alle Arbeiten beendet waren, und ich beschloss noch einen kurzen Abstecher vor das Haus auf die Veranda zu machen und blickte im Vorbeigehen fast schon automatisch in den Frühstücksraum, in dem schon wieder alles picobello aufgeräumt und schon teilweise für das Frühstück eingedeckt war. **Mathilde** war nicht mit Gold zu bezahlen – und schon gar nicht zu ersetzen. Hm, dachte ich – ersetzen – und hatte gleich einen weiteren Punkt auf meiner Liste für **Herrn Günther**, wer ersetzt eigentlich **Mathilde** bei Krankheit oder Urlaub?

Ich trat vor die Tür, an der nahegelegenen Landstraße war es ruhig geworden, ein paar Grillen zirpten, und ein paar weit entfernte Vogelschreie waren schwach zu hören. Die Bank war frei, selbst **Opa Hentrich** war scheinbar schon zu Bett gegangen. Eigentlich genau die richtige Atmosphäre, um gemütlich eine Pfeife zu rauchen, wenn ich denn Raucher gewesen wäre. Aber ich war es nicht mehr, zum Glück nicht mehr, und ich setzte mich noch für ein paar Minuten in den beruhigenden alten Schaukelstuhl und genoss die Ruhe und Stille. Es war schon eigenartig, ich setzte mich nicht auf **Opa Hentrichs** Platz, obwohl er frei war. Im Übrigen sah ich noch nie einen anderen dort auf dem Platz sitzen. Es war wie ein ungeschriebenes Gesetz, als wäre es der alleinige Platz von **Opa Hentrich** gewesen, und es hielt sich auch ein jeder daran. Intuitiv setzte man sich irgendwo hin – nicht aber auf diesen Platz!

7.9__ „ ... süchtig – natürlich nicht!“

Vielleicht hätte ich weiter geraucht, wenn ich es so, wie Opa Hentrich, mit einer kalten Pfeife geschafft hätte, doch bei mir war es viel, „viiiiiieeeel“ schlimmer, wie bei so vielen anderen Menschen auch. Zunächst redet man es sich selbst schön, man spricht von – ***eigentlich verpafft ja die Hälfte im Aschenbecher, – also im Auto rauche ich ja sowieso nicht – es wird auch mal wieder weniger***, doch den wenigsten ist tatsächlich bewusst, dass es eine Sucht ist. Ja, genau, Sucht! Bei diesem Wort gehen die Nackenhaare hoch, man denkt sofort an Drogen, Berlin, Abhängigkeit und – es ist eine Droge und eine Abhängigkeit und das nicht nur in Berlin! Und bei mir war es auch genau so, mit der Selbstlüge und Tendenz zum mehr, immer mehr, bis ich eines Tages an den Punkt kam (zu diesem Zeitpunkt hatte ich täglich zweieinhalb Schachteln Zigaretten à neunzehn Stück geraucht, mit der Tendenz – *„STEIGEND“*!), als ich mir selbst die Vertrauensfrage stellte:

*„**Bist Du süchtig**? **Kannst Du aufhören oder denkst du nur du könntest es**?“*

Die Antwort war natürlich eindeutig und klar, begleitet von einem langgezogenen *„pffffffff“*, dicken Backen und rollenden Augen: *„Natürlich nicht, denn ich kann* jederzeit *aufhören, aber das möchte ich ja gar nicht, denn ich bin ein Genussraucher und schmöke nur, weil es mir Spaß macht“, …* aufhören, jederzeit möglich, sofort und ohne Probleme – und so setzte sich die Lügerei fort.

Es war 6 Uhr morgens, ich war alleine im Büro und stellte mir tatsächlich diese Frage sehr kritisch. Und nun kommt der Knaller, vielleicht war es auch eine Fügung? Ich hatte mein Lieblingsfeuerzeug verloren, in echt, es war ungefähr ein Jahr verschwunden, nicht auf den Tag genau, aber gefühlt mindestens zwei bis drei Jahre. Also es war weg und schon allein das Anzünden einer Zigarette mit diesem alten Zippo-Feuerzeug, das mich ein weites Stück meines Lebens begleitet hatte, der Geschmack des entzündeten Benzins vermischt mit dem Rauch des ersten Zuges, das war es wahrscheinlich, was es bei mir ausmachte. Und genau dieses Zippo-Feuerzeug war verschwunden, und jetzt kommen wir zum Knaller. An diesem Morgen, vielleicht eine Stunde bevor ich mir die Vertrauensfrage – **süchtig oder nicht süchtig** – stellte, da fand ich es wieder.

Es hatte sich irgendwie zwischen Sitz und Autoseitenteil versteckt, muss mir wohl aus der Hosentasche gefallen sein (im Auto hatte ich selbst nicht geraucht) und wie und warum ich es nun gerade an diesem Morgen wiedergefunden hatte, nachdem ich in den vergangenen Monaten dort und an Millionen anderen Stellen nach diesem Feuerzeug gesucht hatte, das wird wahrscheinlich für immer ein Rätsel bleiben. Ich nahm also genau dieses Zippo, befüllte es andächtig mit frischem Benzin, wobei mir die Hälfte über die Schreibunterlage lief, griff mit der linken Hand zu der schon leicht geöffneten und in Startposition befindlichen John Player Special Packung, natürlich die Schwarze, fischte mit geübten Griff wie ein Zauberer beim Fingertrick eine Zigarette heraus und öffnete mit einem ebenso gekonnten Klick und Flupp den Deckel des gerade wieder gefundenen Feuerzeugs – Daumen ans Feuersteinrad, und wusch, es brannte, es stank, und meine Augen wurden glasig. Ich lehnte mich in meinem großen Schreibtischstuhl nach hinten, an die Lehne führte die stinkende, blaugelb lodernde Flamme an die Zigarette und, *„ahhhhh“* – versteht ihr nun, was der Unterschied zwischen – ich kann jederzeit aufhören und *„SUCHT“* ist?

Ich zog noch einmal kräftig an der Zigarette, als sich plötzlich meine Bürotür öffnete, eine Mitarbeiterin herein trat, zu mir herüber sah und ohne ein „Guten Morgen“ sprach sie auch schon verachtend und ketzerisch los: *„Rauchen ist ungesund, stinkt und kostet viel Geld“*, drehte sich um und verließ auf dem Absatz den Raum. **Donnerwetter**, dachte ich, Rauchen ist ungesund, das hatte ich ja bis dahin noch überhaupt nicht gewusst und rollte überheblich mit den Augen, begleitet von einem noch längerem „pffffff“ als zuvor und dachte mir: *„Was war jetzt das“,* und eine innere Wut stieg in mir auf. Provokant setzte ich die Zigarette erneut an den Mund, zog kräftig daran, doch der nächste Zug der Zigarette, man sollte es nicht glauben, der schmeckte anders, ganz anders als sonst, um nicht zu sagen einfach widerlich. Na, dachte ich, das hatte SIE ja jetzt gut hinbekommen und legte gleich mit einem weiteren Zug nach, sozusagen mit einem Trotzzug, doch auch der schmeckte überhaupt nicht. *„Maaaannn“*, dachte ich und stellte mir erneut die Frage: Bist Du süchtig? Kannst Du aufhören, oder denkst du nur du könntest es? OK, dachte ich, du kannst die ganze Welt an der Nase herumführen, aber nicht dich selbst – ja oder nein? Ich wollte es mir selbst beweisen oder vielleicht auch nur herausbekommen, ob ich mich selbst belüge oder nicht und beschloss zunächst, für einen Zeitraum *„X“* nicht mehr zu rauchen.

Der Entschluss war gefasst, der erste Schritt getan, nun musste ich mir nur noch über die Dauer der rauchfreien Zeit im Klaren sein, beziehungsweise mit meinem Gewissen einig werden und eine adäquate Lösung aushandeln. Eine Stunde – das würden wahrscheinlich die machen, die voll an der Nadel hingen und von sich selbst behaupteten: *„Süchtig – „ICH“, niemals, also ich kann jederzeit aufhören“,* hatten aber bereits schon fünfzehn Minuten vor Ablauf der Zeit die nächste Zigarette in der Hand, starrten pausenlos auf den Sekundenzeiger der Uhr, spielten nervös mit dem Feuerzeug und klappten den Metalldeckel immer schneller werdend auf und zu. – Also, eine Stunde machte keinen Sinn und war keine Option. Ein Tag war da schon besser, aber auch den konnte man irgendwie herumbekommen, Ablenkung, Kaugummi, Salzstangen, früh schlafen gehen und so weiter. Also, ein Tag war dann auch doof. Eine Woche vielleicht, jetzt wurde es interessant dachte ich, aber besser wäre wohl ein Monat oder sogar drei Monate, denn das war immerhin ein viertel Jahr!

OK, dachte ich, drei Monate war ein faires Angebot, um später auch wirklich aussagekräftig behaupten zu können; JA, ich konnte ohne Probleme aufhören, wobei sich das *„ohne Probleme“* noch herausstellen sollte, zumal man darüber ja die schlimmsten Geschichten hörte. Der Beschluss stand fest, doch kaum war er gefällt, da kamen auch schon die ersten Zweifel und Gedanken. Was wird nach den drei Monaten sein? Dann wieder mit dem Rauchen zu beginnen, war nicht nur doof, war vielmehr saudoof, doch ich beschloss zunächst, die erste Hürde zu nehmen, der weitere Weg sollte sich dann ganz bestimmt auch finden. Also: Rauchen Ende, per sofort – für drei Monate!

Ich klappte meine offene Zigarettenschachtel zu und überlegte doch tatsächlich, ob sie wohl in drei Monaten vertrocknet wären? Eigenartige Gedanken schwirrten mir da durch den Kopf, und nach knapp zehn Minuten rauchfreier Zeit konnte es noch nicht an mangelnder Nikotinversorgung, vielmehr an geistiger Umnachtung und Verwirrung gelegen haben. Ich nahm das Telefon zur Hand und rief einen jungen Kollegen aus der Technik zu mir ins Büro, ein Kollege, der sehr nett, aber finanziell immer klamm war. Als er das Büro betrat, da begrüßte ich ihn mit den Worten: *„Was dem einen Freud, ist des anderen ... – Heute ist dein Glückstag“* und reichte ihm nicht nur die bereits angebrochene Zigarettenschachtel, nein, nein, zum Glückstag gehörte schon etwas mehr, denn hinter meinem Schreibtisch hatte ich noch drei komplette Stangen der schwarzen Sargnägel gebunkert, die ich ihm ebenfalls mit den Worten: *„Ich habe mit dem Rauchen aufgehört“* in die Hand drückte. *„Wow, cool“,* antwortete er *„und wie lange schon?“*

Ich sah auf die Uhr und antwortete stolz wie Oskar: *„Knapp zwanzig Minuten“* und hob dabei freudestrahlend den Daumen! Er sah mich an und rollte nun genauso mit den Augen, wie ich zuvor bei der *„Vertrauensfrage“,* zögerte zunächst und hielt mir dann die angebrochene Schachtel entgegen und sagte: *„Vielleicht solltest du die behalten, für den Fall, dass du heute Abend schmacht bekommst“,* doch ich lehnte ab, zögerte keinen Moment, denn das hätte ja bedeutet – dass ich süchtig war! Er verließ das Büro mit einem Strahlen, und ich saß da nun, vor mir im Aschenbecher eine halbgerauchte, widerlich schmeckende und vorzeitig ausgedrückte Zigarette, mein frisch aufgetanktes, gerade erst wiedergefundenes, heißgeliebtes Zippo-Feuerzeug, und da, wo gerade noch drei Stangen Zigaretten das Regal im Sideboard füllten, da war nun ein großes Loch. OK, *„alles neu macht der Mai“*, sagt man ja so schön, doch bei mir war es nicht der Mai als vielmehr der Zwist mit meinem Gewissen und die blöde, von oben herabkommende Bemerkung der Kollegin, die mir damit auch noch die letzte Zigarette vermieste. Ein neuer Abschnitt hatte begonnen, und es war im Oktober, ein Datum, was ich nicht mehr vergessen sollte, wir schrieben den **5. Oktober 2007**!

(Übrigens hatte mir mein damaliger Hausarzt, selbst jahrelanger Kettenraucher, gesagt, dass es sieben Jahre braucht, um behaupten zu können, dass man die Sucht erfolgreich besiegt hat. Natürlich fällt es von Jahr zu Jahr leichter, und er selbst befand sich zu diesem Zeitpunkt im sechsten Jahr und behauptete von sich, natürlich mit Vorbehalt – es geschafft zu haben. Er drückte mir die Daumen, wünschte alles Gute und motivierte mich damit, dass er wenigstens vier erfolglose Versuche unternommen hatte, um von der Sucht loszukommen – mit dem Nikotinpflaster hatte es dann bei geklappt!)

Meine Motivation war eine ganz andere, ich wollte es für niemand anderen machen und schon gar nicht beweisen müssen, für niemand anderen als nur für mich selbst. Ich hatte es mir eingebrockt, beziehungsweise mit dem Rauchen begonnen, wurde nicht dazu gezwungen, also war es auch die logische Schlussfolge, es nur von mir zu beenden und so etwas geht am effektivsten da, wo es auch begonnen hat – im Kopf. Ich wollte diese Sucht oder Abhängigkeit nicht mit einer anderen Droge bekämpfen, oder ein Nikotinpflaster aufkleben, wollte einfach nur aufhören, nichts weiter, und das konnte ja nicht so schwer sein. Meine Therapie war es, jeden den ich fortan traf oder sprach davon zu informieren, dass ich mit dem Rauchen aufgehört hatte. So setzte ich mich selbst unter Druck, denn wie blöd war es denn, wenn man bereits nach ein bis zwei Tagen zugeben musste, dass man es nicht geschafft und rückfällig geworden ist.

Die nächste Informantin war meine Sekretärin Evi, selbst starke Raucherin, die um acht Uhr um die Ecke kam. Hechelnd und schwer nach Luft ringend hörte ich sie schon den langen Flur bis zu ihrem Büro schlurfen, und noch mit der Tasche in der Hand blickte sie durch meine geöffnete Tür und begrüßte mich mit einem mehr pfeifendem als gut verständlichen *„Guten Morgen"* und war völlig außer Atem. Mit einem Grienen von Ohrwaschel zu Ohrwaschel erwiderte ich den Gruß und rief: *„Hey, Evi, ich rauche nicht mehr!"* – *„Wow"*, antwortete sie, kam zu mir ins Büro und blickte mich teils erstaunt, teils interessiert an, um zu erfahren, wie ich es geschafft hatte, versuchte sie doch selbst schon so lange, von dieser blöden Sucht loszukommen. *„Man"*, sagte sie, *„das ist ja toll und wie lange schon?"* Ich sah sie an, blickte auf die Uhr und antwortete: *„Knapp zwei Stunden schon"* und lachte sie dabei an. Ihr Gesicht veränderte sich, als hätte sie es nicht richtig verstanden und vom Mund verziehen, über Augenrollen bis Kopfschütteln, war alles dabei. *„Wie, zwei Stunden"*, fragte sie, als hätte sie es nicht richtig verstanden, und man brauchte kein Prophet zu sein, um an ihrem Gesichtsausdruck ablesen zu können, dass sie etwas ganz anderes erwartet hatte.

Dann erzählte ich die Geschichte vom Zippo, von der Kollegin mit dem schlauen Spruch, *Rauchen ist ungesund, stinkt und kostet viel Geld,* und auch sie rollte dazu mit den Augen und sprach: *„Na, das ist ja mal was ganz Neues"*, verzog den Mund und ging zu ihrem Schreibtisch. *„Na dann mal viel Erfolg"*, rief sie mir noch zu, öffnete ihr Fenster und musste auf den Schreck, wie sie selbst sagte, erstmal eine Rauchen, lachte dazu, was sich mit dem rollenden Raucherhusten vermischt, sich wie ein Zweitaktmotor mit Startproblemen anhörte. *„Ich rauche auch am Fenster"*, fügte sie hinzu, und kaum hatte sie es ausgesprochen, da zogen auch schon die dicken blauen Rauchschwaden, angetrieben durch den Wind des geöffneten Fensters, auf direktem Weg zu mir ins Büro. – Aber genau das war Evi, immer dann, wenn sie es ganz besonders gut und richtig machen wollte, ging es ganz besonders weit in die Hose. So nahm der Tag seinen Lauf, ich hatte mit ganz vielen Menschen am Telefon, aber auch in persönlichen Gesprächen zu tun, und ein jeder bekam von mir die frohe Kunde: *„Ich habe mit dem Rauchen aufgehört!"* Die Zeitangabe veränderte sich rasant schnell, und ehe man sich versah, wurde aus den kläglichen zwanzig Minuten ganz schnell die Stundengrenze geknackt, gefolgt von zwei Stunden, fünf Stunden und schnell war auch schon die erste zweistellige Zahl erreicht. Zehn Stunden und es war erst 16 Uhr!

Bis zu diesem Zeitpunkt hatte ich kein Bedürfnis, keinen Japp wie man immer so schön sagte, oder das Verlangen, ganz im Gegenteil, der sportliche Gedanke und Antrieb, die Freude es begonnen und der Wunsch, es auch zu schaffen, es durchzuziehen, das war Motivation genug. Natürlich ertappte ich mich immer wieder bei den längst eingefahrenen schon fast traditionellen Griffen zu den altbekannten Stellen in der Hemdtasche, auf dem Schreibtisch oder in der Hosentasche, wo bis vor einige Stunden noch die Schachtel Zigaretten oder das Feuerzeug seinen Stammplatz hatte. Aber diese Plätze waren nun frei, die Hand suchte vergebens und griff ins Leere. Aber irgendwann wurde das dann auch weniger, denn es ist tatsächlich eine Kopfsache, es waren keine Zigaretten mehr da, also hatten diese Griffe auch keinen Erfolg.

Der Arbeitstag war beendet, gefühlte fünftausend Menschen waren über mein Vorhaben informiert, und es ging ins Privatleben, der Abend stand bevor. Neues Umfeld, andere Umgebung, die in der Vergangenheit natürlich auch mit Rauchen zu tun hatte. Die gemütliche Zigarette auf der Couch beim Fernsehen, eine Abendrunde mit dem Hund an der Leine und der Zigarette in der Hand. Ja, auch diese Dinge hieß es nun zu verändern. Aber auch hier galt; wenn keine Zigaretten da – dann keine Zigaretten da! Auch dort hatten sich die Bewegungsabläufe schnell neu sortiert, doch mir war schon klar, dass auch noch andere Tage kamen, bei denen es bestimmt nicht so leicht und einfach ablief. Aber ich hatte es begonnen und dachte im Leben nicht daran, gegen mich selbst zu verlieren. Im Grunde genommen war es tatsächlich gar nicht so schwer und ich stellte fest, dass, wenn man genug zu tun hatte und nicht pausenlos daran dachte, es ohne Probleme ging, wenn aber die Langeweile aufkam, dann wurde es schwer den berühmten *„Schweinehund“* zu überlisten. Also, keine Langeweile aufkommen lassen. Fernsehabend, Hunderunde, natürlich ohne Rauchen und anschließend ab ins Bett. Am nächsten Morgen, wachgeworden wie immer, aber was sollte auch anders sein? Ich bin ja in der Vergangenheit auch nicht morgens wach geworden und hatte als erstes zur Seite auf den Nachttisch gegriffen und mit zitteriger Hand die Zigaretten gesucht. So schlimm war es dann selbst bei mir noch nicht fortgeschritten!

Aber, es gab tatsächlich auch andere Zeiten, da wurde ich, getrieben von Sorgen und Gedanken, in der Nacht wach, und da war es tatsächlich nicht selten, dass ich mit der Zigarette in der Hand im Zimmer auf- und abging oder mit der Kippe stundenlang am geöffnetem Fenster stand und sie zu meinem nächtlichen Begleiter machte.

Als unrühmlichen Nebeneffekt gab es zu dieser fast schon trostlosen Situation auch noch rollenden Husten, der sich immer wieder fast schon penetrant eine Lücke suchte und zwischen die tiefen Lungenzüge schob. Keine wirklich schöne Zeit, wenn ich da heute dran zurück denke, und ich bin mir ganz sicher, dass wenn man nachts wach wird, aus welchen Beweggründen auch immer, und die einzige Lösung oder Befriedigung darin liegt, sich eine Zigarette anzustecken, die Flasche Alkohol an den Hals zu setzen oder in die Küche zum Kühlschrank zu schleichen und sich den Bauch vollzuschlagen, ich glaube, dann ist es schon viel weiter als man denkt oder es sich eingesteht, aber damit war ja nun Schluss – wenigstens für die nächsten drei Monate!

Aufstehen, der Husten war natürlich nach wie vor da, denn der gute Vorsatz allein löschte längst noch nicht die Altlasten der vergangenen Jahre – Bad, Morgenrunde mit dem Hund und ab an den Schreibtisch – da waren sie dann wieder die eingefleischten Rituale. Computer an und der Griff an die Hemdbrusttasche, aber das sollte wahrscheinlich auch noch eine längere Zeit brauchen, dachte ich und blickte auf die Uhr: *„YESSSSS, sechs Uhr“,* was bedeutetet, dass ich nun schon bei der rauchfreien Einheit: TAG angekommen war, was mich mehr als nur stolz machte. Und genau diese neue Info wurde gleich wieder an alle, ausnahmslos ALLE, in ähnlicher Reihenfolge wie schon am Tag zuvor weitergetragen.

So dümpelte auch dieser Tag dahin, bis gegen Mittag ein Vertreter kam, mit dem ich zu einer kurzen Dienstreise verabredet war. Gemeinsam wollten wir nach Heidelberg fahren, eine Maschine besichtigen, dort übernachten und dann am nächsten Tag wieder zurückkommen. Der Vertreter holte mich gegen zwölf Uhr ab, und kaum hatten wir das Firmengelände verlassen, da hieß es im Auto auch schon Feuer frei, begleitet von fast pausenlosem Geschnatter von ihm, was man eigentlich sonst nur so von mir kannte. Unterbrochen wurden seine Erzählungen nur, wenn ab und zu sein Mobiltelefon klingelte, was er dann abenteuerlich versuchte, zwischen Ohr und Schulter zu klemmen. Die Kippe dabei im linken Mundwinkel, und mit dem Rest versuchte er das Fahrzeug, einen Schaltwagen, zu steuern, der ab und zu noch eine Hand zum Gänge einlegen benötigte.

Es sah schon sensationell aus, was wahrscheinlich auch die Polizisten einer Radarkontrolle auf der Autobahn kurz vor Kassel so sahen:

Linke Spur auf der Autobahn, 125 bei erlaubten 80 Kilometern in der Stunde, rechte Hand mit dem Handy am Ohr und in der linken Hand das Feuerzeug, mit dem er sich gerade eine neue Zigarette ansteckte. Gelenkt wurde in diesem Moment der Aufnahme irgendwie mit einer Kombination aus Ellenbogen, Unterarm und Oberschenkel. Später erfuhr ich noch die Punktewertung der grün-weiß gekleideten Preisrichter: ***Einen Monate Fahrverbot, 600 Euro Geldstrafe und zwei Punkte in Flensburg.*** *Das Punktekontingent des Vertreters war aber auch schon bis auf Anschlag ausgereizt, was dann auch noch einen Punkteabbau in Form einer Nachschulung mit sich brachte.*

Ja, das hatte sich dann mal gelohnt, und kaum war dieser Schock verdaut, da ging es auch schon, natürlich kettenrauchend, bis nach Heidelberg weiter. Tasche ins Hotel und gleich weiter zum Essen. Kaum war der letzte Bissen verschluckt, da zuckte auch schon wieder die Hand des Vertreters, und um dem Verlangen gerecht zu werden, gingen wir vor die Tür des Lokals, wo zwei Stehtische die Plätze der Raucher markierten. Als er sich die Zigarette ansteckte und mir ebenfalls eine anbot und ich ablehnte, da sagte er deutlich irritiert: *„Man, du rauchst heute aber verdammt wenig!"* Ich sah ihn an und antwortete entspannt und stolz, über meine Leistung, so lange neben dem *„Räuchermännchen"* ausgehalten zu haben, ohne auch nur das geringste Verlangen bekommen zu haben. – *„Gar nicht mehr, habe gestern morgen damit aufgehört"* und seine Augen wurden groß und größer, und es war ihm sichtlich unangenehm und peinlich obendrein, dass er es nicht wusste und mir die ganze Fahrt über den Wagen wie in einer finnischen Sauna vollgeblasen hatte. Er rauchte schon fast beidhändig und hätte er eine dritte Hand gehabt – *„man"*, sprach er weiter, *„warum hast du denn nichts gesagt"* und schüttelte den Kopf peinlich hin und her. Doch ich erklärte ihm, dass *„ICH"* damit aufgehört hatte und sich andere nicht nach mir richten mussten. Bei unserer Rückfahrt am nächsten Tag reduzierten sich die Zigaretten im Auto dann auf gerade mal drei Stück, während er auf der Hinfahrt noch knapp zwei Schachteln durch den Kamin, beziehungsweise seine Lunge geschickt hatte. Ja, das war dann schon *„Hardcore"*, nur genau einen Tag nach meinem, Aufhören! Als ich am nächsten Tag wieder zu Hause ankam, hatte ich zwar keine Zigarette geraucht, aber nach Nikotin gestunken, als hätte ich im Aschenbecher übernachtet.

So ging es dann munter weiter, aus einem Tag wurden ganz schnell drei und ebenso schnell war die erste Woche herum! Die Mitarbeiter bei uns im Büro fanden das sehr gut und reduzierten ihr Rauchverhalten ebenfalls, in dem sie nur noch draußen auf dem Hof rauchen wollten. Eine junge Mitarbeiterin nahm diese Gelegenheit gleich als Motivation und Steilvorlage und hörte sogar ganz damit auf. So kamen alle wirklich gut damit klar, bis auf meine alte Sekretärin Evi, die sich auf dem Weg vom Büro zum Treppenhaus schon meistens die ersehnte Zigarette ansteckte, so war dann draußen vor der Tür immer noch Zeit für einen schnellen zweiten Glimmstängel. Manchmal machte ich mir einen Spaß daraus, wartete bis sie ihren Platz verließ, und immer wenn man dann das Zippen und Zischen des Feuerzeugs hörte, da rief ich ihr nach, dass sie bitte noch einmal dringend um die Ecke ins Büro kommen möge. Sie ließ sich immer neue Dinge einfallen, entweder sie guckte durch den Türrahmen, halb verdeckt ins Büro, und ich nagelte sie in einem Gespräch fest, bis der Rauch an ihr vorbeizog und sie darin einhüllte. Ein anderes Mal legte sie die Zigarette in einen Blumentopf im Treppenaufgang, und ein weiteres Mal drückte sie ihre Kippe einem entgegenkommenden Kollegen in die Hand, bat ihn kurz zu halten und auf sie zu warten. Ja, ja, so sah das aus, wenn die Sucht einen kontrollierte, steuerte und nicht mehr losließ! Nach der ersten Woche kam der erste Monat, es folgte der zweite und dann war er da, der finale dritte Monat. Ich hatte es geschafft und ganz ehrlich, es gab tatsächlich nicht einen Moment, bei dem die Hand zitterig wurde oder ich in Panik nachts durchs Haus lief, um irgendwo eine Kippe zu ergattern. Es lief wirklich unglaublich gut, und ich verdoppelte die rauchfreie Zeit um weitere drei Monate, denn ein halbes Jahr, das hörte sich doch viel, viel besser an. Auch die folgenden drei Monate verliefen ohne Stau, Schmacht und Panik und ich erweiterte auf sage und schreibe, ein ganzes Jahr und notierte mir im Kalender beim 05. Oktober: **Ein Jahr rauchfrei!**

Und diese Kalenderseite wiederholte sich nun schon zum zehnten Mal, bin stolz und denke auch gern an diese Geschichte und den Weg zurück, als es mit der Zigarette am Morgen um sechs Uhr mit meinem gerade wiedergefundenem Zippo-Feuerzeug begann – oder ja eigentlich aufhörte. Und wenn wir nun noch einmal auf die Eingangsfrage zurückkommen, die ich mir eben an diesem Morgen des 5. Oktobers gestellt hatte:

„Bist Du süchtig? Kannst Du aufhören, oder denkst du nur, du könntest es?"
Dann war die Antwort ein glasklares und lupenreines:

JA, ich kann aufhören – und habe es auch getan!

Und so saß ich nun da im Schaukelstuhl auf der Veranda, blickte auf **Opa Hentrich`s** freien Platz und lauschte den Geräuschen der Nacht, bevor ich dann zirka zwanzig Minuten später nach oben ins Zimmer ging, noch für ein paar Minuten wach im Bett lag und auch diesen Tag noch einmal im Schnelldurchlauf abspulte. Irgendwann hatte dann die Nachtschicht meines Körpers die Macht übernommen und mich in die tiefsten Träume geschickt. Die Nacht war dann nicht anders als die vorherigen auch, das heißt, nicht ganz, denn ich wurde einige Male grundlos wach, wälzte mich von links nach rechts und dachte über dies und das nach, bevor ich wieder einschlief. Was war der Auslöser, fragte ich mich selbst, als ich noch für einen Moment wach im Bett lag und mit den Armen hinter dem Kopf verschränkt unter die weißgetünchte Zimmerdecke blickte. Waren es die vielen Eindrücke der vergangenen Tage? War es nur der gestrige Tag mit seinen vielen neuen Erfahrungen?

In den letzten Tagen war sehr viel passiert, wobei ich bisher nur einen Mini-Bruchteil der Geschehnisse in meinen Aufzeichnungen notiert hatte. Noch nicht einmal eine Woche war es her, ich hatte aber das Gefühl, als wäre ich schon ein langjähriger Teil dieser Einrichtung, ein Begleiter dieser Menschen geworden. Ich kam am Montag-nachmittag an und war nun auf den Samstag gespannt, generell, wie das Wochenende wohl werden würde. Gab es überhaupt einen Unterschied zu den Wochentagen? In der hektischen Welt da draußen benutzte man das Wochenende in der Regel, um Dinge nachzuholen, für die man keine Zeit hatte, oder man versuchte zu korrigieren, was man in der Woche kaputtgemacht hatte. Aber traf das auf so eine Einrichtung auch zu? Was sollte man denn da nachholen, das man in der Woche nicht geschafft hatte? Oder von welchem Stress sollte man sich am Wochenende erholen, den man sich wann und wo geholt hatte, hm, eine Frage, die, je mehr man darüber nachdachte, mich immer neugieriger machte. Wie lief es am Wochenende ab? Genau das wollte ich herausfinden und musste dafür zunächst einmal das Bett verlassen und eine Tageslichttauglichkeit herzustellen, mit anderen Worten – das Badezimmer war meins! Zur Wetter- und Kleidungsabstimmung reichte der Blick aus dem Fenster, es sah draußen normal aus, nicht übermäßig sommerlich, aber auch nicht nass, kalt oder „oll" aber das hatte ja hier nichts zu bedeuten, denn schnell wechselte das Wetter von hoch zu tief. Wollte man es aber genau wissen, dann musste man sich die Wetterprognose von **Opa Hentrich** holen, der scheinbar einen ganz heißen Draht zu Petrus hatte. Ich begann erstmal mit einer langen Hose, gewechselt war sie ja schnell und ging gemächlich nach unten zum Frühstücksraum.

Dort schien es eigentlich so wie immer zu sein, die meisten waren schon durch, **Mathilde** befand sich bereits im Aufräummodus, und nur noch ein paar vereinzelte Personen saßen still und leise vor ihrem Kaffee, Tee oder Toast. Eigentlich hatte ich gar keinen Hunger und nahm mir mehr aus Anstand, als hungrig einen Croissant und eine Tasse Kaffee, doch, halt, das war anders, dachte ich, Croissant, war neu und suchte gleich noch nach weiteren Dingen, die der Samstag vielleicht schon im Frühstücksraum zu bieten hatte. Es blieb aber beim Croissant, und ich beschloss, mein karges Frühstückchen draußen bei **Opa Hentrich** einzunehmen, öffnete mit dem Ellenbogen die Tür, jonglierte behutsam die Tasse bis zur Veranda und erreichte seinen Tisch.

Mit einem kräftigen: *„Moin“* setzte ich mich auf den Platz, auf dem ich eigentlich immer saß, was heißt immer, gemeint waren die letzten Tage seit ich im Haus herumstrotzeln durfte. Alle Plätze am Tisch hätte ich nehmen können, natürlich mit Ausnahme des *„Opa-Hentrich-Platzes“,* doch es war schon eigenartig, denn alle nahmen vorrangig den gleichen Platz ein, dass man die anderen Stühle am Tisch hätte entsorgen können. Vielleicht wollte auch niemand mit dem Rücken zur Straße sitzen aber auch nicht direkt neben **Opa Hentrich**, mit Kontakt und Schulterberührung, da war dann der Respekt wahrscheinlich doch zu groß. Und wenn man dann widererwartend doch einmal mit ihm ins Gespräch kam, dann wollte man ja auch in sein Gesicht blicken, wenngleich es fast immer emotions- und regungslos blieb, aber trotzdem war es irgendwie spannend, ihn zu beobachten. *„Na, Opa Hentrich“*, begann ich und versuchte ein Gespräch anzufangen, *„was gibt es Neues“* und **Opa Hentrich** blickte weiter stur geradeaus, ja, es wirkte schon fast arrogant, doch wer ihn kannte, der wusste, dass es von ihm ganz anders gemeint war. Es dauerte einen Moment, und man hätte fast meinen können, er hätte es nicht gehört, da kam ohne Regung, ohne Mimik nach einer längeren Pause nur ein kurzes und knappes: *„Nichts“,* von im zurück. Ich rührte verlegen in meinem Kaffee und fragte, ob ich ihm auch etwas holen sollte, Tee, Kaffee, Croissant oder etwas anderes. *„Hatte schon Tee“*, gab er sparsam zur Antwort, verstummte erneut, doch, als hätte ihn irgend etwas geprickt, sah er mich an und sprach weiter *„mit den anderen“* und drehte den Kopf zurück in die Ausgangsposition. *„Die anderen“,* fragte ich neugierig und hoffte insgeheim, dass er etwas redseliger wurde, doch sein Blick verharrte wie eingerastet. Wieder dauerte es eine halbe Ewigkeit, und eigentlich hatte ich meine Frage schon längst vergessen oder besser gesagt auf eine Antwort verzichtet, da fing er plötzlich an zu erzählen: *„Am Samstag, da werden sie alle flügge, da geht es raus in die große Welt“,* und dabei zog er sogar ein wenig die Mundwinkel nach oben.

„In die große Welt“, fragte ich *„und wo genau ist die oder besser gesagt, wo fängt sie an“,* fragte ich zurück. Dann erklärte er mir, dass am Samstag und auch am Sonntag Ausflüge und Fahrten angeboten wurden. Große und auch kleinere Busse fuhren dann von Haus zu Haus und holten die Personen ab, die sich für die eine oder andere Tour entschieden hatten. **Opa Hentrich** beobachtete alles von seinem vorgeschobenen Posten und hatte da seine eigene Philosophie: *„Das ist wie beim Rattenfänger von Hameln“*, sprach er mit fester Stimme weiter, *„nur mit dem Unterschied, der Rattenfänger hatte eine Flöte, deren Klang sie hinterhergelaufen sind, heute sind es große Omnibusse mit kleinen, quirligen, dauerquasselnden Reiseleitern, die auch noch gegeelte Haare und manchmal sogar einen Pferdeschwanz haben – und einige sehen aus wie Mädchen“,* fügte er laut hinzu, und seine Mimik veränderte sich schlagartig zu einer faltendurchzogenen Stirn und breitgezogenem Schmollmund. Dann verstummte er wieder, und sein Blickt wanderte zurück auf Kurs Nord-Nordost. Wow, dachte ich, für sine Verhältnisse war das schon fast eine Volksrede, die er da gerade geschwungen hatte und wollte mir für das Gespräch mit **Herrn Günther** den Punkt Ausfahrten notieren, vielleicht oder sogar wahrscheinlich konnte er mir darüber etwas mehr erzählen.

Während **Opa Hentrich** wieder in seiner gewohnten Blickrichtung einrastete, trank ich meinen mittlerweile kalt gewordenen Kaffee, aß den krümelnden Blätterteig vom Croissant und verplante in Gedanken den weiteren Tag. Doch egal an was ich auch dachte, meine Gedanken endeten immer wieder bei dem anstehenden Gespräch mit **Herrn Günther**. Scheinbar beschäftigte es meine Nerven und Gehirnwindungen mehr als mir lieb war, auch wenn ich es die ganze Zeit versuchte auszublenden, aber wie man sah, nicht wirklich erfolgreich. Vielleicht war es auch der Grund, warum ich in der vergangenen Nacht so unruhig geschlafen hatte und sogar mehrmals wach geworden bin. Aber warum nur? Wovor hatte ich denn Sorge, Bedenken oder gar Angst? Ich stand doch nicht vor einer Prüfung, obwohl ich auch mit solchen Dingen und Momenten nie wirklich Probleme hatte. Was war denn so schlimm an dem Gespräch? Im schlechtesten Fall endete meine Zeit im Haus, mein *„Praktikum“*, wie wir es so salopp nannten, wäre beendet und meine Reise würde mich weiter oder wieder zurück in mein altes Leben führen. Es ging nicht um Verurteilung und *„Kopf ab“*, ich wollte **Herrn Günther** nur einen Bericht meiner bisherigen Eindrücke geben, ein paar Fragen stellen und vielleicht auch ein paar Vorschläge und Anregungen bringen. Und **Herr Günther** war ganz sicher derjenige, der alle diese Fragen beantworten oder zumindest aber eine fachliche Einschätzung geben konnte.

7.10__ Erkundungsfahrt mit dem Motorrad

Warum also diese Spannung bei mir? Ich wusste es nicht, vielleicht war sie unbegründet, vielleicht, weil ich es noch nicht beenden wollte, obwohl da im Moment ja auch überhaupt keine Rede davon war, doch in ein paar Stunden sollte ich es wissen und versuchte, bis dahin etwas Zerstreuung zu finden. Mich jetzt in das Kämmerlein vor die Aufzeichnungen zu setzen, dafür fehlte mit gerade jegliche Motivation und noch mehr Konzentration, und ich beschloss, eine kleine Runde auf meinem fast schon eingestaubten Motorrad zu drehen und die nähere Umgebung zu erkunden.

Ich verschwand kurz im Zimmer, Jacke, Handschuhe, Helm und ging nach unten, durch den hinteren Gartenausgang nach draußen und sah, dass mein Motorrad gar nicht eingestaubt war, es war sorgsam in eine graue Kunststoffplane eingehüllt und verpackt. Eine fürsorgliche und nett gemeinte Geste von **Rudi** dem Gärtner, wie ich später erfuhr. Ich entfernte die Plane, rollte sie zusammen und legte sie an die Seite der Hecke, um sie auch später nach meiner Rückkehr gern wieder zu benutzen und schob das Motorrad mühsam durch den weichen Kies, oder waren es die ersten Ausfallerscheinungen der langen Pause, war es Trägheit oder die fehlenden körperlichen Aktivitäten? Aus den Augenwinkeln erkannte ich, dass mich **Opa Hentrich** von seinem Platz aus beobachtete aber trotzdem regungslos mit den Händen auf der Tischplatte, sitzen blieb. In der Einfahrt startete ich den Motor, setzte den Helm auf und wollt mich gerade auf den Weg machen, als mir der *„Postminister“,* **Herr Schultz**, mit seinem gelben Dienstwagen in der Einfahrt entgegenkam. Ein kurzer Gruß, bei dem ich mir aber nicht sicher war, ob er mich mit dieser Verkleidung erkannte. Die Frage war allerdings, kannte er mich überhaupt, denn wir hatten uns ja bisher gerade nur einmal kurz auf der Veranda, getroffen. Am Ende der Einfahrt überlegte ich, in welche Richtung ich fahren sollte und entschied mich für links, denn von rechts kam ich ja vor einigen Tagen und hatte schon einiges unterwegs auf dieser Strecke gesehen, bevor ich dann beim Haus strandete.

Zunächst ging es durch den nahen, angrenzenden Ort, mit seiner Tankstelle und dem *„Tante-Emma-Laden“*. *„Teestube“*, *„Zimmer frei“* und *„HIER-Fußball live via SKY“*, stand auf den Schildern, die ich passierte, bevor ich auch schon am Ortsausgang war. Weiter ging es der Straße nach und nicht so weit entfernt, machte ich in Deichnähe einen Leuchtturm aus, den ich als nächstes Ziel ansteuerte. Ich kam näher und näher, doch kein Schild gab einen Hinweis, um zu diesem Leuchtturm zu gelangen. Er war die ganze Zeit unmittelbar vor mir zu sehen, wurde optisch immer größer, aber irgendwie kam ich nicht hin. Es führten zwar alle Wege nach Rom, doch scheinbar keiner zum Leuchtturm dachte ich, als er links von mir, fast schon zum Greifen nah lag, da machte die Landstraße einen Knick nach rechts, und genau an einem hinter den Bäumen fast schon versteckten Bauernhof bog ich beim Schild: *„Täglich frische Eier"* links in einen unscheinbaren Plattenweg, vorbei an einem großen Misthaufen und einer stinkenden Güllegrube, und so wie es aussah, hatte ich zufällig die Einflugschneise zum rot-weiß gestreiften Wahrzeichen gefunden. Zunächst hatte ich aber eine ebenso faltige Stirn wie **Opa Hentrich** zuvor bei seiner *„Rattenfänger-Theorie"*, denn ich war mir gar nicht mehr sicher, ob ich auf diesem Weg noch richtig, beziehungsweise wie lange der Weg überhaupt noch Weg war und wie lange mein Straßenmotorrad noch den Anforderungen stand hielt, bevor es nur noch mit einem Geländemotorrad, Trecker oder Pferdefuhrwerk weiter zu befahren war. Aber kaum war der Hof passiert, wurde nicht nur die Luft, sondern auch der Straßenbelag wieder besser und deutlich stabiler, und der Weg, das heißt, jetzt konnte man schon fast wieder von einer Straße sprechen, wenngleich auch nur von einer schmalen, fast einspurigen Straße. Aber sie war ausreichend gut mit dem Motorrad zu befahren und führte parallel entlang des Deiches. Es handelte sich um die alte Deichstraße, die nur durch einen kleinen, etwa hüfthohen Maschendrahtzaun von den Weiden getrennt war. Freilaufende Schafe konnten so den Wiesenbereich nicht verlassen, und man selbst gelangte nur durch ein Gatter zu den Treppenaufgängen, die bis zur Deichkrone führten. Ich stoppte mit dem Motorrad unweit des Leuchtturms, den ich die letzten Minuten ansteuerte und marschierte über die zahlreichen, in sehr kurzen Abständen liegenden Treppenstufen bis nach oben auf die Deichkuppe, um die weite Ferne, den Hauch von Meer zu erblicken, doch manchmal wurde aus dem Hauch von Meer auch schnell ein Hauch von *„mehr"*, denn statt tosender Nordseewellen und schäumender Gischt sah ich kilometerlange Schlick- und Wattlandschaft, das Meer hatte sich im wahrsten Sinne des Wortes zurückgezogen!

Weit, weit am Horizont konnte man ein paar Schiffe erkennen, die durch die Fahrrinnen schipperten und unzählige kreischende Möwen im Schlepptau hinter sich herzogen, die Ausschau auf Nahrung hielten, versuchten kleine Krebse und sonstiges Meeresgetier aus der Luft zu erspähen und es sich dann im Sturzflug, mit einem Kampf-Kreischen, im sogenannten *„Adler-System"*, zu holen.

(Das sogenannte „Adlersystem“ war im Übrigen eine von mir selbst erfundene Bezeichnung meiner Schreibtechnik auf der Tastatur des Computers. Wenn prahlerisch in meinem Umfeld von der „Zehn-Finger-Schreibweise“ oder von unglaublich vielen Anschlägen pro Minute sprachen, dann kam von mir immer nur das „Adler-System“, was dann von allen mit einem respektablen Nicken zur Kenntnis genommen wurde, jedoch nichts anderes bedeutete als: SUCHEN – KREISEN – STÜRZEN, eine etwas elegantere Bezeichnung für das – „Ein-Finger-Suchsystem“.

Und wenn wir schon beim Wichtigtun und Klugscheißen sind,
– mittlerweile schreibe ich mit drei Fingern!

Ich hatte genug gesehen, ging zurück zum Motorrad und fuhr in die Richtung der großen Güllegrube und von da zurück zur Landstraße. Ohne Ziel, einfach immer weiter, dachte ich und saugte die Landschaft links und rechts der Straße auf. Eigentlich wiederholte es sich alle paar Kilometer, und es war so wie in einem alten Theater mit einer sich immer wiederholenden Endloskulisse. Bäume, Entwässerungsgräben, freistehende Gehöfte, *„täglich frische Eier“, „Zimmer frei“*, bis ein kleines, unscheinbares Schild *„Hafen“* nach links, weg von der Hauptstraße zeigte. Neugierig folgte ich dem Hinweis, und nach zirka zwei Kilometern erreichte ich ein kleines Örtchen, vielleicht war es auch nur eine Ansammlung zusammenstehender Häuser, aber immerhin hatten sie eine kleine Hafenanlage mit Kaimauer, Pollern und drei davor liegenden Kuttern. Ich stoppte das Motorrad, ging auf Erkundungstour und schnell stellte sich heraus, dass ich in einem kleinen Fischereihafen angekommen war, der allerdings um diese Uhrzeit kaum noch etwas zu bieten hatte, denn der Arbeitstag der Fischfangflotte war natürlich längst beendet.

Ein paar Meter weiter sah ich eine ebenso kleine Wirtschaft, und wie konnte es auch anders sein, der Name lautete: *„Zum Deichgraf,* – klein aber fein, denn scheinbar verliefen sich nicht so viele Touristen dort hin. Eine Terrasse mit Blick auf das Meer – wenn es denn zu sehen war und natürlich das Geschrei der Möwen, das deutlich lauter zu hören war als noch einige Minuten zuvor auf der Deichkrone. Sicher lag es daran, dass die Fischabfälle von den Kuttern über Bord geworfen wurden, was dann natürlich für die zahlreichen Möwen ein Frühstücksbrunch *„par excellance“* bedeutete. Ich setzte mich an einen der drei Tische, und tatsächlich kam auch eine Bedienung aus der Wirtschaft, womit ich ganz ehrlich nicht gerechnet hatte.

Die Bedienung war ein vollbärtiger Mann, der ein gestreiftes Fischerhemd trug (was sonst?) und ein Halstuch mit Knoten. Kurzum, er sah wie ein Mitglied des ortsansässigen Schanti-Chores aus. Mit einem: *„Bitteschön“,* baute er sich vor mir auf, und ich bestellte meinen Klassiker, ein alkoholfreies Weizen. Während der Kellner, oder vielleicht war es sogar der Wirt, ich wusste es nicht, mit der Bestellung wortlos verschwand, bekam ich auf einmal einen Japp auf Eis. Vielleicht lag es auch an den paar Sonnenstrahlen, die immer wieder hinter den vereinzelten Wolken hervorblitzten. Ich wartete, bis mein Weizenbier kam und fragte nach einer Eiskarte. *„Eiskarte“,* erwiderte der *„Schanti-Kellner“* mit fragendem Blick, *„... 'ne Eiskarte habm wir nicht. Aber ein gemischtes Eis mit oder ohne Sahne, das sollte wohl da sein“,* fügte er hinzu. Ok, dachte ich, mehr wollte ich ja gar nicht und bestellte ein gemischtes Eis ohne Sahne. *„Zwei oder drei Kugeln“*, fragte er, und ich dachte, wenn ich schon mal da war, und wer wusste schon, was sie dort unter Kugeln verstanden, und wenn sie damit genauso sparsam wie mit dem Reden waren, *„bitte drei Kugeln, dafür nehme ich ja keine Sahne“,* antwortete ich, lachte dabei und dachte, Wunder, was ich jetzt für einen *„Brüller“* losgelassen hatte, doch er war schon auf dem Weg zurück in die Wirtschaft, und ich murmelte mir etwas in den Bart, den ich nicht hatte:*„Aber trotzdem schön, dass wir mal darüber gesprochen haben“* und nahm einen genüsslichen Schluck meines Bieres, bevor noch eine von den *„Kamikaze-Möwen“* eine Bombe im Tiefflug verlor und meinem Erfrischungsgetränk einen unverwechselbaren Geschmack gab. Ich bemusterte die Umgebung, und wenn es einen Ort gab, aus dem es nichts zu berichten gab, dann hatte ich ihn dort gefunden. Warum hatte es mich nicht gestern dort hin verschlagen, dachte ich mit einem Schmunzeln, denn da hatte ich ja vergeblich ein ruhiges, lauschiges Plätzchen gesucht. Und kaum hatte ich den Gedanken zu Ende gedacht, da kam auch schon mein gemischtes Eis. – Nüchtern, kühl, sachlich, ebenso wie der Wirt, auf Deko und Schnickschnack hatte man genauso verzichtet wie auf eine Waffel, dafür war das Eis ok, keine *„Gelateria bei Luiggi“,* aber es war kalt, es schmeckte, war gemischt und hatte drei Kugeln.

Irgendwie waren es dort an der Küste alles keine großen Schwätzer, dachte ich und stellte mir vor, **Opa Hentrich**, **Georg** vom Deich und der Wirt vom Deichgraf wären zu einer Talkshow eingeladen, es hätte an die Stummfilmzeit erinnert, und die Leute zu Hause an den Fernsehgeräten hätten wahrscheinlich wie wild auf den Knöpfen der Lautstärke herumgedrückt, in der Annahme, der Ton beziehungsweise die Lautsprecher wären defekt.

Aber so waren sie halt, die einen nannten es gemütlich, die anderen langsam oder stumm aber vielleicht war ich auch nicht der richtig Maßstab, denn das Leben, das ich noch vor ein paar Tagen geführt hatte, das war auch nicht gerade vorbildlich und ging genau in die andere Richtung, hyper-, hyper-, hyperaktiv! Dann schon lieber gemütlich und still und ganz sicher auch meilenweit von einem Herzinfarkt entfernt oder anderen Erkrankungen, die das hektische Leben sonst noch so mit sich brachte. – Das Eis war ok, ich bezahlte und verließ das Lokal genauso stumm und leise, wie ich es auch vorgefunden hatte, aber die Pause hatte gut getan, das alkoholfreie Weizen hat die Sinne angeregt und das Eis – Eis geht sowieso immer!

Ein Blick auf die Uhr, 14:30 Uhr; Zeit, die Rückfahrt anzutreten, vielleicht später noch einen Kaffee im Haus und die Notizen für das Gespräch noch einmal durchgehen. Die Wolkendecke wurde dichter, die Sonnenstrahlen kamen nur noch selten durch, und es sah so aus, als würde uns da heute noch etwas erwarten, aber das würde ich dann später bestimmt noch von **Opa Hentrich** erfahren. Ich startete das Motorrad, folgte weiter der Landstraße und erreichte den nächstgrößeren Ort, bei dem auf dem Ortsschild schon allein der Zusatz *„Bad"* ausreichte, um für mehr Bewegung, Trubel und wahrscheinlich auch für höhere Preise zu sorgen. Dort war dann alles ausschließlich dem Tourismus geschuldet, wobei durch den „Bad-Zusatz" auch der ganz normale Tourist bereits beim Passieren des Ortsschildes schon zum Kurbesucher wurde! Die einfache Eisdiele hieß dort Eiscafe, mit bunten Eiskarten und einer Vielfalt an leckeren Köstlichkeiten. Gab es ein paar Orte zuvor noch ein gemischtes Eis mit drei Kugeln ohne Waffel, so waren es jetzt „Becher" in den exotischsten Ausführungen mit aufwendigen Dekorationen zurechtgemacht, die alles zuvor Gesehene in den Schatten stellten. Mit Schirmchen, Schokostreusel und Kokosraspel, mit Amaretto, Cognac und Eierlikör, alles was das Herz begehrte und der Geldbeutel verkraftete. Das ganze natürlich unter schönen, bunten und großen Sonnenschirmen, Wassernäpfe für die vierbeinigen Begleiter und die Bedienung trug natürlich kein profanes Fischerhemd, es war ein kleines Minirock-püppchen mit Schürze und Schleife, die akkurat nach hinten gebunden war. Die Kneipen hießen Bars, Clubs oder Cocktail-Lounge und anstatt Schnitzel mit Pommes und Salat war bei den Restaurants das aktuelle Tagesmenu angeschlagen:

Krabbensuppe, fangfrischer Heilbutt, Salzkartoffeln in Knoblauch geschwenkt, Gemüse der Saison *und zum Nachtisch,* ***Creme Brüllet****. (Mitunter war auf den Schildern so viel beschrieben, dass für den Preis scheinbar kein Platz mehr war.)*

Alles war sauber, überall standen Blumen und zwischen den Fresstempeln reihte sich eine Boutique an die nächste, und hin und wieder rundeten vereinzelte Juweliere das Gesamtbild ab, wo natürlich nicht der klassische Tourist als vielmehr die Frau von Welt einkaufte. Und gemeint waren auch da keine Fischerhemden oder Turnschuhe, es musste schon etwas Besonderes sein, was es dann in der Regel auch war, im Zweifelsfall aber auf jeden Fall der Preis. Irgendwie hatte es einen Hauch von Cote Azur, Dönerbuden oder Fastfoodbuden gab es natürlich auch, denn neben den älteren Reichen gab es dann ja auch noch die jüngeren Reichen, nicht selten auch Enkel, die sich dann natürlich gern in Spielhallen, Vergnügungsparks oder ähnlichen Einrichtungen, auch gern mit einem Döner in der Hand, die Zeit vertrieben, während die *„spießigen Alten"*, wie sie die Eltern und Großeltern sehr oft respektlos nannten, bei Heilbutt, Seescholle und Salzkartoffen vorne im ersten Haus am Platz saßen und von dort alles sehen konnten, vor allem aber gesehen wurden, was vielleicht noch viel wichtiger war

Irgendwie erinnerte mich diese kleine Welt ein wenig an das, was ich vor knapp einer Woche zurückgelassen hatte, es fühlte sich steril, unehrlich, gekünstelt und gestellt an. Die Lacher schienen mir nicht herzlich, und das bunte Treiben erinnerte an einen Jahrmarkt, und was hatte das noch mit Erholung oder Kur zu tun? Für mich stand fest: Wenn ich wieder einmal Lust auf ein Eis hatte, würde ich auf die Waffel verzichten und meinen stummen, friesischen, vollbärtigen Deichgrafen besuchen und mein Eis in entspannter Atmosphäre und Ruhe dort bei ihm genießen. Ich verließ die schillernde Welt, und je weiter ich mich von ihr entfernte, umso wohler fühlte ich mich und freute mich auf Kaffee und Kuchen irgendwo gemütlich im Garten, vielleicht vor der Hibiskushecke, wo auch immer – nur nicht in dem Ort mit *„Bad"*.

Zurück beim Haus lag ich nicht nur kaffeetechnisch gut in der Zeit, ich war auch noch im Trockenen angekommen, hatte aber das Gefühl, dass sich da noch etwas zusammenbraute. Die Wolken bedeckten nun den ganzen Himmel, immer dunklere zogen auf, der Wind wurde kräftiger, und ich beeilte mich, das Motorrad wieder an seinem Platz unter der Plane zu verstecken. Der Blick auf die große Uhr rechts neben der Infowand zeigte 15:45 Uhr, noch gut in der Zeit, Sprint nach oben ins Zimmer, Klamotten abgelegt, einmal übers Gesicht, die Haare wurden durch den Helm so plattgedrückt, dass es aussah, als wäre ich gerade vom Mittagsschlaf aus dem Bett gekrochen. Kurz gestylt und wieder zurück in den Frühstücksraum.

7.11__ Spieglein, Spieglein an der Wand ...

Kaffee und einen Teller mit – na, ja, im Vergleich zu den letzten Tagen hielt sich die Auswahl doch sehr in Grenzen, nur eine Platte mit einer Abdeckung darüber, aber deswegen nicht weniger lecker, denn was Kuchen anging, da war ich wirklich sehr pflegeleicht. Grundsätzlich ging bei mir alles, nicht unbedingt so gern mit Sahne, am liebsten Mohn-, Käse- oder Apfelkuchen, wobei der letztere mein absoluter Favorit war. Ich hob die Abdeckung, und was sah ich, wow – Jackpot, Apfelkuchen und wie ich später noch heraus schmeckte mit eingearbeitetem Zimt, der Megaknaller, sozusagen die Zusatzzahl zum Sechser. Jetzt nur noch ein ungestörtes Plätzchen, denn das war jetzt etwas zum Genießen. Raus in den Garten, um die Ecke bis hinter die Hibiskushecke und; verdammt besetzt, dachte ich. Eine Dame saß dort allein am Tisch, und ich stellte höflich die Frage, ob sie dort lieber allein sitzen wollte, oder ob ich mich dazugesellen durfte. *„Aber bitteschön“,* sagte sie und zeigte mit der Hand einladend auf einen der freien Plätze. *„Wir müssen hier draußen wahrscheinlich sowieso bald aufbrechen“,* sprach sie weiter, *„denn ich glaube, da wird gleich noch etwas kommen“*, blickte dabei mit Sorgenfalten zum Himmel und bemusterte die immer dunkler werdenden Wolken. *„Dann will ich mich mal beeilen“,* sagte ich, *„meinen Lieblingskuchen möchte ich nicht vom Regen aufweichen lassen“* und pickte mit der Gabel in den leckeren Apfelkuchen. Gerade als ich das erste Stück in den Mund geschoben hatte, da war es mir unangenehm, dass ich mich noch nicht einmal vorgestellt hatte und machte es mit der vor den Mund gehaltenen Hand, doch sie antwortet nur: *„Alles gut junger Mann, essen sie nur“* und stellte sich als **Erna Zorge** vor.

Sie beobachtete mich, wie ich genussvoll Bissen für Bissen nicht einfach nur aß, sondern es mir mit geschlossenen Augen auf der Zunge beziehungsweise am Gaumen zergehen ließ, ja schon fast zelebrierte. *„Ja“,* sprach sie weiter, *„der Apfel-Zimtkuchen ist wirklich ein Gedicht, und das ist nur eines, von vielen leckeren Dingen, mit denen die liebe **Ruth** uns hier hin und wieder das Leben versüßt.“ „**Ruth**“,* fragte ich, *„ich dachte die Kuchen würden genau wie die anderen Leckereien von unserer Küchenfee **Mathilde** kommen“* und sah sie dabei fragend an. Dann erklärte sie mir, dass sich **Ruth** als ehemalige Konditorin hin und wieder mal selbst in die Küche stellte, wenn sie die Langeweile plagte oder die Bitten der Bewohner zu groß wurden, was natürlich von **Mathilde** immer gern gesehen und auch dankend angenommen wurde, denn dann entstand so manche kleinere und auch größere Leckerei.

„In der Weihnachtszeit ist sie ganz besonders aktiv“, sprach sie aufgeregt mit geröteten Wangen weiter und schwärmte von den unschlagbaren Zimtsternen. Wow, dachte ich, das oder besser gesagt, diesen Namen musste ich mir merken und fragte nach dem ganzen Namen. – **Ruth Oberhoff** war ihr Name, und ich freute mich schon, sie vielleicht oder besser gesagt hoffentlich bald einmal selbst und persönlich kennenzulernen. Ich fragte **Frau Zorge**, ob sie auch von dem leckeren Kuchen probiert hätte, denn es stand vor ihr kein Teller, keine Tasse, nur ein großes, trichterförmiges leeres Glas war zu sehen. Sie sah mich mit fragendem Blick und mit Unverständnis an und sagte: *„Sie sind wohl noch nicht so lange hier, junger Mann“* und lachte, *„das ist wie mit dem Spiegel und der bösen Königin bei Schneewittchen: Spieglein, Spieglein an der Wand“*, und dabei wurde sie immer leiser und beugte sich ein wenig zu mir herüber, *„nicht wer ist die Schönste, ... sondern wer hat den leckersten Kuchen in der Hand“,* und ihr Lachen wurde heftiger, besonders als sie merkte, dass ich überhaupt nicht verstand, um was es genau ging. *„Der Kuchen von **Ruth** – der ist der Beste, doch Frau Königin“,* dann wurde sie wieder leiser, *„hinter den sieben Bergen, bei den sieben Zwergen, da ist die **Mathilde**, und die hat ein Eisbecher, der schmeckt tausend mal besser als der“,* lachte fast schon ausgelassen und zeigte mir ihr leeres Glas, in dem scheinbar zuvor ein großer Eisbecher seinen Platz fand. Ich saß da mit geöffnetem Mund, *„ja, da staunen sie, was“,* sprach sie weiter und erklärte mir, dass **Mathilde** samstags als Alternative zum Kuchen auch gern mal einen Eisbecher zubereitet, mitunter sogar nach den eigenen Wünschen und hatte für heute ein gemischtes Eis mit Erdbeeren und einem Schuss Eierlikör im Angebot. Ja, also nicht nur das Croissant, sondern auch ein leckeres Eis stand für Samstag als Abwechslung auf dem Programm, und auch wenn ich es nicht vorher wusste, hatte ich instinktiv alles richtig gemacht, denn ein Eis hatte ich ja nun schon, und der Apfel-Zimt-Kuchen war ein absolutes *„MUSS“,* und Frau **Ruth Oberhoff** war insgeheim, und das auch, ohne sie bisher persönlich kennengelernt zu haben, die Heldin des Tages, die Sissi unter den Kaiserinnen – meine „*Kuchen-Königin*!“

Kurz vor 17 Uhr verabschiedete ich mich von **Frau Zorge**, bedankte mich noch einmal für die Aufklärung, ging zurück zum Frühstücksraum, um das Geschirr wegzustellen und warf noch einen abschließenden Blick um die Ecke zu **Opa Hentrich** bevor ich mich auf mein Zimmer zurückziehen wollte. **Opa Hentrich** saß da wie immer, saugte an seiner kalten Pfeife, und ich fragte ihn, wie denn wohl das Wetter heute aber auch in den nächsten Tagen werden würde.

Es dauerte einen Moment, dann antwortet er ohne den Kopf in meine Richtung zu drehen: *„Die Möwen sind an Land, das bedeutet, das es da draußen"* und zeigte mit der Pfeife in der Hand in die Richtung, in der weit hinter dem Horizont das Meer seinen Platz hatte, „*das es da draußen ungemütlich ist. Sie schreien auch anders und in der Luft liegt der Geruch von Sturm, besser heute Nacht das Fenster zumachen und zu Hause bleiben."* Dann blickte er weiter in die Richtung wie zuvor, hob die Nase, als wollte er den Geruch noch einmal besonders stark aufsaugen und murmelte leise vor sich hin: *„Der Klabautermann nennt das Schietwetter",* dann war es für einen Moment still „*und ich übrigens auch"*, er nickte in Gedanken versunken auf und ab und saugte tief an seiner kalten Pfeife.

Ich verließ ihn wieder, marschierte auf mein Zimmer und hatte noch mehr als eine Stunde Zeit, mich für das anstehende Gespräch vorzubereiten. Ich nahm den Zettel mit meinen Notizen, überflog noch mal die einzelnen Punkte, legte ihn zu den beiden Flaschen Rotwein und setzte mich für einen Moment zum Sammeln in den großen Sessel und legte die Füße bequem auf das dafür vorgesehene Fußteil, stellte aber zur Sicherheit den Summer meines Handys auf 45 Minuten, nicht dass ich jetzt noch den Termin mit **Herrn Günther** verschlafe, das wäre dann ganz sicher mehr als nur peinlich gewesen. Und wie sich schnell herausstellte, war die Idee mit dem Handywecker nicht die schlechteste, denn kaum saß ich so entspannt und dachte nach, da fuhr der Organismus schon fast automatisch in den Ruhe-Modus, und schnell waren auch schon die Augen zu. Natürlich kein richtiger Tiefschlaf, aber völlig ausreichend, um für ein paar Stunden ausgeknockt zu sein. Um 18:20 Uhr wurde ich dann von einem brutalen, unangenehmen Summ-, Brummton unsanft aus der warmen und wohligen Nachdenkphase gerissen, und es war an der Zeit, sich für den Abend fertigzumachen.

7.12__ Gesprächsnotizen

- Wo komme ich her, meine Flucht, meine Gedanken der Fahrt, mein erster Eindruck als ich ankam.

- Die Neugierde, was verbirgt sich hinter der Fassade, die unterschiedlichen Menschen, die Geschichten, das Erlebte, die Erfahrungen.

- Gespräche, die Gelegenheit, seine Geschichte zu erzählen, für einen Moment im Rampenlicht stehen, zuhören, sich kennenlernen.

- Wünsche, Entbehrungen, Ängste, Vergangenes verarbeiten, das Gefühl, zu etwas nutze und wichtig zu sein.

- Neue Aufgaben und alte Zöpfe abschneiden, aus dem Schneckenhaus heraus-kommen, lachen, planen, trauen, freuen.

- **Workshops** (Backen, Kochen Heimwerken, Handarbeiten, Basteln, Intelligenz-spiele / Rätsel, Pflanzen, Mathematik, Geografie, Astrologie, Computerkunde, Sprachen, Heimatkunde, Architektur, Musik, Chor)

- Wer ersetzt wen ... zum Beispiel **Mathilde**?

- Ausflugsfahrten am Wochenende, Besichtigungen, Freizeiten.

7.13__ Das Gespräch

18:20 Uhr, was etwa so viel bedeutete: Ich hatte das Abendessen verpennt, das heißt, eigentlich ja nicht wirklich, denn es war im Zeitfenster von 18 -19:30 Uhr angesetzt, doch mit einer Stulle in der Hand wollte ich nun auch nicht zu dem Gespräch mit **Herrn Günther** gehen und ehrlich gesagt, hatte ich auch gar keinen Hunger. Ich machte mich frisch, wechselte das Hemd, schnappte mir meinen College-Block, die beiden Flaschen Rotwein, die ich allerdings in einem kleinen Stoffbeutel verstaute, machte mich langsam nach unten und steuerte zielstrebig auf das Kaminzimmer zu. Links aus dem Augenwinkel konnte ich das mehr oder weniger muntere Abendbrottreiben durchs Fenster zum Frühstücksraum erkennen, was auch durch das klimpernde Geschirr nicht zu überhören war. Dagegen war es im Kaminzimmer ruhig, ja schon still, nur das Knacken und Knistern der brennenden Holzscheite durchdrang die Stille, und die Platzwahl wurde somit zur freien Auswahl, und so zog es mich wie ein Magnet direkt an den Kamin, direkt zu dem kleinen, gemütlichem Tisch mit den zwei danebenstehenden Ohrensesseln. Genau der richtige Platz, dachte ich, ließ mich nieder und versteckte zunächst den Beutel mit den beiden Flaschen unter dem Tisch. Es waren noch ein paar Minuten Zeit, und während ich in das Feuer blickte, verloren sich meine Gedanken auch schon wieder irgendwo im Nirgendwo. So ein knisterndes Kaminfeuer tat wahre Wunder fand ich einmal mehr, es spendete nicht nur Wärme und Wohlsein, es lud auch zum Träumen ein, die Gedanken konnten sich frei bewegen, und man hat das Gefühl, als würde man weit dahinschweben. Der ganze Organismus wurde auf einen Schongang nach unten gefahren, und es war die ideale Voraussetzung für kopftechnische Dinge, Planungen, Träumereien aber auch für Entspannung und natürlich für ruhige, sachliche Gespräche. Und genau dafür war ich ja da und gespannt, wie das Gespräch verlaufen würde.

Im Unterbewusstsein hörte ich das warme, dumpfe Schlagen der alten Kaminuhr, die auch schon einige Jahre auf dem zerkratztem Buckel der dunklen Eichenholzumrandung hatte, aber dennoch fleißig Tag für Tag ihre Arbeit verrichtete und Sekunde für Sekunde unermüdlich im Takt ihr Programm abspulte. Sie passte genau in diesen Raum, zum Kamin, zum Ohrensessel und den restlichen alten Möbelstücken, ja zu dem ganzen Ambiente wie die Faust aufs Auge. Ihr schon fast monotones *„Tick-Tack-Tick-Tack,* gehörte einfach da hin, genauso wie die alte mit dunklem Stoff bezogene Stehlampe, deren gelbliches Licht zwischen dem alten Sofa und zwei weiteren Ohrensesseln in der hintersten Ecke des Raumes nur ein schwaches Licht produzierte, zum Lesen zu dunkel, aber zum Träumen und zum Seele baumeln lassen perfekt. Alle diese Möbel hatten ihre Zeit, ihre eigene Geschichte, wie auch die Bewohner im Haus sie hatten und waren ebenso nicht mehr neu oder jung, aber sie funktionierten noch. Ab und zu etwas Politur, und der Lack war wieder aufgefrischt und bei der Uhr, natürlich lief sie nicht mit der Präzision der Braunschweiger Atomuhr, auch da musste hin und wieder mal Hand angelegt, das eine oder andere Stellschräubchen nachjustiert werden und vielleicht auch mal einen Tropfen Öl, dann versprach sie noch viele Jahre treuen Dienst zu verrichten.

Und während ich so darüber nachdachte und schon fast philosophierte, wurde ich aus den Gedanken gerissen, als ich ein: *„Ich bitte die Verspätung zu entschuldigen“,* von ganz weit her hörte. Ich öffnete die Augen, das heißt, sie waren ja offen, nur das Hirn musste wieder dazugeschaltet, auf Arbeitsmodus und Empfangsbereitschaft hochgefahren werden, und meine gerade noch vom Träumen und Relaxen entspannten Gesichtszüge formten sich, bekamen wieder Spannung, und ich registrierte **Herrn Günther**, der mit ausgestreckter Hand zur Begrüßung vor mir stand. Ich sprang auf, erwiderte den Händedruck und signalisierte, dass er sich nicht entschuldigen musste, es kein Stück langweilig war, wie ich ihm beim Hinsetzen zu verstehen gab und erzählte ihm direkt meine Gedanken von zuvor, von dem Ambiente, Kaminfeuer, der Stehlampe und natürlich von der Kaminuhr mit den kleinen Stellschräubchen und dem Tropfen Öl und schlug damit die Brücke zu den Bewohnern des Hauses, wobei wir dann auch gleich beim Thema waren. Für einen Moment war es still, beide blickten wir in das lodernde Feuer, als würden wir genau diese Gedanken sacken lassen, als es dann **Herr Günther** war, der mit einem seufzendem Unterton als erster begann:

„Ohhjaa, da haben sie Recht, ich bin mir ganz sicher, dass so manches gute alte Möbelstück bestimmt die eine oder andere spannende Geschichten erzählen könnte, so sie nur sprechen könnten“, und das flackernde Kaminfeuer spiegelte sich in den Pupillen seiner Augen *„und so manches Geheimnis würde zu Tage kommen wie die stummen Zeugen einer längst vergangenen Zeit“*, sprach er fast schon flüsternd weiter. – *„Genau wie bei den Bewohnern im Haus“*, antwortete ich und grätschte quasi direkt in seine andächtige Träumerei hinein – *„und SIE können sprechen, haben aber leider viel zu selten Zuhörer, eigentlich ein verdammter Teufelskreis, – genau wie bei den alten Möbeln.“*

Wieder wurde es still und **Herr Günther** wandte seinen Blick vom Kaminfeuer ab, sah mich an, und man erkannte, dass der gerade noch etwas abwesend wirkende Moment ihn plötzlich zurück in die Realität geholt hatte. *„Ein tolles Beispiel“,* sagte er, spitzte den Mund und blickte dabei mit den Augen wieder etwas nachdenklicher. *„Ich glaube“,* sprach er weiter, *„ich glaube, darüber könnten wir bestimmt noch lange reden, und das sollten wir vielleicht auch einmal tun, aber zunächst freue ich mich, dass wir hier heute die Zeit für unser Gespräch gefunden haben und ehrlich gesagt“* und er zog dabei den Mundwinkel mit schwachen Lächeln nach oben *„und ehrlich gesagt bin ich auch schon etwas gespannt, wie ihre ersten Eindrücke hier bei uns im Haus sind und was denn überhaupt der Beweggrund, ihre Gedanken und Planungen der Reise waren.“* Dann faltete er die Hände, legte sie vor sich auf den Tisch, blickte erwartungsvoll zu mir und warf den Ball in meine Spielhälfte, erteilte mir sozusagen das Wort.

„Jaaaaa“, begann ich mit einem langgezogenem, nachdenklichem *„aaa“* und hatte es vermieden, mit *„also“* zu beginnen, denn eine gute Freundin zog mich jedes Mal damit auf – *„wer mit „also“ beginnt, der hat den ganzen Tag noch nichts geschafft“* – und das hatte ich mit einem Schmunzeln noch tief im Hinterstübchen verankert, fast schon im Unterbewusstsein mit ihrer Stimme gehört. Ich begann also nicht mit „also“ und spitzte ebenfalls den Mund. *„Wo fange ich da mal an“* und wischte dabei mit dem Finger unter der Nase, und **Herr Günther** schmunzelte und sagte: *„Am besten ganz vorne, vielleicht am Anfang, nur dann kann ich vielleicht auch ihren Gedanken folgen und sie verstehen.“* Ja, da hatte er wohl Recht, und ich begann, ich begann da, wo ja auch meine Geschichte begann, ganz vorn, am Anfang, bei meiner Flucht vor nunmehr fünf Tagen und berichtete von der Fahrt, von meinen Gedanken, isoliert, allein unter dem Motorradhelm und dann die Situation, als ich das Haus sah, – sein Haus. Bei dieser Gelegenheit bedankte ich mich noch einmal ganz herzlich bei ihm für die freundliche Aufnahme im Gästezimmer und der nicht so selbstverständlichen Möglichkeit, ein Teil der Gemeinschaft im Haus zu werden. *„Na, ja“,* antwortete er, *„ich habe natürlich überall meine Informanten, ich laufe zwar nicht so oft durch mein Unternehmen“,* wie er die Einrichtung kurz und salopp nannte, *„aber ich bekomme schon sehr viel mit – nicht alles“,* wiederholte er, *„aber doch schon sehr viel und habe in den letzten Tagen auch viel Gutes von Ihnen gehört und auch, dass durch sie“,* dann zögerte er, als würde er nach den richtigen Worten suchen, *„dass durch sie, sagen wir mal in einigen Bereichen, um mich da vorsichtig auszudrücken – in einigen Bereichen, Ansätze von*

Veränderungen zu erkennen sind. Veränderungen, die zunächst gut aussehen und bei einigen Bewohnern durchaus positive Reaktionen erkennen lassen, doch erzählen sie erst einmal weiter, möglicherweise kommen wir ja später noch darauf und ich kann Näheres erklären, beziehungsweise genauer beschreiben." Dann verstummte er wieder, saß konzentriert, mit weit geöffneten Augen vor mir und signalisierte, – bitteschön, es kann weitergehen.

Wow, dachte ich, wie sich das anhörte, … ***das durch sie bei einigen Bewohnern durchaus positive Reaktionen zu erkennen sind!*** Da war ich aber mehr als neugierig. Wer war gemeint, von wem hatte er diese Information bekommen? Auf jeden Fall ging es runter wie Öl.

Zunächst einmal setzte ich meinen Bericht fort, erzählte von meinen Gedanken im Haus, von den Eindrücken aber auch von meinen Einschätzungen, bis hin zu dem Abend, eigentlich war es mein erster offizieller Abend als selbsternannter *„Praktikant"*, und dabei musste selbst **Herr Günther** lachen, als eben genau in diesem Raum von **Willy Kluge** und **Karl Wucherpfennig** ganz spontan Geschichten erzählt wurden, die die anderen Bewohner fesselten, sich immer mehr dazu gesellten und plötzlich aus dem Nichts eine Gemeinschaft entstand. Man sprach miteinender, man lachte miteinander, und auch die Schüchternsten kamen aus ihren Schneckenhäusern herausgekrochen. Zunächst blickte nur vorsichtig wie bei einer Schildkröte der Kopf unter dem Panzer hervor, doch dann, als sie sich sicher fühlten, da kamen sie ganz heraus und erzählten und spürten, dass es sich gut anfühlte, es waren plötzlich Menschen da, die zuhörten, die sich dafür interessierten, was man erlebt oder zu berichten hatte. Personen wie **Frau Orue**, **Frau Schiller** und **Frau Rose** waren plötzlich genauso mit dabei wie der kleine Franzose, **Claude Baptiste Chagall**, der weit über sich hinauswuchs. Ja sogar **Opa Hentrich** wurde vom Strudel mitgerissen und saß nicht nur anteilslos in der Ecke und zog an seiner Pfeife, auch er warf einige Zwischenrufe hinein, war mittendrin – war mit dabei. Ich spürte, wie bei dieser Erzählung, ja, eigentlich war es schon eine Aufzählung, meine Stimme immer lauter, schneller und aufgeregter wurde, die Begeisterung ging förmlich mit mir durch. – *„Und das war nur der Anfang"*, fügte ich hinzu, bevor ich zu einer kleinen Pause ansetzte. **Herr Günther** beobachtete mich, seine Mundwinkel hoben sich, dann schüttelte er den Kopf und sagte: *„Donnerwetter, mehr fällt mir dazu jetzt gerade nicht ein, nur vielleicht so viel – genau davon hörte ich, davon hatte man mir berichtet – unter anderem"*, und sein Schmunzeln wurde deutlicher stärker.

Ich spürte, dass ich mich in Rage geredet hatte, und bevor ich weiter sprach, fragte ich **Herrn Günther**, ob ich ihm ein Glas Wein anbieten durfte, lachte dabei, griff nach unten in die Tasche, fischte die beiden Flaschen heraus, stellte sie auf den Tisch und erklärte ihm lachend, was es mit dem Wein und seinem Kauf auf sich hatte. *„Rotwein ist im Angebot“,* fügte ich lachend hinzu, *„aber nicht irgend einer“,* dann machte ich eine kurze Pause, hob die eine Flasche hoch, begutachtete das Etikett, so, als hätte ich fachliche Kompetenz, *„etwas gaaaanz Besonderes“,* sprach ich weiter, spitzte erneut den Mund und hob die Augenbrauen, um dem Wein dadurch noch größere Aufmerksamkeit und Wertschätzung zu geben. *„Donnerwetter“,* sagte **Herr Günther** *„und dann auch noch mit Schraubverschluss, da haben sie sich ja richtig `was einfallen lassen“* und lachte ebenso herzhaft wie ich. Dann stand er auf, ging zu der Anrichte auf der anderen Seite des Raums und holte zwei Gläser, die dem Ganzen dann noch den vielleicht letzten Zweifel nahmen, denn im edlen Weinglas wirkte der edle Traubensaft tatsächlich gleich noch ein Stückweit wertiger und darüber hinaus war es auch viel romantischer und passte natürlich auch zum knisterndem Kaminfeuer, dessen Flammen sich im Glas flackernd widerspiegelten.

Durch diese kleine Pause, die im Übrigen auch ganz gut war, hatten sich mein Gemütszustand aber auch mein Blutdruck etwas gelegt, der Kreislauf und die euphorische Begeisterung fuhren wieder auf ein normales Maß zurück. **Herr Günther** hob das Glas und sprach: *„Trinken wir auf, hm“,* dann stockte er, überlegte kurz und führte fort, *„trinken wir doch auf alles das, auf das es sich lohnt, – auf die Gesundheit, die Menschen“,* dann stockte er wieder, presste die Lippen zusammen, legte den Kopf leicht schräg auf die Seite *„eigentlich auf alles das, was sie an diesem Abend und wahrscheinlich auch in den letzten Tagen hier herausgefunden haben – trinken wir auf die Menschlichkeit“,* stieß mit meinem Glas an und trank den ersten Schluck. *„Donnerwetter“,* sprach er zum dritten Mal, und wieder verzog er seinen Mund, und es folgte ein *„das ist aber mal ein herbes Tröpfchen“,* und sein Gesicht verzog sich in alle Richtungen. Ich konnte es am allerwenigsten beurteilen, trank ebenfalls einen Schluck, und ob das nun herb oder lieblich oder was auch immer war – es war nicht meins!

„Man kann ja auf so vieles trinken und anstoßen“, sprach er mit kratzender Stimme weiter, *„aber vielleicht nicht unbedingt auf diese außergewöhnliche Auslese“* und zeigte mit verzogenem Gesicht auf die vor ihm stehende Flasche, *„aber durchaus lohnt es sich auf Dinge anzustoßen, die es Wert sind, und dazu gehören die Bewohner gleichermaßen wie auch die Helfer der Einrichtung! Es lohnt sich auch auf Dinge oder Situationen anzustoßen, die besonders gut, selten oder was auch immer sind, entscheidend ist doch, dass man Dinge findet, die man betonen, hervorheben oder einfach nur wieder in Erinnerung bringen möchte, sei es durch Gespräche, mit Applaus, einem Ausruf wie das „Donnerwetter“ oder in einem Trinkspruch verpackt.“*

7.14__ Die andere Seite von Herrn Günther

Dann wurde er etwas leiser, machte eine kurze Pause und sprach mit dem Blick in das Kaminfeuer gerichtet weiter und erzählte mir, wie es ihn hier in das Haus verschlagen hatte, und wie sein früheres Leben aussah, bevor er Heimleiter dieser Einrichtung wurde.

Eigentlich begann es vor 22 Jahren, natürlich noch nicht mit der Aufgabe in diesem Haus, aber in jenem Jahr veränderte sich sein Leben schlagartig und brutal. Zu der Zeit war er als Verwaltungsangestellter bei einer großen Gesellschaft tätig. Seine Aufgaben umfassten das gehobene Management, Controlling und Bankwesen. Anzug, Krawatte, Rechenschieber, das waren seine täglichen Begleiter. Der Terminkalender war voll, Dauergespräche über die Gegensprechanlage mit seiner Sekretärin oder unsagbar viele andere Telefonate. Freizeit und gesundes Leben wurden hinten angestellt und leider auch das Privat- und Familienleben. Zuhause warteten jeden Tag die Ehefrau und ein kleiner Sohn, der seinen Vater eigentlich viel mehr brauchte als er ihn bekam. – Der Sohn wurde mit einer geistigen Behinderung geboren, und es war insbesondere für die Mutter nicht leicht, mit dieser neuen Aufgabe umzugehen und Tag für Tag die sonst so einfachen Dinge des Alltags zu bewältigen, die sich mit dieser besonderen Situation deutlich schwerer gestalteten. An den Wochenenden wurde dann versucht, alles das nachzuholen, was in der Woche liegenblieb. So ging es einige Jahre, und irgendwie hatte man sich an diesen Rhythmus und dieses Leben gewöhnt oder sich einfach nur damit abgefunden und arrangiert.

Der Sohn wurde älter, die Probleme größer und nach einigen Jahren mussten sie den Jungen in eine seinen Bedürfnissen gerechte Einrichtung geben, zu Hause waren sie, vor allem aber seine Frau, damit hoffnungslos überfordert, denn hinzu kam die schwere Krankheit seiner Frau, bei der die Diagnose ebenso brutal wie eiskalt war und einem, so man mit beiden Beinen fest im Leben stand, plötzlich wie bei einer Falltür den Boden unter den Füßen wegriss – Bauchspeicheldrüsenkrebs im Endstadium. An dieser Stelle stockte **Herr Günther** für einen Moment und wirkte so tief und fest in Gedanken versunken, als wäre er in Trance, er schluckte und räusperte sich, denn seine Stimme wurde dünner und kratziger. Auch mir stockte es den Atem, saß da mit geöffnetem Mund und trockener Zunge und war völlig berührt über das, was er mir da anvertraute. *„Ja, das war eine sehr schwere Zeit“,* sprach er weiter und blickte dabei fast durch mich hindurch – *„und nur kurze Zeit später stand in der Zeitung: ... verließ uns nach kurzer schwerer Krankheit, und der einzige Trost war, dass sie keinen langen Leidensweg hatte.“*

Herr Günther verlor seinen Vater im Krieg, und die Mutter wurde von seiner Frau zu Hause gepflegt, was ja nun auch nicht mehr möglich war und eine kurzfristige Lösung dafür schnell gefunden werden musste. *„Lösung“,* murmelte er leise vor sich hin, das hörte sich so an, wie nach einer wirtschaftlichen Lösung seiner täglichen Büroprobleme zu suchen, als würde es um Zahlen oder Bilanzen gehen, und da erst wurde ihm bewusst, das sich sein Leben verändert hat und es so nicht mehr weitergehen konnte und sollte. Der Platz für die Mutter war nach vielen Mühen gefunden, und so kam dann eins zum anderen, und es ging sehr schnell, denn eben genau in dieser Einrichtung der Mutter wurde zeitgleich ein Verwaltungsdirektor gesucht, und er nahm die Gespräche auf, bewarb sich um den Job und nun – *„nun bin ich seit neunzehn Jahren hier der Verwaltungsdirektor“* und dabei entspannten sich seine Gesichtszüge wieder etwas, und es war ein Hauch von Schmunzeln zu erkennen. *„Und ich konnte meine Mutter in ihren letzten drei Jahren täglich sehen, ihr zur Seite stehen und sie auf ihrem letzten Weg begleiten“,* dazu presste er die Lippen zusammen und nickte mit dem Kopf auf und ab.

Wow, dachte ich, und von mir wäre nun ein, Donnerwetter angebracht gewesen. Es war still bei uns am Tisch geworden, und als ich das Glas in die Hand nahm, da fragte mich **Herr Günther**, ob ich das wirklich noch trinken wollte, sonst würde er mal in seinem Büro nachsehen, was er da noch so finden würde.

„Eine gute Idee", sagte ich, *„sehr gute Idee, und für mich muss es nicht unbedingt Wein sein"*, rief ich ihm nach und hoffte, dass er es noch gehört hatte. Während ich für den Moment alleine dort saß, ging mir seine Geschichte noch mal durch den Kopf. Wow, dachte ich, ja, so hatte scheinbar ein jeder und nicht nur hier, sein Päcklein zu tragen, und manchmal tat es ganz gut, wenn man darüber sprechen konnte oder einfach nur einen Zuhörer hatte. Die Tür klappte, **Herr Günther** kam zurück, aber nicht etwa mit einer Flasche in der Hand, es waren drei Flaschen im Arm, eine Flasche Rotwein und zwei Flaschen Bier. *„Sehr gut"*, rief ich ihm zu, nahm ihm die Flaschen ab und meine Mundwinkel zogen sich breit von einem Ohrwaschel zum anderen. Dann entsorgte er den *„Qualitätswein"*, nahm seine Flasche mit geübtem Griff und dem richtigen Werkzeug, es machte *„quiiiieeek"* und *„plopp"*, und der klassische Korken war aus der Flasche entfernt. Vielleicht bilde ich es mir auch nur ein, aber schon beim Einschütten hatte ich das Gefühl, als würde dieser Wein anders laufen, dicker, öliger, und der andere wirkte im Nachhinein wie eingedickter roter Traubensaft. Mit einem *„Zischhh"* war auch mein Bier geöffnet, und nun ergriff ich die Initiative und sprach: *„Trinken wir auf, ... hm"* und auch ich stockte für einen Moment bevor ich fortfuhr, *„trinken wir auf alles, auf das es sich zu trinken lohnt!" – „Genau so ist es"*, sprach er, und noch während wir die neuen Getränke ansetzten, entspannten sich unsere Gesichtszüge. Ich für mein Teil konnte nur sagen, *„lecker"*, **Herr Günther** dagegen drückte sich da etwas gewählter aus und sagte:

„Ja, so, – genau so, sollte ein guter Wein schmecken!"

Die gemeinsame Abtastphase hatten wir damit beendet, die Getränke waren klar zugeteilt und besprochen, dann konnte es nun in eine gemütliche Plauderei übergehen. Ich berichtete ihm von meinen letzten Tagen, und als ich auf den Freitagmorgen-Männerstammtisch kam, da führte er beide Hände an die Schläfen und sprach leise, mit groß geöffneten Augen: *„Dünnes Eis, gaaaanz dünnes Eis"* und lachte herzhaft dazu. Ich fragte ihn, ob er darüber Bescheid wusste und er antwortete: *„Wie ich ihnen bereits eingangs erzählt habe, weiß ich fast alles hier – hallo, ich bin der Direktor"* und lachte eine Stufe lauter *„aber nur fast alles. Es gibt nur eine Person hier im Haus, die wirklich alles weiß"*, legte er eine kurze Pause ein, *„alles, ausnahmslos – „ALLES" und fragen sie mich nicht, wie sie das macht"*, dann faltete er die Hände und blickte beschwörend, fast schon betend nach oben, *„irgendwie muss da was dran sein, mit dem direktem Draht"* und lachte fast schon ausgelassen.

Ganz klar, da konnte es nur eine geben: *„Und wenn ich ihnen einen guten Rat geben darf“,* sprach er wieder deutlich leiser weiter und legte sich dabei mit der Schulter zu mir über den Tisch, – *„dann legen sie sich niemals, hören sie, „NIEMALS“ mit* ***Schwester Anna*** *an, glauben sie mir, sie werden immer den Kürzeren ziehen!“* ... und wieder hatten wir einen Grund anzustoßen!

So kamen wir vom Hundertstel zum Tausendstel, sprachen über dies und das, er erzählte mir von den Wochenenden, wenn er seinen Sohn in der Einrichtung besuchte. Dann kamen wir auf verschiedene Personen im Haus, und ich konnte auch bei **Herrn Günther** ganz schnell zwei Namen heraushören, die auf seiner *„Besondere-Menschen-Liste“* ganz weit oben angeordnet waren. Das heißt, eigentlich waren es ja drei, wie er mir dann bestätigte, denn **Schwester Anna** war schon eine Ausnahmeperson. **Opa Hentrich**, ein Original wie er im Buche stand, der Fels in der Brandung, immer eine feste Größe, brandehrlich, und auch wenn er nicht viel zu sagen hatte, hörte man ihm gern zu, denn manchmal waren es auch die stummen Gespräche oder einfach nur seine Mimik, die das Herz aufgehen ließen. **Herr Günther** erzählte mir, dass ganz sicher alle Bewohner vom Haus dramatische Dinge im Leben durchgemacht hatten. Momente, Situationen die sie veränderten, ihnen vielleicht sogar das Herz brachen. Bei vielen waren es die schlimmen Bilder, Erlebnisse und Erinnerungen der Kriegszeit, der Verlust eines lieben Menschen oder ein anderes schlimmes Ereignis, das tiefe Narben und Spuren hinterlassen hat und unter dem sie zum Teil heute noch leiden. Bei **Opa Hentrich** war er sich sehr sicher, dass da irgendetwas ganz tief in ihm verborgen schlummerte, eine Blockade oder ein Trauma, das ihn so verschlossen machte, ja schon fast vom restlichen Leben isolierte. Vielleicht sogar ein stückweit mehr, als es bei den anderen Bewohnern der Fall war. Einige behaupteten sogar, er sei auf seinen vielen einsamen Fahrten auf See verrückt geworden, so wie einst Odysseus in der Sage, als er die *„Insel der Sirenen“* passierte und drohte, am Mast angebunden verrückt zu werden. Aber was bedeutete eigentlich verrückt?

7.15__ Frau Collmar erklärt „verrückt"

Ich war mir sicher, wenn man spontan Menschen danach befragte, man die unterschiedlichsten Ausdrücke für den Begriff *„Verrückt“* bekam. War es eine Krankheit, war es Einbildung, einfach nur dummes Zeug, oder sogar ein Zustand?

Verrückt:

- irre
- blöd
- einen an der Waffel
- bekloppt
- wirr
- hirnverbrannt
- wahnsinnig
- behämmert
- meschugge
- plemplem
- einen Trillermann
- doof
- nicht ganz echt
- nicht mehr alle Latten am Zaun
- bescheuert
- rappelig
- durchgeknallt
- zu heiß gebadet
- gaga
- schwachsinnig
- nicht ganz bei Trost
- nicht mehr ganz knusprig

Wow, dachte ich – und das ist alles verrückt! Aber scheinbar gilt das nur bei Menschen, denn ein Möbelstück kann ja auch verrückt sein, und es ist dann auch nicht gleich doof, plemplem oder bekloppt. Es ist dann einfach nur verrückt worden, ein Stück von der vorherigen Position auf eine neue Position. Da erinnerte ich mich wieder an meine alte Religions- und Musiklehrerin **Frau Collmar**, ich hatte schon von ihr berichtet, sie spiegelte das gleiche Outfit, Kleidung, Farbe, Geschmack, ja sogar Körpergröße und ein ähnliches Komplettbild von **Schwester Anna** wider. Sie hatte eben genau dieses Thema mit uns in der fünften Schulklasse besprochen und genau die gleiche Frage gestellt, was verrückt bedeutet, und die Antworten sprudelten nur so aus uns heraus, wir machten uns dabei lustig und rissen sogar Grimassen. Fleißig sammelte **Frau Collmar** alle Begriffe, schrieb sie an die Tafel, und als es dann mit unserem Sprudeln und Zurufen deutlich weniger wurde und sich auch die Grimassen reduzierten, da wartete sie noch einen Moment, bis im Unterrichtsraum wieder völlige Ruhe eingekehrt war. Ihr Blick schweifte stumm durch die Klasse, dann sprach sie leise, dass wir fast schon Mühe hatten, sie zu verstehen.

„Verrückt" und dabei hob sich lustigerweise bei ihr immer eine kleine Kerbe in der Oberlippe, und ihr Blick schweifte erneut durch den Raum, beobachtete uns und ließ den Ausruf *„verrückt,* weiterhin im Raum stehen und ihn erst einmal bei jedem von uns ankommen und sacken, bevor sie fortfuhr, sich umdrehte und einen langen senkrechten Strich an die Tafel malte. An den oberen Beginn des Strichs schrieb sie das Wort *„Geburt"* und an das untere Ende den *„Tod"*. Dazwischen, in die Mitte des Strichs schrieb sie: *„Das irdische Leben"*. Dann malte sie einige Punkte auf die senkrechte Linie und nur einen Punkt zirka zwei Finger breit daneben und sagte: *„Die Punkte, das sind wir Menschen, wir laufen alle auf dieser Linie, so wie wir es gelernt haben, von der Geburt bis zum Tod, weil es immer so ist, weil es uns so vorgelebt wird, weil es die NORM ist. Doch was ist denn da mit diesem einen Punkt los",* fragte sie und drehte sich mit der Kreide in der Hand zurück zur Klasse. Irgend jemand rief aus der Klasse, dass der eine Punkt etwas neben der Linie stand, und **Frau Collmar** ergänzte, *„richtig, der Punkt steht daneben und ist scheinbar etwas verrückt. Im Grunde genommen ist er so, wie die anderen Punkte auch, nur an dieser einen Stelle, da ist er ein wenig von der Spur abgekommen",* und dabei zogen sich ihre Mundwinkel nach oben, und wir hatten verstanden, was sie uns damit sagen und erklären wollte.

Also ich hatte es jedenfalls verstanden und habe dieses Beispiel, diese Erklärung mein Leben lang mit mir getragen und hole es immer gern wieder aus der Erinnerung, wenn es heißt – der ist ja bekloppt oder verrückt, und ich erkläre es gern an diesem Beispiel, dass sehr oft nur ein einziger, kleiner Schritt zur Seite schon ausreicht um verrückt zu sein, man aber ebenso schnell wieder mit einem Schritt zurück in die Spur, auf die Linie oder ins Leben geführt werden kann. Liebe **Frau Collmar** wenn auch nach vielen, vielen Jahren – ganz herzlichen Dank für diese tolle Erklärung, denn manchmal waren eben genau diese alten Schulmethoden oder einfach nur ein paar ganz simple Erklärungen der Schlüssel zum Verständnis.

Doch zurück zu **Herrn Günther** und seinen Gedanken zu **Opa Hentrich**. Vielleicht war er auch irgendwann einmal im Leben gestolpert und musste einen Ausfallschritt zur Seite machen, obwohl er dann völlig normal weiterging, nur halt einen Schritt weg von der Norm, neben der Spur – einfach nur einen Schritt verrückt!

Dann verstummte **Herr Günther**, sah wieder mit dem verträumten, nachdenklichem Blick durch mich hindurch bis er fortfuhr und sagte, dass eigentlich alle Menschen im Haus, ob jung ob alt, ob Bewohner oder Helfer, ein jeder ihm im Laufe der Jahre so ans Herz gewachsen sei, dass es immer unglaublich weh tut, wenn einmal jemand geht, denn auch dieser letzte Weg gehörte mit dazu, war ein Teil der Einrichtung, ein Teil seines Lebens, und immer wieder fühlte er sich dann so, als würde ein Stück von ihm selbst, von seiner großen Familie gehen. Natürlich unterschied er den Abschied, wenn zum Beispiel ein Praktikant oder Zivildienstleistender ging, denn sehr oft war es genau diese Vermischung von jung und alt, die eine gewisse Frische und Abwechslung ins Haus brachte, aber es kamen auch immer wieder neue Kurzzeithelfer, doch ein Bewohner, mit dem man eine längere Zeit zusammen gegangen, gelebt, geweint und gelacht hatte, das waren schon ganz anders zu bewertende Momente. Als wir auf **Mathilde** kamen, da zog ein ganz besonderen Glanz in seine Augen, er presste die Lippen zusammen, nickte mit dem Kopf langsam auf und ab, atmete kräftig ein und antwortete mit einem ganz tief von Innen kommenden *„Puster"*, *„ja, **Mathilde**"*, dann stockte er noch einmal, *„**Mathilde** ist etwas ganz Besonderes, ein außergewöhnlicher Mensch, ich glaube, ich würde jetzt kein passenderes Wort finden, um sie, ihren Charakter, ihr Wesen treffender zu beschreiben vielleicht nur soviel:*

*Bei einer Beliebtheitsskala von eins bis zehn würde sie von mir eine **13** bekommen!"*

Dann lehnte er sich entspannt zurück, hielt das noch halbgefüllte Glas Rotwein in der Hand und fuhr mit dem Finger kreisend den Rand des Glases ab als wollte er versuchen, einen Klang zu erzeugen, so wie wir es als Kinder immer gern taten, wenn wir versucht haben, mit unterschiedlich gefüllten Gläsern und angefeuchteten Fingern Musik zu machen. Das Kaminfeuer spiegelte sich im Glas und auf seinem Gesicht, und er begann zu träumen, zu schwärmen und erzählte mir einige Geschichten und Anekdoten von und um **Mathilde**, ach was sage ich denn, er zelebrierte sie, dass man fast meinen konnte, er sprach von einer Heiligen. **Mathilde** war tatsächlich etwas Besonderes, das hatte ich ja selbst auch schnell erkannt; selbstlos, immer auf das Wohl der anderen bedacht, und ihr größter Wunsch oder ihre höchste Befriedigung schien, anderen eine Freude zu machen. Ich spürte, dass **Mathilde** einen ganz besonderen Stellenwert bei **Herrn Günther** hatte und war mir fast sicher, dass er noch viele Stunden über vergangene Erlebnisse mit ihr hätte berichten können.

„Und immerhin“, sprach er wieder lauter, wie aus seinem Traum erwacht, *„immerhin ist sie auch nach mir die Drittdienstälteste hier im Haus, mit siebzehn Dienstjahren“*, und voller Stolz fügte er noch hinzu, dass auch er es war, der **Mathilde** vor eben siebzehn Jahren, in seinem zweiten Dienstjahr als Verwaltungschef, einstellte und es eigentlich nur für eine vorübergehende Besetzung als Aushilfe gedacht war. Und heute war er mehr als froh, dass es sich dann glücklicherweise anders entwickelte. Ich fragte ihn, wer denn der Dienstälteste im Haus war, und er antwortete ganz spontan und ohne zu zögern: *„Unangefochtene Nummer Eins“,* dabei lachte er, *„was aber nur die Dienstjahre betrifft, ist unser lieber und geschätzter* ***Dr. Möller****, der nun schon seit 28 Jahren hier im Haus tätig ist.“* Dabei spitzte er die Lippen, nickte wohlwollend und hob anerkennend den Daumen. Er erzählte, dass er genau wie ich einmal auf der Durchreise war, dann aber aus Gründen, die nie jemand erfuhr, im Haus gestrandet war. Böse Zungen behaupteten sogar, dass es nicht das Haus zuerst gab, sondern dass er es war, der dort stand und man das Haus um ihn herum gebaut hatte. Hinter vorgehaltener Hand gab es Gerüchte, er wäre einer alten Liebe hinterhergelaufen, die es in den Ort verschlagen hatte. Wie auch immer, seine heutige große Liebe galt den Fischen, denn als passionierter Angler suchte er jede freie Minute, um seinem Hobby zu frönen, und mit seiner jungen Kollegin, **Frau Dr. Stern**, hatte er nicht nur seinen besten, vielleicht sogar auch seinen größten Fang gemacht, natürlich nur aus kollegialer Sicht versteht sich, von dem nun auch das ganze Haus profitierte. *„Ohhjaa“*, antwortete ich langgezogen mit einem ebenso breiten wie langem Lächeln, *„besonders bei den Herren in der Donnerstag Sprechstunde!“* **Herr Günther** sah mich an, und wie auf Knopfdruck prusteten wir beide los.

Dann erklärte er mir, dass es seine vorrangige Aufgabe war, den Apparat *„Haus“*, wenn es sich auch sehr sachlich und kalt anhörte, am Laufen zu halten. Natürlich gab es noch einige Nebenaufgaben, kleine Wehwehchen, um die er sich auch zu kümmern hatte, mal ein offenes Ohr hier, einen Schulterklopfer da, der imaginäre Freitagsstammtisch bei den Herren der Schöpfung hinten im Gartenpavillon, aber grundsätzlich musste er die klassischen Verwaltungsaufgaben übernehmen, und da ging es natürlich auch sehr oft um das leidige Thema Geld, was er aber immer versuchte, mit dem für ihn noch wichtigeren Faktor, dem Menschen, zu verbinden und nach Möglichkeit in Harmonie und Einklang zu bringen. Das war die Kunst, die ihm zwar oft gelang, aber er auch sehr oft in seinem Kämmerlein vor den nüchternen Zahlen und nackten Tatsachen saß und überlegte, wie er dem allen gerecht werden konnte.

Wie gesagt, der Apparat musste in Bewegung bleiben, und da bedurfte es neben dem Personal natürlich auch Ersatzpersonen, die bei Ausfällen, Krankheit oder bei Urlaub zur Stelle waren, damit man nicht im Chaos versank. In der medizinischen Abteilung war es gut geregelt, bei den Raumpflegern ebenso, der Busfahrer wurde bei Bedarf extern angeheuert, für den Garten hatte man ebenso Ersatzkräfte, wie auch bei den Physiotherapeuten, und was seine Person anging, da hatte er die beste Vertretung, die man sich nur vorstellen konnte. Gemeint war **Frau Margot Schiller** oder auch *„Die gute Seele"* wie sie im Haus von allen liebevoll genannt wurde. *„Die **Margot**, die ist einfach 'ne Wucht",* schwärmte er fast schon wie zuvor bei **Mathilde**. *„Sie hat meistens schon das erledigt, an das ich noch gar nicht gedacht habe oder besser gesagt, sie reißt das raus, was ich verschlampe"*, dabei lachte er und faltete dankend die Hände.

„Bei der Pflege, da sieht es ganz anders aus, da ist es nicht nur fünf vor zwölf, da ist es mittlerweile schon fast zehn nach zwölf", sagte er angespannt mit leiser, besorgniserregter Stimme und mit tiefen, nach oben gezogenen Falten auf der Stirn. Er erklärte mir, dass die Pflege ein abendfüllendes Programm wäre, denn da konnte man nie genug Helfer haben, vor allem aber Helfer mit Herz, denn sehr oft waren es genau die, die man kaum zu Gesicht bekam, die ihre Arbeit schon erledigt hatten, wenn für viele andere der Tag erst begann, und am Abend war es genau umgekehrt. Eine Aufgabe, bei der es sehr wichtig war, nicht nur den üblich Dienst nach Vorschrift zu verrichten, sondern auch Vertrauen, Wärme und Liebe zu transportieren, denn bei der Körperpflege und Hygiene oder bei anderen sehr persönlichen Dingen betrat man den intimsten Bereich der Menschen, und da bedurfte es weitaus mehr als nur ein Pflegeabschlussdiplom zu haben, das man bereits schon nach einer relativ kurzen Schulung erlangen konnte. In diesem sensiblen Bereich war noch dringender Bedarf, und ganz besonders da hatte **Herr Günther** immer ein offenes Ohr und war über jede neue und zusätzliche Kraft mehr als nur dankbar, immer in der Hoffnung, vom Verwaltungsrat die Zustimmung und natürlich auch die entsprechenden Gelder dafür zu bekommen.

Interessiert hörte ich ihm zu, und als ich ihm die Frage stellte, wie es denn in der Küche mit Vertretungen aussah, da wurde er wieder still, presste erneut die Lippen zusammen und antwortete: *„Na, ja, da haben wir ja auch noch das **Ehepaar Rodriges**",* presste erneut die Lippen zusammen und sah mich an.

„Ja – und genau das ist eines meiner größten Probleme. Hier eiern wir seit Jahren herum, holen uns externe Hilfe für die Zeit, in der Mathilde uns nicht zur Verfügung steht, aber es ist alles wirklich kein richtiger Ersatz, und ich hoffe inständig, dafür bald eine gute Lösung zu finden", dabei hob er wieder beide Hände in Bittstellung nach oben. *„Kochen und Küche, wenn es das allein nur wäre",* sprach er leicht seufzend weiter, *„dann wäre das Problem schnell gelöst, Bewerbungen als Köche und Küchenhilfen waren fast an der Tagesordnung",* dann verstummte er erneut und presste wieder die Lippen aufeinander. *„Ja, natürlich ist das auch die Aufgabe von* ***Mathilde****, so steht es jedenfalls jeden Monat auf der Gehaltsabrechnung, die im Übrigen viel zu gering ausfällt",* flüsterte er leise, mit der linken Hand an den Mund angelegt, *„eigentlich müsste sie drei oder vier Lohnabrechnungen bekommen"*, dabei sah er resignierend zur Seite mit einem leeren, fast schon traurigen Blick, *„tja",* sprach er weiter, *„aber leider gibt es diese zum Himmel schreiende Ungerechtigkeit, und wir werden es hier und auch heute nicht ändern können",* verzog den Mund, wippte mit dem Kopf und flüsterte fast noch leiser wie für sich selbst bestimmt, *„auf jeden Fall bekommt* ***Mathilde*** *im Leben nicht das, was sie verdient."*

Dann erzählte er mir, dass er gerade deswegen und bei **Mathilde** im Besonderen diese teilweise außergewöhnlichen Leistungen und Einsätze, die weit über das normale Maß und noch viel weiter über die eigentliche Stellenbeschreibung hinausgingen, immer gern mit ein paar Kleinigkeiten honorierte. Geld war da nicht alles und leider auch nicht immer möglich, aber mal ein persönliches Gespräch, mal ein offenes Ohr, ein Blümchen oder nur ein Schulterklopfer wirkten manchmal Wunder und gehörten genauso zu den Aufgaben eines guten Verwaltungsdirektors wie Zahlen, Bilanzen und leider auch die nervigen und zähen Besprechungen mit dem Aufsichtsrat. In diesen unangenehmen Sitzungen wurde er dann immer wieder neu einjustiert, zurück auf den wirtschaftlichen Boden der Sozial- und Pflegeversicherungskassen geholt und auf die Zuschüsse in den Betreuungs- und Pflegeeinrichtungen hingewiesen – und das in aller Deutlichkeit und mit unmissverständlich klaren Worten: Auch eine Seniorenresidenz ist ein Wirtschaftsunternehmen, das sich gewinnorientiert am Markt behaupten muss. *„Und das sind dann genau die Momente, in denen ich große Zweifel an meiner Aufgabe habe",* sagte er mit gleicher ernster Stimme wie zuvor beim Pflegepersonal *„und ich kann nur helfen, etwas erwirken und verändern, so lange ich mit von der Partie bin",* sprach er mit resoluter Stimme weiter und hob dabei die linke Faust fast schon wie ein Freiheitskämpfer, *„denn würde ich quittieren, wären Veränderungen von außen nahezu unmöglich."*

Dann erklärte er mir, dass es genau diese kleinen Dinge waren, die den Ausschlag gaben; diese kleinen warmen Zuwendungen wie ein Schulterklopfer; ein, zwei persönliche Worte und Erkundigungen nach dem Wohlbefinden. An den unterschiedlichen Emotionen konnte man bei ihm sehr gut erkennen, ob er über Unvernunft, über Herzlosigkeit des Aufsichtsrates sprach oder ob es um seine Bewohner, sein Haus und nicht zuletzt um seine Leute ging, die er alle zusammen sehr stolz und respektvoll immer wieder als seine große Familie betitelte. Und wann immer er die Möglichkeit hatte, eben diesen Menschen, durch was auch immer, eine kleine Freude zu bereiten, dann war es für ihn das schönste Geschenk, und darauf erhoben wir unsere Gläser und stießen erneut an.

„Ja“, antwortete ich mit einem breiten Grinsen, *„dann war das ja jetzt genau die Steilvorlage für mich“,* und ich erzählte ihm von meinen Gedanken, von meinen Visionen, den einen oder anderen etwas wachzurütteln, anzustupsen, zu motivieren, fordern, ach, ich denke da hätte man noch unzählige Ausdrücke für einsetzen können, in mir schlugen die Synapsen Rad, denn auch ich hatte Ideen, Gedanken, Vorschläge, aber keine Ahnung, was realisierbar, erlaubt, gewünscht oder einfach nur möglich war. Was ich aber wusste: Der Dienstag war noch frei!

Ich redete und redete, erzählte von **Willi Kluge** und der Express, von **Frau Orue** und den Patiencen, von breit gefächerten Fähigkeiten der Bewohner, die sie ihr Leben lang ausgeübt haben, Erfahrungen die sie mitgebracht und in ihrem Leben gesammelt haben. Und als sie hier ins Haus kamen, da verstauten sie eben genau diesen kostbaren Schatz in einem gedanklichen Karton und schoben ihn ganz nach oben auf das Regal. Warum denn nur? Ich berichtete vom Glanz in den Augen der Personen, als sie das Gefühl bekamen, wichtig zu sein, sich einbringen zu können, wohlgemerkt, können, nicht müssen, vor allem aber dürfen. In einigen Bereichen sogar mit entscheiden dürfen, ich erwähnte den Kinoabend mit seiner atemberaubenden Resonanz. Was waren das für Freizeitangebote? Busausflüge, war es das, was die Bewohner sich wirklich wünschten, was sie glücklich machte, oder nahmen sie nur daran Teil, weil es keine Alternativen gab? Wurden sie jemals darüber befragt? Warum fragte man noch nicht einmal nach diesen Angeboten, um mögliche Schlüsse daraus zu ziehen?

Meinen Schlusspunkt setzte ich mit **Frau Ruth Oberhoff**, sie war sozusagen mein Joker. *„**Frau Oberhoff**, persönlich kenne ich sie noch nicht, doch ihr Apfel-Zimtkuchen ist“,* dann spitzte ich den Mund, schob ihn nach oben, schloss dabei die Augen und brachte so etwas wie ein, *„hm unschlagbar“,* heraus, *„sie ist kein verkanntes Genie, nein, nein, vielmehr ein* ***erkanntes*** *Genie, ja, ein sogar* ***an****erkanntes Genie, für mich, und wie ich herausgehört habe, für viele andere hier auch – der absolute Hammer!“* Dann hob ich mein Glas: *„Sehen sie, es gibt immer einen Grund“,* lachte und prostete ich **Herrn Günther** zu. Der sah mich an, schmunzelte, auch seine Mundwinkel zogen sich immer weiter bis zum Grinsen auseinander, und mit einem zustimmendem Nicken sagte er, *„wobei wir wieder beim Donnerwetter wären“* und lachte, denn scheinbar gingen bei mir irgendwie die Pferde durch, als ich von meinen Gedanken und Ideen berichtete. *„Und übrigens“,* sagte er wieder schon fast flüsternd, mit der Hand an den Mund angelegt, *„übrigens ist es auch mein Lieblingskuchen“* und lehnte sich mit dem Schmunzeln des Genießers weit im Ohrensessel zurück.

Als sich dann auch bei mir die Emotionen wieder etwas gelegt und runter gefahren hatten, begannen wir auf dieser Basis einen neuen Teil des Abendgesprächs und bemerkten gar nicht, dass sich zwischenzeitlich noch einige andere Bewohner zu uns in den Raum gesellt hatten. Sie saßen im Raum verteilt und taten das, wozu dieser Raum, das knisternde Kaminfeuer und die alten Möbel einluden – nichts, einfach nur entspannen, träumen, und die jungen Leute nannten es wahrscheinlich *„chillen“*.

Bevor wir richtig loslegten, entschuldigte sich **Herr Günther** für den Moment, stand auf, nahm die leeren Flaschen in die Hand, sah mich an und fragte*: „Bleiben sie beim Bier“* und zeigte auf die leere Flasche. Ich nickte zustimmend, und es war mir schon irgendwie unangenehm und peinlich, beim Kauf des Weins so verwachst zu haben. **Herr Günther** verschwand, und ich nutzte die Gelegenheit und legte ein paar Holzscheite auf das deutlich kleiner gewordenen Feuer, ging ein paar Schritte im Raum umher und hatte gar nicht das Gefühl, von den paar anwesenden Personen überhaupt zur Kenntnis genommen zu werden. Wahrscheinlich, weil das hier immer so war. Ruhig, man ging dort rein, war mit einigen Personen zusammen im Raum aber trotzdem doch irgendwie für sich allein und irgendwann verließ man den Raum genauso leise, allein und unbemerkt, wie man ihn auch betreten hatte.

Und genau das waren sie, die alten Zöpfe, ich wollte ja nicht gleich alles verändern oder gar abschaffen. Natürlich sollte der Ruheraum auch denen weiterhin als Rückzugsort dienen, doch vielleicht gab es auch einige, die gern etwas anderes gemacht hätten. Gesprochen oder einfach nur zugehört. Und genau das wollte ich ja herausbekommen und die Wünsche und Anforderungen miteinander in Einklang bringen. Es dauerte etwa zehn Minuten bis **Herr Günther** zurückkam, in der einen Hand zwei Flaschen Bier, unter dem Arm eine neue Flasche Rotwein geklemmt und mit der linken Hand trug er einen Teller, auf dem belegte Brote aufgetürmt waren. *„Ich kenne die geheimen Verstecke von **Mathilde**“,* sagte er beim Absetzen des Tellers und lachte mich dabei an, *„und wenn das nicht reicht“,* dann wurde er wieder leise und flüsterte, *„dann weiß ich auch noch wo sie ein paar Kekse versteckt hat“,* zwinkerte mit einem Auge und hob dabei den Daumen.

Wir sprachen und redeten und redeten und sprachen, in vielen Dingen waren wir einer Meinung, einige Dinge bedurften zusätzlicher Aufklärung von ihm, denn es gab nicht nur verwaltungsrechtliche, als auch versicherungstechnische Dinge zu beachten und die Begeisterung schwappte bei uns beiden von links nach rechts, und wir bemerkten überhaupt nicht, dass uns die Zeit völlig aus dem Ruder lief, selbst das Kaminfeuer war mittlerweile ausgegangen, und wann der letzte Besucher den Raum verlassen hatte, selbst das hatten wir nicht bemerkt. Die Brote waren schon lange verputzt, eine Keksdose, die **Herr Günther** in der Zwischenzeit auch noch aus **Mathildes** geheimer Asservatenkammer holte, war ebenfalls fast leer, und mehrere leere Flaschen standen am Fuß des Tisches als **Herr Günther** sagte: *„Ok, wie fangen wir es an?“* Ich antwortete nicht *„**wie**“*, sondern *„**wann**“* und machte den Vorschlag, den Dienstag zu diesem Zweck nutzen zu dürfen, um an dem bisherigen freien Tag entsprechende Angebote herauszuarbeiten. Angebote der verschiedensten Art: Reden, Gespräche, auf Fragen, die bisher unbeantwortet blieben, die passenden Antworten suchen und vielleicht auch gemeinschaftlich finden, aber genauso wollte man über Wünsche, Entbehrungen, Ängste oder was auch immer sprechen und diese Dinge, so es möglich war, im Ablauf des Hauses integrieren. Es war ein Versuch wert, und mein ausführliches Plädoyer hatte Erfolg, denn ich bekam von **Herrn Günther** Rückendeckung, und unter Einhaltung gewisser Absprachen und Regeln war er bereit, dieses Projekt, bis auf Widerruf zu begleiten und zu unterstützen.

Er wollte regelmäßig informiert werden, zu jeder Sitzung sollte es ein Protokoll geben, und Veränderungen oder gar Entscheidungen, die einer besonderen Erlaubnis oder Zustimmung bedurften, mussten natürlich immer erst mit ihm besprochen werden, bevor es in welcher Form auch immer öffentlich gemacht wurde. Dann nahm er sein Glas, das nur noch mit einem kleinen Schluck Wein gefüllt war, hob es hoch und sprach stolz, und irgendwie erinnerte es an den Patrioten: *„Trinken wir auf das Projekt“,* dann stockte er, sah mich an und fragte weiter, *„ja, wie soll das Projekt eigentlich heißen?“* Ehrlich gesagt, hatte ich mir darüber noch gar keine Gedanken gemacht, für mich war es immer nur, *„der freie Dienstag“*, aber als Projektname nicht gerade sinnvoll und geeignet. Beide lehnten wir uns zurück und überlegten. Nach einem kurzen Moment der Stille fragte ich: *„Um was geht es denn eigentlich“* und beide warfen wir abwechselnd Schlagwörter in die Runde: ***Veränderung*** – ***Schneckenhaus*** – ***Vergangenheit*** – ***Fachpersonal*** – ***Helfen*** – ***Motivation*** – ***Freizeitbeschäftigung*** – ***Gemeinschaft*** – ***Wünsche*** – ***Abenteuer*** und durch was war dieser Gedanke entstanden, was war der Auslöser? Es waren die Geschichten, die diese Neugierde, diese Aufmerksamkeit erzeugten, als **Willi Kluge** die herzzerreißende Geschichte seiner Kindheit erzählte und sich alle interessiert und still zuhörend um ihn herum versammelten. Was war denn da plötzlich entstanden oder wenigstens im Grundsatz zu erkennen? – Genau, eine Gemeinschaft, wir sahen uns an, hielten das Glas Wein und meine längst geleerte Flasche Bier in die Mitte und stießen auf unser neues Projekt an, auf das Projekt: *„Gemeinschaft“*!

Genauso gemeinschaftlich rollten wir beide mit den Augen, als wir zur Kaminuhr blickten, deren monotones und dumpfes *„Dongen“* von uns gar nicht mehr registriert wurde, denn das alte, weiß emaillierte Zifferblatt, mit den kunstvoll verzierten, goldenen Zeigern sprach eine deutliche Sprache, 3:30 Uhr! *„Wow“,* sagte **Herr Günther** mit weit geöffneten Augen, *„wenn wir uns jetzt nicht bald auf den Weg machen, dann können wir* ***Mathilde*** *beim Herrichten des Frühstückraums helfen“,* dann verstummte er wieder für einen Moment und sprach leise weiter, obwohl niemand mehr im Raum war, aber es sollte wohl das Geheimnisvolle unterstreichen oder das schlechte Gewissen beruhigen, denn flüsternd sprach er weiter *„und ob das so gut ist, das wage ich zu bezweifeln, wenn sie feststellt, dass wir ihren Keksvorrat geplündert haben“,* verzog den Mund und lachte dazu. *„Wobei wir wieder bei* ***Mathilde*** *wären“*, antwortete ich lachend und half ihm, das Leergut, Teller und unsere Hinterlassenschaften wegzuräumen.

Am Treppenaufgang verabschiedeten wir uns, ich bedankte mich bei ihm für die Zeit, die er mir eingeräumt hatte, aber auch für das Interesse, die Biere und natürlich nicht zuletzt für die leckeren Kekse. *„Dafür müssen sie sich nicht bei mir, sondern bei **Mathilde** bedanken“,* antwortete er und lachte. Auch er empfand den Abend als außerordentlich angenehm und war überrascht, was für Gedanken und Geschichten ich ihm nach nur so kurzer Zeit vom Haus und den Bewohnern geben konnte, freute sich auf die gemeinsame Zusammenarbeit, das neue Projekt und auf hoffentlich positive Veränderungen, zum Wohl und im Sinne der Bewohner. Hätten wir noch etwas zu trinken gehabt, dann wäre genau das jetzt der passende Abschlusstrinkspruch gewesen!

Zum Glück musste **Herr Günther** jetzt nicht mehr nach Hause fahren, angrenzend an sein Büro hatte er einen kleinen Schlaf- und Waschraum, denn nicht selten verbrachte er hier einige Tage und Nächte am Stück, wenn mal wieder eine dieser trockenen und unangenehmen Aufsichtsratsitzungen kein Ende fand und die Zahlen und Bilanzen von links nach rechts geschoben werden mussten, bis sie passten. Heute war das zum Glück nicht der Fall, da mussten wir nur noch uns selbst nach vorne schieben und wanderten auf direktem Weg in unsere Zimmer.

Kapitel

8

Sonntag

Ausschlafen war für heute angesagt, kein Wecker, wenn wach, dann wach war der Leitspruch des Tages. Aber irgendwie hatte man seinen inneren Rhythmus, die „Innere Uhr“, die einen dann doch zurück ins wache Leben holt. Als ich die Augen öffnete, da war es noch dunkel im Zimmer, ein kurzer Blick zur Uhr, doch irgendwie passte beides nicht zusammen. Die Uhr zeigte 9:30 Uhr, doch es war deutlich dunkler als sonst. Ich ging zum Fenster und sah dunkle graue Wolken, Regen und eigentlich nichts, was sich zu betrachten lohnte. Es *„pladderte“* so dahin, wie man hier oben gern sagte, also ein unspektakulärer Tag, ein grauer Regentag, und ich versuchte, auf meinem Weg ins Bad ein wenig die Gedanken des Abends und der Nacht zu bündeln, wollte den tristen Tag damit nutzen, um weiter an meinen Hausaufgaben zu arbeiten und natürlich, um den Dienstag aufzubereiten.

Gegen 10:15 Uhr verließ ich mein Zimmer, Frühstück war natürlich längst erledigt, wer zu spät kam, den bestrafte das leere Buffet, alles war schon abgeräumt und der Raum bereits für das Mittagessen vorbereitet, doch ich ging einfach dreist in die dahinterliegende Küche in der Hoffnung und Erwartung, vielleicht doch noch einen Kaffee zu erhaschen. Ich öffnete die Pendeltür und sah von hinten **Mathilde**, die natürlich wie immer rastlos schon mit den nächsten Vorbereitungen beschäftigt war. Damit sie nicht der Schlag traf, rief ich bereits beim Eintreten ein deutliches, lautes und munteres: *„Guten Mooorgen!“* Sie drehte sich nicht um, blickte nur über die Schulter und lächelte mich kess an und sagte: *„Kaffee steht noch links auf der Anrichte, Kekse hätte ich ihnen ja gern angeboten, aber die sind mir leider abhanden gekommen“,* dabei presste sie die Lippen zusammen und zog die Stirn in Falten, als wollte sie sagen: – Schade, aber das ist ja jetzt dumm gelaufen! Ich stand da, kalt erwischt und ging völlig perplex zur Anrichte, griff nach einer leeren Tasse und befüllte sie mit Kaffee. Ich wusste nicht, wie ich mich ihr gegenüber verhalten sollte und stand da, hilflos wie ein Schuljunge, den man das erste Mal beim Schuleschwänzen erwischt hatte. (Und auch dazu fällt mir eine nette Anekdote ein, denn genau so ist es mir einmal ergangen.)

8.1__ Zu blöd zum Schule schwänzen

Ich bin mir nicht mehr ganz sicher, doch ich glaube, es war in der siebten Schulklasse und ich demnach etwa dreizehn Jahre alt. Gemeinsam ging ich an diesem Morgen mit meiner großen Schwester **Petra**, knapp zwei Jahre älter als ich, zur Bushaltestelle. Normalerweise verließen wir immer zu unterschiedlichen Zeiten das Haus, ich ging auf die Mittelschule, eine Realschule, die noch zwei Jahrgänge vor mir eine reine Jungenschule war und musste in der Regel immer schon zur ersten Stunde los. Meine Schwester hingegen ging aufs Gymnasium, was auch noch einige Jahre zuvor ein reines Mädchengymnasium war, hatte es da deutlich entspannter, denn bei ihr begann der Unterricht sehr oft erst zur zweiten oder nicht selten auch erst zur dritten Stunde, und sie hatten für den kompletten Lehrstoff auch noch drei Jahre länger Zeit, als wir armen Realschüler, die alles bereits bis zur zehnten Klasse ins kleine Hirn bekommen mussten. Das war auch genau die Argumentation, die ich ihr gegenüber immer lästernd äußerste, dass wir Realschüler eigentlich die pfiffigeren waren, das Leben gezielter, direkter und konsequenter angingen und nicht schon in der Schule unnötige Zeit vertrödelten, was sich dann auch wie ein *„roter Faden“,* wie ich ihr böse unterstellte, bis zum Studium fortsetzte während wir Mittelschüler schon längst eine bodenständige Ausbildung beendet und uns aktiv am Arbeitsleben und somit auch am Bruttosozialprodukt beteiligten, während sich ihr Leben noch um Kurse, Bafög und Demos drehte. Als angehender Akademiker fuhr sie auch sehr oft mit dem Rad zur Schule, doch an diesem besagten Morgen passte es irgendwie, und wir gingen den Weg gemeinsam bis zum Bus. Alle meine Freunde und Kumpel, mit denen ich sonst immer fuhr, waren schon durch, möglicherweise hatten sie einen der zahlreichen Einsatzwagen genommen, die mal früher aber auch mal später unterstützend zu den normalen Linienbussen, fuhren. Nach zirka fünfzehn Minuten Fußmarsch erreichten wir die Haltestelle, alle Schulkinder waren schon fort, nur noch Berufstätige und ältere Menschen warteten auf die Linie 6, die sie direkt in die Stadt, zur Arbeit, zum Markt oder sonst wohin fahren sollte. So waren meine Schwester und ich die mehr oder weniger einzigen Kinder im Linienbus, was man schon allein an der Geräuschkulisse unschwer erkennen konnte, denn die älteren Fahrgäste saßen entspannt und in völliger Ruhe auf ihren Plätzen, und selbst wenn sie sich leise, fast schon flüsternd unterhielten, war noch drei Sitzreihen weiter fast jedes Wort deutlich zu verstehen.

In den Einsatzwagen, die vorrangig mit Schülern, eigentlich konnte man sagen, fast ausschließlich mit Kindern und Jugendlichen besetzt und dann auch noch bis auf die letzte noch so kleine Lücke vollgepfropft waren, dass sich die Türen kaum noch schlossen, da sah es natürlich ganz anders aus. Da versuchte ein jeder, seinem Nachbarn die Geschichten des Abends, der Nacht und des Morgens zu erzählen und das natürlich in einer Lautstärke, die die Geschichte des Nachbarn unbedingt übertönte. So schaukelte sich der jahrmarktähnliche Geräuschpegel wie in einer Spirale unaufhaltsam nach oben, und es ist mir bis heute ein Rätsel, wie der Busfahrer bei so einem Geschrei überhaupt konzentriert fahren, den drohenden Hörsturz umgehen und einem Tinnitus entkommen konnte. Und so saßen wir da, vorbildlich, brav, fast wie zwei Musterschüler im Bus, als meine Schwester leise vor sich hin murmelte, dass sie eigentlich gar keinen Bock auf Schule hatte und einfach nicht hingehen wollte.

Wie, keinen Bock und einfach nicht hingehen, dachte ich, schüttelte empört mit dem Kopf und verstand nicht, was sie meinte, denn für mich gab es so etwas nicht. Man ging zur Schule und blieb nur zu Hause, wenn man krank oder von den Eltern entschuldigt war. Ich fragte sie, wie das funktionieren sollte, doch sie verdrehte nur die Augen und gab mir zu verstehen, dass ich nicht immer alles so spießig und verbissen sehen sollte. Auf meine anschließende und durchaus auch berechtigte Frage, wie wir das dann mit der Entschuldigung anstellen wollten, reagierte sie nur mit spöttischem Lachen, schüttelte genervt den Kopf und sagte: *„Maaannn, du hast vielleicht Sorgen“,* rollte noch mehr mit den Augen und beruhigte mich mit den Worten: *„Das bekommen wir dann schon hin, ich mache das ja nicht zum ersten Mal!“* – Wow, dachte ich, heute war der Tag, an dem ich richtig was dazulernen und Geschichte schreiben konnte, hängte mich an meine Schwester, wohlgemerkt GROSSE SCHWESTER – Vorbild und so – und nicht ich war es, der Geschichte schrieb, ganz im Gegenteil: Es entstand eine peinliche und abenteuerliche Geschichte – und zwar über mich!

Der Bus fuhr den üblichen Weg in die Stadt, und drei Stationen bevor wir den Marktplatz erreichten stoppte der Bus an meiner Schule und ganz ehrlich, ich hatte voll Herzklopfen, denn ab jetzt machte man etwas Verbotenes. Schlagartig wurde die Atmung schneller, und als ich dann auch noch vereinzelte Schüler von hinten auf dem Weg zum Schulgebäude sah, da kam auch noch Übelkeit dazu. Ich war absolut nicht der geborene Betrüger, das schlechte Gewissen fraß mich fast auf und neutralisierte den ganzen Kick des *„Blaumachens“.*

Meine Schwester war dagegen auch hier völlig entspannt und als wäre es das normalste der Welt, verfolgte sie das bunte Treiben, das sich ihr beim Blick durch die Fensterscheiben bot. Als ich meine Schwester fragte, was wir denn nun machen wollten, da lachte sie wieder und sagte, dass uns schon irgendetwas einfallen würde. *„Vielleicht erst einmal irgendwo Frühstücken“,* warf sie lakonisch rüber und damit war in der Regel ein Kakao auf die Faust und ein Mohrenkopfbrötchen gemeint, nur als Übergang und Zeitüberbrückung bis die Kaufhäuser aufmachten und dann hinein ins Gewühl und einfach Bummeln gehen. Ok, dachte ich, das ist ein Plan, und wir fuhren mit dem Bus bis zum Marktplatz. Auch beim Aussteigen konnte ich dem verbotenem Tun noch nichts Schönes abgewinnen und wartete weiterhin auf den ultimativen *„Schulschwänzerkick“*, ganz im Gegenteil, das Unwohlsein, die Magenschmerzen und der Schiss in der Buchse, setzten sich weiter fort. Es war kalt, regnerisch, die Erwachsenen marschierten kreuz und quer durch die Gegend, jeder hatte ein Ziel, nur wir scheinbar nicht. Ich hing meiner Schwester am Rockzipfel wie ein Elefantenjunges der Mutter am Schwanz, doch sie war völlig cool, wackelte zielstrebig über den Marktplatz und ging in Richtung der *„Hamburger-Farm“* (McDonalds gab es zu diesem Zeitpunkt in unserer Stadt noch nicht). *„Hamburger-Farm“* dachte ich, nee, auf Hamburger und Pommes hatte ich jetzt, um 8 Uhr morgens, auch noch keinen Bock, aber wahrscheinlich war es mehr der *„Schiss“* von irgend jemandem gesehen zu werden, denn dort saß man direkt hinter einer großen Schaufensterscheibe wie auf einem Präsentierteller und wurde von jedem, der durch die Fußgängerzone ging und das Fenster passierte gesehen und bemustert. So war meine Wahrnehmung, und ich sah plötzlich überall nur noch Lehrer meiner Schule, die natürlich gar nicht da waren, unsere Nachbarn von Zuhause oder sogar meine Eltern, die durch die Stadt strotzeln, was ebenso kompletter Blödsinn war, aber das schlechte Gewissen und die Angst, erwischt zu werden, zog tiefe Gräben und noch deutlichere Spuren. Mit der Angst der Verzweifelung folgte ich meiner Schwester, die dann zum Glück an der *„Hamburger-Farm“* vorbeisteuerte und zunächst sichtlich erleichtert, war das Glücksgefühl dann leider nur von kurzer Dauer, denn auch hier passte das alte Sprichwort wie die Faust aufs Auge: *„Erstens kommt es anders und zweitens, als man denkt“,* denn es ging vom Regen in die Traufe, zutreffender war aber wahrscheinlich: *„Von Pest zu Cholera“*, denn noch während ich grienend an der Frittenbude vorbeimarschierte, steuerte sie auch schon auf einen kleinen Seiteneingang zu, über dem ein beleuchtetes Schild hing: *„Rollis Tanzbar“*.

Was war jetzt das, dachte ich, Kneipe, Spielunke, Tanzbar, ist die noch ganz echt, doch sie sagte mir, dass das schon so in Ordnung war, sie die Leute kannte und sich dort oft mit Freunden und Schulkameraden traf, um abzuhängen und einfach nur die Zeit totzuschlagen. Na super, dachte ich, das lief ja mal richtig gut für mich und folgte meiner großen Schwester, was anderes blieb mir ja in der Situation auch nicht übrig, und es ging eine lange steile Treppe hinunter, die nicht sonderlich hell ausgeleuchtet war und vor einer massiven Holztür mit einem kleinen, vergittertem Fenster endete und einem Schild links neben der Tür mit dem Aufdruck: KLINGEL. Als wäre es das normalste der Welt, klingelte meine Schwester, und im nächsten Moment öffnete sich auch schon mit einem surrenden Geräusch die geheimnisvolle Tür. Herzklopfen, Schiss, Übelkeit, hinzu kamen nun noch weiche Knie und ehrlich gesagt, konnte ich am Schulschwänzen immer noch keinen tiefgründigen Sinn erkennen. Es führte ein langer Gang durch das Lokal, links und rechts waren Tische mit Holzbänken und am Ende des Gangs mit etwas mehr Beleuchtung die Theke hinter der ein dünner, schlaksiger, langhaariger, junger Mann an der Zapfanlage stand und Gläser spülte. Das plätschernde Geräusch der Spüle, das Surren der Kühlanlage und das Klimpern der Gläser erinnerte mich eindeutig an Kneipe, allerdings waren das Erinnerungen an einen Frühschoppen des Vaters, wenn ich ihn mal zum Sonntags-Stammtisch mit seinen Freunden begleiten durfte. Dort war es so ähnlich, es fühlte sich aber ganz, ganz anders an.

Ich dachte an meine Eltern, an meine Klassenkameraden, was die jetzt wohl alle machten? In Gedanken sah ich meinen freien Platz in der Klasse, und was machte ich an diesem Morgen um kurz vor 9 Uhr? Ich saß in Rollis Tanzbar und hatte die Hose gestrichen voll. Meine Schwester fragte mich, ob ich `ne Cola haben wollte und ich dachte mir, um wenigstens bei einigen ihren Klassenkameraden und Freunden nicht wie der totale Looser auszusehen, dass das wahrscheinlich die coolste Lösung war, obwohl, ganz ehrlich, ein Kakao wäre mir deutlich lieber gewesen, hätte ihn dort aber wahrscheinlich auch gar nicht bekommen. Meine Schwester und ihre Freunde, natürlich alles Mädchen (wie man sah, lief es nahezu perfekt für mich), bestellten alle Altbierbowle, nicht weil es sonderlich gut schmeckte, zu dieser Zeit war es halt einfach *„in“* und *„cool“*. Sie tauschten sich aus, kicherten, frotzelten, und ich saß da, völlig eingeschüchtert, hoffnungslos verlassen und von niemandem beachtet an der letzten Ecke des Tisches, und so, wie sie mir das Gefühl der Überflüssigkeit gaben, machte auch ich keinen Hehl daraus, dass mich ihre Mädchen-Themen aber so was von absolut nicht interessierten und ich viel lieber bei meinen Freunden in der Klasse gesessen hätte.

Als fünftes Rad am Wagen, eigentlich so unbeachtet, dass es schon fast das sechste war, musste ich nur aufpassen, dass mich meine Schwester nicht vergaß und im Eifer ihrer angestrengten Unterhaltungen dort einfach sitzenließ. So wollte ich mich zum einen aus ihren völlig unspannenden Themen heraushalten, Spaghettiträger-Shirts, Hotpants und die neuesten Extensions waren überhaupt nicht das, was mich interessierte, ich saß da mit der fast schon hysterisch kreischenden Mädchengang, hielt mich an meiner Flasche Cola fest, während die *„Möchtegerngymnasiasten"* sich die Altbierbowle reinzogen, die restlichen vollgesogenen Erdbeerstücke mit einem Piekser herausfischten und auch noch stolz herumposaunten, dass eben genau diese Restfrüchte das Beste an der ganzen Bowle war, denn fett mit Alkohol getränkt reichten sie allein schon aus, um den Tag zu deinem Freund werden zu lassen. Mich trennten zu meiner Schwester gerade mal zwei Jahre, eigentlich nicht die Welt, doch irgendwie verstand ich ihre Sprache nicht, wie konnte der Tag zu deinem Freund werden und dann auch noch durch matschige aufgeweichte Erdbeeren, die sie unter normalen Umständen in der Schale auf dem Tisch stehend nicht einmal im Vorbeigehen angesehen hätten, geschweige denn mit Heißhunger und Enthusiasmus darüber hergefallen wären. Es war eine verzwickte Situation, ich musste gute Mine zum bösen Spiel machen und wenigstens so tun, als wäre ich der Mädchentruppe auf ewig dankbar, als kleiner Bruder am Bein klebend dabei sein zu dürfen.

Es dauerte nicht mehr lange, da kam von einem der Mädchen das Signal zum Aufbruch, das wilde Herumgeschnattere wurde kollektiv eingestellt, die vielen bunten, meist selbst gebatikten Tücher um den Hals gewickelt und zielstrebig, wie an der Perlenschnur aufgereiht, marschierten sie den schmalen Gang entlang bis zur Ausgangstür, vorbei an dem langhaarigen Typen, von dem sie sich wie bei einer einstudierten Choreographie mit Küsschen verabschiedeten, der das aber emotionslos mit nickendem Kopf und gehobener Hand mehr normal als sichtlich begeistert zur Kenntnis nahm. Ich folgte der Truppe, hielt mich aber an der Tür mit einem Verabschiedungsküsschen zurück, was ganz sicher auch im Sinne des schlaksigen Typen war, der sich ohnehin schon wieder abgewandt hatte und auf dem Weg zurück zur Spültheke war. Die Kaufhäuser hatten geöffnet, der Grund dafür, warum bei den Mädchen der Aktivitätssensor *„Shoppen"* ansprang und sie ohne murren und knurren das Feld räumten und das Lokal verließen.

Gut, dachte ich, alles war besser als da in der Spielunke herumzuhängen und malte mir aus, wie es gewesen wäre, wenn es am Morgen eine Polizeikontrolle gegeben hätte – man, gar nicht auszudenken, ich wäre wahrscheinlich gestorben, wenn sie mich nach dem Alter oder einem Ausweis gefragt hätten. Und der Knaller war, ich hatte noch nicht einmal einen Ausweis, das heißt, doch, einen Schülerausweis und eine Monatskarte für den Bus hatte ich, auf denen klar und deutlich: SCHÜLER stand, was soviel bedeutete, dass ich jetzt, eben um diese Zeit in der Schule zu sitzen hatte und nicht in der dunklen Ecke einer noch dunkleren Tanzbar! – Oh man, mir wurde immer flauer im Magen.

Einige Minuten später waren wir zurück in der Fußgängerzone, zurück im Tageslicht und ich fühlte mich gleich deutlich besser. Auf direktem und somit auch dem kürzesten Weg arbeitete sich die Mädchenkarawane bis zum Kaufhaus Karstadt vor, wo es dann für alle ein schier unendliches Spektrum der Möglichkeiten gab. Ob für alt oder jung, für Erwachsene oder Kinder, nur zum Aufwärmen oder um den frühen Einkauf zu erledigen, für jeden tat sich mit den großen geöffneten Türen ein Eldorado der Vielfalt auf, das für jeden Geschmack etwas zu bieten hatte, selbst für einen minderjährigen Schulschwänzer waren da kaum Grenzen gesetzt. Zum Glück war ich mit den dortigen Gegebenheiten bestens vertraut, auch die Mädchen stürmten natürlich gleich direkt in den Kosmetikbereich, hatten dabei wieder diese kreischende Ausdrucksweise in der Stimme, und ich signalisierte meiner Schwester, dass ich in die Männerabteilung verschwinden wollte – dritter Stock, Spielwaren. Ich bin mir ziemlich sicher, dass es ihr auch ganz Recht so war, denn ich war für alle bestimmt keine Bereicherung und schon gar nicht hilfreich. Wäre ich vielleicht der große Bruder und zwei bis drei Jahre älter gewesen, jaaaa, dann hätte es vielleicht anders ausgesehen, aber, hätte, wenn und aber, ich war zwei Jahre jünger und auf direktem Weg nach oben in den dritten Stock. Ich beguckte die Spielwaren genau so, wie sonst auch, wenn ich mit meinen Freunden nach der Schule noch einen Abstecher ins Kaufhaus machte, bevor der nächste Bus uns nach Hause führte, jetzt war ich nur allein, und es fühlte sich nicht so toll an, irgend etwas fehlte. So schlenderte ich eher lustlos als motiviert durch die Gänge, bis ich dann deutlich früher als von den Mädchen erwartet zurück im Erdgeschoss eintraf. Die waren immer noch quiekend und putzmunter drauf, als hätten sie eine Woche Hausarrest gehabt und wurden gerade erst wieder auf die Menschheit losgelassen. Ja, ja, dachte ich, so würde es mir auch bald ergehen, wenn diese ganze Nummer herauskam.

Irgendwann war es dann genug, die Mädchengruppe löste sich auf, und meine Schwester und ich knüpften da an, wo wir beim Verlassen des Busses oder besser gesagt beim Betreten der Kellerkneipe von den Freundinnen unterbrochen wurden, setzten unsere *„Zweier-Schulschwänzer-Tour"* fort und gingen wieder als Duo nebeneinander durch die Fußgängerzone. Sie wollte zu *„Boots"*, einem angesagten Schallplattenladen gehen und ein bisschen herumstöbern. Hörte sich gut an, dachte ich, wackelte natürlich hinterher, hatte ja im Moment eh nichts anderes vor. Schallplatten waren bis dahin überhaupt nicht meins. Ich hatte zwar einige, aber das waren Schallplatten wie *„3x9 Schlagerparade"* von und mit Wim Thoelke, Wum und Wendelin und ein paar alte Schinken von den Eltern, doch meine Schallplatten Prägephase sollte an diesem Tag beginnen.

Quer durch die Fußgängerzone und rein in den Plattenladen. Die Typen im Laden wurden immer größer, die Haare immer länger, entweder hatten sie rückenlange, offen wehende Haare, einige auch als Pferdeschwanz zusammengebunden, oder sie hatten kurze verfranzte Haare auf dem Kopf mit einer deutlich durchscheinenden Platte aber dafür zum Ausgleich einen nicht weniger gepflegten Bart, der wie Unkraut fast das ganze Gesicht überwucherte. Das war jetzt das beschriebene Aussehen der Männer, die Frauen oder Mädchen sahen dagegen deutlich gepflegter aus, viele hatten Pagenschnitt, Kurzhaarfrisur, eben so wie meine Schwester auch. Als wir den Laden betraten, umarmte meine Schwester einige von diesen ungepflegten, rübezahlähnlichen Typen, und ich wunderte mich erneut, was meine Schwester doch für Leute kannte. Ein eigenartiger Duft lag in der Luft, und meine Schwester erklärte mir, dass das Räucherstäbchen waren, die total toll dufteten und man dabei mit leiser Musik unglaublich schön träumen konnte. – Und da war sie wieder diese eigenartige Sprache meiner Schwester, in deren Wortschatz immer häufiger die Vokabeln *total*, *unglaublich*, *toll* und neuerdings auch noch *träumen* vorkamen. Na, ja und was den Duft anging: Vermischt mit meinem Gemütszustand, hatte der weniger mit Träumen zu tun, denn Bauchweh, Übelkeit, weiche Knie und Schiss in der Buchse machten die Gesamtsituation für mich nicht unbedingt besser.

Die Schallplatten standen in alten Pappkartons, darüber hingen von Hand gemalte Schilder: **Rock, Pop, Folklore** und ganz ehrlich, ich konnte mit allen drei Ausdrücken aber auch überhaupt nichts anfangen. Rock sagte mir zwar etwas, aber wenn ich das jetzt gesagt hätte, dann wäre es bei meiner Schwester bestimmt nicht nur beim Augenrollen geblieben, und sie hätte mich achtkantig aus dem Laden geschmissen. Also hielt ich die Klappe, wühlte ebenso in den Kartons nur mit der Ausnahme, dass mir alle diese Gruppen, Sänger, Musiker, kurzum Krachmacher überhaupt nichts sagten. Doch ich wollte auch irgendwie dazu gehören und rief immer mal wieder durch den Laden zu meiner Schwester, dabei eine Schallplatte hochhaltend: *„Ist die gut"* und bekam meistens von ihr ein – **geht so** zurück, was dann auch nicht sonderlich hilfreich war, also musste Plan B her. Ich ging zu ihr und sichtete einfach die Platten, die sie sich schon ausgesucht und an die Seite gelegt hatte nach dem Motto, ein bisschen abgucken, und wenn sie es gut findet und kauft, hallo, Schwester, Familie, dann finde ich es bestimmt auch gut und gehöre mit dazu. Doch schon allein beim Lesen wurde mir schwindlig, die Augen wurden größer und größer. Georges Moustaki, *„ma libertè"* sagte mir ebenso wenig wie, Okko, Lonzo, Berry, Chris & Django oder Cat Stevens mit *„Mona bone Jakon".* Als ich mir die Bilder auf dem Cover ansah, da fiel mir auf, dass sie fast ausnahmslos alle wie langhaarige Bombenleger genau wie die Typen dort im Laden aussahen, mit viel Bart und Haar. Ich kramte weiter, und wie es der Zufall wollte, griff ich nach einer Platte, wo auf dem Cover fünf Typen abgebildet waren, die eine brennende Kerze auf dem Kopf hatten. Ich fand das lustig und wieder rief ich durch den Laden und sprach dabei garantiert den Namen der Gruppe und der Platte falsch aus. *„Deep Purple – Burn"*, rief ich, *„sind die gut?"* Und wieder kam von meiner Schwester nur ein wohlwollendes stummes Nicken zurück, doch der schlaksige Langhaartyp in meiner unmittelbaren Nähe erklärte mir, dass Deep Purple einfach *„Kult"* sei und das neue Album *„Burn"* der absolute Hammer wäre und dabei wippte sein Kopf im Takt seiner Stimme auf und ab. Wow, dachte ich, der Mann kannte sich aus, und so erwarb ich meine erste Schallplatte für – ich glaube, es waren damals 13 D-Mark und war stolz wie Nachbars Lumpi, auch noch eine *„Kult-Platte"* und dann auch noch an meinem bisher einzigen *„blaugemachten"*, geschwänzten Tag! – Das war ein **Hammer**!

Je weiter wir uns von den Morgenstunden entfernten und in Richtung Mittagszeit kamen, desto entspannter wurde ich; die Gefahr, erwischt zu werden, wurde immer geringer, bis es dann endlich überstanden war, ein Blick auf die Uhr signalisierte mir; Schulschluss, und ich konnte mich nun wieder völlig frei vor allem aber entspannt in der Stadt bewegen, verabschiedete mich von meiner Schwester, die wahrscheinlich auch ganz froh darüber war und zog mit meiner neu erworbenen Platte und der Schultasche lässig unter dem Arm ab, ging meinen Klassenkameraden entgegen, die auf dem Weg von der Schule in die Stadt waren. Als ich die zwei Freunde traf, mit denen ich auch immer morgens zusammen zur Schule fuhr, erkundigten sie sich zunächst nach meinem Befinden, denn schließlich hatte ich ja gefehlt und fehlen bedeutete bis zu diesem Zeitpunkt: **KRANK**! Doch dann erzählte ich ihnen die ganze Geschichte von A bis Z, fügte aber auch gleich hinten an, dass es sich nicht gelohnt hatte, denn der Kick, so er auch überhaupt irgendwie dagewesen sein sollte, wurde von den Nebenerscheinungen wie Schiss, weiche Knie, Angst, Übelkeit und natürlich von den traumatischen Stunden mit der Mädchengang überschattet und fast völlig neutralisiert. Dann zeigte ich ihnen meine neue Platte, das einzig Positive, das bei der ganzen Aktion herausgekommen war, und sie bemusterten das Cover mit den fünf Kerzen genauso misstrauisch wie ich zuvor.

*„**Deep Purple**“,* sagte ich, *„sind im Moment voll „**in**“, absolut Kult in der Rock-Szene“.*

Wow und **stark** waren ihre Reaktionen, und ich erklärte weiter, dass meine Schwester da einen ganz anderen Musikgeschmack hatte und sich so‘n Mädchenzeug gekauft hatte, komplett andere Kategorie. So ein Grieche mit langen Haaren, der zu griechischer Folklore tanzte. Und noch so eine Jungengruppe und einen mit ‘ner Katze, womit kein geringerer als Cat Stevens gemeint war!

Eigentlich war es damit für mich gelaufen, schnell waren die negativen Momente des Morgens vergessen und auch am Nachmittag, als ich meine Schwester dann zu Hause traf, war es wie immer, das heißt, als ich meine neuerworbene Platte auf meinen kleinen roten Plattenspieler legte, der zwei eingearbeitete Lautsprecher im Deckel hatte und wo der Tonarm noch vorsichtig von Hand aufgesetzt werden musste, da dachte ich zunächst, dass ich die falsche, zu schnelle Geschwindigkeit eingestellt hatte, denn von meinem bisherigen Musikverstand waren diese Töne und Klänge nicht nur meilenweit als vielmehr Lichtjahre entfernt. Kreischen, Schreien, Brüllen, na, ja, Rock halt, hatte ich mir gedacht, aber schön, also ganz ehrlich, schön fand ich es nicht.

Ich war enttäuscht, aber irgendwo dann auch wieder stolz, solch eine Platte zu besitzen, die ich mir auch noch selbst ausgesucht und gekauft hatte (na, ja, mehr oder weniger) und eine Platte zu haben, bei der solch eine Geschichte dahinter stand, das machte zwar die Musik nicht schöner aber mich schon ein Stück weit stolzer und erwachsener. (Wie sagte da ein alter Lehrer von mir immer so schön? *Wir lernen nicht für den Moment, wir lernen für's Leben*). Und um dem ganzen vielleicht etwas vorzugreifen: Nein, Deep Purple hatte nicht mein Leben verändert und meinen Musikgeschmack schon mal gar nicht, doch sie ist bis heute die einzige Deep Purple Platte in meiner später über viele Jahre gewachsenen, nicht unerheblich großen Plattensammlung geblieben.

Dann kam der nächste Tag, aufstehen, Weg zum Bus und die Fahrt mit den Kumpeln bis zur Schule. Ein Gefühl wie in alten Zeiten, keine weichen Knie, keine Übelkeit und keinen Schiss mehr in der Buchse, warum auch und vor allem wovor? Doch dieses gute, überschwängliche Gefühl war nur von kurzer Dauer, eine temporäre Vision sozusagen, denn das böse Erwachen sollte direkt bei der ersten Unterrichtsstunde kommen – und es kam! Als die Anwesenheit kontrolliert wurde und der Finger meiner bis dahin unangefochtenen Lieblingslehrerin **Frau Wadebühr** im Klassenbuch auf der Höhe meines Namens ankam, da blickte sie in ihrer kessen und ebenso spontanen Art nach oben, suchte, und als ihr Blick mich einfing, da rief sie: *„Oh, bist ja wieder da, alles wieder gut bei dir",* und ich spürte, wie sich die Wangen schlagartig mit Blut füllten und mit dem Gefühl eines überkochenden Wasserkessels antwortete ich stotternd, verlegen und kalt erwischt:*„Ja, ja, alles wieder gut, geht schon wieder."* **Frau Wadebühr**, die immer noch mit dem linken Arm auf der Tischplatte aufgestützt stand, hob den rechten Daumen, lachte, und damit schien die Sache erledigt, und ich dachte mir, wow, deine Schwester hatte schon Recht, geht voll gut, ohne Probleme. Das flaue Gefühl war weg, das Selbstbewusstsein wuchs, der Unterricht ging seinen Gang, und erst als es zum Ende der Stunde klingelte und **Frau Wadebühr** mit der Mappe unter dem Arm im Begriff war, die Klasse zu verlassen, eigentlich schon fast an der Tür war, stoppte sie, drehte sich noch einmal zurück zur Klasse, scannte den Raum erneut ab und fand schon nach nur wenigen Kopfbewegungen genau das, was sie suchte oder besser gesagt *„den"*, den sie suchte – und zwar mich; kam ein paar Schritte auf mich zu und rief ein ebenso kesses wie auch liebevolles: *„Denkst du morgen bitte noch an die Entschuldigung"* zu mir herüber, verabschiedete sich mit einem Augenzwinkern, einer sportlichen Drehung und verschwand mit einem *„Wuschhhh"* genau so, wie wir sie kannten.

Und mit genau so einem *„Wuschhhh“* waren dann auch urplötzlich meine weichen Knie, die Übelkeit, die Angst, das ganze Programm von gestern wieder da, und es schien sich bei mir als chronisch zu verkapseln. Na super, dachte ich, und selbst der Blick zu meinen beiden Freunden versprach da wenig Hilfe, denn der Kommentar aus dieser Ecke war ebenso kurz wie direkt, denn das, *„ach Du scheiße“, mit beiden Händen ans Gesicht angelegt* war da noch gelinde ausgedrückt. Aber bis morgen war ja noch lange hin, und dann war ja auch immer noch die große Schwester da. Also Problem zunächst auf Nachmittag verschoben, was allerdings meine Bauchschmerzen nicht interessierte, die als fünftes Symptom zum Krankheitsbild hinzukamen.

Frau Wadebühr war übrigens zu diesem Zeitpunkt nicht nur meine Lieblingslehrerin, sondern auch gleichzeitig noch unsere Klassenlehrerin und zu allem Übel auch noch die Vertrauenslehrerin der Schule, zu der man mit allen Problemen kommen konnte, was jetzt die Sache in meinem speziellen Fall nicht unbedingt einfacher machte. Der zweite Tag dümpelte so dahin, mein Krankheitsbild erweiterte sich auf permanente Blässe und Durchfall und nach dem Gespräch mit meiner älteren Schwester mit der traurigen Erkenntnis, das scheinbar rettende Ufer doch nicht so einfach zu erreichen, kamen noch massive Schnappatmung, Herzrhythmusstörung und zeitweise Ohnmachtsanfälle dazu.

Houston, wir haben ein Problem, wobei das Problem eher bei mir, als in Texas lag, und noch einmal lief ich zu meiner Schwester und berichtete ihr völlig aufgelöst von den massiven Problemen, tänzelte nervös von einem Fuß auf den anderen, doch sie schob es fast im Vorbeigehen mit einer abwertenden Handbewegung weg. *„Mach dich nicht verrückt“,* sagte sie, *„das wird alles nicht so heiß gegessen, wie es gekocht wird“,* kramte weiter in ihren Sachen, und ich stand da, hoffnungslos mit den Nerven am Ende, gedanklich schon in eine Besserungsanstalt strafversetzt und wusste nicht mehr weiter. *„Ja und woher bekomme ich jetzt diese verdammte Entschuldigung“,* fragte ich sie mit immer hektischer werdendem Unterton, und auch die Bauchschmerzen nahmen deutlich zu. Ja, und ohne es zu wissen, war genau das der Schlüssel zum Erfolg – die Bauchschmerzen, was allerdings für mich als Junge schlecht, um nicht zu sagen eigentlich gar nicht als Entschuldigung einzusetzen war. Auf meine Frage, wie sie sich denn immer entschuldigte, drehte sie sich zu mir und sagte: *„Gar nicht, das heißt, jedenfalls nicht schriftlich“,* und ich verstand überhaupt nichts mehr und blickte genau so begeistert wie nach den ersten Klängen der Deep Purple Platte.

Dann erklärte sie mir, dass sie am nächsten Tag einfach zur Lehrerin ging, aber entscheidend wichtig war, dass es eine Lehrerin war, denn nur die hatte das notwendige Verständnis dafür, wenn ein junges Mädchen mit Krämpfen, Unterleibsschmerzen und ein paar kullernden Tränen vor ihr stand und das ganze mit den Worten noch etwas glaubhafter untermauerte: *Mensch, hoffentlich ist das bald vorbei, ich habe versucht zum Unterricht zu kommen, aber auf halber Strecke wurden die Schmerzen zu heftig, und da bin ich mit dem Bus direkt wieder zurückgefahren.* Ab und zu bekam man dann noch ein paar hilfreiche Tipps, die man natürlich mit *ganz besonders liebem Dank* und *„... werde ich gleich mit meiner Mutter besprechen"* annahm, noch ein paar klimpernde Wimpernschläge, demütiges Nicken, und schon war die Sache gegessen. Oh, oh, das – ***werde ich gleich mit meiner Mutter besprechen*** – schien gar nicht mehr so weit von mir entfernt, allerdings waren es andere Dinge die zu klären waren als Wärmflasche und Eukalyptustee. Ja, so richtig hilfreich war da meine Schwester jetzt auch nicht, und ich bereitete mich auf Plan **C** vor. **A** war gescheitert, **B** ging hoffnungslos in die Hose, und bei **C** war das weiche und verständnisvolle große Herz der Mutter meine letzte Hoffnung – in der Erwartung, dass sie es für sich behalten und es nicht unbedingt dem Vater erzählte, denn dann trat automatisch Plan **D** bis **F** in Kraft, was das bedeutete, das möchtet ihr nicht wissen. Der Abend kam, die Mutter auch und mit ihr natürlich auch der Vater, denn sie kamen in der Regel gemeinsam aus dem Geschäft nach Hause.

– Wie war der Status?

- Mutter in Hektik, den ganzen Tag auf den Beinen, abgespannt, vier Kinder zu Hause, alle entspannt, nur ein Kind nicht, chronisch krank – Abendbrotvorbereitung.

- Vater auch zu Hause, auch den ganzen Tag auf den Beinen, auch abgespannt, hinzu kam aber bei ihm noch nölig weil hungrig, keine Abendbrotvorbereitung, dafür Fernseh-, Wohnimmer- und Couchvorbereitung.

- Mutter bis dahin alles im Griff, klingeln an der Haustür, *„Mutti, für dich"*, Nachbarin – *kann ich mir bei dir vier Eier ausborgen*, komm doch erstmal rein.

Beim Zurückgehen in die Küche klingelte das Telefon, das früher im Flur, zwischen Küche und Wohnzimmer auf einem Kasten stand, bei dem auf Tastendruck alphabetisch sortierte Adresskärtchen herausfuhren. *(Ein Telefon bestand damals aus zwei maßgeblichen Komponenten, der Basis mit Wählscheibe und Gabel und natürlich dem Hörer, der mit dem Korpus über ein gedrehtes Kabel verbunden war. Dieser ganze Apparat war dann wiederum per Kabel, der Zuleitung, mit einer Dose an der Wand verbunden.)* Nach dem dritten Klingeln, das im Übrigen so laut war, als würde auf einer Großbaustelle die Mittagspause eingeläutet werden und die Glocke müsste den Presslufthammer übertönen, kam dann von allen Seiten und Etagen der kollektive Ruf der restlichen Familie: ***TELEFON KLINGELT***, was soviel bedeutete wie: ***Mutti, du bist am nächsten dran, könntest du mal***. Dann, wie in den meisten Fällen, folgte der Ruf zur älteren Schwester in den Keller, (die dort ihr eigenes Reich hatte und an die in der Regel alle Telefonate zwischen 19 und 21 Uhr gerichtet waren) die die Rufe und Schreie ebenso selten hörte wie das Telefonklingeln auch, und dann musste die Mutter auch noch in den Keller sprinten – schließlich war sie ja auch am nächsten dran – und die frohe Telefonbotschaft nebst Telefon zu ihr nach unten tragen. Die Schwester blockierte dann meistens stundenlang die Treppe, saß mit den Füßen an der Wand hochgelegt und quasselte ohne Ende mit ihren Freunden, von denen sie sich gerade erst wenige Stunden zuvor verabschiedet hatte. Der Nachbarin wurden die vier Eier in die Hand gedrückt und sie mit den Worten: *„Ich melde mich morgen, du siehst ja was hier los ist"*, zur Tür geschoben, und auf dem Weg zurück in die Küche kamen aus der ersten Etage die klägliche Rufe wie: *„Huungaaa*" und fast zeitgleich klang es aus dem Wohnzimmer, nicht weniger klagend: *„Schaaaatz, beeil dich, der Film fängt gleich an und gibt's noch was zu essen oder was machst du da eigentlich die ganze Zeit?"*

Ja, **das war der Status**, da wurde die Situation auch nicht besser, als ich zu meiner Mutter in die Küche ging und ihr meine Hilfe anbot und schon mal den Tisch decken wollte. Schaden konnte es nichts, und ich versuchte, alle Register zu ziehen, frei nach dem Motto: *Auf die richtige Vorbereitung kommt es an*, wollte ich schon mal den Weg für ein konstruktives Gespräch ebnen, um natürlich zu einem für mich daraus resultierenden guten und zufriedenstellenden Ergebnis zu gelangen, wann auch immer dieses Gespräch stattfinden sollte, es war ja bis zum nächsten Morgen noch viel Zeit.

Gerade noch das blanke Chaos, und knapp fünf Minuten später war alles fertig, ja, so war sie die Mutter, der perfekte Familienmanager. Mit einem liebevollen aber nicht weniger lauten: ***„Aaaabendessen“*** wurde dann die hungrige Truppe zusammengerufen, die sehr schleppend, fast schon schleichend aus den Löchern gekrochen kam, denn hatten auch alle gerade noch genölt und gedrängelt, so konnten sie sich nun von ihren Beschäftigungen nicht trennen. Couch, Zeitung, Musik hören, na, ja, halt die wichtigen Dinge, die der Feierabend so mitbrachte. Nach der dritten Aufforderung saßen sie dann teilweise maulend am Tisch, und unterschwellig sickerten Bemerkungen heraus, wie: *„Wird auch immer später“,* begleitet von hängenden Ohren und langen Gesichtern. Nach dem gefühlten achten Aufruf und nur unter Androhung maximaler Sanktionen schaffte es dann endlich auch die große Schwester, sich vom Telefonat auf der Treppe zu lösen, und noch bevor sie ebenfalls maulend an den Tisch trat, verabschiedete sie sich mit den Worten, *„melde mich später noch mal – die nerven hier.“*

Ja, das war die Situation, und man wird mich wahrscheinlich verstehen, dass das gerade der falscheste Zeitpunkt war, um über chronische Krankheiten, Blutarmut und Eintags-Entschuldigungen für die Schule zu sprechen. Allerdings war die Familie jetzt mal komplett beisammen, und man hätte es gleich in der Gruppe ausführlich besprechen, das Für und Wider ausarbeiten, nach Lösungen suchen und einen gemeinschaftlichen Beschluss formulieren können. – Ja, das hätte man machen können, ein gemütliches Abendessen war die Alternative und die wahrscheinlich denkbar und salomonisch bessere Entscheidung. Das anschließende Essen war dann so, wie sonst auch immer, es wurde gezankt, vorrangig über die Senftube, die ähnlich der Zahnpastetube von der Mitte her ausgequetscht wurde oder über die letzte Scheibe einer ganz bestimmten Wurstsorte, die sonst immer liegen blieb, doch eigenartiger Weise genau an diesem Abend von allen genommen werden wollte, die sich nicht für die gefühlten zwanzig anderen Dinge auf dem Tisch interessierten.

Mit Kommentaren wie: *„Wenn ICH mich schon mal auf etwas freue“,* zogen sich die Mundwinkel nach unten, die Augen rollten und ein eingeschnapptes *„pffff“* wurde noch hinterher geschoben. Schuld daran war natürlich wie immer die Mutter, die mal wieder viel zu wenig davon eingekauft hatte. Ein anderer zickte herum, nur weil er von der Schwester am Arm angestoßen wurde und ein Teil der sowieso viel zu voll geschütteten Teetasse überschwappte. Es folgte ein mauliger Dialog, und über den Tisch gab es ein Herumgefurze von: *„Das hast'e mit Absicht gemacht“,* bis *„wovon träumst du eigentlich nachts“,* und erst als der Vater die aufgeheizte Stimmung mit einem: ***„Ruhe, verdammt noch mal, jetzt reicht's“,*** auf den Punkt brachte und fortan keiner mehr wagte, etwas zu sagen und jeder fortan nur noch stumm und mit dem Blick nach unten gerichtet sein Brot in sich rein schob, spätestens da bekam dann die Mutter ihren symbolischen, anerkennenden Schulterklopfer für diese kleine unbedeutende *„Haus-Manager-Tätigkeit“.*

Nachdem der erste dann den Tisch verließ, folgten die anderen zugleich, der Vater zu den Nachrichten, um pünktlich zum Filmbeginn die Mutter rufen zu können, die anderen zur Musik oder zurück auf die Treppe und knüpften da an, wo sie noch vor einigen Minuten abrechen mussten. Zu dem Zeitpunkt kostete telefonieren noch richtig viel Geld, da gab es den sogenannten ***„Acht-Minuten-Takt“***, denn alle acht Minuten sprangen die Einheiten auf weitere dreißig Pfennig, und mit einer oder gar zwei Stunden war da ein pubertierendes Mädchen mal schnell dabei, und in diesem Haushalt hatten wir gleich drei davon! Ja und nur die Mutter hatte jetzt endlich Ruhe, saß noch einen Moment allein am Tisch, kein Maulen, kein Geschrei, kein Zanken, nahm sich genüsslich von der anderen Wurst, die gestern noch der begehrte Hit war, dazu ein leckeres Gürkchen, Entspannung pur, eigentlich eine gute Gelegenheit um nicht zu sagen die beste Gelegenheit – doch diesen Moment wollte ich ihr nun auch nicht zerstören, waren solche doch selten genug. Das anschließende Küchenaufräumen lief dann nach einem perfekt einstudierten, sich täglich wiederholendem Plan, quasi fast von selbst, noch eine kurze Vorbereitung für den neuen Tag, Anweisungen an die Kinder, sich auf das Schlafengehen vorzubereiten, bis sie dann zirka zwei Stunden später endlich auch ins Wohnzimmer gehen konnte. Dort wurde sie von dem auf dem Rücken liegendem Mann mit einem tiefen monotonem Ton begrüßt, der erste Film war durch – endlich hinsetzen, die Beine hochlegen, um pünktlich mit dem zweiten Film und gemeinsam mit dem Mann dann ebenfalls auf der Couch einzuschlafen.

Irgendwann wachten beide verdreht, verbeult und zerknittert mit lahmem Rücken auf, das Wohnzimmer war hell erleuchtet, und am Fernsehgerät flimmerte das Testbild, das zum Sendeschluss damals immer vom Sender ausgestrahlt wurde. Ja, da war es nicht so wie heute, dass man unzählige Programme hatte. Man hatte das Erste, das Zweite und das Dritte und das alles noch in schwarz-weiß und eine Fernbedienung, so etwas gab es nicht, wollte man das Programm umschalten oder es einfach nur mal lauter oder leiser haben, dann musste man – oder meistens frau – zum Gerät gehen und das von Hand machen. Heute weiß man bei der Fülle der Programme nicht, was man sich ansehen soll, früher hatten wir feste Strukturen und eben solche Programme. Sportschau am Samstag, davor Daktari für die Kinder. Der Rosaroter Panther, der Kommissar mit Erik Ode, die Hitparade, Dalli Dalli oder Bonanza mit Little Joe, das waren unsere Helden des Abends. Beim Testbild jedoch war es dann für alle vorbei, und die zerknitterten Couch-Helden wanderten eine Etage höher ins Bett, um noch ein paar Stunden zu schlafen, bevor der Wahnsinn neu begann.

Und er kam schneller als man dachte! Nach kurzer Nacht für die Eltern und gefühlter *„gar-keiner-Nacht“* für mich, denn irgendwie war mein Unterbewusstsein damit beschäftigt, die richtigen Worte für eine Erklärung zu formulieren, doch zunächst brauchten wir da mal den ersten Schritt, und der passende Moment schien irgendwie nie richtig da zu sein, denn ebenso verplant, wie auch hektisch verlief der Morgen genau wie der Abend, mit nur einer Ausnahme: Der Vater war schon aus dem Haus. Stau vor dem Bad, Anfeuerungsrufe der Mutter aus dem Erdgeschoss wo sie den Frühstückstisch und die Schulbrote in einer Art Fließbandarbeit fertigte, natürlich mit den Wurstscheiben belegt, bei denen am Abend zuvor noch alle herumgemault und vehement abgelehnt hatten. Etwas neu verpackt, mit einem Salatblatt dazwischen, einer Tomate oder Gurke, ein kleiner Smilie mit dem Edding auf das Alupapier gemalt und plötzlich war es DIE Stulle! – Ja, ja, so eine richtige Mutter wusste, wie es geht, so redete ich es mir jedenfalls ein, denn irgendwie wollte ich mir für mein, sagen wir mal etwas delikates Anliegen Mut zusprechen. Normalerweise hatte ich immer ein gutes Gespür, wann für gewisse Dinge der richtige Zeitpunk da war, doch hier verließ mich diese Fähigkeit, die Zeit lief mir davon und nicht nur die, denn mit einem: *„Tschüsschen“* und einem irgendwie blöden Grinsen ging auch meine ältere Schwester aus dem Haus, die mir diese ganze Misere ja eigentlich eingebrockt hatte.

Ich packte meinen ganzen Mut zusammen, baute mich vor meiner Mutter auf, da schob sie mich mit den Worten, *„trödel nicht"* weiter, und wieder war es der falsche Moment. Aber es half ja alles nichts, es musste raus, denn was war die Alternative? Mutter oder **Frau Wadebühr** mit direkter Weiterleitung zu **Frau Gretling** ins Vorzimmer des Direktorats und anschließendem Grundsatzgespräch mit **Frau Sünamis**, unserer Rektorin, die ich im Übrigen ebenfalls sehr schätzte, und nun sollte diese verdammte *„Tanzbar"* von Rolli das mühsam über Jahre aufgebaute Vertrauen und gute Verhältnis mit einem Federstrich, mit einmal *„Blaumachen"*, zunichte machen. Mist, das war es nicht wert, also tief einatmen und gerade raus damit.

„Ich weiß, dass das jetzt nicht der richtige Moment dafür ist, aber ich brauche da noch mal schnell 'ne Entschuldigung für gestern", – upps und damit war es raus. *„Wieso, Entschuldigung, wofür",* fragte meine Mutter und mit hängendem Kopf und dem kalt-heiß Gefühl, als würde ich gerade Kneipp'sche Wechselbäder machen, hatte ich nun keine andere Wahl, musste Farbe bekennen und versuchte, es ihr mit kurzen Worten aber zunächst einmal nur mit den wichtigsten, schonend aber doch schon direkt beizubringen. Gut, vielleicht hatte ich jetzt nicht alles so genau und detailliert wiedergegeben, ich denke, dass das auch nicht unbedingt so haarklein und zwingend notwendig war, und bei einer möglichen, schnell im Stehen ausgefüllten Entschuldigung so quasi gleich im Flur hätte der morgendliche Besuch in „Rollis Tanzbar" möglicherweise eher störende Auswirkungen gehabt. Doch soweit kamen wir gar nicht, denn mit einer in Falten gezogenen Stirn drehte sie sich zu mir und fragte: *„Du hast was gemacht"*, stemmte dabei die Hände in die Hüfte, und ihr Gesichtsausdruck sah nicht fröhlich aus. Ich versuchte, es etwas deutlicher zu beschreiben, lockerte ein wenig die Schraube und ging gedanklich einen Schritt auf sie zu, jedoch Fakt blieb, ich hatte geschwänzt, und mein Vater hatte mir mal beigebracht: Ein Fehler bleibt ein Fehler, den kann man nicht *„Schönreden"*, also Arsch in der Hose haben, dafür gerade stehen und durch. Ich spürte schon, dass ein weitaus größerer Schritt von Nöten war, musste Fehler auf meiner Seite einräumen, doch die Zeit arbeitete gnadenlos gegen mich, und selbst beim kurzfristigen Strategiewechsel zum **vollen** Schuldeingeständnis mit einem umfangreichen Angebot diverser Hausarbeiten und reuigen Vorschlägen der Wiedergutmachungen kam ich keinen Schritt weiter und die Hoffnung auf mildernde Umstände oder eine Bewährungsstrafe schwand immer mehr und an einen Freispruch, im Sinne des Angeklagten, war schon mal gar nicht mehr zu denken.

Irgendwie waren wir an einem Punkt angekommen, wo sich die Fronten verhärtet hatten, wobei mir meine Front deutlich weher tat. Ich versuchte, es meiner Mutter noch etwas genauer zu erklären, dann stellte sie sich vor mich hin, zeigte mit dem Finger auf mich und sagte: *„Und genau so wirst du es deiner Lehrerin erklären, und ich bin mir sicher, sie wird dafür vollstes Verständnis haben“,* dabei zog sie die Mundwinkel nach oben, drehte sich um und ging zur Tagesordnung über.

Ja, das war dann mal ne klare Ansage, und da waren sie wieder, die Bauchschmerzen, die weichen Knie, und ehrlich gesagt hatte ich auch noch keine richtige Idee, wie ich bei der bis dahin so hochgeschätzten **Frau Wadebühr** aus der Nummer herauskommen sollte. Vielleicht ein beruhigendes Gespräch mit dem Vertrauenslehrer – haha! Machen wir es kurz: In der Schule angekommen passte ich meine Lehrerin vor dem Unterrichtsraum ab, ich dachte vor dem Unterricht ist besser als danach (Zeitfaktor) aber auf jeden Fall besser als im Unterricht vor der ganzen Klasse. Dann kam sie die Treppe herunter, sportlich schnell wie immer, die letzten Stufen gesprungen, eigentlich alles so wie immer, auch die Traube einiger Schülern um sie herum, die sie im Schlepptau wie einen Kometenschweif hinter sich her zog, auch das war so wie immer – sie war schon sehr beliebt. So, nur noch den richtigen Moment abgepasst, sie auf dem richtigen und um Gottes Willen nicht auf dem falschen Fuß erwischen, und bevor sie den Klassenraum betrat, sprach ich sie direkt an der Tür an. Ich stammelte etwas von Entschuldigung und Problem und Fehler, doch anstatt stehenzubleiben, öffnete sie die Tür, schob mich in die Klasse und mit einem: *„Reden wir nach der Stunde drüber“,* war das Problem zwar zunächst benannt, wenn auch nur schemenhaft am Rand skizziert sozusagen, doch das Kernproblem und auch meine chronischen Leidenssymptome waren nach wie vor da, die Galgenfrist verlängerte sich lediglich um eine Unterrichtsstunde, und ich bibberte weiter wie die Maus vor der Schlange.

Mit erhobenem Arm und dem begleitenden Ruf: *„Achtung, Lehrer im Raum“,* ging sie zielstrebig zum Pult, setzte sich wie gewohnt mit einer Gesäßhälfte auf die Tischkante, nahm sich das Klassenbuch und fragte: *„Wer fehlt – rufen oder melden“*, dabei lachte sie, fuhr mit den Augen die Sitzreihen ab, und als sie mich und den dazugehörigen Eintrag meiner Fehlzeit im Buch sah, da zeigte sie mit dem Stift in der Hand auf mich gerichtet und murmelte so etwas wie: *„Wir reden ja später“,* klappte das Buch zu und begann mit dem Unterricht. Genau, dachte ich, ***wir reden ja später*** – und da waren sie wieder, die Schnappatmung, die Bauchschmerzen und natürlich auch die weichen Knie!

Den Unterricht hätte ich mir schenken können, denn die Zeit brauchte ich, um mich mit neuen, strategischen Dingen zu beschäftigen, beziehungsweise mit der Zurechtlegung verschiedener Formulierungen, und man will gar nicht glauben, wie schnell so eine Unterrichtsstunde vergeht, wenn man es überhaupt nicht gebrauchen kann. Aber dann war es so weit, nicht nur die zur Pause, sondern auch meine Stunde hatte geschlagen; niemand, der **Frau Wadebühr** noch mit irgend welchen Fragen bombardierte, kein Mädchen mehr, das ihr den neuesten Kram zu erzählen hatte; von den Jungen sowieso nicht, die fanden sie toll und damit hatte es sich dann auch – ok, vielleicht mit zwei Ausnahmen: Frank und Uwe, die hatten eigentlich auch immer etwas herumzutratschen, aber in diesem Moment gähnende Leere, einfach nichts. Na super, dachte ich, dann war ja nun genügend Zeit zum Reden, Moralpredigt und Anschiss abholen. Doch manchmal kommt es ganz anders als man denkt, denn sie packte ihre Tasche, kam zielstrebig auf mich zu und in ihrer spontanen, frischen Art sagte sie: *„Na los, was iss jetzt mit der Entschuldigung"* und tippte mir mit dem Stift, den sie noch in der Hand hielt, auf die Nasenspitze. Ich begann zu stammeln und herumzueiern und irgendwie, muss es wie zwei Welten ausgesehen haben, die sich gegenüber standen. Ich, das erste Mal geschwänzt und damit auf den Hintern gefallen und sie, Lehrerin durch und durch, die wahrscheinlich schon an der besagten Nasenspitze erkennen konnte, was los war, fackelte nicht lange und sagte: *„Haste nicht und kriegste wahrscheinlich auch nicht, oder",* dabei sah sie mich mit hochgezogenen Augenbrauen an und spitzte den Mund. *„Ok, hab's verstanden, blau gemacht",* sprach sie weiter, obwohl ich gar nichts darauf geantwortet hatte, *„also einen Tag unentschuldigt gefehlt",* sie machte sich eine Notiz in ihr legendäres rotes Lehrerbuch und ging weiter in Richtung Tür. Wie ein reuiger Dackel rannte ich neben ihr her und fragte sie, ob es das jetzt war und mit welchen Konsequenzen ich nun zu rechnen hatte. Klassenbuch, Eintrag, **Frau Sünamis** (Rektorin)? Sie stoppte, sah mich an, lachte und sprach weiter: *„Also, wenn ich jeden, der mal „blau" macht, gleich zur Rektorin schicken würde, oh, oh, dann könnten die sich da oben gleich 'ne Drehtür einbauen",* verdrehte wieder die Augen und pustete hörbar tief aus, *„aber eigentlich müsste ich die dort hinschicken, die zu blöd dafür sind"* und lachte deutlich lauter. Dann nahm sie wieder Fahrt auf, marschierte los und rief mir über die Schulter zurück: *„Im Klassenbuch ist es eingetragen und Du",* dafür stoppte sie kurz, drehte sich noch einmal um *„und du",* dabei sprach sie deutlich leiser und auch ihre lockere Art wurde etwas ernster, *„du hast bestimmt ne Menge daraus gelernt, jedenfalls steht dir das fett auf der Stirn geschrieben",* dann drehte sie sich wieder um, rief laut in die Schülergruppe, die vor ihr den Weg versperrte: *„Bahn frei, Lehrer von hinten"* und fügte etwas wie, *„habe jetzt auch Pause",* hinzu und verschwand um die Ecke. Donnerwetter, dachte ich, Lehrer werden ist nicht schwer – Lehrer sein ... und was soll ich sagen, es war tatsächlich das einzige Mal in meinem ganzen Leben, dass ich geschwänzt oder *„blau"* gemacht hatte!

Im späteren Zeugnis stand am Schuljahresende dann unter Fehlzeiten: Einen Tag unentschuldigt, was überhaupt niemand bemerkt hatte, doch für mich war es weitaus mehr als nur eine Lektion, ging drei Tage durch die Hölle, bekam eine ganz neue Sichtweise von meiner großen Schwester, hatte gelernt, wo bei meiner Mutter die Grenzen waren, musste zu meinem Fehler stehen und ihn ausbaden, weiß jetzt, wer Deep Purple ist und hatte einen Grund mehr von unserer Lieblingslehrerein zu schwärmen.

Karin Wadebühr, – Beruf Lehrer!

Irgendwie waren da wohl gerade die Gedanken der Vergangenheit mit mir durchgegangen, doch zurück zur Anrichte, vor der ich hilflos und verlegen wie ein Schuljunge stand und **Mathilde** versuchte, mir zu erklären, dass ihre versteckten Kekse auf unerklärliche Weise und dann auch noch über Nacht abhanden gekommen waren. Dabei lachte sie genauso verschmitzt wie meine Klassenlehrerin vor gefühlten 40 Jahren, als sie sagte: *„Reden wir nach der Stunde drüber"* und als **Mathilde** mich da mit blasser Nasenspitze und halb geöffnetem Mund stehen sah, fügte sie gleich noch hinzu, dass **Herr Günther** auch schon sein Fett abbekommen hatte, denn er war bereits eine gute Stunde vor mir durch den Parcours der Schälte gelaufen. Dann drehte sie sich um, öffnete eine alte, verbeulte Metalldose, fischte ein paar Kekse heraus und legte sie auf einen kleinen Teller. *„Aber zum Glück kennt **Herr Günther** nicht alle meine Verstecke",* sagte sie mit ihrem immerwährenden, freundlichen Lächeln und hielt mir den Teller entgegen. Mit weit geöffneten Augen und einem völlig überraschtem *„Ohhh,* bedankte ich mich bei ihr und berichtete vom gestrigen Gespräch mit ***Herrn Günther***, von meinen Erkenntnissen, meinen Gedanken und natürlich vom Vorhaben, dem Projekt *„Gemeinschaft",* und schnell kam man vom Hundertstel ins Tausendstel, und irgendwie war ich dafür prädestiniert, mit der Zeit ins Uferlose abzudriften.

Ja, so war das, die einen waren still und redeten einfach nichts, doch ich gehörte zu der anderen Fraktion und hatte ein Talent dafür, aus fast nichts, fesselnde, abendfüllende und durchaus auch spannende Geschichte zu machen. Auf die richtige Verpackung und Formulierung kam es an, aber besser als zu schweigen und jedes Wort aus der Nase herausgezogen zu bekommen.

Ich war mir fast sicher, mit **Mathilde** einen Fürsprecher für das Projekt gefunden zu haben, sie gab kein eindeutiges *„Ja"*, ihre Begeisterung hielt sich in Grenzen, grundsätzlich war sie immer eine sehr Stille, sie war eine zurückhaltende Person, stand nicht gern im Rampenlicht und genau so wie **Herr Günther** sie beschrieben und skizziert hatte, ja, genau so war sie es auch. Aber ich war mir sicher, dass sie das Projekt nicht nur neutral, sondern ganz sicher auch positiv beeinflussen und unterstützen würde, denn schließlich ging es ja um die Bewohner und da war sie immer sofort ganz vorn mit dabei. Während ich am erzählen war, wirbelte sie in ihrer gewohnten Art und Weise um mich herum, hin und wieder stand ich im Weg und anstatt mich einfach an den Tisch zu setzen, wanderte ich dann immer ein Stück weiter und jonglierte dabei meinen Kaffee und den Keksteller, auf dem nur noch ein paar Restkrümel lagen. Nachdem die Kaffeetasse leer und die Kekse aufgegessen waren, erlöste ich **Mathilde** von meiner Quasselei, verabschiedet mich und wünschte ihr einen schönen restlichen Sonntag. – War auch irgendwie blöd, sie war bei der Arbeit, am Wirbeln und ich wünschte einen schönen Sonntag. Inzwischen war es 11 Uhr durch, und eine eigenartige Stille lag über dem Haus. Deutlich war zu spüren, dass es anders als an den vergangenen Tagen war. Keine Staubsauger, kaum jemand, der durch die Gänge wanderte, und im Garten war bedingt durch das Wetter auch nicht viel los, denn mittlerweile kam aus den dunklen Wolken pladdernder Regen, und selbst der Blick um die Ecke auf die Veranda zum *„Opa-Hentrich-Kontroll-Blick"* ging ebenfalls ins Leere, denn auch er saß nicht auf seinem angestammten Platz – doch wo waren sie alle?

Im Moment bekam ich dafür noch keine Antwort und beschloss, es ihnen nachzumachen, denn möglicherweise waren sie einfach nur auf ihren Zimmern geblieben und ließen die Seele baumeln oder taten einfach nur mal nichts. Das Wetter gab auch den entsprechenden Impuls dafür, und ich beschloss, diesen ruhigen Tag als Bürotag zu nutzen und mich einfach auf meine Aufzeichnungen, Planungen und möglichen Strategien für den ersten Dienstag zu konzentrieren, und ich wanderte durch die stillen

Gänge mit der schwachen Notbeleuchtung zum Treppenhaus, dann in Gedanken versunken Stufe für Stufe nach oben und bemerkte gar nicht, als mir ein Bewohner entgegen kam und mich im Vorbeigehen leise, mit schwacher Stimme begrüßte. Ich konnte noch nicht einmal sagen, wer es war, so tief war ich mit meinen Gedanken und wahrscheinlich der Dienstag-Planung schon wieder voraus. Ich erkannte nur noch, dass es sich um eine männliche Person gehandelt hatte, bevor sie auch schon um die nächste Ecke verschwunden war. Im Zimmer angekommen öffnete ich das Fenster, frische Luft war immer gut für Geist und Seele, zog mir eine leichte Jacke über, setzte mich an den Tisch vor den Block, nahm den Stift in die Hand, und als hätten mich die Regentropfen hypnotisiert, die wie feine graue Bindfäden herunterstürzten, blickte ich mit dem Stift, mittlerweile im Mundwinkel, ins Leere, und es war wieder irgendwie so wie bei dem kleinen Jungen, der aus dem Fenster sah und dem nicht der dritte Satz für seine Hausaufgabe einfiel – ***wahrscheinlich*** ging es ihm wie mir.

Ein paar wasserresistente Möwen zogen kreischend vorbei und veränderten wenigstens für einen Moment das monotone, dumpfe Prasseln der Regentropfen, die auf den Blättern der unter dem Fenster stehenden Büsche und Sträucher aufschlugen. Genau die richtige Atmosphäre, seine Gedanken zu sammeln, sie ohne Störungen zu bündeln und zu Papier zu bringen. Irgendwie war es fast wieder so wie unter meinem Motorradhelm, wie unter einer Käseglocke, denn ich tauchte in die Welt der Gedanken, meiner Erlebnisse der letzten Tage und spürte, wie ich mich immer tiefer und tiefer darin verlor, als hätte ich die Zeit zurückgedreht oder wäre mit einer Zeitmaschine zurückgeflogen. Es war eine ganz tiefe Form der Entspannung, und ich konnte förmlich die Stimmen, Geräusche, ja sogar den Duft der Geschichte wahrnehmen, wie gesagt, als wäre ich in der Zeit gereist. Genau so war es auch mit einer fremden Sprache, zuerst versuchte man, seine Schulkenntnisse und die noch vorhandenen Vokabeln abzurufen, um die ersten Sprachversuche noch etwas holperig an den Mann zu bringen, doch von Stunde zu Stunde und Tag für Tag wurde es immer flüssiger, und wenn man begann, in der Fremdsprache zu träumen, dann konnte man behaupten – ***jetzt war man angekommen***.

Und so ähnlich war es auch mit den Gedanken oder den Träumen, beides lag sehr dicht beieinander, und wenn man den richtigen Einstieg gefunden hatte, dann konnte die Reise beginnen, und man vergaß die Zeit, sie zischte vorbei wie ein Raumschiff das mit Lichtgeschwindigkeit durch die Galaxie schoss.

Und da waren wir wieder auf meiner Reise, und ich schrieb und träumte und schrieb und träumte, und irgendwann verlor man die Realität, man wusste gar nicht mehr, träumt man jetzt, schreibt man, schläft man, ja, ich denke, dass es schon fast an eine Form der Selbsthypnose grenzte, wenn man es konzentriert und mit der nötigen Ruhe und Entspannung anging, und erst wenn der Körper – durch welche Signale auch immer – aus diesem Zustand zurückgeholt wurde, erst dann erwachte man und stellte fest, dass man wohl irgendwie von den Gedanken überrollt eingeschlafen sein muss.

Und genau so war es bei mir, doch als ich einen Blick auf meinen Notizblock warf, da war nicht etwa ein leeres Blatt zu sehen, viele Informationen, Notizen, Aufzeichnungen, zugegeben nicht in der schönsten Schrift, einige Worte erinnerten an Rezeptzettel der Ärzte, die bekannterweise ja selten eine gut leserliche Schrift haben, aber ich war durchaus beeindruckt, was mein Unterbewusstsein in Kombination mit dem Hirn und der rechten Hand da in den letzten Stunden aufs Papier gebracht hatte. Genauer gesagt waren es fast drei Stunden, denn ein Blick auf die Uhr zeigte schon fast halb drei. Wieder mal eine Essen verpennt, Hunger hatte ich eigentlich nicht, doch es interessierte mich schon, ob das Essen, der ganze Ablauf sich am Sonntag deutlich von den Wochentagen abhob, doch irgendwie kam mein Körper nicht richtig auf Betriebstemperatur. Der ganze Organismus war durcheinander. Die langen Gespräche, die kurze Nacht, das späte Aufstehen, der Regen, die Träumerei, irgendwie kam ich schon den ganzen Tag nicht richtig in den Tritt. Ein Blick aus dem Fenster zeigte auch nicht viel Veränderung, es hatte zwar aufgehört zu regnen, beziehungsweise zu pladdern, doch es hingen immer noch dunkle, fette Wolken am Himmel. Ein leichter Nieselregen begleitete die graue Stimmung, den Tag, der genau wie ich irgendwie auch nicht richtig in den Tritt kam. Sauerstoff und vielleicht ein paar Schritte gehen, dachte ich und zog mir meine wetterfeste Regenkleidung an, die ich ja als Motorradfahrer standardmäßig dabei hatte. Mit hochgeschlagenem Kragen und festen, wasserabweisenden Schuhen trat ich vor das Haus und kontrollierte noch einmal alle Jacken- und Hosenöffnungen auf korrekten Sitz und Verschluss, bevor ich dann das Grundstück auf dem nassen, knirschenden Kies in Richtung der Einfahrt verließ. Mit den Händen in den Taschen und deutlich schnellerem Schritt als noch bei meinem letzten Gang in den Ort spürte ich, dass mich die Bewegung und ganz sicher auch die frische Luft munterer und aktiver werden ließen, und ich war froh, dass ich den inneren Schweinehund überlisten konnte, der noch einige Minuten zuvor mit mir zusammen aus dem Fenster blickte und mir leise und ausdauernd Dinge ins Ohr flüsterte wie: *Schietwetter, bleib lieber hier, leg dich ins Bett, ...* und so weiter.

Während ich darüber nachdachte, musste ich schmunzeln und stellte mir gerade vor, wie der faule *"Schweinehund"* jetzt gähnend auf dem Bett liegen würde, und der restliche Tag dann auch noch an ihm vorbeiziehen würde.

Ich erreichte den Ort, von meiner Jacke perlten die Wassertropfen ab, die sich aus dem feinen Nieselwasser dort sammelten. Die Imprägnierung hatte dichtgehalten, nur meine Haare waren nass durchtränkt, und die dicken Tropfen auf meiner Brille blieben auch hartnäckig daran haften. Die Nase lief, die Wangen gerötet, meine Oma hätte früher gesagt – *der Junge sieht gesund aus*. So ging ich entlang der Hauptstraße, die ich ja schon bestens kannte, tauchte dann aber über einen schmalen Seitenweg in des innere des Ortes ein. Aber auch dort war es irgendwie still, ja eigentlich schon langweilig, aber was hätte man auch erwarten sollen. Schmale Hauseingänge, verwitterte alte Stufen und an den Türen die Namen der Bewohner mehr oder weniger gut lesbar. Die Gravuren auf den alten Messingplatten waren nur noch schwach zu erkennen – bis hin zum handgeschriebenen Namensschild, das schräg unter einem Klingelknopf klebte. Fensterläden, die an viele Jahre der Vergangenheit erinnerten, und hätten sie zusammen mit den ausgetretenen Steinstufen sprechen können, wären wahrscheinlich unglaublich spannende Geschichten zum Vorschein gekommen. Still zog ich durch diese Gasse, denn als Straße konnte man sie weiß Gott nicht bezeichnen, an einigen Häusern hingen schmale Balkone mit abgeblätterten schmiedeeisernen Umrandungen, auf denen entweder nur ein Stuhl oder Hocker stand oder aber ein alter hölzerner Wäscheständer, denn andere Möglichkeiten zum Trocknen wie in einem garten oder Hinterhof konnte man nicht wirklich erkennen. Die abgeblätterten Farbreste waren vermischt mit Rost und Moos, und auch sie hatten garantiert ihre Geschichten zu erzählen, nicht zuletzt die Bewohner, die aber zu diesem Zeitpunkt gar nicht zu sehen waren.

Die Gasse zog sich verwinkelt, ohne klare Linie mal nach rechts, mal nach links, mal eng, mal sehr eng, so dass man meinen konnte, dass dort kein größeres Auto hätte durchfahren können. So wie die ausgetretenen Eingangsstufen an den Hauseingängen, so holperig und uneben war auch der Straßenbelag, der mit seinem Kopfsteinpflaster an eine längst vergangene Zeit erinnerte, als die Fahrzeuge mit Gummibereifung, Niveauregulierung und Hydraulikstoßdämpfern noch nicht über den heutigen Fahrkomfort verfügten, denn Pferdefuhrwerke, die mit ihren Leiterwagen und eisenbeschlagenen Rädern die Straßen und Wege befuhren, waren das tägliche Straßenbild.

Die Garagentore oder vielleicht besser gesagt Schuppentore waren aus Holz, hatten zwei Flügel und von der Breite her, na, ja, sie waren weder für ein Pferdefuhrwerk, noch für einen heutigen normalen Mittelklassewagen zu gebrauchen. Wahrscheinlich waren es auch mehr Schuppen zur Lagerung von Vorräten, die man halt früher in Schuppen oder Kellern aufbewahren musste, weil der Wohnraum in den meisten Fällen mehr als nur beengt und deutlich eingeschränkt war. In den meisten Fällen gab es auch einen direkten Zugang von der Straße in das Kellergewölbe, und wenn man genau hinsah, konnte man an der Hauswand noch die alten Bodenluken erkennen, die mit zwei Flügeltüren nach oben zu öffnen waren. So konnten Kohle, Holz, wie natürlich auch andere Vorräte direkt von den Fuhrwerken nach unten in die mitunter kalten und gruseligen Kellerverließe gebracht werden, wo sie dann mit den eingemachten Dingen wie Kompott, Marmelade, Apfelmost, eingelegte Gurken und Kartoffeln als Vorrat für die *„schlechte Zeit“* einlagert wurden, denn die fast schon traumatischen Erinnerungen der jüngsten Vergangenheit waren noch fest in den Köpfen verankert und darüber hinaus kamen ja auch die meisten der alten Fachwerkhausbewohner aus eben dieser *„schweren Zeit“* oder mussten sie mit ihrer vollen Brutalität, Schmerz und Leid erleben, ob es ihnen gefiel oder nicht. Und neben diesen vielen gebunkerten Vorräten durfte natürlich auch der alte Hackeklotz in der Ecke nicht fehlen, wo das Holz gespalten und auf die ofengerechte Länge gebracht werden konnte.

8.2__ Vom Kohlenkeller zum Bollerwagen

Bei diesen Häusern, insbesondere bei den alten Kellerluken, kamen Erinnerungen bei mir auf, und ich rutschte mit einem Schmunzeln gedanklich in die alte Wohnung meiner Oma. Auch in ihrem Keller war es ähnlich wie zuvor beschrieben immer kalt, die meterdicken Wände, teilweise tief unter der Erde oder in langen, gemauerten Gewölben, waren der ideale Kühlschrank und ein noch besserer Spielplatz für uns Kinder. Zum einen weil es verboten war, und zum anderen weil man sich einen besseren Abenteuerspielplatz kaum vorstellen konnte. Schummerige Beleuchtung, kühl, still, unbeobachtet, Spinnen, Mäuse, die Kohlenkiste und natürlich der Hackeklotz, an dem man als richtiger Junge einfach nicht vorbeikam. Das Highlight jedoch war der alte, ich meine wirklich richtig alte Bollerwagen, der, als wir ihn ganz hinten in der letzten Ecke fanden, sogar noch den Hackeklotz vom ersten Rang verdrängte.

Nachdem wir ihn von seinen über viele Jahre angesammelten Müll, Planen, Säcken und anderem unnützen Zeug der Vergangenheit befreiten, ihn mühsam durch den engen, langen Gang zogen, der blöderweise auch noch bergauf führte und während der Kriegszeit wahrscheinlich auch gleich als Schutzbunker diente und ihn dann nach gefühlten hundert Jahren zurück ans Tageslicht brachten, da strahlte unser Herz, und es schossen uns unglaublich viele Möglichkeiten durch den Kopf, was keine Playstation der heutigen Zeit hätte toppen können. Die Deichsel knirschte, die Eisenräder mit Vollgummilippen quietschten, an fast allen Ecken war das Holz eingerissen, und sichtbar große Späne waren abgeplatzt, die sich dann später in unseren Händen oder Hintern wiederfanden. Der Knaller aber war: Man konnte die Wände an den Kurzen Stirnseiten komplett herausziehen, ideal für zwei Leute zum Sitzen. Der eine irgendwie mit der Deichsel zwischen den Beinen, der andere mit dem Blick nach hinten, die Beine locker heraushängend, und ein dritter konnte auch noch mitfahren, der musste sich dann irgendwie in die Mitte des Wagens reinquetschen, was zugegeben der blödeste Platz war, denn von dort hatte man zwar die Wahl mit dem Blick nach vorn oder nach hinten zu sitzen, konnte aber auch keinen Einfluss auf die Fahrt nehmen, sah dem Übel auf Gedeih und Verderb ins Auge und musste sich blind auf den Anschieber und Lenker verlassen und in seine Hände begeben. Der Deichselmann war also nicht nur Steuermann, er war auch Entscheider und Bestimmer darüber, ob wir heil oder nicht heil am Fuß des Berges ankommen; der Berg, der sich idealerweise auch gleich direkt neben dem Haus der Oma befand.

Die alte Dorfstraße wurde fast ausschließlich von alten langsamen, tuckernden Treckern mit gigantisch vollgepackten Anhängern befahren, hin und wieder eine Viehherde, die durch das Dorf geführt wurde, und nun halt noch von halbstarken Jungs, die in kurzen Hosen, schwarz vom Kohlenkeller und natürlich ohne Helm, den Schlittenberg des Winters, kurzum zum Bollerwagenberg des Sommers umfunktionierten. Zum Berg sei noch erwähnt, dass er wirklich brutal steil war, etwa vierhundert Meter lang, bevor er seitlich durch eine tiefe Wasserablaufrinne mit grobem Kopfsteinpflaster auf die alte Dorfstrasse überging, die wiederum sehr starkes Gefälle hatte, nicht ganz so steil wie der Startberg davor, dafür aber über einige schlecht einsehbare Kurven, die bis ins Dorfzentrum führten – diese Höllenfahrt unbeschadet zu überstehen, war theoretisch zwar möglich, doch praktisch verlangte es schon eine große Portion Mut, Vertrauen und eine noch größere Portion himmlischen Beistands, denn eigentlich war es kaum machbar, wenn der Bollerwagen aufgrund der Distanz immer schneller und schneller wurde, was selbst ein Michael Schumacher in seinen besten Zeiten nicht unfallfrei hätte überstehen können. Doch wir waren jung, naiv, strotzten den Gefahren, waren Kinder der Straße, in unserem Fall der Dorfstraße und praktizierten *„learning by doing"*, wenngleich es auch nicht immer schmerzfrei möglich war. Entscheidend war, dass, sobald man auf die Dorfstraße traf und es einen bis dahin beim Durchqueren der Ablaufrinne noch nicht geschmissen hatte, man nach zirka dreihundert weiteren Metern den richtigen Punkt für den Rechtsbogen ins Dorf erwischte, der sonst beim falschen Timing ganz schnell zum Weg ins Verderben wurde. Verpasste man den richtigen Einsatz, gab es noch eine Rettungslücke, eine Art Notausgang, der allerdings brutal scharf nach links und fast ebenso steil nach oben führte wie unser Startberg zuvor hinab. Die Kunst war also, im richtigen Moment die Kurve zu erwischen, es durfte in genau diesem Moment kein Gegenverkehr kommen, kein langsam tuckernder Trecker und schon gar kein Vieh auf der Straße sein, dann konnte es mit einem Ave Maria, drei Schutzengeln und ganz viel Glück vielleicht klappen – so war jedenfalls der Plan. An plötzlich und rückwärts aus einer Scheune oder von einem Grundstück kommende Fuhrwerke hatten wir ehrlich gesagt nicht gedacht, aber in dem Alter konnte man ja auch nicht an alles denken.

Und so schoben und zogen wir den Bollerwagen, das schönste Spielzeug, das wir dort seit Jahren hatten, bis auf den höchsten Punkt des Berges. Zunächst waren wir noch zu dritt, doch bei der Platzverteilung gab es dann Unstimmigkeiten, so dass der Nachbarjunge es vorzog, die erste Fahrt von oben aus zu verfolgen, um uns lieber noch den nötigen Anschubser zu geben, damit wir auch ordentlich Fahrt aufnehmen konnten. – Man, wenn ich heute noch daran zurückdenke, ein Mörderberg und dann auch noch mit Anschubser und Schwung, wie bei einer Bobweltmeisterschaft in einem Eiskanal.

Schutzkleidung kannten wir genauso wenig wie Helme, hatten kurze Hosen, Sandalen, die Beinchen waren so dick oder so dünn wie die Ärmchen, die Bezeichnung „Spargeltarzan" wäre treffend gewesen, was wir richtig dick und fett hatten, waren der Mut und die große Klappe, denn mit einem lauten: *„Bahn frei, Kartoffelbrei"* und johlendem Gegröle ging es los, und ihr könnt euch gar nicht vorstellen, wie verdammt schnell es schon nach ein paar Metern wurde. Unsere kurzen Haare wehten nach hinten, der Wind pfiff durch die Augenschlitze, und Tränen zogen wie ein Strich vom Fahrtwind an den Schläfen vorbei bis zum Ohr, und als ich mit der wahnsinnig zitternden Deichsel in der Hand auf die Kopfsteinpflasterrinne zufuhr, da schrie ich meinem Hintermann noch zu:

„***BREMSEN***“, und der Kollege stellte seine beiden kleinen Füße nach unten auf den Straßenbelag, was außer ein paar rauchenden Sohlen nichts, aber auch gar nichts an der Geschwindigkeit reduzierte. Zum Aussteigen war es zu schnell, die Rinne kam immer näher, und mit einem unglaublichem Rumpeln ballerten wir durch die Rinne, dass wir sogar für einen kurzen Moment mit allen vier Rädern in der Luft waren – wow, dachten wir, geschafft, doch auf der glatten Asphaltdecke der Dorfstraße wurde die Geschwindigkeit nicht geringer, ganz im Gegenteil, und wir schossen förmlich mit dem Wagen ins Tal. Dann kam der alles entscheidende Moment, beziehungsweise die Linkskurve bergauf, denn kurzerhand hatten wir uns gegen die Rechtskurve mit weiterem Verlauf ins Dorfzentrum entschieden und wählten den rettenden Notausgang nach links. Nun noch den richtigen Punkt erwischen, reine Formsache und ein lockeres Ausrollen bergauf, dachten wir. Kein Gegenverkehr, keine andere Gefahr war zu erkennen, doch dann bekamen wir unsere erste Physikstunde frei Haus präsentiert. Der statische Druck auf die Vorderachse an der wiederum die Deichsel mit zwei Holzlatten befestigt war, wurde durch die Geschwindigkeit und das Gefälle so groß, dass sich die Deichsel (Holzlatte auf Holzlatte) nicht so weich, beziehungsweise leicht lenken ließ. Vergleichbar mit einem alten Magirus Deutz, Vorkriegsmodell, da war noch nichts mit Servolenkung, eigentlich überhaupt nichts mit Lenkung, und es kam die Kurve, ich versuchte die Deichsel einzuschlagen, wie gesagt, bei gefühlten fünfhundert Stundenkilometern, doch es ging nur ruckweise bis gar nicht, denn hinzu kam der lange Hebel der senkrecht stehenden Deichsel. Die Richtung war zwar leicht erkennbar eingeschlagen, doch es reichte nicht, und wir drohten direkt auf den Mauervorsprung neben einem großen Scheunentor zu donnern. Durch die Fliehkräfte wurden wir nach außen gedrückt, die beiden inneren Räder dadurch entlastet, die Deichsel somit auch, und sie drehte sich mit einem Ruck bis zum Anschlag, womit sich in diesem, besonderen Fall das Rad an der Seitenwand des Wagens festklemmte. Die Fronträder standen somit quer, und genauso schnell wie wir gerade noch mit dem Wagen die Dorfstraße hinunter donnerten, genauso schnell flogen wir beide nun dem Scheunentor entgegen, allerdings ohne Wagen, und es folgten gleich drei bis vier weitere Physikstunden. Die Landung war dementsprechend, und ich kann mich nicht mehr genau erinnern, was mehr weh tat, die hammerharte Landung mit mehreren Überschlägen oder der anschließende Arschvoll, den wir beide von den Eltern bekamen. Aber wir müssen mehr als nur einen Schutzengel gehabt haben, keine Brüche, keine schweren Verletzungen, das Blut der aufgeschürften Knie und Beine vermischte sich mit dem

Dreck der Straße und dem Kohlenstaub, und selbst der Bollerwagen hatte es mehr oder weniger gut überstanden. – Ok, er hatte vielleicht ein paar Gebrauchspuren mehr, aber war noch voll funktionsfähig, wurde aber dennoch von der Oma beschlagnahmt und an einem sicheren Ort versteckt. Es war dann auch unser letzter Spieltag im Kohlenkeller, was vielleicht auch besser so war, denn zum einen sollte man sein Glück nicht überstrapazieren, und dieser Hackeklotz mit der darin steckenden Axt, der hatte auch schon seine ganz besonderen Reize!

8.3__ Kirchgang

Ja und da sah ich nun diese Bodenluke und stellte mir insgeheim vor, was sich dahinter für Schätze oder auch Geschichten verbargen. Ich durchpflügte die engen Gassen und sah nur ein paar Meter entfernt vor mir die Kirche, die sich mit ihren dicken Steinmauern massiv vor mir aufbaute. Sie stand auf einer Art Insel wie auf einem Podest, und man konnte über drei bis vier fette Stufen, die ebenfalls vom Zahn der Zeit gezeichnet waren, nach oben gehen. Von der anderen Seite führte ein ebener Aufgang durch einen kleinen Park ebenfalls zum Portal. Alte Grabplatten, Mauern und Pfosten, die mit dicken Ketten verbunden waren, und steinerne Figuren an den Seiten der Kirche gaben dem Ganzen das mystische Aussehen, wie man es von Kirchen und alten Gotteshäusern kennt. Direkt am Eingang hing an der linken Seite ein Glasschaukasten, in dem Aushänge, Angebote und Ankündigungen zu sehen waren. Nun war ich nicht gerade der klassische Kirchgänger, ich gehörte zu der Gruppe, die im christlichen Glauben aufgewachsen, getauft, konfirmiert und auch so erzogen waren, aber dann leider nur zu ganz wenigen Anlässen den Weg in die Kirche fanden, um nicht zu sagen, eigentlich nur zu Weihnachten. Das heißt, in den letzten Jahren bin ich tatsächlich einige Male in die Kirche gegangen, habe einen Moment dort in der Stille genutzt, um über dieses und jenes nachzudenken.

Ich drückte mit der Hand auf die Türklinke, die wie ein Adler oder anderer großer Vogel mit Schwingen aus massivem Messing geformt und fast auf meiner Kopfhöhe montiert war. Beim Herunterdrücken quietschte es ähnlich wie die Räder des Bollerwagens, als wir ihn aus dem Dornröschenschlaf weckten. Die massive, unglaublich hohe Tür öffnete sich, und neugierig betrat ich den Vorraum, eine Art Windfang, der vom eigentlichen Kirchenraum noch durch eine zusätzliche Glaswand abgetrennt war.

Es roch muffig, ja schon fast moderig, war kalt und erinnerte mich an den Kohlenkeller; doch es war deutlich heller, ein paar Kerzen brannten, durch die hohen Fenster fiel etwas Licht und erhellte die bunten Geschichten, die im Glas abgebildet und eingearbeitet waren. Es war kein warmes grelles Sonnenlicht, das trübe Wetter da draußen reichte gerade mal zu einem schwachen Licht, aber man konnte es erkennen. Ehrfürchtig ging ich einige Schritte nach vorn und muss gestehen, dass ich mich in sehr angespannter Haltung bewegte, wahrscheinlich war es der Respekt, der Geruch und der Hall, der sich von jedem meiner Schritte bis hoch ins Gewölbe verteilte. Etwas weiter vorn setzte ich mich seitlich zum Altar auf eine Bank und saugte alles auf, was ich sehen und hören konnte, als die fast schon erdrückende Stille plötzlich von Orgelklängen aufgelockert wurde. Es war kein unangenehmes Stören, ganz im Gegenteil, aber es veränderte die ruhige, stille Umgebung in eine lebende Welt, die meine angespannte Haltung gleich deutlich entspannte. Es waren nur Fragmente zu hören, wahrscheinlich hatte der Organist nur geprobt, aber dieses Wenige reichte schon aus, um eine wohlige Wärme zu spüren. Ich saß da, lauschte und ließ mich und meine Gedanken fallen und muss ehrlich gestehen, dass es sich nicht schlecht anfühlte. Ich weiß nicht, wie lange ich dort saß, aber es müssen schon einige Minuten gewesen sein, denn meine Haare waren schon fast wieder trocken, und dort im Gotteshaus waren die Temperaturen nicht gerade wie in einem Trockenraum.

Zum Verlassen der Kirche benutzte ich die andere Seite des Kirchenschiffs und passierte einen Tisch mit vielen kleinen darauf stehenden brennenden Kerzen, von dem ich aber die Bedeutung, beziehungsweise den Hintergrund nicht kannte. Als ich das Haus verließ und hinter mir die schwere Tür wieder zuzog, da stieß ich fast mit einem jungen Mann zusammen, der mit einem Fuß schon auf der ausgetretenen Stufe stand und mit forschem, schnellen Schritt in Vorwärtsbewegung zum Kirchenraum war. Mit einem *„Hoppla“,* stoppten wir beide kurz, dann hielt ich ihm die Tür auf und sagte: *„Gehen sie nur rein, es lohnt sich“,* dabei lächelte ich ihn an und schob mich seitlich an ihm vorbei. Mit einem freundlichen Nicken erwiderte er das Lächeln und verschwand hinter der sich dumpf schließenden schweren Tür. Der Nieselregen hatte aufgehört, die Zeit war somit sinnvoll überbrückt, und ich ging weiter in die Richtung wie zuvor, vorbei an der Kirche und nur zwei Straßen weiter, fast schon wieder an der Hauptdurchgangsstraße, passierte ich einen kleinen Gasthof, der gar nicht so touristisch aufgeblasen aussah wie die anderen, direkt an den Prachtstraßen stehenden *„Touri-Hoch-Burgen“*. Keine große Werbung, einfach der Name und gut war’s.

8.4__ Zum scharfen Eck

Ein kleiner Glaskasten bei dem die weiße Farbe der Holzumrandung schon bis zur Grundierung abgeblättert war, mit Nadeln befestigte Speisekarte, drei Stufen, Tür und das wars. Ehrlich gesagt, ein wenig Hunger hatte ich jetzt schon und auch mal Japp auf ein Bier, ein leckeres, kühles, gezapftes Bier und dazu vielleicht irgendeine friesische Kleinigkeit zu Essen. Labskaus, 'ne Fischfrikadelle oder leckerer Matjes mit Apfel und Zwiebeln in Sahnesauce, dazu leckere Pellkartoffeln und fertig. Ich glaube, meine Wahl stand fest, und mit zusammengelaufenem Wasser im Mund betrat ich die Gastwirtschaft. Ja und genau so hatte ich es mir vorgestellt. Ein alter brauner Vorhang als Windfang, eine Garderobe mit Hutablage, obwohl heute kaum noch einer Hüte trug, der Schirmständer in der Ecke war ebenso alt wie der große Standzigarettenautomat, bei dem das D-Mark Schild noch deutlich sichtbar überklebt war. Geradeaus blickte man direkt auf die klassische Theke mit Zapfhahn und einem gewichtigen Wirt mit Bart, der dahinter stand und das tat, was ein guter Wirt eben tut – zapfen. Vier Barhocker, grüne breite Thekenbeleuchtung mit Aufschrift „Jever", an der Wand natürlich der Geldspielautomat, vier bis fünf Holztische, keine Tischdecken, Bestuhlung mit Sitzkissen, direkt rechts neben der Theke ein großer runder Tisch mit dem Schild am Aschenbecher: *„Stammtisch"* und natürlich eine alte Musikbox, bei der die heutige Jugend gar nicht mehr weiß, wie so etwas funktioniert, kommt die Musik doch heute aus MP3-Playern, i-Pads oder noch anderen neumodernen Musikgeräten. Es war also eine Gastwirtschaft, ach was sage ich denn, es war eine Kneipe, wie sie im Buche stand, genau so, wie ich es auch von früher her kannte, als ich ab und zu meinen Vater am Sonntag zum Frühschoppen begleiten durfte oder musste, denn ich bin mir nicht ganz sicher, ob meine Mutter uns nicht bewusst als Bremsklotz, dem Vater am Bein hängend aufgebürdet und mitgeschickt hatte. Uns war das egal, denn während dieser Zeit durften wir Cola trinken, am Geldspielautomaten herumdrücken und uns natürlich auf dem Stuhl stehend am Flipperautomat austoben. Ach ja und leckere Buletten, Gurken und Mettbrötchen gab es da auch immer. – Ja, ja, mein Vater wusste schon, was uns Kindern gefiel!

Einen Flipperautomaten sah ich allerdings nicht, aber hinter einer Schiebetür mit gelbem Milchglas war ein abgeteilter Raum, auch das war früher so üblich, wahrscheinlich ein größerer Clubraum, der nur bei Bedarf geöffnet wurde. Heute war kein Bedarf, denn die Gäste waren überschaubar gering.

Ein älterer Mann hockte an der Theke, hielt sich an seinem Bierglas fest, ein älteres Paar saß in der Ecke an einem etwas gesonderten Tisch und hatte zwei Rotweingläser vor sich stehen, und ich platzierte mich direkt in der Mitte an einen Vierertisch. Eigentlich war es richtig oll, nicht schmutzig, einfach nur oll, aber irgendetwas sagte mir, dort zu bleiben und kaum hatte ich es gedacht, da stand auch schon der Wirt neben meinem Tisch. *„Bitteschön“,* sagte er, beugte sich dabei nach vorn, rückte noch einmal den Stapel Bierdeckel gerade und wischte mit seinem Geschirrtuch über den Tisch. Ich sah ihn an und bestellte ein schönes kühles gezapftes Bier. *„Wir haben aber nur Jever“,* sagte er und drehte sich schon wieder in Richtung der Theke um. *„Alles gut“,* antwortete ich *„und eine Kleinigkeit zu Essen, wenn es geht“,* fügte ich hinzu. *„Die Karte liegt auf dem Tisch“,* kam es von ihm zurück, *„wir haben aber nur kleine Küche“,* und schon war er mit dem Zapfen des Biers beschäftigt. Oh schade, dachte ich, nur kleine Küche und hatte mich gedanklich schon auf Bulette mit Senf oder Currywurst mit Pommes eingerichtet, doch als ich einen Blick in die Karte warf, da hoben sich die Mundwinkel, denn neben Seemannsfrühstück, eingelegten Rollmöpsen, Strammem Max mit drei Spiegeleiern, Bratkartoffeln mit Sülze gab es tatsächlich auch Labskaus und natürlich Matjesfilet mit Bratkartoffeln.

8.5__ Matjes oder Wurstsalat

Eigentlich stand mein Entschluss fest, und ich blätterte nur noch pro forma in der Karte herum, als ich weiter las: Schmalzbrot mit Harzer und Gurke, rustikale Wurstplatte mit Schwarzbrot, und ganz am Ende der Karte kurz vor dem gemischten Beilagensalat, da sah ich ihn, den Schweizer Wurstsalat. Wow, dachte ich, das hatte es jetzt nicht wirklich leichter gemacht, denn wenn man sich auf etwas freute, sich darauf fixiert und versteift hatte, dann war es unglaublich schwer, diese Entscheidung zu ändern oder gar rückgängig zu machen. Ich war im Zwiespalt, alles hörte sich so lecker an und musste mich nun zwischen Matjes und Wurstsalat entscheiden. Ich versuchte für beides, das Für und Wider herauszufinden und tendenziell lag der Matjes eine Nasenspitze vorn.

Mein Vater hatte immer gesagt: *Junge, wenn du mal im Zweifel bist, dann entscheide dich immer für das, was dein erster Gedanke war, allerdings meinte er damit die möglichen Antworten bei einer Prüfung, denn immerhin war er vierzehn Jahre Vorsitzender des Prüfungsausschusses, und dann musste er es ja wissen.*

Der Wirt kam mit dem Bier, stellte es auf den Deckel und fragte: *„Und, haben sie etwas gefunden“,* dabei wischte er wieder mit dem Tuch auf der Tischplatte herum, wahrscheinlich eine alte Gastwirtmarotte, ich sah ihn an und antwortete spontan: *„Schweizer Wurstsalat“,* in stiller Hoffnung, er würde sagen, dass der heute leider aus war und ich dann doch den Matjes bekam. Doch mit einem: *„Wird gemacht“,* drehte er sich um, verschwand hinter der Theke und ging durch eine Pendeltür in die Küche. Dann sollte es auch so sein, dachte ich, wenngleich es auch nicht unbedingt die friesische Spezialität war, und ich setzte genüsslich das Glas an den Mund. Ein Blick auf die Uhr zeigte mir, dass der zuerst so schleppend begonnene Tag nun doch noch Fahrt aufgenommen hatte, denn inzwischen war es 17:20 Uhr.

Der Spaziergang, die schmalen engen Gassen mit ihren Häusern, Kellerluken und Geschichten, die Kirche, die Musik und nun die kleine Kneipe, die ja eigentlich *„Zum scharfen Eck“* hieß – es waren viele schöne neue Gedanken und ich war froh, dass ich mich gegen den inneren Schweinehund durchgesetzt hatte und freute mich nun auf den Wurstsalat. Mein Blick kreiste durchs Lokal, der alte Mann saß immer noch genau so an der Theke, wie noch ein paar Minuten zuvor, das Pärchen war etwas enger mit den Köpfen zusammengerutscht und unterhielt sich leise, auf jeden Fall konnte man es auf diese Distanz nicht hören. Die Musikbox war still, die einzigen Geräusche waren hin und wieder ein paar Gläser, die der Wirt spülte, sortierte oder einfach nur umher schob und natürlich das sprudelnde Wasser der Thekenspülanlage, und links hinten in der Ecke war dann das eindeutige und für jede Nationalität klar erkennbare Schild *„WC“*, dass das stille Örtchen kennzeichnete. Toilette, eine gute Idee, dachte ich, stand auf, durchquerte den Gastraum und verschwand hinter der Tür – klein, eng, alt, aber sauber, war das schnelle Fazit, der Spülkasten noch mit Kette und Holzgriff und ein kleines Fenster in zirka zwei Meter Höhe. An den Türen standen keine Spielereien oder zweideutige Symbole, klares Schild mit *„Herren“* beziehungsweise *„Damen“* ließ erst gar keine Fragen aufkommen. Irgendwie hatte hier alles eine klare und gerade Linie, keine Schnörkel, und das gefiel mir. Zurück im Gastraum sah ich in der Ecke, von meinem Platz zunächst nicht einsehbar, noch einen jungen Mann sitzen, der mit Kugelschreiber in der Hand in irgendwelche Unterlagen vertieft war, daneben ein leergegessener Teller, auf dem nur noch ein Stück Salat als Deko zurückgeblieben war. Er saß auf der Eckbank unter einem an der Wand befestigtem Fernseher, und es war schon deutlich ruhiger dort in dieser Ecke, hatte so ein bisschen Wohnzimmercharakter.

Als er mich durch den Raum gehen sah, blickte er kurz auf, nahm sein Glas Bier in die Hand und nickte mir mit einem Hallo ähnlichem Nicker zu. Ich nickte zurück und ging zu meinem Platz zurück. Eigentlich war es ein perfekter Platz zum Abschalten, niemand der einen nervte, man war in Gesellschaft und trotzdem für sich allein und leckeres Essen gab es auch noch, dachte ich und speicherte mir diesen Platz als einen meiner Rückzugsmöglichkeiten ab. Bei **Opa Hentrich** auf der Veranda war es natürlich auch schön und ruhig, aber es gab so viele Dinge die einen ablenkten, und wenn es nur der kurze Stopp vom Postminister war.

8.6__ Pastor Schulte

Während ich da in Gedanken versunken saß und mit der rechten Hand mein Glas hielt, wurde die Stille des Lokals durch die sich plötzlich öffnende Tür unterbrochen. Trotz Vorhang spürte man einen kühlen, unangenehmen Windzug, der mit einem Hauch von Feuchtigkeit hineinzog. Der Hauch wurde gleich mehr, als ein Mann das Lokal betrat, dem das Wasser noch wie nach einer satten Dusche an der Jacke herunter lief. Wie automatisch schauten sie alle zu ihm an die Tür, selbst der alte Mann, der scheinbar an der Theke festgewachsen war, blickte mit einer leichten Kopfbewegung nach links über die Schulter. *„Boah, regnet das“,* kam es als Begrüßung von der Tür ins Lokal. Und als er seine triefende nasse Jacke an der Garderobe breit aufgehängt hatte und in den Lichtkegel des Lokals trat, da erkannte ich ihn wieder, denn es war der junge Mann, den ich zuvor beim Verlassen der Kirche am Eingang traf und fast mit ihm zusammenstieß. Die Haare lagen nass am Kopf, und beim Hereinkommen musste er seine Brille absetzten, denn durch den Temperaturwechsel beschlugen die Gläser. Fast blind tastete er sich schier hilflos durch den Raum, ging zielstrebig in Richtung WC, und als er die Theke passierte, fragte der Wirt mit einem Glas in der Hand, das er gerade abtrocknete: *„Wie immer“,* der junge Mann stoppte, blickte nach oben als würde er überlegen, *„hmm“,* zögerte kurz, *„ich nehme einen heißen Tee, den guten, ihr wisst schon, Rooibusch oder so“,* dann ging er weiter und noch vor dem WC drehte er sich erneut um und rief *„und der Rest, na, klar – wie immer“,* lachte und verschwand hinter der Tür.

Ah, dachte ich, klare Worte, auch hier kein Herumgeeiere, passte zu allem hier. Einige Minuten später kam der junge Mann gestylt zurück, die Haare gekämmt, das Gesicht getrocknet, und auch die Brille saß wieder da, wo sie hingehörte. Sein Tee stand schon dampfend auf dem Tresen, und im Vorbeigehen griff er den Pott und ging einen Platz suchend weiter nach vorn. Eigentlich brauchte er gar nicht zu suchen, denn mit Ausnahme von drei bis vier Plätzen war ja alles noch frei, und als er nur zwei Tische von mir entfernt stand und noch herumschaute, da sprach ich ihn an: *„Schon nass“*, was Besseres fiel mir gerade nicht ein und musste dabei schadenfroh kichern. Er sah mich an und mit Blickkontakt setzte er sich an den Tisch neben meinen und begann völlig motiviert, fast ohne Punkt und Komma zu erzählen. Dass er vom Wolkenbruch völlig überrascht wurde, einfach nur noch mal kurz ums Eck wollte und dann: *„Na, ja, den Rest haben sie ja gesehen“,* sagte er nach einigen Minuten Vortrag, zog dabei die Mundwinkel nach oben und lachte.

Während er vorsichtig am heißen Tee nippte und das Ganze mit einem wohltuenden, *„ahhh“* begleitete, klappte hinter der Theke die Tür zur Küche und eine Frau, vielleicht Mitte vierzig, kam mit einem Tablett heraus und ging zielstrebig auf mich zu. Genau, es war meine Bestellung, und es war fast so wie in dem Moment, als der junge Mann nass und durchgeregnet das Lokal betrat, denn jeder Schritt der guten Frau wurde verfolgt und als sie das Essen vor mir aufgebaut hatte, da war es der junge Mann, der als erster seinen Kommentar dazu abgab: *„Na, dass sieht aber mal lecker aus“,* verzog den Mund und bewegte den Kopf zustimmend auf und ab. Auf einem länglichen Teller war ein Berg grob geschnittener Fleischwurst mit Zwiebeln, Gurke in Essig und Öl angesetzt, und es roch frisch, lecker, genau so, wie ich es mir gedacht hatte, und dazu gab es einen Korb mit Brot. *„Wenn sie noch mehr Brot möchten, einfach melden“*, sagte die gute Frau bevor sie abdrehte und mit einem *„lassen sie es sich schmecken“* wieder in der Küche verschwand. Ich bedankte mich, und noch bevor ich mir die erste Gabel in den Mund steckte, fragte ich den jungen Mann, ob es sich vorhin auch für ihn gelohnt hatte. Er runzelte die Stirn, sah mich fragend an und wusste zunächst nicht was ich meinte. Ich hatte ihm bei unserer Begegnung an der Kirchentür diesen Tipp mit auf den Weg gegeben, denn mir hatte es gut gefallen, und für mich hatte sich der Besuch, der Moment der Ruhe und Stille gelohnt. Dann half ich ihm etwas auf die Sprünge:

„Kirche, Tür, Ruhe, Orgelmusik ...“ und sah ihn dabei erwartungsvoll an, als würde ich auf eine – *„Jetzt-habe-ich-es-verstanden-Reaktion“* warten.

„Aber natürlich hatte es sich gelohnt“, antwortete er mit weit geöffneten Augen und tatsächlich hatte es dann doch schnell *„Klick“* gemacht. Mit beiden Händen umfasste er den warmen Pott Tee und begann zu erzählen, fast schon zu schwärmen. Ich hörte ihm interessiert zu und schaufelte dabei genüsslich Gabel für Gabel in den Mund. Es war einfach lecker! Er erzählte und erzählte, kam vom Eingangsbereich mit dem gotischen Bogen, dem alten Taufbecken bis hin zur Deckenmalerei, und als er mir dann den Unterschied von der Byzantinischen zur Romanischen Malerei erklären wollte, da hatte ich wahrscheinlich den gleichen Gesichtsausdruck wie er zuvor, als er nichts verstand und förmlich auf der Leitung stand. – Donnerwetter, dachte ich, der Mann kannte sich aus, und ehrlich gesagt, es hörte sich spannend an, wenngleich ich auch nicht alles bis ins letzte Detail verstand, doch er erzählte mit einer solchen Begeisterung, die einen einfach packte und mitnahm und mich in Ruhe meinen Wurstsalat essen ließ. *„Donnerwetter“,* wiederholte ich und nutzte die Lücke, um in seinen Redefluss reinzugrätschen. Er schmunzelte, holte schon wieder tief Luft, doch bevor er erneut starten konnte, kam die gute Frau mit seiner Bestellung um die Ecke und wir wiederholten die Prozedur, genau so, als mein Essen kam, nur mit vertauschten Rollen. – *„Na, dass sieht aber auch lecker aus“,* verzog dabei ebenfalls den Mund und nickte wohlwollend.

„Und das ist dann also das, – WIE IMMER“, fügte ich hinzu und lachte.

„Nicht ganz“, kam es von ihm zurück, *„das Bier fehlt noch“* und zeigte dabei zur Theke, wo es schon beim Wirt in Arbeit war. Als sein Menü dann komplett war, begann der junge Mann es genauso genussvoll zu essen, wie ich zuvor meinen Wurstsalat zelebrierte. Wurstplatte mit Schwarzbrot dazu ein paar kleine Gewürzgurken, und ich muss schon sagen, ohne großes Tam, Tam, gute gediegene Küche, schnell, auf jeden Fall sah alles lecker aus. Während er sich den Mund vollstopfte, erzählte ich ihm von meinem Kirchengang und dass ich natürlich nicht so viele Informationen wie er weitergeben konnte und sprach noch einmal ein Lob aus, mit welcher Begeisterung und welchem Wissen er dieses alle gerade vorgetragen hatte, und dass es eine Gabe sei, wenn man Menschen so in den Bann ziehen und mitreißen konnte. Für einen Moment dachte ich an den Abend, als der sonst so stille **Willy Kluge** von seiner Jugend sprach, die Bewohner ebenso fesselte und einen ähnlichen Glanz der Begeisterung im Auge hatte wie der junge Mann, der mir gegenüber saß und genussvoll sein Abendbrot verputzte.

„Mensch“, sagte ich, *„mit dieser Fähigkeit könnten sie Pastor oder Politiker werden“* und lachte dazu, als der junge Mann die Serviette vor den vollen Mund hielt, lachend nickte und etwas zu sagen versuchte, was aber nicht an den vielen Brotstückchen im Mund vorbeiging. Hinaus kam nur etwas wie: *„Gnohau hmmpffsch“,* dann musste er schmunzeln und aufpassen, dass er sich nicht verschluckte. Eigentlich war ich ganz froh, dort nicht alleine sitzen zu müssen, die Gesellschaft tat mir gut, und auch bei ihm hatte ich das Gefühl, als würde er es als ganz angenehm empfinden, jemanden zu haben, den er vollquasseln konnte. Als sein Mund wieder gesprächsbereit war und er mit einem Schluck Bier nachgespült hatte, da antwortete er etwas verspätet: *„So, so, Pastor oder Politiker, ist ja interessant“* und griff sich dabei ans Kinn. *„Weil die so viel quasseln, ihnen sowieso niemand zuhört oder noch schlimmer, weil sie von niemandem ernst genommen werden“,* fragte er weiter und öffnete wieder groß die Augen.

Ich erklärte ihm meine Einschätzung, meine Gedanken dazu, dass, wenn jemand diese Gabe besaß, er viele andere mitziehen konnte. Ich berichtete von meiner Reise, dem Heim, den Bewohnern und vom Abend als **Willy Kluge** erzählte, vom Glanz in den Augen und der Begeisterung der Zuhörer, berichtete von meiner Idee, dem Gespräch mit **Herrn Günther** und vom neuen Dienstagabend Programm und spürte gar nicht, dass der junge Mann mir ununterbrochen und aufmerksam zuhörte und mich kein einziges Mal unterbrach. Erst, als ich aus meinem Redefluss wieder erwachte und zurück in der Realität war, da lachte er mich an und fragte: *„Wo waren sie nur heute Nachmittag, da hätte ich sie gebrauchen können“* und zog die Mundwinkel steil nach oben, *„oder noch besser heute morgen“,* faltete dabei die Hände und lachte laut. *„Ja, da hätte ich sie gut gebrauchen können!“* Ich verstand überhaupt nicht, was er mir damit sagen wollte, und die Byzantinische und Romanische Malerei standen mir ganz plötzlich wieder in dicken Buchstaben auf der Stirn geschrieben. Doch dann ließ er die Katze aus dem Sack, streckte mir die Hand entgegen und sagte: *„Ich möchte mich vorstellen, mein Name ist **Michael Schulte**“,* dann zögerte er einen Moment als wollte er abwarten, ob mir das schon etwas sagte, bevor er weiter sprach. *„**Der Schulte** oder auch **Pastor Schulte** und bin hier für die Gemeinde und natürlich auch für die Bewohner im Heim zuständig.“* Für einen Moment war es auf beiden Seiten still. – *„Und wenn ich Politiker geworden wäre, dann Außenminister“*, sagte er und sprengte damit die Stille, *„denn als Außenminister kommt man in der Welt viel herum“,* fügte er noch leise, schon fast flüsternd hinzu.

Beide lachten wir fast schon ausgelassen, und nun hatte ich auch meine Erklärung dafür, warum sich dieser junge Mann so gut in und um die Kirche herum auskannte. *„Aber was das da mit den Kerzen und dem Tisch an der Seite auf sich hat, das müssen sie mir noch erklären“,* sagte ich, und er kam in seinen alten Redemodus zurück. Ich weiß nicht, wie viele Stunden wir hier noch zusammen saßen, durch die Fenster drang kein Licht mehr ins Lokal, mittlerweile saßen wir gemeinsam an einem Tisch, und nach dem Bier und noch einem Bier folgte noch ein Kaffee und mit dem Blick zur Uhr und den hochgezogenen Augenbrauen folgte dann nur noch der Wink zum Wirt – ***Bitte zahlen****!*

Kurz nach 20 Uhr verließen wir das Lokal, der Regen hatte aufgehört, es war dunkel, und **Pastor Schulte** bot mir an, mich mit dem Wagen zurück zum Haus zu fahren, was ich in diesem Fall auch gern annahm. Wir wollten unser Gespräch in den nächsten Tagen fortsetzen, und er war sehr interessiert, sich in welcher Form auch immer an dem Projekt zu beteiligen oder vielleicht sogar auch mitzuwirken; auf jeden Fall wollte er versuchen, am kommenden Dienstag, sozusagen beim Start des Projektes, mit dabei zu sein. So war ich dann in nur wenigen Minuten zurück am Haus, war müde, satt aber auch sehr zufrieden mit dem Tag, wenngleich ich immer noch nicht wusste: Wo hatten sich eigentlich die Bewohner versteckt, beziehungsweise wie verbrachten sie den Sonntag?

In meinem Zimmer angekommen war ich ehrlich gesagt zu faul, mich nun noch mit trockenen Schreibarbeiten zu befassen und überlegte, ob ich mir für künftige Gedanken nicht besser ein Diktiergerät besorgen sollte, was die ganze Sache deutlich einfacher und angenehmer machte. Vielleicht tatsächlich gar keine so schlechte Idee, dachte ich, legte ich mich aufs Bett, starrte unter die Decke und ließ den Tag noch einmal im Zeitraffer an mir vorbeilaufen, bis meine Gedanken automatisch in den Energiespar-modus umschalteten.

Kapitel

9

Das Team

Eine neue Woche hatte begonnen, und vom Wetter her gab es schon mal die besten Voraussetzungen, dass sie auch gut wurde, die dunklen Wolken von gestern waren verschwunden, und es passte mal wieder das schöne alte Sprichwort: „Nach Regen kommt Sonnenschein", und ein Blick aus dem Fenster zeigte uns, dass sie Recht hatten, die alten Sprichwörter. Ich wollte damit nicht sagen, dass ein schöner Regentag nicht auch seine ganz besonderen Reize haben konnte, wenn man nicht gerade bis auf die Haut durchnässt und frierend durch die Gegend lief, doch bei **Opa Hentrich** auf der Veranda sitzen, schön im Trockenen, in eine Decke eingemuckelt, das konnte auch gemütlich und kuschelig sein. Den Pflanzen hatte der Regen auf jeden Fall gut getan, und wer weiß es schon, ob ich sonst auch so einen netten Nachmittag gehabt hätte und wie durch Zufall dort im *„Scharfen Eck"* gelandet wäre. Motiviert und mit einem fröhlichen Gesichtsausdruck von Ohrwaschel zu Ohrwaschel ging es auch schon nach unten in den Frühstücksraum. Ich lag gut in der Zeit, was heißt gut, es war eine Punktlandung, denn als ich die letzten Stufen in einem Stück hinunter sprang, da meldete sich aber genau in diesem Moment die alte, in der Ecke stehende Standuhr und signalisierte mit einem dumpfen *„Gong"*, 7:30 Uhr. Der frühe Vogel war da, dachte ich, und als ich die Tür zum Frühstücksraum öffnete und mir das Geschirrgeklimper, einige Stimmen und der Geruch von frischem Kaffee entgegenkam, da wusste ich, dass die restliche Vogelschar auch schon an der Futterkrippe war. Ich glaube, es war egal, wann ich zum Frühstück ging, es war immer jemand vor mir da, nicht etwa weil sie so hungrig waren, ich glaube, es war die Aufgabe, die sie hatten, wie ein Roboter, den man auf eine bestimmte Zeit programmierte. Den restlichen Tag verbrachten ja die meisten mit nichts, mit gucken und, – ja, genau, das wollte ich ja herausbekommen und vielleicht mit den Bewohnern zusammen verändern. Mein Blick kreiste, und ich entschied mich heute nicht alleine zu setzen und suchte mir ein mehr oder weniger dankbares Opfer aus, das ich beglücken und vollquasseln konnte.

9.1__ Berta Möller

Einige Gesichter waren mir ja schon bekannt, und von einigen wusste ich sogar die Namen, doch genau diese Personen jetzt auch noch zu finden, war recht unwahrscheinlich. Mein kreisender Blick stoppte bei einer Dame, die ich mit irgendetwas der letzten Tage in Verbindung brachte. Sie saß aufrecht, mit durchgedrücktem Rücken am Tisch und schmierte sich das Brot, spitzte dabei den Mund, als wollte sie ihre Konzentration damit bündeln und fixieren. Ich schnappte mein Gedeck, Kaffee, Brot, etwas Marmelade, ein Stück Käse, ging zielstrebig auf sie zu und fragte, ob ich mich zu ihr gesellen durfte. *„Aber selbstverständlich, junger Mann“,* antwortete sie bewusst langgezogen und deutete mit der linken Hand auf den freien Platz ihr gegenüber. Noch während ich damit beschäftigt war, mein Frühstücksallerlei um den Teller herum aufzubauen, sprach sie mich auch schon forsch und direkt an: *„Na, wie läufts“,* fragte sie und lächelte mich an. Donnerwetter, dachte ich, die ging aber gleich drauf los, überhaupt keine Spur von Schüchternheit, direkter Angriff war ihre Strategie, und ich überlegte und überlegte, wo ich sie hinpacken konnte. Wo, oder in welcher Situation hatte ich mit ihr schon Kontakt? Wie bei einem alten Videorecorder benutzte ich die gedankliche Bildrücklauftaste in meinem Hirn und spulte zurück. Kuchen, **nein**, Karten, **nein**, reden, sitzen, Gymnastik, Stern von Afrika, ich spulte und spulte und kam einfach nicht darauf, und sie sprach mich erneut an: *„Haaallo, sind sie noch nicht wach? – **Berta Möller** an den Schlafwandler, Haaalllo“,* dabei hielt sie die linke Faust an den Mund, als würde sie in ein Mikrofon sprechen. **Berta Möller**, Moment, dachte ich, ließ die gedankliche Bildrücklauftaste los und kombinierte: **Berta Möller**, selbstbewusst, reden und dann hatte ich es, na, klar, sie war es, die mich im Garten kalt erwischte und fast in Grund und Boden redete. *„Aber natüüürlich bin ich schon wach“,* antwortete ich und zog dabei das *„natürlich“* ebenso lang wie sie zuvor das *„selbstverständlich“*. Dann flüsterte ich ihr etwas leiser zu, dass ich zunächst einmal meine Gedanken sortieren musste, mit wem ich es hier überhaupt zu tun hatte. *„Und, jetzt wissen sie`s wieder“,* fragte sie mit kessem Lachen. Und es folgte von mir ein ebenso langgezogenes: *„Aber natüüürlich“,* wie zuvor und lachte ebenfalls dazu. *„Nur noch mal der Form halber“,* sagte sie, spitzte den Mund, zog die Schultern streng nach hinten und nickte dabei leicht mit dem Kopf: *„**Berta Möller**, 78 Jahre, verwitwet, Quasselstrippe“,* sprach sie mit steifer, ernster Stimme weiter, *„selbstbewusst und sehr charmant“,* fügte ich hinzu und lachte ebenfalls.

Das anschließende Frühstück war geprägt vom Erzählen und Zuhören, ich berichtete von den letzten Tagen aber auch von meinen Gedanken, und als wir auf das Thema Projekt am Dienstag kamen, da wurde ihre gerade noch so lockere Stimmung ernster, und wie auf Knopfdruck schaltete ihr Kopf auf Arbeitsmodus um, und die abgeklärte, routinierte Büro-Managerin kam zum Vorschein: *„Oh, oh, da haben sie sich aber was vorgenommen"*, sagte sie mit sachlicher Stimme *„und sie wissen wirklich, auf was sie sich da einlassen",* fragte sie erneut. Ganz ehrlich, so dramatisch oder schwierig hatte ich es mir jetzt nicht vorgestellt, doch sie erklärte mir, dass es mit ein paar netten Gesprächen, ein paar schönen Abenden und ein bisschen *„Tam, Tam"* nicht getan wäre, denn wenn bei den Bewohnern erstmal Wünsche, Erwartungen oder gar Hoffnungen geweckt würden, die man dann nicht erfüllen oder nachkommen konnte, dann würde das Projekt, vorzeitig zwar, als gescheitert enden, doch die Bewohner würden ihren vielleicht letzten Strohhalm verlieren, und was das für Folgen haben könnte, war nicht auszudenken. So weit hatte ich tatsächlich nicht gedacht, ich wollte sie alle nur ein wenig aus den Schneckenhäusern holen, einige ihrer Wünsche und Entbehrungen realisieren und ihnen Ziele geben, auf die es sich lohnte hinzuarbeiten, egal wie alt man war.

„Das können sie gar nicht alles alleine hinbekommen", sprach sie weiter, *„sie brauchen ein Team – Helfer, Schriftwart, Manager, oh man, diese jungen Leute",* dabei verzog sie den Mundwinkel und rollte die Augen nach oben. *„Ok"*, sprach sie weiter, *„heute ist ihr Glückstag, ich werde ihnen helfen",* nickte wohlwollend und biss in ihr Brot. Sie wartete meine Antwort gar nicht ab, ob ich ihre Hilfe überhaupt in Anspruch nehmen wollte, scheinbar gab es diese Option bei ihr gar nicht. So wie ich am Anfang in Gedanken versunken war, so abwesend sah ich sie nun vor mir sitzen und fühlte mich gerade um Lichtjahre weit von ihr entfernt. *„Ok",* sprach sie spontan zurückkommend, aus dieser tiefen Form der Gedanken, *„für wann genau haben sie jetzt das erste Treffen geplant"* und tippt dabei mit ihrem linken Zeigefinger auf den gespitzten Mund. Wie ein kleiner Schuljunge, der von seinem Lehrer an die Tafel geholt und dem das Wissen abgefragt wurde, antwortete ich mit leiser schon fast demütiger Stimme: *„Morgen, am Dienstag im Gemeinschaftsraum, gleich nach dem Abendbrot"* und sah erwartungsvoll ihre Reaktion an. *„Guuut",* antwortete sie sehr langgezogen, wieder nachdenklich, mit weit geöffneten Augen und spitzem Mund, *„dann haben wir nicht mehr viel Zeit, aber wir können es schaffen"*, sprach sie weiter, als würde es um die letzten zwanzig

Sekunden bei der Handball WM gehen und sie als Trainer den alles entscheidenden Angriff besprechen, nahm die Serviette, tupfte sich den Mund ab, stützte die Ellenbogen auf den Tisch, faltete die Hände und tippte nun beide Zeigefinger gegen einander. *„Geben sie mir eine Stunde, das sollte reichen, und wir treffen uns hier“,* dabei tippte sie mit dem Finger auf die Tischplatte – *„genau hier, an diesem Tisch“,* stand auf, verharrte noch einen Moment und korrigierte sich. *„Zwei Stunden bitte, habe erst noch eine Anwendung“,* blickte auf die zarte Armbanduhr an dem noch zarteren Handgelenk, *„sagen wir um 10:30 Uhr“,* schnappte sich ihre Handtasche und verschwand. *„Aber pünktlich“,* kam es beim Weggehen noch einmal scharf von ihr über die Schulter.

Ja und so saß ich nun da und hatte immer noch eine halbe Scheibe Brot vor mir liegen. Das war dann mal ne klare Ansage! Innerlich war ich hin und hergerissen, zum Einen von ihrer Energie, von der Begeisterung, das Heft in die Hand zu nehmen, sie sprach vom *„**Wir**“*, die Identifikation, wow, dachte ich, ja, genau so eine brauchte ich, eine Managerin und ich wäre ja mit dem Klammerbeutel gepudert gewesen, wie man so schön sagte, wenn ich diese Hilfe, dieses eindeutige Angebot abgelehnt hätte. Ich schmunzelte, biss in mein Brot und freute mich auf unsere erste Teamsitzung, 10:30 Uhr, mit meiner neuen Managerin, Frau **Berta Möller**. – So viel zu dem *„Opfer“*, das ich mir beim Betreten des Frühstückraums aussuchen und vollquasseln wollte!

9.2__ Opa Hentrich und der Flummi

Ich musste mehr an **Frau Möller** als an irgendwelche anderen Dinge denken und bekam ständig so ein unübersehbares Schmunzeln ins Gesicht. Sie war schon ein echter Knaller, von dem *„SIE“* zu viel hatte, hatten andere zu wenig und ich war gespannt, wie es mit ihr weitergehen würde. Der Countdown lief, noch eine Stunde und fünfzig Minuten! Ich räumte mein Geschirr weg, verließ den Raum und pilgerte zu **Opa Hentrich** auf die Veranda, doch auch heute Morgen war sein Platz leer. Na, dachte ich, musste man sich Sorgen machen, doch kaum hatte ich ausgedacht, da hörte ich ihn auch schon heranschlurfen. Gehen war das nicht, er zog die Füße mehr hinter sich her, anstatt sie voreinander zu setzen. Als er seinen Platz erreichte, setzte er sich nicht gleich hin sondern ging noch bis zu den drei Treppenstufen, die nach unten auf den Kiesweg führten, drückte den Rücken durch, die Schultern nach außen und schob seinen Bauch zwischen den beiden Hosenträgern durch.

Begleitet wurde das ganze von einem tiefen, fast schon kläglichen: *„**Ahhhh**“*. Dann drehte er sich um, zog den oberen Rand der Breitcordhose ein Stück nach oben, schlurfte seinem Platz entgegen und murmelte vor sich hin: *„Genug Sport für heute, ich will ja schließlich nicht zu Olympia“* und ließ sich auf das breite Sitzkissen fallen, das schon fast seine Hinternform angenommen hatte. *„Dieser kleine **Flummi** ist schon fast so giftig wie unser Generalfeldmarschall“* und kramte dabei seine alte, vergilbte Pfeife aus der Jackentasche. Mit **Flummi** meinte er die kleine Physiotherapeutin **Trixi Schwan**, die ihn wahrscheinlich gerade unter den Fittichen hatte und mit dem Generalfeldmarschall – na, ja, eigentlich konnte da nur einer beziehungsweise, *„eine“* gemeint sein! Als die Pfeife dann richtig im Mund verankert und der Blick wieder auf nordnordost fixiert war, entspannten sich seine Gesichtszüge und es ging ihm deutlich besser.

„Melde mich im Trockendock zurück“, murmelte er weiter, und ich zuckte tatsächlich etwas zusammen, denn einen zusammenhängenden Satz und dann auch noch unaufgefordert, das kannte man gar nicht von ihm. *„Diese jungen Dinger“,* brummte er vor sich hin und schüttelte dabei den Kopf, *„fünf Kniebeugen sollte ich machen“,* dann verstummte er, *„**fünf**“,* wiederholte er und schüttelte den Kopf noch heftiger. *„Mensch, in meinem Alter iss man froh, wenn man die Hose noch alleine hochkriegt“,* maulte er weiter, *„da muss man nicht noch solche Turnmeisterschaften machen“* und verstummte erneut. Damit war wahrscheinlich sein Wortekontingent für den restlichen Tag aufgebraucht, und ich schmunzelte leise vor mich hin. **Opa Hentrich** war schon ein Original! Gerade als ich mich nach ein paar weiteren Minuten wieder auf den Weg machen wollte, da kam eben genau diese kleine **Trixi Schwan** mit einer Bewohnerin im Rollstuhl durch die Tür geschoben, nahm direkt Blickkontakt zu **Opa Hentrich** auf und fragte: *„Na, Opi, haben sie auch brav die Übungen gemacht“,* zog die Mundwinkel nach außen und blickte ihn mit weit geöffneten Augen und gesenktem Kopf von unten nach oben an. **Opa Hentrich** zuckte ebenso zusammen wie ich auch, und wie aus der Pistole geschossen kam mit fester und lauter Stimme ein überzeugendes: *„Aber selbstverständlich und das ganze gleich zweimal“,* dabei hob er die rechte Hand mit der Pfeife und zeigte zu mir: *„Der junge Mann hat's gesehen und kann's bezeugen“,* dabei blickte er zu mir, und seine Augen waren noch weiter geöffnet als beim **Flummi** zuvor, und es fehlte nicht viel, dann wären kleine Blitze aus ihnen herausgesprungen. Völlig überfahren saß ich da und brachte nichts Besseres als ein stammelndes: *„Ja, genau, – zwei Mal“* heraus.

Trixi schüttelte den Kopf, schob die Dame im Rollstuhl weiter und murmelte im Vorbeifahren etwas wie: *„Männer – kennst du einen, dann kennst du sie alle“* und lachte, was von der Dame im Rollstuhl mit Beifall und lautem: *„**GENAU**“,* zustimmend kommentiert wurde. *„Na also, geht doch“,* murmelte **Opa Hentrich**, *„die sind wir erstmal los“* und schob die Pfeife zurück in den Mund, bevor er wieder in der alten, entspannten Position einrastete. Dafür, dass es noch vor einigen Minuten auf der Veranda absolut still und fast langweilig war und ich mir schon fast Sorgen um **Opa Hentrich** machte, dafür wurde dann aber in den letzten Minuten einiges geboten. Ich hätte im Leben nicht gedacht, dass an **Opa Hentrich** ein solches schauspielerisches Talent verlorengegangen war. Wer weiß, was da noch so alles in ihm und bei so manch` anderem im Haus schlummerte, bei **Frau Möller** hatte ich es ja schon ansatzweise erfahren dürfen, was auch genau das Stichwort war, denn das, *„**aber pünktlich bitte**“,* waren ihre letzten Worte als wir uns beim Frühstück trennten und hatte ich noch nur zu gut im Ohr.

Natürlich hatte ich noch genügend Zeit, doch wie man es ja hier gerade sah, ging es schneller als man dachte und ruckzuck hatte man sich auch schon verdaddelt. Ich stand auf, ging die Stufen hinunter auf den Kiesweg und konnte mir aber beim Verlassen ein: *„Dann noch einen schönen Tag Mr. Ironman“,* nicht verkneifen. **Opa Hentrich** nickte leicht, das heißt, es war eher ein Wippen, und ich war mir fast sicher, eine schwache Bewegung an seiner Lippe gesehen zu haben, einen Hauch, den Ansatz eines Hauches einer Bewegung, die irgendwann zum Schmunzeln übergehen würde, doch davon war er gerade noch weit, sehr weit entfernt. Ich war mir aber gleichzeitig auch nicht sicher, ob er mit der Bezeichnung: *Mr. Ironman* überhaupt etwas anfangen konnte.

Mit einem kurzen Schwenk durch den Garten sollte dann meine kleine Morgenrunde auch beendet sein, bevor ich mir vom Zimmer die Kladde und etwas zum Schreiben holen wollte. Vereinzelt sah ich Personen im Garten, die einfach nur saßen, guckten und das schöne Wetter genossen, nur **Rudi** der Gärtner, wuselte im hinteren Bereich der Anlage herum, unverkennbar in seiner grünen, bestimmt zwei Nummern zu großen Arbeitshose und den gewaltigen Stiefeln. Sein Spitzname war zwar *„Rumpelstilzchen“,* doch aus der Ferne betrachtet hätte er durchaus auch als Gartenzwerg durchgehen können, wenn er anstatt seines großen Hutes mit dem Netz darüber eine rote Zipfelmütze getragen hätte.

Durch den Hintereingang kam ich zurück ins Haus, und ein Blick auf dem Boden signalisierte mir: „***Achtung***“, die glorreichen *„DREI“* waren wieder unterwegs. Gemeint waren **Gerda Kruse**, **Jaqueline Möller-Brecht** und das **Sturmtief Helga**, kurzum, das Scheuerlappengeschwader war im Einsatz, wie man an den Staubsaugerstrippen, Wischeimern und zurückgeschobenen Gardinen unschwer erkennen konnte. Eigentlich ging die größte Gefahr ja nur von **Helga** aus, die wie ein Wirbelwind auch schon mal plötzlich ohne Vorankündigung um die Ecke kommen konnte oder durch einen Sprung von der Treppe auch mal ganz schnell bei jemanden im Arm oder per Huckepack auf dem Rücken landen konnte. Also immer schön rechts gehen und die Augen und die Ohren aufhalten. Vielleicht war das auch genau der Grund, warum gerade jetzt so wenig Bewohner im Haus unterwegs waren. Unbeschadet erreichte ich mein Zimmer, Kontrollblick zur Uhr, 9:50 Uhr, passte, dachte ich und konnte es noch etwas schleifen lassen. Ich legte mir einen Zettel rechts auf den Tisch, notierte als Überschrift: „***To-do-Zettel***“ und notierte als ersten Punkt, Diktiergerät.

9.3__ Döllmerzettel – in drei Kategorien

Im Zettel-, Listen-, Tabellen-Erstellen war ich echt gut, schrieb mir alles auf, was mir einfiel und was erledigt war, wurde gestrichen. Wenn der Zettel durch die gestrichenen Dinge zu unübersichtlich wurde, gab es einen Übertrag, und ein neuer Zettel wurde begonnen. Das entwickelte sich bei mir schon fast zum Tick, denn manchmal kam es sogar vor, dass ich nachts wach wurde, eine Idee oder einen Gedanken hatte und es mir notierte. Wenn es in den Urlaub ging, war es ganz besonders krass, aber dafür auch zweckmäßig, denn ich kann mich nicht daran erinnern, mal etwas Besonderes oder Wichtiges vergessen zu haben, sicherlich nicht zuletzt Dank meiner Todo-Listen oder auch, *„Dölmerzettel“*, wie ich sie selbst immer gern nannte.

Für den Urlaub gab es dann drei Kategorien:

Die erste Kategorie nannte ich die *„**Wichtig- Kategorie**“*.

Alle wichtigen Dinge wurden zunächst auf dem Tisch aufgebaut, begonnen bei den Pässen, Ausweisen, Gesundheitskarten, Reise- und Versicherungsunterlagen, beim Führerschein, der Telefonnummer der Deutschen Botschaft des jeweiligen Landes, Geld, Schecks, Kreditkarte, Devisen. Die Devisen wurden außerdem noch einmal in einen gesonderten Geldbeutel und einen Reisebrustbeutel verpackt. Alle diese Sachen wurden dann zuerst nach einer Checkliste abgearbeitet und dann ein finales, letztes Mal einen Abend vor der Abreise erneut kontrolliert, bevor sie dann alle in eine kleine Handtasche kamen, die sogenannte *„Wichtig-Tasche“*. Alles konnte auf der Reise verloren gehen – nicht die *„Wichtig-Tasche“*. Auf sie waren alle eingenordet, erster Blick galt immer der Tasche. Wir kennen alle den Filmklassiker: *„Kevin allein zu Haus“,* ihn zu verlieren, das hätte uns möglicherweise auch passieren können,

– nicht aber die *„**Wichtig-Tasche**“*!

Dann hatten wir die zweite Kategorie:

Hier wurde alles notiert und aufgeschrieben, was man gern mitnehmen und ungern vergessen wollte. Dinge die einem im Laufe der letzten Tage vor dem Urlaub gerade noch einfielen. Hier kamen dann durchaus die eigenartigsten Notizen zustande, die mitunter auch gern nachts notiert wurden: Adresse von Tante Frieda besorgen, Stativ für die Kamera aus dem Keller holen, Buch, MP3-Player mit Musik laden, Lieblingskugelschreiber, Adresse vom Hard Rock Cafe am Zielort raussuchen, Taschenmesser, Karten, Stadtplan, Wörterbuch (... ja, das war damals so, heute packt man sein i-phone ein, hat Google mit dabei, und alles ist gut). So gab es da die unterschiedlichsten Dinge, die nicht alle zum Einpacken und Mitnehmen waren, es gab auch durchaus Dinge, die noch zu erledigen waren wie: Rasen mähen, Tierarzt (Impfung), Müll raus bringen. Auf jeden Fall waren es Dinge, die nicht so wichtig oder lebensnotwendig waren beziehungsweise den Urlaub gefährdeten. Diese Liste wurde täglich länger aber auch wieder kürzer, bis sie dann am Abreisetag in der Regel nur noch durchgestrichene Punkte oder am Besten gar keine mehr hatte, dann war es perfekt gelaufen.

Und dann gab es die dritte Kategorie: Der Klassiker – *Koffer und Klamotten!*

Das ging bei mir immer relativ einfach, um nicht zu sagen innerhalb von fünf Minuten, wahrscheinlich für viele Frauen überhaupt nicht nachvollziehbar, die ja mitunter schon mal gefühlte Ewigkeiten vor dem geöffneten Schrank stehen und nicht wissen, was sie anziehen sollen. Diese Kategorie brauchte bei mir keinen Zettel, das war eine gedankliche Liste, die ich nach einem ganz einfachen System bearbeitete. Ich legte den geöffneten Koffer auf das Bett und los gings. Zunächst mussten nur die Urlaubstage ermittelt werden. Nehmen wir folgendes Beispiel: Vierzehn Tage, inklusiv An- und Abreise. Dann begann ich die Kleidung, dem Körper entsprechend von unten nach oben rauszusuchen und einzupacken, unabhängig, ob man zwischendurch mal etwas waschen oder zum Reinigen bringen wollte.

Socken: Nun muss man nicht unbedingt 14 Paar Socken, für jeden Tag ein Paar einpacken, entscheidend waren da auch die Jahreszeit und das Urlaubsziel. War es ein Sommer-, Badeurlaub in einem fernen warmen Land, und man war vorrangig am Strand, im Wasser oder mit leichtem Schuhwerk unterwegs, dann taten es durchaus auch vier bis fünf Paar Socken. Bei der Unterwäsche waren ähnliche Dinge zu berücksichtigen, eventuell sollte dann eine oder zwei Ersatzbadehosen eingepackt werden. Schlüpper sollten es dann aber doch für jeden Tag einer sein, denn die Abende gab es ja auch noch. T-Shirts, Hemden, kurz oder lang, eine passende Krawatte dazu, vielleicht zwei Garnituren für feineres Ausgehen, Hose kurz, Hose lang, Hose leicht, Hose elegant. Gürtel, Sakko, Windjacke oder wie gesagt je nach Reiseziel oder Jahreszeit auch Mütze, Schal, Handschuhe oder Mantel. Ebenso bei den Schuhen, die aber gleich in einem Beutel oder in einem Extrafach des Koffers verschwanden. Einen leeren Stoffbeutel für die schmutzige Rückwäsche, an Taschentücher brauchte man nicht zu denken, auch der Schlafanzug fiel unter die Kategorie: Eigenes Ermessen und freie Auswahl. Beim Kulturbeutel war es dann noch etwas anders, da standen durchaus noch einige Dinge auf der Liste der zweiten Kategorie, aber auch nicht unbedingt wirklich lebensnotwendige Dinge, sofern es nicht Medikamente waren, doch dann gehörten sie auch auf die Liste eins, weil *"wichtig"*. Der Kulturbeutel stand bis zum Abreisetag geöffnet im Bad, im Koffer wurde aber schon eine entsprechende Stelle, natürlich in Kulturbeutelgröße, dafür berücksichtigt und freigehalten. Ganz *„Pfiffige"* hatten für die Badeutensilien extra kleine oder nur halbgefüllte Tuben oder Flaschen, auch eine gesonderte Zahnbürste, Wasch- und Duschzeug.

Das sparte zum einen Gewicht, was ja bei vierzehn Schlüppern nicht unerheblich war, und man konnte den Kulturbeutel auch gleich fest im Koffer mit einbacken und lief nicht in die Gefahr, ihn im letzten Abreisetrubel dann doch noch im Badezimmer auf der Fensterbank zurückzulassen. Zu diesen *„Pfiffigen"* gehörte ich leider nicht, hatte aber bei jeder neuen Reise diesen innovativen Gedanken. Kofferband mit Zahlenschloss und natürlich die Namensschilder an den Koffern, damit beim Verlust eine größere Chance bestand, sie zurückzubekommen. Andernfalls konnte man sie vielleicht in irgendeiner Fernsehshow wiederfinden, wo eben solche herrenlosen, nicht abgeholten oder zustellbaren Koffer vom Flughafen oder Zoll zur Versteigerung freigegeben wurden. Tja und dann wären sie weg gewesen, die Socken und die vierzehn Schlüpper! Außergewöhnliche Dinge, wie Spezialausrüstungen oder Sportutensilien brauchten dann natürlich wieder eine gesonderte Liste, so wie erste Kategorie-B, auch wichtig, nicht dass sonst der eigentliche Anlass des Urlaubs ins Wasser fiel, weil die Laufschuhe, das Fahrrad oder die Tauchausrüstung nicht mit dabei waren.

Ja, das waren sie, meine drei Kategorien, man kann das System belächeln, es anders oder auch gar nicht machen – Prinzip *„Chaos"* wäre da eine Alternative, aber das muss ein jeder für sich selbst herausfinden. Ich blieb bei meinem System, denn eine Sache, die sich tatsächlich auch so ereignet hatte, fand aufgrund dieser Liste ein tolles und glückliches Ende.

9.4_ HRC – Member Card

Es ist schon einige Jahre her, als ich mit meiner Tochter einen Ausflug nach London machte, natürlich nach diesem gerade ausführlich erklärten *„Drei-Wege-System“*. In der zweiten Kategorie gab es unter anderem den Punkt *„Adressen“*. In Fleißarbeit hatte ich von allen Attraktionen, Sehenswürdigkeiten, Plätzen und Orten, eben von allem, was wir sehen oder besuchen wollten, die Adressen, nebst Öffnungszeiten, Telefonnummern und Eintrittspreisen herausgesucht. Außerdem recherchierte ich, mit welchen Verkehrsmitteln wir zu welchen Zeiten und Konditionen dort hingelangen konnten und stimmte es dann noch mit dem Stadtplan nach Nähe und Entfernung ab.

So fuhren wir also bestens vorbereitet los, hatten schon von zuhause die wichtigsten Eintrittskarten gebucht beziehungsweise reserviert, was uns bei einigen Attraktionen megalange Wartezeiten ersparte. Das London-Eye zum Beispiel, das neue Wahrzeichen Londons, das Riesenrad direkt am Themseufer, hatte zwischen drei bis vier Stunden Wartezeiten! Wir hatten einen fest gebuchten Termin, betraten fast auf die Minute die Gondel und hatten einen Heidenspaß. Bei Madame Tusseaud`s Wachsfiguren Kabinett, dem Tower of London, dem Planetarium oder den Dungeons of London war es ähnlich. Mit einem *„Drei-Tage-Pass“* brauchten wir uns auch keine Gedanken über Fahrscheine der öffentlichen Verkehrsmittel zu machen, hatten freie Fahrt mit S-Bahn, U-Bahn und den Bussen. Die Adressen und die dazugehörigen Linien brachten uns ohne Stress zum Buckingham Palast, zur Downing Street, zum Trafalgar Square und natürlich zum Picadilly Circus. Ein Herzenswunsch meiner Tochter war es unter anderem, in den Laden *„Abercrombie & Fich“* zu gehen, zu jener Zeit der Traum aller Jugendlichen und Kids. Was ich im Vorfeld meiner Planungen nicht wusste und es leider auch nicht vorbereiten konnte war, den Laden überhaupt erst einmal zu finden, denn erst nach mühsamem Suchen und Fragen fanden wir ihn dann versteckt in einer kleinen, völlig unscheinbaren Seitenstraße. Aber wir fanden ihn, und auch diese Hürde konnte erfolgreich genommen werden. Das Kaufhaus Harrods, auch als *„Königliches Kaufhaus“* bezeichnet, etwas abseits an der Knightsbridge gelegen, war ebenso kein Problem, und unser letztes Ziel sollte dann dort ganz in der Nähe das Hardrock Cafe sein. Hardrock Cafes gibt es in fast allen großen Metropolen dieser Welt, und sich ein Mitbringsel dort zu kaufen, war irgendwie Kult. Die legendären Shirts mit dem Aufdruck „HRC“ und der jeweiligen Stadt machten sie so außergewöhnlich und reizvoll.

In der Vergangenheit hatte ich mir immer gern als Andenken eine Anstecknadel aus der jeweiligen Stadt mitgebracht und besaß mittlerweile bestimmt schon fünfzehn oder sogar noch mehr aus den Hardrock Cafes dieser Welt. Ich freute mich also auf die neue Nadel, und meine Tochter wollte sehr gern ein entsprechendes Shirt vom HRC London als Erinnerung mit nach Hause nehmen. Mit der U-Bahn ein paar Stationen vom Kaufhaus Harrods entfernt, noch einen kurzen Fußmarsch um zwei Blocks und schon waren wir da. Mitten in einer Wohngegend gelegen erkannten wir schon von weitem den unübersehbaren Schriftzug, allerdings sahen wir auch eine mega Menschenschlange, die sich davor aufreihte. Wir gingen zunächst an der Schlange vorbei zum Eingang und dachten, dass das Lokal vielleicht noch nicht geöffnet war und wollten an der Tür schauen, ob die Öffnungszeiten angeschlagen waren. An der Tür erkannten wir sehr schnell, dass es zwar geöffnet war, aber wegen Überfüllung keine weiteren neuen Gäste eintreten durften. Mit anderen Worten, verließ jemand das Lokal, durften die nächsten Besucher reinrutschen, beziehungsweise wurden vom Security Personal eingelassen. Das Ganze ging natürlich nur sehr zäh und schleppend voran, und es war nicht abzusehen, wie lange man da in der Kette noch hätte stehen und warten müssen. Die Warteschlange erinnerte an alte Filme, wo sich in der Kriegszeit vor Lebensmittelgeschäften ähnlich lange Reihen bildeten, nur um etwas Butter, Wurst oder Brot zu kaufen. Hier war es ähnlich, die Schlange zog sich den Gehsteig entlang bis zum Blockende, um die Ecke herum und noch viele Meter weiter. Geschätzt waren es bestimmt etwa sechzig bis siebzig Personen, die dort standen und eisern aushielten. Traurig sahen wir uns das Drama an und wollten fast schon mit hängenden Köpfen wieder gehen, da sah ich genau auf der anderen Straßenseite, also unmittelbar in unserer Nähe, noch mal den Schriftzug des Hardrock Cafes, allerdings mit dem Zusatz ***„Store“***, was soviel wie Andenken- und Souvenirladen des Cafes bedeutete. In der Regel befindet es sich immer zusammen in einem Gebäude, Cafe, Bar, Restaurant in der einen Ecke und der Verkaufsladen / Store in einer anderen, doch wie man erkennen konnte, eben nicht so in London. Und was noch viel besser war, vor der Tür gab es keine Menschenmassen, nur ein Türsteher war zu sehen, der das Geschehen kontrollierte. Wow, dachten wir, Jackpot, denn in das Restaurant wollten wir nicht zwingend gehen, einfach nur das Shirt, die Anstecknadel aus dem Store holen und gut wars. Die Burger und Cocktails, ja die ganze Atmosphäre in so einem Hardrock Cafe ist natürlich nicht mit McDonalds, Burger King oder einem anderen Fastfood Laden zu vergleichen, aber sich dafür stundenlang die Beine in den Bauch zu stehen, nein, das war es dann auch nicht Wert.

Mit breitem Grinsen gingen wir auf die andere Straßenseite und zielstrebig dem Eingang entgegen. Der Türsteher im dunklen eleganten Anzug und mit einer verspiegelten Sonnenbrille, der von der anderen Straßenseite aus zunächst noch ganz normal aussah, wurde eigenartigerweise bei jedem Schritt größer und breiter und als wir den Türgriff schon fast in der Hand hielten und die Tür öffnen wollten, da machte er einen Schritt zur Seite, baute sich wie ein quadratischer Schrank vor uns auf, streckte uns den Arm mit der geöffneten Hand entgegen und sagte mit tiefer furchteinflößender Stimme: ***„STOPP“!*** – Wie *„Stopp“*, dachten wir, und ich versuchte, ihm zu erklären, dass wir dort in dem Store etwas kaufen wollten. Mit monotoner Stimme, schon fast arrogant einschläfernd, erklärte er uns, dass man zum Betreten des Stores einen Verzehrbon des Cafes von der anderen Straßenseite benötigte, was dann auch wiederum den komplett freien Eingangsbereich erklärte. Unsere Gedanken schlugen Rad, und die entspannten Gesichtszüge, die wir beim Überqueren der Straße gerade noch hatten, waren schlagartig verschwunden, und Züge einer Gesichtslähmung mit geöffnetem Mund und Schnappatmung waren nun auf unseren Gesichtern zu erkennen. Meine Tochter ließ den Kopf hängen, doch so kampflos wollte ich nicht aufgeben. Also mit Kampf meinte ich natürlich nicht den Zweikampf zweier Männer auf Leben und Tod, denn da wäre es wahrscheinlich noch vor dem ersten Rundengong zu Ende gewesen. Zu ungleich waren unsere beiden Gewichtsklassen, Heavy Weight Cup gegen Federgewicht, ein Goliath ohne Hals, dafür aber mit Stiernacken und einer Statur mit abgewinkelten Armen als hätte er Rasierklingen unter den Achseln, so stand mir da gegenüber und ich versuchte es mit einer Stärke, die **mein** Heavy Weight Cup war – mit **reden,** ihn einfach schwindlig und besoffen quasseln, und so versuchte ich, ihn zu belatschern, ob er nicht eine Ausnahme machen konnte, *„bitte, gucken sie doch mal in die traurigen Augen der Tochter“,* versuchte ich es auf der *„Tränendrüsenschiene“,* doch er sah nur in meine Augen, wurde lauter, mit der Tendenz zum *„Säuerlichen“* und antwortete erneut:

„It`s not allowed to enter here without an voucher or bill from restaurant upperside,* ***except,*** *– you`re a ***member*** *of Hardrock Cafe companies.“*

Es gibt keine Eintrittserlaubnis ohne Beleg oder Verzehrnachweis aus dem gegenüber liegenden Restaurant, ***außer*** *natürlich, – sie sind* ***Mitglieder*** *vom Hardrock-Cafe!*

Meine Tochter hatte sich schon umgedreht und war im Begriff zu gehen, da antwortete ich: *„**OK**“,* griff in meine Tasche, öffnete meinen Geldbeutel, zückte eine Karte heraus und hielt sie ihm mit den Worten hin: ***„Ok, here it is, – I`m a member!“*** Er blickte auf die Karte und schlagartig entspannten sich seine Gesichtszüge, er öffnete mit der einen Hand die Tür und winkte uns mit der anderen freundlich in den Store. Der Gesichtsausdruck meiner Tochter pendelte zwischen, Himmel hoch jauchzend bis zu Tode betrübt, stand da mit weit geöffnetem Mund und verstand die Welt nicht mehr. In ihren Augen konnte man erkennen, dass sich kleine Sternchen zu einem Feuerwerk der Freude vereinten, und wenn ich es bis dahin nicht sowieso schon war – seit diesem Tag war ich ihr *„Local-Hero“,* der Held des Tages, ihre unangefochtene Nummer eins, jedenfalls wenn es um die Hardrock Cafes ging.

Dann erklärte ich ihr, wie ich überhaupt zu der *„Member-Card“* gekommen bin. Einige Jahre zuvor, bei einem Urlaub in Amerika bei den Niagarafällen, da besuchte ich ebenfalls ein Hardrock Cafe und wurde beim Kauf beziehungsweise bei der Bezahlung gefragt, ob ich für nur fünf zusätzliche Dollar eine Mitgliedskarte erwerben wollte. Es wurden so viele mögliche Vorzüge aufgezählt, doch ganz ehrlich, ich hatte gar nicht alles verstanden, wofür sie schlussendlich gut sein sollte, aber ich hatte sie gekauft und spätestens dort, am Eingang vom Store in London, wusste ich es und fühlte ich mich gegenüber dem Goliath aber so was von als Champion, wie nach einem klassischen Knockout in Runde eins! Mit stolzgeschwellter Brust betraten wir den Laden, und eigenartiger Weise war auch gar nicht viel Betrieb, wie sollte es auch, die meisten saßen ja noch auf der anderen Straßenseite im Restaurant, und die anderen gefühlten tausend Leute standen in der Warteschlange davor. Gemütlich pilgerten wir durch den Laden und bekamen alles, was wir uns gewünscht hatten, legten die *„Member-Card“* beim Bezahlen an die Kasse, und es wurden sogar noch ein paar *„Member-Prozente“* als Rabatt abgezogen. Beim Verlassen öffnete der Goliath wieder die Tür, als hätte er nur auf uns gewartet, griente uns wie ein Honigkuchenpferd an und wünschte uns beim anschließenden Besuch im Restaurant einen gemütlichen Aufenthalt und einen guten Appetit. Ich bedankte mich, zeigte auf die andere Straßenseite und sagte ihm, dass wir uns das mit der Megaschlange und Wartezeit nicht antun würden. Da lachte er, fragte warum wir warten wollten, wir wären doch schließlich *„**Member**“*. Wow, dachte ich, denn damit hatte ich jetzt mal überhaupt nicht mehr gerechnet. Wir sollten uns einfach drüben bei dem Personal an der Tür melden, die Karte vorzeigen – und genau so hatten wir es gemacht!

Die Schlange war mega, meeeeega lang, und es tat mir echt irgendwie leid, so arrogant an allen Wartenden vorbeizumarschieren. Aber dafür hatte ich mich ja schließlich auch beim Store an den Niagarafällen in unglaubliche Kosten gestürzt und meine damalige Urlaubskasse um fünf Dollar geschmälert, dann durfte man nun auch die Früchte tragen. An der Tür angekommen zückte ich die Karte, und eine der beiden kleinen Mädchen, die dort als Türkontrolle eingesetzt waren, nahm uns an die Seite und erklärte uns, wie das Prozedere nun weiter ging, denn natürlich war der Laden nach wie vor brechend voll, da änderte sich auch nichts mit unserer Member-Card. Wir bekamen eine Art Funkgerät, damit führte sie uns ins Lokal und platzierte uns direkt an einen freien Platz an der Theke. Dort sollten wir dann so lange warten, bis ein grünes Lämpchen an dem Gerät aufleuchtete, das Zeichen für uns, in den etwas weiter hinten gelegenen Restaurantbereich zu gehen, wo dann für uns der nächste Tisch zur Verfügung stand. Natürlich bekamen wir während der Wartezeit etwas zu trinken, auch lagen bergeweise Erdnüsse auf dem Tresen der Theke herum. Wir saßen bequem, tranken etwas Kühles, die laute Musik des Hardrock Cafes dazu, und wir konnten nicht behaupten, dass es sich schlecht anfühlte. Nach zirka fünfzehn Minuten blinkte das grüne Lämpchen, unser Startsignal, und schon hatten wir einen Platz. Ich befürchtete, dass selbst als wir nach knapp zwei Stunden das Cafe wieder verließen, uns bestimmt einige aus der Warteschlange wiedererkannten, und ich vermochte nicht daran zu denken, was dabei in ihren Köpfen vorgegangen sein musste. Bislang hatte ich nicht unbedingt so oft auf der Sonnenseite des Lebens geparkt, aber da lief es, und zum Überfluss kam dann auch noch etwas Glück dazu. Vielen Dank noch einmal an dieser Stelle an das nette kleine Mädchen an der Kasse im *„HRC Niagra Falls"*, das war mal ein Top Vorschlag und – die besten angelegten fünf Dollar – ever!

Ja, und seitdem steht diese Member-Card nicht nur auf einer Dauerstelle ganz oben auf der Liste eins Kategorie wichtig, sondern war auch in Verbindung mit den Adressen und Informationsdaten auf Liste zwei fast zu einem *„must have"* bei jeder Urlaubsreise geworden! Als meine Tochter allerdings den Zauber und die magische Kraft dieser *„Member-Card"* selbst miterleben durfte, wanderte die Karte sang und klanglos, von meinem in ihren Geldbeutel und hat seitdem dort ihren neuen und festen Platz gefunden.

Und so stand also das Diktiergerät als erste Position auf meinem neu angelegten *„Todo- „* oder auch *„Dölmerzettel"*.

Noch ein kurzer Gang ins Bad, Zähne geputzt, etwas frisch gemacht, mit dem Kamm durch die Haare, und dann kramte ich auch schon meine sieben Sachen zusammen und machte mich auf den Weg nach unten. Es war kurz nach zehn Uhr, also noch ausreichend Zeit, im Frühstücksraum nach einem versteckten Kaffee zu suchen, im Zweifelsfall einfach direkt bei **Mathilde** in der Küche. Als ich den Raum betrat, da sah ich doch tatsächlich schon meine neue Managerin exakt an dem Tisch von zuvor sitzen, und vor ihr lagen einige Zettel ausgebreitet auf dem Tisch. Allerdings saß sie nicht alleine, ein kleiner, hagerer, fast schon unscheinbarer älterer Herr saß an ihrer Seite und hörte mit gesenktem Kopf und leicht hochgezogenen Schultern aufmerksam zu, was ihm **Frau Möller** mit Händen und Füßen gestikulierend scheinbar vermitteln wollte. Dabei nahm sie einige der vor ihr liegenden Zettel in die Hand und hielt sie ihm entgegen. Na gut, dachte ich, sie ist sicher noch mit einer anderen Baustelle beschäftigt, ging mit langsamem Schritt durch den Raum und steuerte direkt auf die Pendeltür der Küche zu, als die gute **Frau Möller** von ihrem intensiven Gespräch aufblickte, zu mir herüber sah und rief: *„Hallo, junger Mann wir sind hier, keine Müdigkeit vortäuschen*“, dabei wackelte sie leicht mit dem Kopf, aber schon dominant und bestimmend, *„Zeit ist Geld, und von beidem haben wir hier nicht mehr viel“,* und dann wechselte der ernste, schon fast versteinerte Gesichtsausdruck tatsächlich zu einem Schmunzeln. *„Bin gleich da“,* rief ich zurück, zeigte auf die Küche und verschwand hinter der Pendeltür.

Dort wurde ich auch gleich von einem fröhlichen Gesicht empfangen. **Mathilde** stand vor mir, und als hätte sie meine Gedanken lesen können, hatte sie schon auf einem Tablett Tassen, Zucker, Milch und eine Kanne mit Kaffee stehen. Etwas verwirrt blickte ich sie an, doch sie lachte nur und sprach: *„Gehen sie nur raus, ich bringe es gleich, muss noch ein paar Kekse dazulegen“,* und ihr Lachen wurde deutlich mehr. Wie versteinert stand ich da und verstand tatsächlich nicht, was sie genau meinte, doch als sie sich wieder zu mir umdrehte, sprach sie mit flüsternder Stimme weiter: *„Frau Generaldirektor hatte die Bestellung schon aufgegeben“,* und dabei zogen sich ihre Mundwinkel breit über das ganze Gesicht. Meine Augen wurden so groß wie bei einem kleinen Kind, das zu Weihnachten die elektrische Eisenbahn auspackt. *„Das glaube ich jetzt nicht“,* antwortete ich völlig „baff“ und schüttelte den Kopf. Aber **Mathilde** gab mir zu verstehen, dass das schon in Ordnung war und freute sich, mit einer solchen Kleinigkeit ein scheinbar großes Gefühl gegeben zu haben und Frau Möller für einen Moment zurück in die Vergangenheit versetzen konnte, dafür übernahm sie gern das kleine Rollenspiel.

„Und sie wissen auch ganz sicher, auf was sie sich da einlassen“, fragte sie mit einem lächelnden Unterton und blickte mich dabei von unten nach oben an *„und damit meine ich nicht das Projekt, von dem sie mir berichtet haben“,* lachte dabei deutlich lauter, drehte sich um und kramte aus einer verbeulten Blechdose Kekse heraus, die **Herr Günther** in der vergangenen Nacht scheinbar übersehen hatte. Ein wenig ahnte ich, was sie meinte oder besser gesagt, WEN sie meinte, schüttelte den Kopf und stammelte etwas wie: *„Nein, ich glaube, ich weiß es nicht, werde es aber bestimmt schon bald erfahren“, ich* lachte ebenfalls und drehte mich wieder zurück zur Pendeltür. *„Da bin ich mir bei ihnen ganz sicher“*, kam es von ihr zurück *„und bei **IHR** – sowieso“,* dabei betonte sie das *„IHR“* deutlich stark, was mich noch mehr verunsicherte. Mit einem *„ich bin dann mal drüben“* verließ ich **Mathildes** Reich und schob mich mit der Schulter nach vorn durch die Pendeltür.

9.5__ Schriftwart Weitemeier

Kaum zurück im Frühstücksraum wedelte **Frau Möller** auch schon mit dem Arm, was wie ein *„Na los, kommen sie schon“*, aussah. Als ich den Tisch erreichte und Platz nahm, begann sie auch zugleich: *„Na, ja, wenigstens sind sie pünktlich“*, sah mich dabei aber nicht an, sondern kramte einige ihrer Zettel zusammen, *„ein guter Anfang“,* fügte sie hinzu und stellte mir den älteren Herrn am Tisch vor. Sie war der Meinung, dass von Anbeginn auch ein richtiger Schriftwart mit dabei sein sollte, einer der funktioniert, wie sie später noch mehrfach betonte, einer der nicht viel fragt, unauffällig ist und konzentriert arbeiten kann. Ich konnte mir ein leichtes Schmunzeln nicht verkneifen und bekam auch prompt ihre Reaktion darauf: *„Oder sehen sie das anders?“,* fragte sie mit ernster Mine. *„Nein, nein, um Gottes Willen“,* antwortete ich mit hochgezogenen Augenbrauen und energischem Kopfschütteln, *„Schriftwart, das **A** und **O**, gaaaanz wichtig“* und signalisierte ihr, dass sie gern weitersprechen durfte. Und dieser nette kleine Mann war nicht etwa Herr Willi Winzig, auch wenn der Name gepasst hätte, eine Erinnerung aus einem alten Heinz Ehrhardt Film, sein Name war **Knut Weitemeier**, 77 Jahre, ehemaliger Buchhalter aus Baden Baden. *„Und dieser hier, ist genau der Richtige“,* sprach **Frau Möller** mit deutlich angehobener Stimme und Griff mit ihrer linken Hand auf seinem auf dem Tisch liegenden Unterarm. *„Der **Weitemeier**, der war nicht nur einfacher Buchhalter“,* dabei wurde ihre Stimme leiser, als wollte sie ein Geheimnis ausplaudern, *„er war auch eine Zeit lang beim Finanzamt* *beschäftigt und hat sogar schon im Spielcasino gearbeitet",* und voller Ehrfurcht zog sie dabei die Augenbrauen nach oben. *„Der ist mit allen Wassern gewaschen, kennt alle Tricks, so`n richtiger Pfennigfuchser halt"*, dann hielt sie einen Moment inne, lehnte sich zurück und sprach wieder deutlich laut wie zuvor: *„Und nun arbeitet er für uns, und das ist auch gut so",* sie beendete damit den Lobgesang, die Vorstellung *„unseres"* neuen Mitarbeiters und ging zur Tagesordnung über. *„Und natürlich funktioniert er",* fügte sie hinzu, *„sonst hätte ich ihn ja auch nicht ausgewählt"* und nickte dabei wohlwollend, als wollte sie sich damit selbst bestätigen. **Herr Weitemeier** saß die ganze Zeit dabei, hörte genauso aufmerksam zu wie ich, und hin und wieder konnte man ein leichtes zustimmendes Nicken bei ihm erkennen. Dann gab **Frau Möller** das Startzeichen und eröffnete die Sitzung, wie sie selber sagte, und wie ein eingespieltes altes Team drückte **Herr Weitemeier** das Kreuz durch, nahm einen Kanzleibogen wie er so schön selbst zu dem Notizblatt sagte und notierte unaufgefordert links oben auf dem Bogen: *Datum, Beginn, Uhrzeit* und rechts oben auf dem Bogen **1. Sitzung**: *Teambildung* und direkt darunter, beteiligte Personen, und interessant war die Reihenfolge, in der er die anwesenden Personen notierte. Als erstes, ganz oben, stand natürlich der Chef vom Ganzen, dann folgte ich und zuletzt erst er, der Schriftwart **Weitemeier**!

Noch während er mit der Gestaltung des Kanzleibogens beschäftigt war und **Frau Möller** über den Rand ihrer halben Brille blickte und weiter ihre Zettel sortierte, hörte ich das Klappen der Pendeltür und **Mathilde** kam mit einem Tablett an unseren Tisch. *„Und da isser auch schon",* sagte sie mit einem Schmunzeln in der Stimme und meinte damit den Kaffee, stellte die Tassen, die Kanne und den liebevoll zurechtgemachten Keksteller mitten auf den Tisch. Dabei griente sie genau so hämisch wie zuvor in der Küche. Doch **Frau Möller** spitzte den Mund, die Sorgenfalten auf der Stirn waren wieder deutlich ausgeprägt, und mit leicht genervtem Unterton erwiderte sie: *„Ach Kindchen, doch nicht hier auf den Tisch, sie sehen doch, dass wir arbeiten und wichtige Unterlagen liegen haben",* und schob dabei die Tassen und den Keksteller ein Stück von ihrer Zettelwirtschaft zurück, wobei keiner so recht wusste, was auch immer das für wichtige und geheimnisvolle Unterlagen waren. Ohne aufzublicken murmelte sie dann noch etwas wie: *„Aber jetzt bitte nicht mehr stören, wenn wir noch etwas brauchen, dann rufen wir schon",* und **Mathilde** sah mich mit einem Lächeln ebenfalls mit gespitztem Mund an und ein energischer: *„ICH-HABE-ES-VERSTANDEN-Nicker"* folgte.

Beim Weggehen konnte sich selbst die zurückhaltende und sonst so stille **Mathilde** einen abschließenden Kommentar nicht verkneifen: *„Aber natürlich, Frau Direktor, sie läuten dann einfach, wenn sie noch etwas benötigen“,* spitzte dabei den Mund noch intensiver als zuvor und zwinkerte mir mit einem breiten, gaaaanz breitem Grinsen zu.

9.6__ Der Vorstand

Na, das kann ja lustig werden, dachte ich und schenkte Kaffee ein. Die Beschreibung des **Herrn Weitemeier** traf vollkommen zu, denn teilnahmslos, tief konzentriert, befand er sich genau wie **Frau Möller** im Arbeitsmodus, zog nun auch noch links und rechts auf dem Kanzleibogen einen exakt zweieinhalb Zentimeter breiten Rand, und selbst als ich ihn dabei beobachtete blieb er unbeeindruckt mit der Bleistiftspitze am Lineal kleben und zog konzentriert seine Linien. Ja, in der Tat, er funktionierte wirklich wie ein Schweizer Präzisionsuhrwerk!

Nachdem nun die Vorbereitungen alle abgeschlossen waren, brachte **Frau Möller** den Oberknaller, denn sie eröffnete formell unter Angabe der Uhrzeit die Veranstaltung. Dann nahm sie ihre vielen Zettel, die sie aus ihren noch vorhandenen Unterlagen auf die Schnelle herausgefischt hatte, Unterlagen, die uns helfen sollten, alle nötigen Punkte abzuarbeiten und Dinge, die wir unbedingt benötigten, um ein, wie sie so schön formulierte, handlungs- und beschlussfähiges Team kurzfristig auf die Beine zu stellen. Dann zählte sie alle maßgeblich notwendigen Posten und Positionen auf, und interessanterweise hatte sie auch immer gleich die entsprechende Besetzung dafür. Ganz wichtig, erklärte sie, ist natürlich der Vorstand. Dabei blickte sie zu **Herrn Weitemeier** und instruierte ihn, alles immer schön mitzuschreiben, und wenn er einmal nicht mitkäme, dann sollte er sich rechtzeitig melden. *„Also“,* sagte sie, *„der Vorstand“* und zeigte dabei mit dem Finger auf das Blatt Papier von **Herrn Weitemeier**, *„der Vorstand setzt sich zusammen aus drei Personen, haben sie das Weitemeier“,* schob sie die Frage zu ihm rüber. Er notierte fleißig, nickte zustimmend und antwortete *„ ... aus drei Personen, habe ich“,* legte den Stift zur Seite und blickte angespannt zu ihr zurück. Ich saß derweil etwas teilnahmslos in der Runde, und es war irgendwie so wie bei einem *„Ping-Pong-Spiel“*, bei dem der kleine weiße Ball mal hin und mal her, mal ping und mal pong gespielt wurde.

„Und lassen sie mich raten“, warf ich in die Runde und nutzte die kurze Redepause von **Frau Möller**, *„der Vorstandsvorsitzende sind sie, meine Verehrte, oder liege ich da falsch“,* und lachte dazu. Und noch ehe ich weiterreden konnte, drehte sie sich zu mir, spitzte wieder den Mund und antwortete: *„Im Grunde genommen wollte ich das gerade besprechen und über die Positionen abstimmen, aber wenn sie es mir schon so in den Mund legen, ja, dann fühle ich mich geehrt, bedanke mich für das entgegengebrachte Vertrauen und nehme die Wahl sehr gern an.“* Dabei schloss sie kurz, ja schon fast andächtig die Augen, nickte zustimmend und bedächtig auf und ab. *„Ich gebe hiermit zu Protokoll: Wahl zum Vorstandsvorsitzenden, dreimal Ja, kein Nein und keine Enthaltungen, somit einstimmig gewählt,* ***Frau Berta Möller****, die Wahl wurde angenommen.“* Dann kontrollierte sie, ob **Herr Weitemeier** auch alles sauber mitgeschrieben hatte und diktierte weiter: *„Vorstandsvertretung, der junge Mann hier zu meiner rechten und als Zeuge und Beisitzer,* ***Weitemeier****, da können sie dann ihren Namen hinschreiben“,* warf sie ihm mit einem wohlwollendem Nicken zu. Diese beiden Positionen bedurften im Übrigen keiner erneuten Wahl, sie wurden als erste Amtshandlung des Vorstandsvorsitzenden bestimmt und besetzt. Des Weiteren ernannte sie **Herrn Weitemeier** zum Schriftführer, ließ sich das Protokoll, das er bis dahin verfasst hatte vorlegen und unterzeichnete es. *„Ja, meine Herren“,* sagte sie etwas entspannter und legte sich dabei mit dem Rücken an die Stuhllehne zurück, *„sie sehen, wenn man es richtig anpackt, dann schafft man auch was und kommt gut voran“,* nahm sich eine von den Tassen, hielt sie mir entgegen und sagte: *„So, junger Mann, jetzt dürfen sie mir auch eine Tasse einschenken“* – und sie meinte das im vollen Ernst!

Donnerwetter, dachte ich, das war die schnellste Vorstandssitzung, die ich jemals erlebt hatte. Innerhalb kürzester Zeit hatten wir ein Mini-Team mit Vorstand, einer Vorstandsvorsitzenden, mit einem Stellvertreter und einem Schriftwart, der gleichzeitig auch als Beisitzer fungierte, der Knaller! Und wenn man dachte, damit hatte es sich dann getan, dann lag man aber so was von falsch, denn nachdem sie einen genüsslichen Schluck Kaffee nahm und den Keks noch in der Hand hielt, zählte sie weitere wichtige zu besetzende Stellen und Positionen auf und natürlich auch gleich die von ihr dafür ausgesuchten Personen.

9.7__ Das Team

- ***Pressesprecher***, habe ich – **Karl Wucherpfennig**, kann quasseln wie ein Buch oder Richard König, war Schauspieler, manchmal gar nicht so schlecht für die Öffentlichkeitsarbeit

- ***Kassenwart***, habe ich auch – **Albert Kleinhans,** ehemaliger Postbeamter

- ***Beisitzer***, habe ich – ***Clementine Kessler, Sophie Tiedemann*** die hören sonst auch immer Dinge, die niemand anderes mitbekommt und können nichts für sich behalten, die idealen Beisitzer und als Ersatz vielleicht noch ***Luiggi Calliaprese***.

- ***Rechtsbeistand***, habe ich – **Frau Waltraud Specht,** war dreimal verheiratet, kennt sich mit Scheidung, Erbschaft und mit Gesetzestexten bestens aus, liest regelmäßig Krimis, ach was, sie verschlingt Krimis und darüber hinaus hat sie einige befreundete Juristen.

- ***EDV Experte*** für die sozialen Netzwerke, habe ich – der kleine Wirbelwind, gemeint war **Lukas Tönning**, der Nachbarjunge, zwar erst neun Jahre alt, aber hatte es faustdick hinter den Ohren, kam hin und wieder mal vorbei, um Rudi bei der Gartenarbeit zu helfen. Vielleicht sogar als Team mit unserem alten Lehrer **Fred Singer**.

- ***Sekretariat***, ja, habe ich natürlich auch, und da gab es auch fast nur die eine, gemeint war **Inge Kobold**, die ihr halbes Leben als Sekretärin gearbeitet hat, mit Stenographie aufgewachsen, Zehn-Fingersystem an der Schreibmaschine, kennt mindestens zwanzig Kaffeesorten und ebenso viele Maschinen.

„Glauben sie mir, ich kenne meine Pappenheimer“, waren ihre anschließenden Worte, dann stoppte sie, überlegte kurz, tippte sich dabei auf die Oberlippe des gespitzten Mundes und sprach weiter: *„Gut, das sollte fürs Erste reichen, alles Weitere wird sich ergeben, und dann müssen wir halt schnell reagieren.“*

Ich war völlig beeindruckt und wusste nicht, ob ich weinen oder lachen sollte, denn mit allem hatte ich gerechnet, aber damit nicht. Nachdem die formellen Dinge geklärt waren, konnte es zum wesentlichen Teil, dem eigentlichem Programm übergehen. *„So, junger Mann“,* sagte **Frau Möller**, nahm die Untertasse in die linke Hand, griff mit der rechten die Tasse und lehnte sich wieder entspannt zurück *„und jetzt sind sie dran, dann erzählen sie mal, um was es eigentlich geht, beziehungsweise wie sie sich das so alles gedacht haben“,* nickte mir zu, verschränkte die Beine entspannt über Kreuz und sah mich erwartungsvoll an. – Wow, dachte ich, nun durfte ich reden! Für einen Moment dachte ich darüber nach, ob ich meinen Vortrag auch mit einer kleinen Spitze beginnen sollte und sie mit *„Sehr geehrte Frau Vorstandsvorsitzende“* ansprechen sollte, doch ich ließ es, denn ihr Engagement und ihre Euphorie kamen nicht von ungefähr und schon mal gar nicht, um sich wichtig zu machen, sie tat es, weil sie es konnte, weil es ein Teil aus ihrem früheren, beruflichen Leben war. Ein Lebensabschnitt, als ihre Aufgabe noch wichtig und ernst genommen wurde, und hier blieb ihr nur die Erinnerung, die sie auch nur selten mit jemandem teilen konnte. Es war einfach still um sie herum geworden, nicht mehr so wichtig, sie hatte keine Aufgabe mehr und das hatte sich ja nun gerade bei **Frau Möller** hier und heute schlagartig geändert. Eigentlich war es genau das Projekt, und ohne es zu wissen, lief es bereits und die ersten Ergebnissen und Erfolge waren bei ihr gut zu erkennen. Und nicht nur bei **Frau Möller**, auch **Herr Weitemeier** hatte seine Aufgabe, eine Aufgabe die er kannte, konnte und die er hier praktizieren durfte, auch wenn es bei ihm nur bis zum Schriftführer gereicht hatte. Doch es war ja auch nicht eine Frage der Position als mehr der Aufgabe. Ja, ich glaube, dass war der springende Punkt – die Aufgabe.

Ich erzählte von meinen Gedanken, eben genau diese Aufgaben zurückzuholen, die die Bewohner über einen Großteil ihres Lebens ausgeübt hatten. Warum sollte nicht die ehemalige Handarbeitslehrerin Kurse geben, ihr Können auch an andere weitergeben, die sich dafür interessierten. Wer gern zuhörte, für den waren unter Umständen auch Vorträge ein ganz interessantes Thema, wenn Geschichten von Dingen, Orten oder fremden Kulturen erzählt wurden, die man bisher noch gar nicht kannte. Wir hatten Winzer und Bierbrauer unter den Bewohnern, auch da gab es bestimmt schöne und leckere Möglichkeiten. Und wenn wir schon bei den leckeren Dingen waren, da musste natürlich **Frau Oberhoff** ins Spiel gebracht werden, die nicht nur die Zimtsterne und andere leckere Köstlichkeiten dahinzaubern konnte, vielleicht gab es auch noch ganz andere Möglichkeiten – mit ihr oder unter ihrer Anleitung.

Spontan fielen mir da Workshops, Backkurse, Weihnachtsbasar mit Verkauf, ja, sogar bis hin zu einem Cafe im Haus ein. Je mehr ich nachdachte, umso mehr Ideen und Möglichkeiten kamen mir da in den Sinn, und genau diese Ideen und Anregungen wollte ich ja von den Bewohnern erfahren. Unter eben diesen Gesichtspunkten, wozu sie Lust hätten, was sie gern tun würden, was sie entbehrten, was sie vermissten oder auch, was ihnen ganz und gar gegen den Strich ging und sich vielleicht verändern, reduzieren oder gar ganz abschaffen ließe. Ganz wichtig war jedoch, und das sollte auch immer wieder erwähnt und in aller Deutlichkeit gesagt werden: **Es gab kein muss**, – **alles war freiwillig**! Niemand sollte oder musste seine alte Tätigkeit wieder aufnehmen, niemand musste zuhören, wenn ein Vortrag gehalten wurde und ebenso musste niemand mitfahren, wenn Besichtigungen oder Ausflüge auf dem Programm standen. Und wer an den Dienstagabenden auch keine Lust hatte dabei zu sein, wenn über mögliche Veränderungen gesprochen wurde, der durfte natürlich auch weiterhin alles das tun, was bisher angeboten wurde. Ich betonte das noch einmal ausdrücklich und bat **Herrn Weitemeier**, es auch genau so im Protokoll deutlich zu markieren.

Dann war es für einen Moment still, **Frau Möller** wirkte etwas abwesend, und es sah so aus, als würde sie das gerade von mir Vorgetragene gedanklich noch einmal abspulen und verarbeiten. *„Ich glaube, das wird ganz interessant“,* murmelte sie fast leise vor sich hin und nickte mit einem Schmunzeln. Nun mussten wir eigentlich nur noch die Bewohner zu dieser ersten Veranstaltung einladen, alles Weitere konnte man dann dort erklären. *„Die Bewohner übernehmen wir“,* sprach **Frau Möller** weiter, blickte dabei zu **Herrn Weitemeier** und legte ihre Hand erneut auf seinen rechten Unterarm als wollte sie ihn aus einer tiefen Konzentration und Schreibarbeit aufwecken. Ich glaube, wir hatten in dieser knappen Stunde viel erreicht, mal abgesehen von der Turbo-Wahl und der Vorstandsgründung, aber auch das Gefühl zu haben, zwei maßgebliche Mitstreiter und Befürworter für das Projekt an der Seite zu haben, das machte das ganze deutlich sicherer und entspannter.

Für heute sollte es genug gewesen sein, die Aufgaben waren klar verteilt und gerade, als ich mich noch einmal für die Hilfe und Unterstützung bei den beiden bedanken wollte, da schaltete **Frau Möller** auf zwei Stufen ernster, ging zurück in den Direktions-Modus, setzte sich wieder gerade mit durchgedrücktem Rücken an den Tisch, nahm wie zu Beginn die wichtigen Zettel in die Hand, von denen wir im Übrigen gar keinen brauchten und immer noch nicht wussten, was es genau für Zettel waren und sprach:

„Wenn es dann keine weiteren Fragen oder Dinge zu besprechen gibt“, dabei blickte sie zu **Herrn Weitemeier** und zu mir, *„dann bedanke ich mich für die geschätzte Aufmerksamkeit, schließe die Versammlung und* ***Herr Weitemeier****“,* dabei blickte sie auf ihre zierliche Armbanduhr, *„bitte notieren sie das Ende der Sitzung: 11:28 Uhr.“*

Und als hätte sie hinter der Tür gestanden und gelauscht – genau in diesem Moment öffnete sich die Pendeltür zur Küche, und **Mathilde** fuhr mit einem Servierwagen in den Frühstücksraum, voll beladen mit Geschirr und anderen Dingen, die für das Mittagessen benötigt wurden. **Mathilde** war auch auf Arbeitsmodus, und als sie in die Nähe unseres Tisches kam, konnte sie sich einen Blick mit einem sehr verschmitzten Lächeln nicht verkneifen. Und noch während ich mit leichtem Augenrollen den Blick von **Mathilde** erwiderte, stand **Frau Möller** auf, und indem sie sich drehte, rief sie über die Schulter: *„Kindchen, wir sind dann fertig, sie können abräumen“,* und verschwand ohne weiteren Kommentar. **Mathilde** stand da mit geöffnetem Mund, drehte sich zu unserem Tisch, stemmte die Hände in die Hüfte, und noch bevor sie etwas sagen konnte und mit den Hufen zu scharren begann, rief ich: *„Alles gut, das mache ich – natürlich“,* wobei ich eine besondere Betonung auf das *„**ICH**“* legte und lachte dazu, was von **Mathilde** mit einem backenaufgepusteten, augenrollenden aber dennoch schmunzelndem Nicken wahrgenommen wurde. Dem folgte ein langsames, laaaaanggezogenes Nicken mit den Worten – *„**besser ist das**“,* und beide mussten wir herzhaft lachen.

Ja, so ging er hin der Vormittag, und schon war es Mittag. Ein paar Schritte gehen, die vielen Dinge der letzten Stunde noch einmal sacken lassen, und je mehr ich darüber nachdachte, um so wohler fühlte ich mich mit der neuen Vorstandsvorsitzenden an der Seite. Möglicherweise konnte sie mir Türen öffnen, die für mich wahrscheinlich verschlossen geblieben wären. Sie hatte ganz sicher einen besseren Zugang zu manchem Bewohner, denn wie sie selbst sagte, sie kannte schon ihre Pappenheimer! Ich drehte eine Runde durch das Haus, ein Blick in den Garten, und dann war es auch schon wieder Zeit zum Mittagessen. Eigentlich hatte ich gar keinen Hunger, denn durch das viele und lange Sitzen hatte man das Gefühl, als wäre man direkt vom Frühstück zum Mittagessen durchgereicht worden. Aber es roch so gut, vielleicht eine Kleinigkeit, na, ja und kaum war ich zurück im Frühstücksraum, wo es noch vor ein paar Minuten bis auf **Mathilde** und mich fast menschenleer war, das heißt, **Herrn Weitemeier** hatte ich vergessen, der noch für einen Moment dort verweilte und wahrscheinlich seine letzten Notizen sortieren musste, da waren auch schon fast alle Tische wieder belegt, kaum

Stimmen und nur das dumpfe Geräusch der heranrutschenden Stühle und das Klimpern des Bestecks auf Porzellan war zu hören. Die Tische waren mit tiefen Tellern eingedeckt, ah, schlussfolgerte ich, Suppe; und ich suchte mir einen freien Platz ganz in der Ecke, denn so ich auch in den vergangenen Tagen immer froh über Gesellschaft und Kontakt war, so hatte ich jetzt gerade nichts dagegen, auch mal für einen Moment allein zu sitzen. Ich steuerte auf den einsamsten Platz ganz hinten in der Ecke zu, links neben dem Eingang zur Küche, eigentlich gar kein richtiger Platz, ein Tisch auf dem noch Tischdecken, Zuckerspender, Essig, Öl und andere Dinge als Bevorratung abgelegt waren, ich schob die Sachen ein wenig zurück, holte mir einen Teller und setzte mich. **Herr** und **Frau Rodriges** oder besser bekannt als **Bernhard** und **Bianca**, die beiden guten Seelen, halfen **Mathilde** bei der Essenverteilung, schoben einen Servierwagen durch die Tischreihen und füllten die Teller direkt am Tisch. **Mathilde** kam in ihrer gewohnt weißen Küchentracht mit einigen Brotkörben durch die Pendeltür und verteilte sie auf den Tischen, beim Zurückgehen sah sie mich an, und obwohl wir kein Wort gesprochen hatten, mussten wir uns anlachen und jeder von uns wusste genau, was damit gemeint war.

Das Klimpern im Raum wurde deutlich lauter, teilweise begleitet von leichten Schlürfgeräuschen als **Bianca** mich auf dem Weg zurück in die Küche erblickte und schon fast erschrocken mit dem Wagen stoppte. *„Ich habe sie hier gar nicht gesehen“*, sprach sie mich mit ihrem liebevoll klingenden puertoricanischen Akzent an, und ihre Augen waren dabei weit geöffnet *„oder haben sie sich hier versteckt?“* Dann lachte sie, und als sie den Deckel der großen Porzellan-Suppenschüssel hochhob, da sah sie mich an und sagte: *„Warten sie einen Moment, ich hole gerade Nachschub aus der Küche, da bekommen sie dann zuerst, denn eine gute Suppe muss auch heiß sein“*, lachte erneut, hob dabei den Finger, verschwand hinter der Pendeltür, während ich die Bewohner beobachtete, die voller Genuss, Löffel für Löffel zum Mund führten und eigentlich alle einen sehr zufriedenen Gesichtsausdruck hatten. Weil es Montag war, weil draußen die Sonne schien oder weil es Suppe gab? Und noch während ich darüber nachdachte, war auch schon **Bianca** zurück, öffnete die Terrine und hob einen kräftigen Hub mit der Suppenkelle heraus und goss es auf meinen Teller. Dazu stellte sie mir einen kleinen Brotkorb mit vier halben Scheiben Graubrot, lächelte mich in ihrer gewohnt liebevollen Art an und mit einem, *„lassen sie es sich schmecken“,* verschwand sie wieder mit dem Wagen im Raum und schaute, wer noch eine Extraportion vertragen konnte.

Ich blickte auf meinen Teller und war ebenso sprachlos wie wahrscheinlich alle anderen auch, denn man muss jetzt kein Suppenfan sein, aber das war schon ein mega klasse Eintopf, mit viel *„Dickem"* drin, hätte meine Oma gesagt und meinte damit unzählige Mengen von geschnippeltem Gemüse. Erbsen, Schwarzwurzeln, Mohrrüben Sellerie, Porree, Lauch, Bohnen, Steckrüben, eigentlich alles, was der Garten so hergab. Die Suppe duftete dementsprechend, und das Wasser lief mir förmlich im Mund zusammen. Ich tauchte den Löffel in die Suppe, schob einen ordentlichen Hub vom Dicken darauf, führte es an den Mund, der dampfende Löffel signalisierte mir *„VORSICHT"*, und ich begann automatisch zu pusten, so wie wir es von frühester Kindheit beigebracht bekamen. Vorsichtig tastete ich mich mit den Lippen immer näher heran, und als hätte man nicht länger warten wollen, ertappte auch ich mich dabei, dass auch ich zu den genüsslichen *„Suppenschlürfern"* gehörte. Und sie schmeckte lecker! Früher sagte man immer, dass eine heiße Suppe nur etwas für die kalten Tage sei, doch an einem schönen Tag, mit Sonne und blauem Himmel, da schmeckte sie deswegen nicht weniger gut.

9.8__ Suppe mit Biegebrot

Bevor ich mich an den zweiten Löffel machte, nahm ich mir eine Scheibe Brot dazu und schlich leise, in der Hoffnung dass es niemand bemerkte, durch die Pendeltür in die Küche und blickte dort direkt in **Mathildes** Gesicht, die am großen Arbeitstisch angelehnt stand, einen Teller in der Hand und ebenfalls an einem Löffel herumschlürfte. Unbeeindruckt aß sie weiter, musterte mich und schaute auf meine halbe Scheibe Brot, die ich in der Hand hielt, und noch bevor ich etwas dazu sagen konnte, zeigte sie auf einen kleinen Teller, der vor ihr auf dem Tisch stand, mit einem dicken Stück Butter darauf und einem Messer, das darin steckte. Ich sah den Teller, die Butter, blickte zurück zu ihr und sagte, dass das genau das war, was zum Perfektsein noch fehlte und lachte dabei. Mit noch halb gefülltem Mund kam von ihr nur ein mehr oder weniger gut verständliches: *„Bitteschön"* zurück, und dabei zeigte sie mit dem leeren Löffel in der Hand auf das Stück Butter. Ich zögerte noch einen Moment, überlegte kurz, drehte mich spontan um, schob mich durch die Pendeltür, und noch ehe sie richtig zurückpendeln konnte, war ich auch schon wieder zurück und hatte meinen immer noch dampfenden Teller in der Hand, lachte und sagte: *„Dankeschön";* stellte den Teller ab und schmierte mir eine ordentliche Spur der guten Butter auf das Brot.

Und so standen wir dann beide sprachlos in der Küche und abwechselnd schlürften, schmierten oder aßen wir. Die halbe Scheibe Brot war natürlich schnell weg, was auch **Mathilde** nicht verborgen blieb, und sie flüsterte mir zu, dass sie zur Suppe am liebsten den Knust, also das *„Rampfterl“,* das Ende des Brotes dick mit Butter bestrichen essen würde. *„Manchmal sogar auch Biegebrot“,* flüsterte sie mir noch leiser zu. Ich dachte Biegebrot, was war jetzt das wieder für eine Spezialität? Doch sie erkannte schnell, dass ich mit dieser Bezeichnung völlig auf dem Schlauch stand, zeigte mit dem Finger auf einen vor ihr stehenden Teller, auf dem einige verformte, gewellte Brotscheiben lagen. *„Das ist Biegebrot“,* sagte sie *„und das mit dick Butter und einer heißen Suppe“,* dazu nickte sie und da war auch schon der nächste Löffel in ihrem Mund verschwunden.

Und genau so machte ich es, nahm mir eine Scheibe von dem gebogenem Brot, den Knust hatte sie schon präpariert und vor sich auf einer Untertasse liegen, legte das Brot auf einen Teller und versuchte, es mit Butter zu bestreichen. Dafür musste ich tatsächlich den Teller abstellen und mit der anderen Hand unterstützend helfen, denn wie der Name schon sagte – Biegebrot. Genussvoll schlürfte sie einen Löffel nach dem nächsten ab und beobachtete mich dabei, wie ich das vier Tage alte Brot bearbeitete. Und wieder hatte sie Recht, als gehörten die beiden zusammen. Nach zwei vollen Tellern und bestimmt drei Biegebroten passte nichts mehr rein, und der Wunsch nach Ruhe, Pause, einfach nach nichts tun drängte sich immer mehr auf. Ich weiß nicht, ob man es an meinen Augen gesehen hatte, denn **Mathilde** nahm mir den Teller ab, schob mich in Richtung Pendeltür und verabschiedete mich mit den deutlichen Worten, *„und genau deswegen müssen kleine Kinder und ältere Menschen einen Mittagsschlaf machen.“* Sie hatte die Erfahrung und musste es an meinen Augen gesehen haben und ohne Widerworte trottete ich los, bedankte mich noch einmal für das leckere Essen und natürlich für das Biegebrot.

Im Essensraum war es deutlich ruhiger geworden, **Bernhard** und **Bianca** schon fleißig mit dem Abräumen beschäftigt, einige Bewohner gingen mit langsamen Schritten in Richtung Ausgang und wiederum einige saßen noch am Platz und genossen die letzten Löffeln. Und **Mathildes** Vorschlag war gar keine so schlechte Idee, dachte ich, schmunzelte vor mich hin und ging wie in Trance ebenfalls in Richtung Ausgang und ohne Zwischenstopp, direkt nach oben aufs Zimmer.

9.9__ Schlafmodus

Warum auch nicht, dachte ich und legte mich aufs Bett, um für einen Moment zu ruhen. Und kaum lag ich, da übernahm auch gleich der Schlafteil meines Hirns das Regiment und leitete alle nötigen Schritte zur Schlafvorbereitung ein. Kurze Rückmeldung vom Magen, der signalisierte voll und müde. Blut zur Verdauung wurde aus allen anderen Körperteilen abgezogen, dadurch fehlte die Muskelspannung im Kopf, die Augenlider fielen nach unten, der Kopf knickte nach hinten weg, und gleichzeitig öffnete sich der Mund, der wiederum dem Kehlkopf signalisierte – Kollege, auch du kannst dich jetzt entspannen und fallenlassen, genau wie die Arme und Beine, die leicht angewinkelt zur Seite abklappten. Alle anderen Organe, die im Moment nichts zu tun hatten, wurden ans Unterbewusstsein übergeben und arbeiteten auf Sparflamme weiter. So schalteten sich die Ohren nicht ganz ab, zogen ihre Hör-, Schall und Schwingungsmembrane etwas nach innen, genauso machte es die Nase, die ihren Riechknorpel tief ins Innere zog. – Schlafmodus war somit hergestellt!

Irgendwann wurde dann dieser Ablauf, dieser Modus gestört, unterbrochen und aufgeweckt, wie man so schön sagt, wobei allerdings nicht alle Organe gleichzeitig auf die Idee kamen. Eines beginnt, und alle anderen folgen, wie bei einer Kettenreaktion. Das konnte der Magen sein, der sich meldete: Hey, genug verdaut, habe keinen Bock mehr, habe HUNGER! Vielleicht war es aber auch das Ohr, dem langweilig wurde und das versuchte, die Nase oder die Augen zu ärgern indem es sagte: Hey, hört ihr das auch. Manchmal war es auch die Blase, die sich die ganze Zeit nicht gemeldet hat und auf einmal einen dringenden Funkspruch an das Hirn und die Beine sendete. Oder vielleicht sogar der Schließmuskel, der einen kollektiven Hilferuf an alle Organe sendete, so eine Not-Mail an ALLE, dann sollte sich ganz schnell das Hirn einschalten, ach was heißt einschalten, sofort alle nötigen Maßnahmen einleiten und den Schlafmodus abrupt beenden. Doch leider gab es hin und wieder auch Abstimmungsprobleme, so dass der Schließmuskel schon mal gern vergaß, die Mail an ALLE zeitnah zu verschicken, und dann, oh, oh, dann war der Bock fett und es kam Hektik auf, denn aus einem gemütlichem Wachwerden und Aufstehen wurde ganz schnell ein Sprung auf Marsch, Marsch, und beim ersten Gang zur Toilette wurden aus den gewohnt entspannten langen Schritten nicht selten der asiatische *„Geisha-Schritt“*, kurze, tippelnde Schritte mit gleichzeitig zusammengekniffenen Beinen, eingekickter Körperhaltung und plötzlich auftretender Schnappatmung. Dann läuteten die Alarmglocken, das Gehirn hatte Hochkonjunktur, musste in Bruchteilen von Sekunden die vermeintlich richtigen Entscheidungen treffen, und da durften keine Fehler passieren, denn, *„ruckzug war der Bock fett"*, wie es in einem Sprichwort so schön hieß, und das war noch eins von den stubenreinen Sprichwörtern.

In meinem Fall war es der Riechknorpel, der das Ende des Mittagschlafes einläutete, denn der unverkennbare Kaffee- und Kuchenduft, der vom Untergeschoss langsam aber stetig Stufe für Stufe nach oben kroch und sich wie ein feiner Nebel den Weg unter der Zimmertür hindurch suchte, endete wie bei einem ausgelösten Brandschutzmelder an meiner Nasenspitze. Wenn ein Organ erst einmal wach war, dann folgen die anderen im Nu, und ein jedes hat auf einmal etwas herumzufunken. Die Nase riecht Kaffee und Kuchen und glaubt mir, der Magen fährt aber sofort auf einhundert Prozent hoch und drängelt: Los, los, die Augen signalisieren, dass sie nichts sehen, der Hintern ruft, das er nicht hoch kommt, und die Beine lassen sich irgendwie hängen, der Mund will sprechen, hat aber damit zu tun, den Speichel herunterzuschlucken, der aufgrund der Meldung *„Kaffee und Kuchen"* im Mund zusammengelaufen war. Und wenn die Beine sich dann endlich aufgerafft hatten und sich schon zielstrebig in Richtung Tür bewegten, dann konnte man sicher sein, fast schon die Uhr danach stellen, dass sich die Blase oder der Schließmuskel meldete und sagte: *„Moooooment, liebe Freunde, nicht so schnell mit den jungen Pferden"*, und es wird niemand dabei sein, der den beiden dann widerspricht!

Ich hörte auf die Nase, den Magen, den Schließmuskel und die Blase, verließ mich auf die richtige Koordination des Gehirns und war nach einem kurzen Aufenthalt im Bad auch schon wieder startklar. Hunger war es nicht, aber der Gedanke an die leckeren Kuchen der vergangenen Tage, hmm, Kuchen und Eis gingen immer und wer wusste schon, wie lange ich noch in den Genuss kam, denn wenn niemand etwas mit meinen Ideen oder Veränderungen zu tun haben wollte, es vielleicht sogar als neumodisches Zeug abgetan wurde, dann waren meine Stunden im Haus sowieso gezählt. Aber in ein paar Stunden sollte ich es ja wissen, doch nun war erst einmal Kaffee und Kuchen angesagt.

9.10_ Charlotte von Naumburg

Als ich den Essensraum betrat, da war er gut besucht, um nicht zu sagen er war voll. Ich steuerte direkt auf den Kuchentisch zu und hatte irgendwie das Gefühl, als würde ich beobachtet, ja schon fast angelächelt, aber vielleicht war es auch nur Einbildung, oder mein Gehirn hatte nach dem Aufstehprogramm doch noch nicht alle Vitalfunktionen wieder voll im Griff. Vielleicht war es auch ein Geburtstag, und deswegen waren hier so viele anwesend. Ich nahm mir ein Stück vom Guckelhupf, eine Tasse Kaffee, drehte mich um und fand doch tatsächlich keinen freien Tisch. Als mein Blick durch den Raum kreiste, hatte ich erneut den Eindruck, als würden mich alle ansehen, schon fast erwartungsvoll, na, ja, war dann schon mal ein kleiner Vorgeschmack auf den morgigen Abend. Ich wanderte mit meinem Gedeck durch den Gang und stoppte an einem mit drei Damen besetzten Vierertisch. Zwei Damen davon waren mir schon bekannt, gut, ich wusste ihre Namen nicht mehr, aber konnte mich daran erinnern, dass wir schon einmal zusammen im Gespräch waren. Noch ehe ich fragen konnte, ob ich mich dazugesellen durfte, kam auch schon die Einladung mit einem Handzeig auf den freien Stuhl und einem freundlichen: *„Bitteschön“,* dazu. *„Na, **Charlotte**, hatte ich also doch Recht“,* sprach die eine Dame zu ihrer rechten Nachbarin und ich rührte etwas verlegen in meinem Kaffee herum als würde es mich nichts angehen, gleichwohl ich schon wusste, dass es nur um mich gehen konnte. *„Was blieb ihm auch anderes übrig“,* sprach sie weiter und blickte dabei zur anderen Dame, ihr gegenüber, *„wenn man von drei so netten Gesichtern angelächelt wird“,* dann lachte sie und die beiden anderen Damen schmunzelten etwas verlegen dazu.

Mit meinem Gesichtsausdruck signalisierte ich, dass ich ihr nicht folgen konnte, aber mich gern an dem Gespräch beteiligen wollte. *„Nun musst du es auch erklären“,* sprach die Dame, die mit **Charlotte** angesprochen wurde, und da kam auch die Erinnerung zurück. Sie war die **Gräfin**, doch ihr Nachname fiel mir nicht mehr ein, und links neben ihr war ihre alte Zofe, langjährige treue Freundin und Begleiterin. *„Also“,* sagte sie und drehte sich ein wenig mit dem Blick zu mir, *„wir hatten überlegt, wo sie sich wohl hinsetzen würden, und da habe ich gesagt, wenn wir nett und freundlich lächeln und vielleicht noch ein wenig mit den Augen klimpern, dann ist das wie eine Einladung und dann wird sich der junge Mann ganz bestimmt zu uns an den Tisch setzen und – da sind sie auch schon“,* sie ließ ihren Blick erneut kreisen und lachte.

„Na, ja“, sagte ich, nahm die Steilvorlage dankend an und versuchte gleich etwas geraspeltes Süßholz nachzulegen, – *„wer kann da auch schon widerstehen, wenn man so nett und freundlich angesehen und eingeladen wird“,* und nickte ebenfalls mit klimpernden Augenlidern zurück. Dann bat ich um Entschuldigung, dass ich mich zwar noch an sie erinnern konnte, den Namen aber leider nicht behalten hatte. *„Aber ich weiß natürlich noch ganz genau, dass sie eine Gräfin sind“,* blickte sie dabei an und war mir sicher, damit aber so was von gepunktet zu haben.

*„Sie ist nicht **EINE** Gräfin“,* kam es direkt mit erhobener, fast schon empörter Stimme und weit geöffneten Augen von ihrer Freundin und Zofe zurück, – *„sie ist **DIE** Gräfin“,* natürlich wieder mit deutlicher Betonung auf dem *„DIE“*, – *„nicht nur die einzige hier im Haus als vielmehr eine der letzten ihres Geschlechts, das immerhin bis auf das 10. Jahrhundert zurückzuführen ist“*, holte tief Luft und als hätte sie die Biografie der *„Naumburgs“* geschrieben, setzte sie fast ohne Punkt und Komma, den eindrucksvollen Vortrag fort: *„Die zwei Meißner Brüder, die Markgrafen Hermann und Ekkehard II gründeten eine kleine Stiftskirche, in die dann 1028 Papst Johannes XIX sogar den bischöflichen Sitz verlegte. Durch einen Neubau (1210-1260) entstand an gleicher Stelle der berühmte Naumburger Dom und seit dem Mittelalter besteht eine enge Freundschaft zwischen dem Naumburger und dem Habsburger Geschlecht“* – doch da fiel ihr die **Gräfin** ins Wort – *„und heute sitze ich hier mit euch am Tisch und genieße meine letzten vielleicht Stunden, Tage, Jahre, wer weiß das schon“,* blickte traurig vor sich auf den Tisch und rührte ebenfalls nachdenklich und still in ihrer Tasse herum.

9.11_ Die Traudel

Für einen Moment herrschte eigenartige, frostige Stille, die dann aber zum Glück von der dritten Dame am Tisch unterbrochen wurde: *„Und ich bin die **Traudel**“,* sprach sie, lachte dabei und spürte, dass sie die Stimmung, die gerade zu kippen drohte, mit diesem Einwurf gerettet hatte. *„Nur Traudel“*, sagte ich, versuchte ihr bei der Rettung zu helfen und sah sie dabei fragend an? *„Natürlich nicht“,* antwortete sie und rollte kess und lustig mit den Augen. *„Das heißt eigentlich schon, aber auch nicht wirklich, doch zeitlebens war ich eigentlich immer nur die Traudel“,* dann stoppte sie für einen Moment, presste die Lippen zusammen und blickte nachdenklich, fast schon wehmütig nach oben und erzählte einen Teil ihrer Geschichte.

Geboren wurde sie als **Edeltraud** in Böhmen / Egerland, geprägt von einer Zeit, die für alle sehr, sehr schwer war. Bereits zwei Monate nach ihrer Geburt brach der Zweite Weltkrieg aus, und die Heimat, die bis dahin zu Deutschland und Österreich gehörte, wurde vom heutigen Tschechien eingenommen. Die deutschstämmigen Bewohner verloren Haus und Hof, und mit ihren geringen Habseligkeiten, die allesamt auf einen Handwagen passten, wurden sie in einem Lager zusammengepfercht. In diesem Lager lebte man fortan in Baracken, es gab eine Großküche, wo der Mutter als Köchin eine Arbeit zugeteilt wurde, und der Vater, der aufgrund seiner sehr guten tschechischen Sprachkenntnisse zwischen den Bewohnern und den Behörden dolmetschen konnte, bekam eine Stelle als Fahrer vom Verwalter und kümmerte sich um den Fuhrpark und die Versorgung aller. Wann immer es ihm möglich war, versuchte er ein Päckchen Mehl, etwas Butter oder Brot abzuzwacken und versorgte damit und mit vielen anderen Dingen auch die Menschen, die es dringend benötigten, war wie der Robin Hood, der Helfer der Armen, und er machte da keinen Unterschied, ob es Tschechen oder Deutsche waren, es war seine Heimat, seine Leute, wie er immer sagte, und die **Traudel** trat genau in seine Fußstapfen, begleitete ihn sehr oft und war immer mit dabei. Wenn andere Kinder mit Puppen spielten, half sie dem Vater beim Ölwechsel, und wenn andere mit dem Roller ihre Runden drehten, saß die **Traudel** beim Vater auf dem Schoß und fuhr mit dem schweren Tatra Präsident die ersten Runden im Lager. Sie schraubte, war handwerklich sehr geschickt und durchlief beim Vater die beste Ausbildung, die man sich nur denken konnte. Hinzu kam, dass sie mit den einheimischen Kindern aufwuchs und sich fast ausschließlich auf tschechisch unterhielt, ganz zum Leidwesen der Mutter, die sie oft beim gemeinsamen Abendbrot damit verärgerten, wenn sie und der Vater miteinander nur tschechisch sprachen und die Mutter kein Wort verstand. So nahm das Leben seinen Lauf, und schon nach kurzer Zeit wurde auch der Vater eingezogen und an die Front nach Russland deportiert. Die Heimatbesuche waren selten, und der Mutter erging es wie vielen tausend anderen auch und musste die Kinder alleine durch die schwere Zeit bringen.

Der Krieg ging zu Ende, doch der Vater kehrte nicht zurück, er war irgendwo in einem russischen Gefangenenlager interniert. Die **Traudel** kam in die Schule, doch viele Möglichkeiten hatte man nicht und als Deutsche schon mal gar nicht und so musste sie, ob sie wollte oder nicht, in eine tschechische Schule gehen. Man sprach mit ihr ausschließlich auf Tschechisch, doch glücklicherweise hatte sie es ja schon von frühester

Kindheit an gelernt, sich damit gut zu verständigen, ja eigentlich war es schon fast zu ihrer Muttersprache geworden, und wenn es doch mal ein paar deutsche Worte gab, dann waren es fast ausschließlich die Gespräche mit der Mutter. In der Schule sprach man sie nicht mit ihrem Namen an, dort wurde sie fast schon abwertend, nur die *„Deutsche"* genannt und musste sich wie eine Aussätzige alleine in die letzte Bank setzen. Bei Einkäufen war sie für die Mutter natürlich eine große Hilfe, die die fremde Sprache nur mit einigen wenigen Worten erlernte, dafür hatte sie einfach zu wenig Umgang außerhalb des Lagers.

Die Jahre vergingen, aus dem kleinen Kind wurde ein junges Mädchen, und es kam der Tag, als der Vater aus der Gefangenschaft zurückkehrte. Zur Begrüßung am Lagertor stand die kleine **Traudel,** mit der noch viel kleineren Rosemarie, ihrer fünfzehn Jahre jüngeren Schwester, die das Produkt eines Heimaturlaubs war und die den Vater bisher noch nicht gesehen hatte. Als der Vater das kleine, völlig verunsicherte Kind auf den Arm hob, begann es verständlicherweise zu schreien, und sofort eilten die russischen Soldaten, die das Tor zum Lager bewachten, herbei und forderten ihn im harschen Ton auf, das Kind sofort wieder abzusetzen. Die **Traudel**, die bei allen beliebt und bekannt war, erklärte die Situation, denn nicht nur tschechisch war ihre neue Sprache geworden, auch unterhielt sie sich mit den russischen Soldaten, als hätte es für sie nie eine andere Sprache gegeben. Der Vater, mit der Sprache ebenfalls bestens vertraut und aus der Gefangenschaft nach Hause geschickt, gab sich zu erkennen und gemeinsam konnte dann alles aufgeklärt werden. Leider blieb ihm blieb nach einer schweren Verletzung nur noch wenig Zeit, die er zu Hause im Kreis der Familie verbringen durfte und die **Traudel**, die zu dieser Zeit im Krankenhaus eine Ausbildung als Krankenschwester begonnen hatte, kümmerte sich nun fast rund um die Uhr um den schwer kranken Vater, musste ihn mehrmals täglich versorgen, waschen und neu verbinden, dann der Dienst im Krankenhaus, wohlgemerkt als *„Deutsche"*, was sie immer wieder zu spüren bekam, machte den Tagesablauf nicht einfacher, und wenn dann doch noch mal ein Moment, ein Hauch von Jugend und Freizeit zu spüren war, dann musste sie auf die viele Jahre jüngere Schwester aufpassen, was nicht immer so einfach war. Sie erinnerte sich noch sehr gut daran, wie sie sich mit ihren Freunden, einer kleinen Clique Gleichaltriger, immer oben auf dem Schlossberg traf, wo es dann auch schon mal eine heimliche Zigarette, ein Schluck Alkohol oder vielleicht auch nur die ersten Annährungen von Jungen zu Mädchen gab, was bei Sechzehnjährigen nur zu gut nachvollziehbar war.

Und da kam dann plötzlich die **Traudel** mit einem Kinderwagen um die Ecke, ganz zum Leidwesen der vielen Jungs in der Clique, denn auf die **Traudel** hatten so einige schon ein Auge geworfen, sagte sie mit einem Schmunzeln und deutlichem Glanz in den Augen. *„Na, ja, sechzehn Jahre, schlank, lange schwarze Haare, selbstbewusst, nicht auf den Mund gefallen, fast wie ein Junge, ja, ja, das war schon was“,* sprach sie und endete mit einem tiefen Seufzer. Und wieder war es für einen Moment still, deutlich länger als zuvor bei der **Gräfin**.

„Und deswegen bei allen nur – die Traudel“, sprach sie mit fester, stabiler und lauter Stimme weiter, dabei blickte sie auf und lächelte, während unsere Gedanken immer noch wie gefesselt bei der ergreifenden Geschichte waren. – ***„Edeltraud Ulbrich,*** *Ulbrich ohne „**T**“ am Ende“,* sprach sie weiter, lachte und streckte mir die Hand entgegen. Und als wäre das die Initialzündung gewesen, schlossen sich die beiden anderen Damen gleich noch an und stellten sich ebenfalls mit vollem Namen vor. **Charlotte von Naumburg**, die Gräfin, **Helene Bockels**, Freundin, Zofe und wie sich heute herausstellte auch noch Historikerin. Ich bat um die Erlaubnis, mir die Namen notieren zu dürfen, damit ich sie besser zuordnen, aber sie auch auf jeden Fall künftig mit dem Namen ansprechen wollte und konnte. *„Ja, wir hörten davon“,* sagte die **Gräfin**, die ihren Blick wieder aufgerichtet hatte und mich dabei ansah. Dann erfuhr ich, dass meine liebe Vorstandvorsitzende, Frau **Berta Möller**, schon fleißig vorgearbeitet und schon fast mit allen Bewohnern über den morgigen Abend beziehungsweise das erste Treffen gesprochen und Einladungen ausgesprochen hatte. So erklärten sich dann auch die zahlreichen Blicke, die ich mir scheinbar doch nicht nur eingebildet hatte, denn alle waren bestens informiert und versuchten, vielleicht doch schon einige Informationen vorab herauszulocken. War das nun ein gutes oder ein schlechtes Zeichen? Positiv denken hatte ich mal gelernt, immer erst positiv und habe es als ein gutes Zeichen gewertet, als wären sie alle interessiert, Dinge zu verändern oder auf einige Dinge und Abläufe vielleicht etwas Einfluss nehmen zu können. Auf jeden Fall hatte ich ein gutes Gefühl, notierte mir die Namen der drei Tischdamen und gleich noch ein paar Stichworte zu der ergreifenden Geschichte von der **Traudel**, wie ich für mich selbst beschloss, sie auch fortan so bei ihrem Vornamen zu nennen, denn unverkennbar war der Glanz in ihren Augen, als sie von der zweifelsohne schweren Zeit erzählte, aber es sich bei aller Not und Leid scheinbar immer um Familie, Freunde und nicht zuletzt um sie und ihren Namen drehte, der genau wie bei ihrem Vater weitaus mehr als nur ein Name war.

Und wieder einmal saß ich vor einem kalten Kaffee. Gemütlich den einen oder anderen Schluck zu trinken während ein anderer erzählte, das bekam ich irgendwie nicht hin, aber es sprach für den Erzähler, der seine Geschichte so präsentierte, dass die Zuhörer vollkommen in den Bann gezogen wurden. Mir selbst war es schon einige Male so gegangen, man meint es nicht böse, erzählt und erzählt, und ehe man sich versah, waren auch schon ein paar Minuten oder gar Stunden vergangen.

9.12__Geburtstag beim Freund

Ich war zum Geburtstag bei einem Freund eingeladen, es war so gegen 19 Uhr, wenn ich mich noch recht erinnere, und bis so alle eintrudelten standen wir mit mehreren Gästen im Wohnzimmer herum oder platzierten uns auf der Couch, den davorstehenden Sesseln oder wo sich sonst gerade noch ein Platz ergab. Die Frau des Hauses deckte derweil im angrenzenden Esszimmer – das heißt, es war gar kein extra Raum, es war mehr so eine Essecke mit einem großen ausgeklapptem Tisch – für etwa acht Personen ein. Salate, Frikadellen, Brot, verschiedene Dipps, Wurst- und Käseplatten und noch viele andere leckere Kleinigkeiten. Im Ofen stand zum Warmhalten ein Braten, und im Topf mit dem heißen Wasser schwammen Bockwürstchen herum. Auf einem Schneidebrett noch einige Baguettebrote, Schmalz, Gürkchen es wurde scheinbar an alles gedacht. Es war viel, es war reichlich, und es stand dort, was fehlte, war das Startzeichen des Gastgebers. Nun wollte es der Zufall so, dass wir irgendwie auf das Thema eines erst kürzlich gemeinsam verbrachten Urlaubs kamen, und einige der anwesenden Freunde wollten nun genaueres darüber wissen. Eigentlich nichts Besonderes, es ging um eine Woche Zelten an der Ostsee, allerdings mit viel Spaß und Blödelei, doch sie wollten es ganz genau erzählt bekommen – und so fing ich an.

Auf dem Wohnzimmertisch standen darüber hinaus noch Schalen mit Erdnüssen, Salzstangen und Paprikachips, und ich erzählte und erzählte, jede neue Frage gab neuen Stoff zu einer neuen Geschichte, und alle waren wie gefesselt. Aus dem ursprünglichen Sitzen wurde ein gemütliches *„Dahinpfläääätschen“,* einige saßen auf der Erde, manche legten sich die Kissen in eine angenehme Position, und ein jeder machte es sich so bequem wie nur möglich. Dazu kreisten ständig die Erdnüsse und Chips und literweise wurde eine Flasche Cola nach der nächsten aus der mittlerweile herangeholten Kiste gezogen und geleert.

Das grelle Wohnzimmerlicht wurde schon bald gelöscht und gegen romantische Kerzen auf dem Tisch ausgetauscht. Alle waren voll dabei, niemand schlief, eigentlich war es ein gemütliches Miteinander, bei dem einer der Geschichtenerzähler war, das war ich und die anderen die Zuhörer, denen aber die Geschichte nicht aufgezwängt wurde, ganz im Gegenteil, sie wurde eingefordert, und immer wenn man scheinbar am Ende war, rief irgend jemand ein Stichwort dazwischen, das hatte dann schon längst nichts mehr mit dem Kurzurlaub an der Ostsee zu tun, sondern es waren irgendwelche gemeinsam erlebten Dinge, die man in dieser Runde gern noch einmal aufgefrischt und in Erinnerung bringen wollte. Die Geschichten und die Ereignisse wechselten, der Erzähler blieb der gleiche und irgendwann zu später, gaaanz später Stunde, da sagte die Frau des Hauses, die selbst mittendrin im Bann der Geschichten war und angespannt zuhörte: *„Oh, Gott, will denn gar niemand etwas essen“* und hielt sich dabei erschrocken die Hände an den Mund, denn die Uhr zeigte mittlerweile 0:30 Uhr an. – Unglaublich, aber so war es! Genauso erschrocken wie sie waren auch wir und setzten uns dann tatsächlich noch gemeinsam an den Tisch, und ich erinnere mich daran, dass ich einfach die Uhr an der Wohnzimmerwand um vier Stunden zurückgedreht hatte, denn das Auge isst ja bekanntlich mit und um 0:30 Uhr mit dem Essen zu beginnen, hatte auch etwas mit Psychologie zu tun. Aber wir waren jung, voller Elan und blöden Ideen und trennten uns dann nach dem Essen gegen 2:30 Uhr.

Einige Jahre später gab es eine ähnliche Situation im gleichen Haus beim Geburtstag des Patenkindes, das mit seinen Freunden eine Etage höher feierte und wir, die Alten, saßen wieder beisammen und erzählten; nur achtete dieses Mal die Frau des Hauses darauf, dass auch jeder zuvor am Esstisch seine Position eingenommen hatte. Diese Feier war dann schon gegen 12 Uhr nachts beendet. Na, ja, man wurde halt auch älter! Ja, so schnell konnte es gehen, und deswegen musste man noch nicht einmal eine Quasselstrippe sein, die richtige Geschichte, die richtigen Leute, die richtige Atmosphäre, das ganze etwas nett, geschmackvoll formuliert, chic verpackt, dann konnten schon mal schnell ein paar Stunden zusammenkommen.

Ich nahm einen kräftigen Schluck Kaffee, der kalt nun wirklich nicht der Knaller war, entschuldigte mich für den Moment, marschierte nach vorn zum Buffetwagen, um mir noch etwas vom heißen Kaffee dazuzugeben. Als ich zum Tisch zurück gehen wollte, da sah ich hinten rechts meinen Vorstand sitzen, das heißt, sie lag halb auf dem Tisch, mit dem linken Unterarm auf der Tischplatte aufgestützt und war wild am Gestikulieren.

Als sie mich sah, blickte sie kurz auf, und mit einem breiten Lächeln zeigte sie den rechten nach oben stehenden Daumen und zwinkerte mir kess zu. Was auch immer es zu bedeuten hatte, es sah positiv aus und schon war sie wieder ins Gespräch versunken, sprach impulsiv weiter und fuchtelte dabei weiter wild mit den Händen.

9.13__ Der Topfkuchen

Zurück am Tisch machte ich mich über das Stück Gugelhupf / Marmorkuchen her, der bei uns Zuhause immer nur *„Topfkuchen“* hieß. Die eine Hälfte hell, die andere dunkel, nicht zu trocken, etwas saftig, so dass er auf der Zunge zerging, dann genau war er richtig. Wahrscheinlich auch deswegen der Name: Marmorkuchen, durch den Wechsel von hell zu dunkel, das wie eine Marmor-Struktur aussah.

Und bei diesen Gedanken an den Topfkuchen kamen erneut alte Erinnerungen auf, und ich musste an meinen ersten selbstgebackenen Kuchen denken. Ich glaube, ich war damals knapp zwanzig Jahre alt und hatte eine Freundin, die in einer zirka neunzig Kilometer entfernten Stadt wohnte; na, ja, was heißt wohnte, sie hatte dort in einem Studentenwohnheim ein kleines Zimmer mit Gemeinschaftsküche, Heißwasserkocher, Pappkartons als Schrank, Teetassen und Bergen der unterschiedlichsten Teesorten auf der Fensterbank stehen; ein schmales Bett, ein kleiner, hoffnungslos überfüllter Tisch, ein Stuhl und eine ebenso kleine Nasszelle, transportierten den Charme eines Zugabteil und bei den vielleicht 18 Quadratmetern war die Situation mit dem Ausdruck hausen wahrscheinlich treffender beschrieben, als von wohnen zu sprechen. Aber so war das nun mal, *„Lehrjahre waren keine Herrenjahre“*, wie man so schön sagte und Studentenjahre dann schon mal gar nicht und überhaupt, sehr alt wollte man in dieser Behausung ja nun auch nicht werden, ein Ansporn mehr, das Studium so schnell wie möglich zu beenden. So oft es möglich war, sahen und trafen wir uns, an den Wochenenden bei mir in der Wohnung, hatten einen gemeinsamen Hund, die Quincy, eine Mischlingshündin, die bei mir lebte, denn im Studentenwohnheim hätte sie ganz sicher für Abwechslung und Stimmung aber bestimmt auch für genauso viel Durcheinander gesorgt.

Ich also, zirka neunzig Kilometer entfernt, hatte die glorreiche Idee, meiner Freundin, arme Studentin, eine Freude zu machen. Studenten sind immer klamm, hungrig und nachtaktiv und so beschloss ich, einen Kuchen zu backen und ihr als Überraschung zu bringen, denn an diesem Wochenende hatte sie viel zu tun und musste sich auf große anstehende Klausuren vorbereiten. Es war etwa 20 Uhr am Abend, ein Samstagabend, und ich überlegte, woher ich jetzt, um diese Zeit das passende Rezept dafür bekommen konnte. Ja, die jungen Leute von heute werden es vielleicht nicht mehr nachvollziehen können, denn was macht man heute? – Genau, man fragt das Internet, chefkoch.de oder google, und keine zehn Sekunden später hat man gefühlte fünftausend Rezepte für Kuchen aus aller Welt, von denen man noch nie zuvor etwas gehört hatte. Internet, google und Co hatten wir aber damals nicht, aber es gab tatsächlich so etwas ähnliches, da konnte man per Telefon eine Hotline anrufen, wo ein Band ablief, ähnlich wie bei der telefonischen Zeitansage.

*„Beim nächsten Ton ist es, **20** Uhr, **14** Minuten und **30** Sekunden – **BIEP**“*, aber das kennt heute wahrscheinlich auch niemand mehr.

Also, man konnte tatsächlich so einen Ansagedienst anrufen und bekam dort aufgezählt, was man wann, wie und wo machen musste, um den gewünschten Kuchen oder das entsprechende Gericht zu erstellen. Natürlich musste man das alles mitschreiben, und wenn man etwas nicht verstand oder zu langsam war, dann musste man die ganze Ansage von manchmal mehreren Minuten noch einmal anrufen und wieder von vorn beginnen, inklusiv des Begrüßungstextes, der allein schon so manche Minute dauerte: *Lieber Teilnehmer, schön, dass sie sich für unser Backangebot entschieden haben, in den nächsten Minuten werden wir sie Schritt für Schritt durch die Anleitung führen, halten sie bitte einen Stift und ein Blatt Papier bereit, um die einzelnen Schritte zu notieren. Wir wünschen ihnen viel Spaß, gutes Gelingen und freuen uns, sie recht bald wieder hier bei uns begrüßen zu dürfen.*

Erschwerend kam hinzu, dass wir auch keine Telefon Flatrate hatten, alle acht Minuten sprang der Gebührenzähler weiter, und die nächsten dreißig Pfennig waren gefressen! Diese Telefonansage war natürlich nur eine Möglichkeit, man konnte auch in ein Kochbuch gucken, aber das gehörte damals nicht zur Grundausstattung meiner ersten eigenen Junggesellenbude und war wahrscheinlich auch sowieso nicht unbedingt im Bücherregal eines Zwanzigjährigen zu vermuten.

Aber dann hatte man ja noch die Verwandtschaft, die liebe Tante, die man auch am Samstagabend mit solchen existenziellen Überlebensfragen stören durfte, selbst bei der Fernsehsendung Dalli, Dalli mit Hänschen Rosenthal – und ICH, sowieso immer! Nachdem ich ihr mein Vorhaben erklärt hatte, wollte sie sich zuerst kaputtlachen, war dann aber Feuer und Flamme und zählte mir die Zutatenliste auf. Ich notierte, und als ich in meinem kleinen Küchenschrank nachsah, sah es da im Übrigen auch nicht gerade wie beim chefkoch.de aus. Also Mehl und Milch waren da, Eier auch, Butter oder so etwas Ähnliches ebenso, Kakao, ok, da tat es Nesquick ganz sicher auch, hatte einfach etwas mehr genommen, bei der Zitrone und dem Vanillezucker sah es eher schlecht aus, Zucker, na, ja, Traubenzucker, Dextro Energen, hatte ich von meinem morgendlichen Müsli, war auch ok, sah man ja später nicht mehr was da rein kam, dachte ich, musste halt nur süß schmecken. Beim Backpulver fand ich keine Alternative und den Rum, na, ja, den hatte ich einfach durch einen Schuss Baccardi ersetzt. Also was zwingend fehlte war: Backpulver, Vanillezucker, Zitrone und vielleicht noch etwas Puderzucker, zum anschließenden Bestreuen und hübsch machen. Aber an einem Samstagabend um mittlerweile 20:30 Uhr, da konnte man mal nicht so eben zum Einkaufsmarkt fahren, denn um 18 Uhr war dort Schicht im Schacht, und die Alternative nach 18 Uhr hieß damals einfach nur – Tanke oder Tante.

Jetzt waren die Tankstellen damals auch nicht so gut bestückt wie heute, denn da sind im Laufe der Jahre ja schon mehr Supermärkte als Tankstellen draus geworden, sie backen morgens frische Brötchen, es gibt Kühlregale und Tiefkühltruhen, damals an der Tanke war an so etwas überhaupt nicht zu denken. Zum Tankstellen-Standartsortiment gehörten neben Zigaretten, Eiskratzer und Zeitschriften natürlich Alkohol für die kurzfristige Party, Sekt für das kurzfristige Date und natürlich kleine Blumensträuße als Entschuldigung nach der kurzfristigen Party oder dem kurzfristigen Date, wenn man dann reuig in den frühen Morgenstunden zur eigenen Ehefrau nach Hause zurückkehrte oder für den *„Sonntagmorgen-Schwiegermutterbesucher“,* der auf dem Weg noch schnell einen kleinen, halbvertrockneten Blumenstrauß zum Preis eines großen und frischen dort an der Tanke besorgen wollte. Im Nahrungsmittelbereich war man auf schnell umzusetzende und länger haltbare Dinge eingestellt: Knäcke- und Vollkornbrot, Margarine, Dosenwurst und natürlich Bratwürstchen in Fünfer- und Zehnerpacks, die in einer kleinen Kühlung direkt neben dem Bierdosenregal zu finden war. Süßigkeiten, Schoki, Chips, Nüsse und Salzstangen waren natürlich selbstredend auch ganz in der Nähe der Wochenend- und Nachtversorgung zu finden. Zahnbürsten, Q-Tipps, Tempotaschentücher und Kondome rundeten das Badezimmernotsortiment dann ab, und zum Schluss natürlich noch Pfefferminzdrops in den unterschiedlichsten Ausführungen. Und das alles gab es dann natürlich zum mindestens dreifachen, manchmal sogar bis zum fünffachen Preis, als es bis 18 Uhr im Supermarkt zu bekommen gewesen wäre!

Und dann stand da plötzlich der Zwanzigjährige, motivierte, naive, verrückte, junge Mann zwischen Pfefferminz, Kondomen, Dosenbier und Bratwürstchen und versuchte, Backpulver und Vanillezucker zu finden! Da drehten sich selbst die härtesten Dosenbierjunkies im Laden nach mir um, als ich auch noch an der Kasse danach fragte. Bis zur Zitrone und dem Puderzucker bin ich gar nicht mehr gekommen und verließ mit leeren Taschen und hängenden Ohren die Tanke. Also entweder musste das Projekt scheitern oder aber, genau, die Tante musste mit ihrem gut sortierten Backschrank aushelfen. Heute würden wir das Handy zur Hand nehmen, eine kurze WhattsApp Nachricht oder einen Anruf, … *„**bin dann mal in 10 Minuten da**“,* doch auch diese Möglichkeit hatten wir damals nicht. Telefonzelle war unser damaliges Handy, aber wenn man keine Nummer der Tante im Kopf oder dabei hatte, na dann, genau dann hatte man verloren, geloost, wie man heute so schön sagen würde und musste erst wieder nach Hause fahren, im alten handschriftlichen Notiz- und Telefonbuch blättern oder, wenn man ein ganz modernes Telefon mit zehn Speicherplätzen hatte, die entsprechende Nummer der Tante aufrufen und wählen. Und genau das tat ich. Tante informiert, zurück ins Treppenhaus, Junggesellenbude, 70 Quadratmeter, dritter Stock, knapp zehn Minuten Fahrt. Bei der Tante angekommen, nicht lange aufgehalten, Backpulver und Vanillezucker geholt, Puderzucker und Zitrone natürlich vergessen, war aber auch nicht so schlimm, dann fehlte das halt und zurück in die eigene Bude. Zutaten aufgebaut, Notizen zur Hand und los ging‘s.

Die Gugelhupf Backform lag noch originalverpackt auf dem Schrank, hatte ich mir tatsächlich einmal gekauft, für den Fall der Fälle – und genau den hatten wir ja nun. Form ausgepackt, gewaschen und mit Fett ausgerieben. Kuchenteig nach Anleitung zusammengerührt, natürlich mit Mixer, denn auch an den hatte ich als eine der ersten Anschaffungen für die Junggesellenküche gedacht. Als der Teig fertig war, fragte ich mich, wie man nun die Welle in den Kuchen bekam, mit Welle meinte ich, die hellen und dunklen Stellen, also die **mit** und die **ohne** Schokoladenanteil. Ergab sich das automatisch während des Backprozesses, so wie die Bakterien und Biokulturen die auch die Löcher in den Käse fraßen, ich wusste es nicht und wieder war die Tante gefragt.

Also wieder Telefon geschnappt, Taste Wiederwahl, und die Tante meldete sich schon mit einem Lächeln und der Frage: *„Na, was fehlt jetzt noch, die Backform etwa"*, und lachte dabei. Ich stellte meine Frage und ganz ehrlich, so einen Marmorkuchen hatte man schon hunderte Mal gesehen und gegessen, aber ich hatte mir noch nie einen Kopf darüber gemacht, wie die Schokowelle da hineingekommen ist. *„Ganz einfach"*, sagte die Tante und legte los: *Zuerst musste ich einen Teil, etwa ein Drittel des Teigs abtrennen und mit dem Kakao oder in meinem Fall mit Nesquick verrühren. Dann wurde die Basis in die Form gegossen, etwa zwei Zentimeter bedeckt, darauf einige kleine Häufchen mit der Schokomischung, mit einem Esslöffel auf diese Basis gelegt und dann immer im Wechsel die Zwischenräume mit hellem Teig auffüllen, bis der Teig aufgebraucht und die Form gefüllt war. Dann sollte ich mit einer Gabel tief in den Teig stechen und diagonal nach oben ziehen, so vermischten sich die hellen mit den dunklen Häufchen zu einer Art Spur, oder wie ich es nannte –* zur Welle.

Wow, dachte ich und konnte es mir überhaupt nicht vorstellen, aber hier war die Tante ganz klar der Chef! Ich tat alles genau so, wie sie es aufgetragen hatte, dachte aber zunächst, ich hätte mich mit der Menge der Zutaten verrechnet oder es nicht richtig notiert, denn nur knapp über die Hälfte war die Form gefüllt, und ich war schon enttäuscht, dass nun mein erster selbstgebackener Kuchen wahrscheinlich nur so ein kleines misslungenes Ding werden würde. Vielleicht konnte man es ja noch retten, mit etwas strecken oder so ... 22 Uhr, Dalli, Dalli war vorbei, das Wort zum Sonntag war ebenfalls durch, und es lief der Polizeiratgeber: Der 7. Sinn. Telefon, Wiederwahl, die Tante hörte sich nicht mehr so frisch wie beim Telefonat zuvor an, wahrscheinlich fehlten ihr einige Minuten zwischen dem Wort zum Sonntag und dem Polizeiratgeber. Auf den Onkel brauchten wir keine Rücksicht zu nehmen, denn der verabschiedete sich in der Regel schon bald nach den Sportergebnissen, und wenn es mal besonders gut lief, dann schaffte er es noch bis zum Wetterbericht am Ende der Tagesschau. Schnell formulierte ich die Frage an die Tante, denn wenn sie jetzt auch noch ausfallen und ins Reich der Sinne kippen würde, oh, oh, dann hatte ich ein echtes Problem. Die Tante erklärte mir, dass der Kuchen während der Backphase an Volumen gewinnen und dementsprechend wachsen würde. Ich war mir nicht ganz sicher, ob sie mich nur beruhigen oder loswerden wollte und vermutete, dass sie nur einige wenige Millimeter an Zuwachs meinte und ließ weiter enttäuscht die Ohren hängen. Aber dann war es halt so, und der nächste Kuchen würde dann eben besser und größer werden, so einer für *„Ganze Kerle"*.

Der Ofen war bereits vorgeheizt, 190 Grad Celsius, Umluft hatten wir damals natürlich auch noch nicht, und bei mir in der Junggesellenbude schon mal gar nicht. Ich schob den Kuchen hinein und platzierte mich im Schneidersitz direkt davor, legte meinen Kopf in die aufgestützten Hände und blickte gemeinsam mit meiner Quincy fasziniert und wie in Trance durch das Glasfenster – und war schon ein Stück weit stolz, was sich da drinnen so tat. Ich konnte es kaum abwarten, den fertigen Kuchen herauszuholen, aber wann genau war er fertig, die Tante sagte, ich würde es dann schon sehen, sollte ihn aber nicht zu lange im Ofen lassen und ihn nicht verbrennen lassen. Na, die hatte gut reden, wann genau war das nun?

Zugegeben, es war eine Ausnahmesituation, und wir waren Quasi auf der Zielgeraden. Mit *„wir“* waren der Kuchen, die Tante und ich gemeint, die Tante musste ich jetzt noch ein letztes Mal anrufen. Noch bevor sie etwas sagen konnte, entschuldigte ich mich und versicherte, dass es auch für heute der letzte Anruf gewesen sein sollte und fragte noch einmal genau, woran ich erkennen konnte, wann er denn nun fertig wäre. Von außen sah er tatsächlich schon ganz gut aus, es roch auch angenehm, nicht verbrannt und die Tante erzählte etwas von Stricknadel in den Kuchen stecken und beim Herausziehen durfte kein Teig an der Nadel haften. – Hallo, sagte ich, Stricknadel, Junggesellenhaushalt und da musste sie tatsächlich lachen und murmelte etwas wie: *„Hätte ich dir vorhin besser eine mitgegeben.“* Ich bedankte mich, hatte eine andere Idee und wimmelte sie ab, denn die Ungeduld trieb mich voran. Ich glaube, es war inzwischen 22:30 Uhr durch und wenn keine Stricknadel zur Hand war, dann tat es ein Schraubendreher ebenso, dachte ich, und ich kramte einen dünnen, kleinen Längsschlitzdreher aus der Werkzeugtasche hervor. Ofenklappe auf, Kuchenform mit den Topflappen herausgezogen, Schraubendreher rein und, perfekt! Kein Teig dran. Allerdings war ich mir jetzt schon wieder unsicher, denn der Schraubendreher war verchromt, hätte da überhaupt der Kuchenteig daran haften können? Mist, dachte ich, Wiederwahl und die Tante fragen schied aus, denn selbst wenn sie noch fit und wach gewesen wäre, bei Chrom und Schraubendreher war sie raus und ganz sicher der falsche Ansprechpartner. Um aber ganz sicher zu gehen, dass er innen nicht doch noch matschig war, ließ ich ihn noch ein paar Minuten in der Röhre, beobachtete ihn aber mit Argusaugen, dass er mir nun nicht doch noch kurz vor dem Zieleinlauf verbrannte.

Dann war es soweit. Trommelwirbel und Tusch hatte ich leider nicht, auch wenn es für mein erstes selbstgebackenes Kunstwerk wirklich angebracht gewesen wäre, ging aber dafür nicht weniger ehrfürchtig und erhobenen Hauptes zur Ofenklappe, öffnete sie, holte die dampfende Form fachmännisch mit den Topflappen heraus, und was soll ich sagen – es roch verdammt gut, und die Tante hatte Recht behalten, denn der Kuchen schloss nicht etwa mit dem Rand der Form ab, ganz im Gegenteil, er war sogar nach oben aus der Form hinausgewachsen – also doch einer für ganze Kerle! Ich griente von Ohrwaschel zu Ohrwaschel, wusste noch gar nicht, ob er schmeckte, doch eigentlich stellte sich diese Frage auch nicht. Es war genug drinnen, es roch gut, also warum sollte er nun nicht schmecken. Anschneiden und probieren konnte ich ihn jetzt nicht, es sollte nicht wie ein Rest aussehen, mit dem ich meine Freundin überraschen wollte, brach also nur ein paar über den Rand hinausgequollen Reste ab und probierte. Ok, dieser Rand war natürlich bretthart, schmeckte bitter, mit einem Hauch von verbrannt, aber ich glaube, er hätte wie ein Stück Kohle aussehen können, und ich hätte ihn geliebt. Auch Quincy probierte ein paar Bruchstücke, die beim Zerkauen richtig knirschten und krachten, so hart war der Rand gewesen. Quincy blieb emotionslos, sie war auch nicht der geeignete Kuchentester und was das anging auch überhaupt kein ernstzunehmender Maßstab, denn sie fraß alles, gern und vor allem – viel.

Die Form auf ein dickes Frühstücksbrett gestülpt, genau so, wie die Tante es gesagt hatte, und fluuuuppp war er auch schon draußen, und ohne jetzt zu übertreiben, es war nicht nur ein Gugelhupf oder ein Marmorkuchen, es war **DER** Gugelhupf, ein Muster von Kuchen, die Mutter aller Topfkuchen! Wow, ich war hin und weg! Was hatte die Tante als nächstes gesagt? Puderzucker drüber, hatte ich nicht und auskühlen lassen, doch dafür war keine Zeit, also – FERTIG! Ich stülpte die Form als Schutz wieder locker drüber, schnappte mir den Hund, den Kuchen und ab gings zum Auto, ich zog einen lauwarmen, leckeren Duft durchs Treppenhaus hinter mir her. 23:15 auf der Uhr! Schnelle Runde mit Quincy um den Block, dann konnte es auch schon losgehen. Die Autobahn war direkt vor der Tür, gut ausgebaut, wie gesagt schlappe neunzig Kilometer und natürlich kaum Verkehr, keine LKW, ein paar vereinzelte Fahrzeuge und ein Verrückter, der mit einem noch dampfendem Kuchen über die Autobahn bügelte. Nach etwa vierzig Minuten Fahrtzeit erreichte ich die Stadt und musste mich dort erst einmal anhand einer Straßenkarte zurechtfinden, denn Navi oder Handy, was heute so selbstverständlich eingesetzt wird, hatten wir damals natürlich auch nicht.

Gegen 0:15 Uhr erreichte ich das Studentenwohnheim, nahm die schützende Form vom Kuchen und wickelte Alupapier darum. Es war eine laue Sommernacht, ein paar junge Leute saßen noch draußen und ließen Flaschen kreisen, das Haus allerdings sah nach allem anderen als nach Gemütlichkeit aus. Das etwa sechs Stockwerke hohe Betongebäude, kalkweiß, viele Fenster, erinnerte irgendwie an ein Klinikgebäude. An der Haustür unzählige Namen auf selbstgeschriebenen unleserlichen kleinen Zetteln und daneben ebenso viele Klingelknöpfe. Die Haustür stand auf, ich wusste die Etage und die Zimmernummer und lief mit dem Kuchen in der einen und mit Quincy an der Leine in der anderen Hand sportlich, stolz und in aufgeregter Erwartung das Treppenhaus nach oben. Ein langer Gang nach rechts, ein langer Gang nach links, schummerige Notbeleuchtung, von überall her hörte man Musik, mal lauter, mal leiser, Stimmen aber keine Personen dazu, und ich irrte suchend den Gang entlang, als plötzlich ein junger Mann von rechts aus einer Gemeinschaftsküche kam und mich von oben bis unten bemusterte. Ich weiß jetzt nicht genau, was es so interessant machte, war es Quincy, war es der Kuchen oder vielleicht das Gesamtpaket um 0:20 Uhr in der Nacht? Ich fragte ihn auf jeden Fall, wo ich das Zimmer mit der entsprechenden Nummer finden konnte, doch Zimmernummern waren da genauso unwichtig und unnötig, wie das Abschließen der Zimmer, denn entweder hatten sie alle nichts, was wichtig und wertvoll war, oder es war da einfach so üblich, dass man sich mit Dingen aushalf, selbst bediente, auch wenn man nicht im Zimmer war. Erst als ich ihm den Namen sagte, da machte es Klick, und er zeigte nur ein paar Meter weiter auf die entsprechende Zimmertür.

Yess, dachte ich – da, die heutigen Navis würden sagen: – ***Sie haben ihr Ziel erreicht***!

Ich klopfte an die Tür, Quincy saß vorbildlich neben mir, die Mundwinkel zogen sich quer über das Gesicht und in der Hand, – der Topfkuchen! Durch die verschlossene Tür hörte ich die Stimme meiner Freundin: *„Die Tür ist auf, ihr könnt ruhig reinkommen."* Ich drückte auf die Türklinge, trat ein und so klein ich das Zimmer schon eingangs beschrieben hatte, genau so war es dann auch, – so klein, dass meine Freundin in fürsorglicher Nächstenliebe sogar einen Mitkommilitonen bei sich als Untermieter mit ins Bett genommen hatte. Er muss ein sehr armer Student gewesen sein, denn er hatte noch nicht einmal Kleidung an, und da kam ich ja dann mit meinem lauwarmen Topfkuchen auch genau im richtigen Moment! Ich war mir nicht wirklich sicher, ob sich die beiden über den Besuch richtig gefreut hatten, ihr fehlten die Worte, und auch der Kollege neben ihr hatte außer einem *„oh, oh"* nichts Besseres zu verkaufen.

Sie war so gerührt, als ich da mit dem Kuchen in der Hand stand, dass ihr sogar die Tränen liefen. Auch bei Quincy kam keine richtige Freude auf, denn sonst wurde sie doch immer so lieb und freudig vom Frauchen begrüßt, doch heute, da blieb sie einfach im Bett liegen und zog auch noch die Decke bis über das Gesicht. Wahrscheinlich war ihr nur kalt. Es war ja auch eine eigenartige und frostige Stimmung im Zimmer, gesprochen wurde wenig, gezeigt dafür viel und, na, ja, was soll ich sagen, der Kuchen wurde dabei leider zur Nebensache.

Das Längste war die Vorbereitung, das Schönste, die Freude und das Kürzeste dann der Besuch und Aufenthalt im Zimmer 308. Begleitet von einem: *„Tut mir leid"* und *„ich kann das erklären"* stellte ich den Kuchen auf den vollgepackten Tisch. ***„Das ist mein erster selbstgebackener Kuchen***", sagte ich stolz, drehte mich um – und ging.

Ich weiß bis heute nicht, wie er, beziehungsweise ob er überhaupt geschmeckt hat. Möglicherweise stand er schon kurze Zeit später in der Gemeinschaftsküche auf dem Tisch und hat anderen armen Studenten die Nacht oder vielleicht sogar den nächsten Morgen versüßt, ganz sicher nicht Zimmer 308. Ja, leider hatte dieses Abenteuer: „***Mein erster Kuchen***" kein Happy End, und ich verließ sichtlich traurig und verletzt das Haus, ging noch einige Minuten mit Quincy durch die Nacht, bevor es dann wieder die knapp neunzig Kilometer zurück über die Autobahn nach Hause ging. Und heute, wann immer ich an dieser Stadt vorbeifahre, denke ich an diese Geschichte, an das abgeranzte Wohnheim mit den vielen Namen an der Tür, den schwach beleuchteten Gängen und natürlich an meinen ersten selbstgebackenen Kuchen. Wahrscheinlich brauchte es genau diese Geschichte, um zur Mutter aller Kuchen zu werden!

Und nun vielleicht noch eine lustige Pointe, der *„i-Punkt"* der Geschichte, das Tüpfelchen sozusagen: Der Stadtteil, in dem sich die Geschichte abspielte, beziehungsweise wo seinerzeit das Wohnheim stand hieß *„Himmelsthür"*, und da wohnen ja bekanntlich nur Engel!

So träumte ich in Gedanken versunken vor mich hin, und nur ein Schmunzeln verriet den drei Damen am Tisch, dass es etwas Freudiges oder Lustiges gewesen sein musste, über das ich da gerade nachgedacht hatte, denn als ich aus den Gedanken erwachte, da sahen sie mich alle drei an, lachten, und die **Gräfin** sagte nur: *„Na, junger Mann, da waren sie jetzt aber gerade gaaanz weit weg“*, und lachte dabei. *„Ich habe mir gerade überlegt, wie wohl die Welle in den Kuchen kommt“*, antwortete ich, nickte dabei als würde ich die Frage in die Runde werfen, lachte ebenfalls dazu und verspeiste mit Genuss den Topfkuchen, so als wäre es mein erster gewesen.

Die drei Damen hatten aufgegessen, das Kaffeetrinken beendet, standen auf und verabschiedeten sich. **Frau Bockels** sagte beim Weggehen noch, dass sie sich auf morgen Abend freute, zwinkerte mir dabei zu und verließ mit den beiden anderen Damen den Raum. Auf was freuten sie sich denn morgen Abend? Wir hatten darüber gar nicht gesprochen, doch ich ahnte schon, wer da die entsprechende Vorarbeit geleistet hatte, denn ein Blick in den hinteren Bereich des Raumes zeigte mir meinen Vorstand **Frau Möller**, die immer noch mit Händen und Füßen erzählte. Als sie mich erblickte und allein am Tisch sitzen sah, da machte sie eine einladende Winkbewegung und rief: *„Kommen sie ruhig zu uns ran, ich möchte sie jemandem vorstellen“*, nickte dabei mit weit geöffneten Augen als wollte sie dem Ganzen noch mehr Wichtigkeit geben – und ich wechselte zu ihnen an den Tisch.

9.14__ Pressesprecher, Kassenwart, Sekretärin

„So mein lieber“, waren gleich die passenden Worte zur Begrüßung, *„damit sie auf dem Laufenden sind, möchte ich sie hier gleich noch mit ein paar ganz wichtigen Mitarbeitern bekannt machen“*, sie wechselte mit ihrem Gesichtsausdruck und Mimik schlagartig auf Arbeitsmodus, und schon moderierte wieder die Frau Vorstandsvorsitzende. Dann zeigte sie auf den Herrn zu ihrer rechten, der mir von einigen Abenden zuvor auch noch gut in Erinnerung war: *„Das ist der **Wucherpfennig, Karl**“*, sie zeigte mit dem Finger auf ihn und fuhr fort: *„Pressesprecher, keiner kann so quasseln wie er“*, dann spitzte sie den Mund, tat so als würde sie kurz überlegen und sprach leise weiter. *„Ihn musste ich von dem Projekt am allerwenigsten überzeugen, denn als ich ihm davon berichtete und er hörte, dass sie mit von der Partie sind, da nickte er spontan, hob den Daumen und war dabei.“*

Dann verzog sie den Mund als würde sie versuchen, es zu verstehen, ging aber gleich zur nächsten Person über. *„Und das hier ist unser Kassenwart,* ***Albert Kleinhans,*** *vereidigter Beamter, knauserig ohne Ende“,* dabei hob sie die Augenbrauen und lachte, *„aber genau so etwas brauchen wir ja auch, denn wie heißt doch das alte Sprichwort: Haben kommt vom Halten und nicht von Verschleudern“*, lachte und nickte dabei wohlwollend. „U*nd das hier, mein Lieber“,* dabei zeigte auf eine schlanke Dame, eher etwas schüchtern wirkend, zu ihrer linken Seite, *„das hier wird die vielleicht wichtigste Person in dieser Truppe werden“,* dann verstummte sie für einen Moment, *„natürlich nach mir“,* sprach sie weiter und rollte dabei mit den Augen, *„denn die Gute behält immer den Überblick und wenn scheinbar nichts mehr geht“*, dann stoppte sie erneut, tat so als würde sie nachdenken – *„dann hat sie immer eine Lösung parat“, sie* nickte bestätigend und stellte die Dame als **Inge Kobold** vor, die das allerdings überhaupt nicht schön fand, so in den Himmel gelobt zu werden, bekam rote Wangen und tat es mit einer verlegenen Handbewegung ab.

Somit hatten wir schon mal eine Sekretärin, einen Kassenwart, einen Pressesprecher, einen Schriftwart und natürlich eine Vorstandsvorsitzende – und was für eine! *„Und die anderen besorge ich auch noch“,* rief **Frau Möller** abschließend in die Runde und meinte die Beisitzer, den Rechtsbeistand und die EDV-Betreuung. Es war unglaublich mit welcher Motivation sie dabei war und hatte wahrlich ein Talent, andere mitzureißen, denn alle, die da am Tisch saßen, sahen alles andere als gelangweilt aus, ganz im Gegenteil, es war schon ein erwartungsvoller, abenteuerlicher Glanz in ihren Augen zu erkennen. Sie bekamen etwas, das sie schon sehr lange nicht mehr spürten, das Gefühl, etwas zu können und gebraucht zu werden. Mit diesem Gefühl wollte ich sie nun auch fürs erste allein lassen, bedankte mich bei ihnen, zum einen dafür, dass sie mit dabei waren und freute mich auf die künftige Zusammenarbeit und die Dinge, die da noch kamen. Dann stand ich auf und musste noch ein paar Minuten an die frische Luft gehen, denn fast den ganzen Tag hatte ich nun in geschlossenen Räumen verbracht und war das seit meiner Abreise, der Flucht aus der Stadt, nicht mehr gewohnt und bekam auch schnell etwas Entzug von der Ruhe und der frischen Luft. Ich verkrümelte mich weit in den hinteren Bereich des Gartens, dort zum kleinem Pavillon, wo am Freitagmorgen immer der geheime Frühschoppen der Männer tagte, kramte meinen kleinen Notizblock aus der Tasche und notierte mir die Neuigkeiten, die Namen und die Funktionen der ersten Teammitglieder.

Ein wenig brummte mir der Schädel, und ich zog es vor, für heute nicht mehr so viel unter die Leute zu gehen; nicht, dass sie mir zuviel waren, nein, nein, ich wollte nur der morgigen Veranstaltung nicht vorgreifen und mich zu Einzelgesprächen verleiten lassen, wobei vielleicht schon Informationen durchgesickert wären zu den Fragen, die ich in den erwartungsvollen Blicken der Bewohner zu sehen glaubte. Also beschloss ich, mich leise, still und elegant herauszuschleichen, das Abendbrot nach Auswärts zu verlegen und dachte da natürlich gleich an meine kleine gemütliche Kneipe, das Scharfe Eck im Ort, verschwand aber zunächst im Zimmer, kurz sammeln, ein paar Unterlagen in die Umhängetasche gepackt, und noch bevor die ersten Bewohner sich schon wieder auf den Weg nach unten machten, war ich auch schon zur Haustür raus und an **Opa Hentrich** vorbei, der mein Verschwinden gar nicht bemerkte. Er saß da wie sonst, doch wenn man genauer hinsah, erkannte man, dass der Kopf leicht nach vorn gebeugt auf dem Kinn auflag und sich im gleichen Rhythmus wie sein Brustkorb auf und ab bewegte. Dabei wölbten sich in gleichmäßigen Intervallen die Lippen, die die Atemluft so aus der Lunge nach draußen pressten. Mit der Jacke in der Hand und der Tasche über der Schulter marschierte ich den kurzen Weg der Straße entlang, und als wäre es mein jahrelanger, alltäglicher Weg gewesen, kam er mir schon richtig vertraut vor. Vielleicht lag das aber auch daran, dass ich jetzt wusste, wo er endete und es kein Entdeckungsspaziergang wurde. Rein in den Ort, einmal links, dann rechts um die Kirche herum und schon war ich da.

Als ich das Lokal betrat, da hatte ich den Eindruck, als wäre seit meinem letzten Besuch die Zeit stehengeblieben. Es war das gleiche Bild, das gleiche sprudelnde Geräusch der Spülanlage, neu waren nur der laufende Fernseher und natürlich auch die Gäste, das heißt, an der Theke saß schon wieder oder immer noch der alte unscheinbare Mann, der sich genau wie beim letzten Mal an einem halbvollen Glas Bier festhielt und wahrscheinlich schon mit zum Inventar gehörte oder einfach nur auf dem Hocker festgewachsen war. Hinten in der Ecke saßen drei junge Männer vor einem gemütlichen Feierabendbier und erzählten lautstark und fröhlich, ein weiterer Mann saß etwas abseits, hatte eine leckere Brotzeit vor sich stehen und studierte dabei die Tageszeitung, die er neben sich auf dem Tisch ausgebreitet liegen hatte. Seine Brille hatte zwei schwarze Sicherungsbänder, die von den Bügeln um seinen Hals führten, kariertes Hemd, ärmelloser Pullunder, war jetzt nicht unbedingt die Mode-Ikone, sah ein wenig nach Vertreter auf Durchreise aus, der als Übernachtungsgast den Abend mit etwas Entspannung ausklingen ließ. Und dafür war das Scharfe Eck auch genau richtige.

9.15__ Bratkartoffeln mit Sülze

Der Mensch ist ein Wiederholungstäter, und ich setzte mich auf den alten Platz vom letzten Besuch, und ob man es glauben mag oder nicht, war ich doch beim letzten Mal im Zweifel, ob es denn Matjes oder der Wurstsalat werden sollte, so hatte ich heute eine eindeutige Meinung und wer jetzt glaubte, es wäre der Matjes geworden, der lag falsch. Die Entscheidung, etwas ganz anderes zu bestellen, kam mir bereits auf dem Weg in den Sinn und ich kann nicht sagen, was der Auslöser war, denn ich hatte plötzlich einen Wahnsinns Japp, Knast, auf Bratkartoffeln mit Sülze, Zwiebeln und Remouladensauce, und genau so wurde es bestellt und dazu ein schönes erfrischendes alkoholfreies Weizen – die Aufzeichnungen auf den Tisch, und schon passte ich zu allen anderen Leuten hier im Lokal, als gehörte ich dazu wie der alte Mann an der Theke. Ok, zugegeben, vielleicht nicht gerade der, denn dazu fehlten dann doch noch ein paar typische Merkmale. Ich saß da, lehnte mich zurück, dachte nach, registrierte die Geräusche der Wirtschaft, schnappte einige Brocken aus dem Fernseher auf, hatte meinen Stift in der Hand, den ich dabei langsam um die eigene Achse drehte. Es war ruhig, es war entspannt, kein Ziel, keine Erwartung, einfach nur dasitzen und nichts tun, warten, warten auf das Essen und darauf, dass die Zeit herumging. Nach ein paar Minuten spürte ich allerdings, dass das Warten, das Nichtstun scheinbar doch anstrengender war als ich vermutete, denn ich wurde müde und schlapp. Aber warum nur? Ich denke, das hatte mit dem Blutdruck zu tun, der bei dieser Entspannung und Unterforderung auf Sparflamme fuhr und dem Körper signalisierte: ***Hallo, Achtung Ruhephase, nichts zu tun, schlafen!*** Was ja dann im Gegenzug bedeuten musste, bei mehr Forderung, Bewegung, Aktion auch mehr Blutdruck auch mehr wach und mehr Aufnahmefähigkeit. Und genau so notierte ich es mir auf meinen Notizblock, ein interessanter Punkt, der für Morgen gar nicht so unbedeutend sein konnte. Da hatte das Nichtstun doch ganz schön was gebracht, dachte ich und schon kam nicht nur mein leckeres Essen, auch zeitgleich meine versteckten Blutreserven zurück, die sich währende dieser Ruhephase irgendwo im Körper breit gemacht hatten.

Es roch lecker, es sah lecker aus, und schon beim ersten Biss in die Bratkartoffeln, die ich mit etwas Remouladensauce bestrich, tanzten die Geschmacksknospen Cha-Cha-Cha. Bei Bratkartoffeln ist das immer so eine Sache, da gab es so viele verschiedene Bezeichnungen, aber Schlussendlich bleiben es Bratkartoffeln, und wenn sie richtig gemacht waren, dann war der Name doch wurscht.

Bratkartoffeln, Rösti, mit Tier oder vegetarisch, wichtig war doch, dass es *„BRAT“* und nicht Koch- oder Matschkartoffeln waren. Man konnte sie von rohen oder bereits vorgekochten Kartoffeln zubereiten, aber schlussendlich mussten BRAT-Kartoffeln am Ende dabei herauskommen und nicht mit Fett aufgesaugte, gelbe schwammige Plättchen für *„MIT-OHNE-ZÄHNE“*.

Auf meinem Teller waren sie dann genau so, wie ich es mir gewünscht hatte, sie machten schon beim Hin- und Herschieben mit der Gabel ein kratziges, hartes, geröstetes Geräusch. Die Sülze lag unspektakulär daneben mit etwas Salat dekoriert, die Remoulade in einem Extraschälchen, alles einfach, ohne großen Aufwand, geradeaus, so wie ich das Lokal auch schon beim ersten Besuch kennengelernt hatte. Und so genoss ich nicht nur mein leckeres Essen, auch die Ruhe, das Nichtstun, die Erholung vom Altenheim sozusagen. Es folgten noch ein paar kleine Biere, die ich gemütlich, ohne Zeitdruck trank, ich konnte mich entspannt mit meinen Aufzeichnungen beschäftigen und verließ dann irgendwann das Lokal, wanderte genauso gemütlich nach Hause, so, wie ich auch einige Stunden zuvor gekommen war. Aus der Entfernung konnte man schon die Außenbeleuchtung vom Haus erkennen, hinter einigen Fenstern brannte noch Licht, aber im Großen und Ganzen war auch dort schon die Nachtruhe eingeläutet.

Es war 21:30 Uhr, und als ich das Haus betrat, hörte ich leise Musik, ging den schwach beleuchteten Flur entlang und den Klängen der Musik entgegen. Sie kam aus dem Gemeinschaftsraum, na, klar, für heute, am Montag stand ja auch *„Musikabend“* auf dem Programm. Was das genau bedeutete, wusste ich auch nicht, öffnete leise die Tür und blickte wie ein Spion durch den knapp geöffneten Türspalt. Ich sah vielleicht drei, vielleicht waren es auch vier Personen, die entweder in völliger Entspannung dort zum Teil in Sesseln oder auf der Couch saßen oder schliefen und im Hintergrund lief leise Musik, klassische Musik. Nicht zu schwer, zum Träumen, Abschalten, Entspannen und Schlafen. Genau das war auch mein Stichwort: Schlafen, und ich verschloss die Tür wieder genauso leise, allerdings schnappte der Türbolzen mit einem etwas lauterem Klack in seine Ausgangsposition, was aber von niemandem bemerkt oder als störend aufgenommen wurde. Ja, jetzt wusste ich auch, was mit *„Musikabend“* gemeint war, hatte mir zwar etwas anderes, etwas mehr darunter vorgestellt, aber vielleicht war das ja jetzt, um diese Zeit, nur noch der Ausklang, und einige Stunden zuvor hatte die Musik einen ganz anderen Stellenwert gehabt.

Ehrlich gesagt dachte ich da mehr an gemeinschaftliches Musizieren; jeder, der ein Instrument spielen konnte, tat sich mit anderen zusammen oder man lauschte den Klängen derer, die ihr Können zur Probe stellten und ohne weiter groß darüber nachzudenken, ging ich im Treppenhaus hinauf zu meinem Zimmer und beendete diesen wieder einmal vollgepackten Tag. Ganz besonders dachte ich dabei noch einmal an **Frau Möller**, an ihr Engagement, mit welcher Begeisterung und Hingabe sie sich ihrer neuen Verantwortung und Aufgabe stellte und schlief dann mit diesen Gedanken ein.

Man sagte ja immer, dass man von den Sachen träumt, an die man beim Einschlafen ganz besonders intensiv gedacht hatte – na, dann konnte ich mich ja auf eine turbulente Nacht einrichten!

Kapitel

10

Der große Tag

Ob es ein großer Tag werden würde, na, ja, man sollte es am Abend wissen, auf jeden Fall war es zunächst mal ein ganz normaler Tag mit Aufstehen und Frühstück genau wie sonst auch. Bevor der Tag nun richtig losging, wollte ich noch etwas Sonne, Natur und frische Luft tanken und startete einen gemütlichen Spaziergang hinter dem Haus und ging genau den Weg zum Deich, den ich kürzlich nach meinem Besuch bei Georg`s Kiosk schon einmal ging. Kopf frei bekommen, mich gedanklich auf den Abend vorbereiten, aber ich wollte mich auch nicht selbst unter Druck setzen und unnötig verrückt machen, wie es sehr oft vor wichtigen Klausuren oder großen Prüfungen passiert. Aber ich war auch noch nie der Typ dafür, der mit schlotternden Knien und Flodderbuchse in solche Prüfungen ging, ganz im Gegenteil, es machte mir noch nie besonders viel aus, auch unvorbereitet vor einer großen Menschengruppe frei zu sprechen. Doch ab wann ist es eigentlich eine Prüfung oder gar eine große Prüfung? Bekommt es die Wertigkeit nur bei dem Zusatz, Abschluss oder Examen? Oder gehören auch Momente der Kindheit zu diesen wichtigen Prüfungen – das erste Mal alleine mit dem Bus fahren oder selbstständig einkaufen? Ich überlegte und versuchte, an meine Prüfungen zurückzudenken, an die ich mich noch erinnern konnte und beschloss für mich, tatsächlich erst mit dem Beginn der Schulzeit von Prüfungen zu sprechen. Vor dieser Zeit war es eher ein Kennenlernen und Austesten neuer Dinge, Erfahrungen sammeln und natürlich als Kind den Platz im Sandkasten zu verteidigen. Ich erinnere mich nur noch schwach an diese Momente, doch an den Sandkasten konnte ich mich noch gut erinnern oder sagen wir, vielleicht etwas besser als an viele andere Dinge, die man im Laufe der Jahre verloren oder aber auch verdrängt hatte, denn dieses eine Erlebnis wurde sogar zu einem Schlüsselerlebnis in meinem Leben!

10.1__ Mein Freund Wewe

Morgens, es konnte nicht früh genug am Tag sein, da verschwand man schon mit kurzer Lederhose, Socken und Sandalen aus der Wohnung im dritten Stock des Mehrfamilienhauses. Wie gesagt, es war vor meiner Schulzeit, und wie alt werde ich gewesen sein, hmm, keine Ahnung, ich konnte laufen, hatte keine Windeln mehr um und kam auf Zehenspitzen immerhin schon an die oberste Klingel, wenn ich wieder zurück in die Wohnung wollte. Täglicher Treff war der große Sandkasten direkt vor der Haustür, perfekt für die Mutter durchs Fenster des oberen Stockwerks zu beobachten. Bewaffnet mit der Sandkasten Standartausrüstung: Eimer, Schaufel und Förmchen war man bestens ausgerüstet, und die Sandkuchen Serienproduktion konnte anlaufen. Einer nach dem nächsten wurde auf dem Brett der Kastenumrandung abgelegt, und ich erinnere mich noch daran, dass ein Mädchen eine Art Mühle dabei hatte, Sand oben rein stopfte, drehte und feiner Sand nahezu perfekt gemahlen unten wieder heraus kam. Coole Nummer, dachte ich, was aber nicht nur ich feststellte, denn ein anderer kleiner Junge, das heißt, klein waren wir ja alle, doch er war noch etwas kleiner, also richtig klein, der hatte scheinbar keine Lust mehr, Sandkuchen zu bauen und zertrümmerte ohne mit der Wimper zu zucken die Kuchen des Mädchens. Warum? Wir hatten keine Ahnung, weil er ein fieser Möpp oder auf Krawall gebürstet war oder einfach nur die Mühle haben wollte, wir wussten es nicht, und ich baute zunächst fleißig meine Kuchen weiter. Das Mädchen weinte bittere Krokodilstränen, woraufhin der kleine Giftzwerg von der Oma des Mädchens zurechtgestutzt wurde. Er war ebenso wie ich ohne erwachsene Begleitung dort im Sandkasten, und als er mit seinem Herumgestänker nicht weiterkam beziehungsweise es ihm durch die Oma zu gefährlich wurde, da blickte sich der kleine Teufel nach einem neuen Opfer um. Viele Alternativen gab es ja nicht, denn außer dem Giftzwerg und dem Mädchen war nur noch ich in seinem Dunstkreis und voll mit der Sandkuchenproduktion beschäftigt. Mit fiesem Leuchten und neuem Ziel im Auge stapfte er an mir vorbei und zertrat beim Verlassen der Kiste provokant alle meine liebevoll aufgebauten Sandkuchen – ein folgenschwerer Fehler, wie sich schon bald herausstellen sollte, denn unser beider Leben sollte dadurch eine ganz entscheidende Richtung oder besser gesagt Fügung bekommen. Heute würde man wahrscheinlich sofort die Eltern eines solchen Rabauken aufsuchen und mit Hilfe eines Sitzkreises versuchen herauszufinden, was genau in der Persönlichkeitsstruktur, wie, wann und wo aus dem Ruder gelaufen ist, möglicherweise noch unter Hinzuziehung eines Kinderpsychologen.

Bei uns war das anders, wir regelten solche Nickligkeiten noch wie richtige Kerle. Es ging hier schließlich nicht nur um die Sandkuchen als vielmehr um die Ehre und darum, wer im Viertel künftig das Sagen hatte und, hallo, er war einen Kopf kleiner als ich. Ohne großes Herumgeschubse und Gelabere schnappte ich mir den Terrorzwerg, zog ihn vom Rand zurück in den Sandkasten, rollte ihn gekonnt über das linke Bein ab und drückte ihn mit dem Gesicht in den Sand. Damit hatte er nicht gerechnet, und als er mit frisch paniertem Gesicht wieder hochkam, der weiche feine Sand hatte sich mit den feuchten Lippen und dem aus der Nase laufenden Rotz vermischt, sah er nicht nur vollkommen anders aus, auch sein Blick hatte sich geändert, es fehlte nur noch der Dampf, der aus der Nase schoss. Anstatt reuig abzudrehen, scharrte er mit den Hufen, keine Träne, kein Rumgememme, er holte aus und haute mir eins auf die Schnauze und, – genau, damit hatte ich nun nicht gerechnet. Es wurde nicht viel geredet, ich packte ihn, er packte mich, und im eleganten griechisch-römischen Stil rollten wir uns mehrfach durch den Sandkasten. Im Nachhinein muss ich schon sagen, der Kurze war schon ein zäher Hund. Wir kämpften, boxten, gaben alles, als wir beide plötzlich wie von Geisterhand nach oben schwebten und unsere Fäuste nur noch Löcher in die Luft schlugen. Es war aber nicht die Geisterhand, es waren unsere Mütter, die nach draußen gelaufen kamen, uns am Rand der Lederhose packten und in die Höhe hoben. Während sich die beiden Mütter unterhielten, hingen wir außerhalb der Reichweite in der Luft und schnauften uns mit den schlimmsten Gesichtsausdrücken an. Das erkannten auch die Mütter und zogen es vor, uns für die nächsten Stunden zum Abkühlen mit in die Wohnung zu nehmen. Dort angekommen rieselte immer noch der Sand aus der vorderen Lederhosenklappe, überhaupt rieselte er aus allen Körperöffnungen und vermischte sich ebenfalls mit der Schnütte, die selbst bei stärkstem Hochziehen nicht in der Nase bleiben wollte. Nach einem kurzen Gesundheitscheck, ob noch alles dran war, keine notwendigen Operationen oder lebenserhaltenden Maßnahmen durchgeführt werden mussten, beschloss die Mutter, mich wieder nach unten zu schicken, um den Restsand aus der Hose zurück in den Sandkasten zu bringen. Ähnlich muss es auch im Nachbarhaus gelaufen sein, denn fast zeitgleich trafen wir beide uns auf dem Gehweg, der Haus und Sandkasten voneinander trennte und so richtige Kerle, die waren bei solchen Dingen nicht nachtragend, der Konflikt war geklärt und damit dann auch durch. Die Gesichtszüge des Giftzwergs waren deutlich entspannt, die Nase geputzt, vom Sand befreit und in der Hand eine dicke Stulle. – *„Willst`e was abhaben“,* fragte er mich und hielt mir die Stulle entgegen. Klar, dachte ich und brach das Brot in zwei Hälften.

Ja, und das war dann auch der Beginn einer unglaublichen Freundschaft. Sandkasten war schnell out, und wir zogen durch *unser* Viertel, immer auf der Suche nach einem neuen Abenteuer – und es gab so verdammt viele davon! Wir wurden dicke Freunde, machten alles gemeinsam, niemand und nichts auf der Welt konnte uns trennen, und niemals hätte der eine den anderen im Stich gelassen. Unsere Mütter fanden das ganz sicher auch nicht schlecht, denn von nun an wussten sie, dass, wann immer etwas hier in dem Viertel passierte, wir zwei garantiert mit von der Partie waren. Sein Name war Volker, doch ich nannte ihn nur bei seinem abgekürztem Nachnamen *„**Wewe**“*, und seine Mutter verpasste mir meinen Spitznamen, der sich nicht unbedingt nach dem Reißer und Rächer des Viertels anhörte, sie nannte mich fortan *„**Bübi**“*. Ja, so war das damals, und kein Tag verging, an dem wir nicht mit wenigstens einem blutendem Knie nach Hause kamen oder unsere Klamotten irgendwelche Risse oder Löcher hatten, was beim Klettern auf Bäume oder bei der Flucht über den Zaun aus Pastors Garten passierte, als er uns beim Äpfelklauen erwischte und sogar einen Besen hinter uns her warf. Allerdings waren wir auch nicht nur alleine Schuld daran, denn meine Mutter wollte einen leckeren Apfelkuchen backen und trug uns auf, die Äpfel von den wilden Apfelbäumen, die in der Nähe standen, dafür zu sammeln. Ok, natürlich hatte sie nicht gesagt, dass wir sie aus des Pastors Garten holen sollten, aber sie hatte es auch nicht ausdrücklich verboten, und Wewe und ich beschlossen, dass der Weg bis dorthin viel näher, die Äpfel deutlich schöner und größer aussahen, wir unsere Tasche dort auch viel schneller gefüllt hatten und somit natürlich auch wieder schneller zu unserem Vergnügen und zu neuen Abenteuern kommen konnten. Also im Grunde genommen eine klare Angelegenheit.

Der anschließende Apfelkuchen hatte dann im Übrigen nicht nur köstlich, um nicht zu sagen, einfach himmlisch geschmeckt!

Meine Geschwister bekamen natürlich die gleiche Aufgabe, Äpfel aufzusammeln, aber keiner konnte damals auch nur erahnen, dass sie sich dabei so dusselig anstellten. Sie machten es mal ganz geschickt, so geschickt, dass sie gleich mit der *„Grünen Minna“* nach Hause gebracht wurden. Die *„Grüne Minna“* war umgangssprachlich ein Polizei VW Käfer, und als der an der Straße vor dem Haus anhielt und meine Geschwister von dem Polizeibeamten zur Haustür begleitet wurden – man, was haben Wewe und ich sie beneidet und hätten sonst etwas dafür gegeben, hätten wir mit ihnen tauschen können!

Meine Geschwister fanden es aber überhaupt nicht toll, meine ältere Schwester war am Schluchzen und Jammern, auch meine Mutter schaute wenig begeistert aus der Wäsche als sie die Tür öffnete beziehungsweise vom dritten Stock Hals über Kopf nach unten hechtete in der Annahme, es wäre sonst etwas Schlimmes passiert. Selbstverständlich waren auch genau in diesem Moment alle die Leute an ihren Fenstern oder vor den Haustüren, die sonst nie auf der Straße zu sehen waren, jedenfalls nicht um diese Zeit, eben die, die das freudige Ereignis binnen kürzester Zeit wie ein Lauffeuer in der Nachbarschaft herumtratschen mussten. – *„Die da mit den vier Kindern, da war schon wieder die Polizei"*, wobei die Betonung auf *„schon wieder"* lag, auch wenn sie bisher noch nie dort gewesen war, – *„möchte nicht wissen, was die schon wieder angestellt haben, aber na, ja, es wird schon seinen Grund haben, aus Spaß werden sie nicht gekommen sein. Würde mich nicht wundern, wenn das Jugendamt auch bald vor der Tür steht"* und gerade als sie erkannt und ertappt wurden, da verzogen sie das Gesicht zu einem freundlichen Lächeln, hoben den Arm zum Gruß und riefen mit freudiger Stimme: *„Ihnen auch einen schönen Tag"* und verzogen scheinheilig das Gesicht. Aber meine Mutter konnte diese ganz besonderen Nachbarn auch dementsprechend einschätzen, doch zum Glück waren ja nicht alle so, und meine Mutter warf ein ebenso scheinheiliges wie auch bissiges, *„das wünsche ich Ihnen aauuch"* zurück und verzog das Gesicht dabei natürlich nicht weniger schnippisch und glaubt mir – das konnte sie!

Doch zurück zum Oberwachtmeister mit seinem Gefangenentransport, passiert war eigentlich gar nichts, sie hatten Äpfel aufgesammelt, wie ihnen aufgetragen, allerdings nicht bei den wild stehenden Bäumen, nein, nein, ganz in der Nähe war die Eisenbahntrasse, ein sehr reizvoller Platz insbesondere für uns Jungen, ideal zum Erkunden und Spielen, was natürlich strengstens verboten war, doch meine Geschwister fanden dort ein paar wild stehende Apfelbäume und arbeiteten sich immer näher und näher an den Bahndamm heran, wurden dabei von vorbeifahrenden Zugführern gesehen, bei der nächsten Polizei gemeldet, und dann kam die *„Grüne Minna"*, und der Rest war ja bekannt. Mal mit den Worten der scheinheiligen buckeligen Nachbarschaft gesprochen: Fandung, Verhaftung, Besserungsanstalt! Und noch mal: Was hätten Wewe und ich dafür gegeben, an ihrer Stelle gewesen zu sein!

Ja, so waren Wewe und ich, wir lachten zusammen, wir weinten zusammen, das allerdings nur sehr selten, wir litten gemeinsam, und wann immer einer in der Klemme steckte, war der andere sofort zur Stelle. Wewe hatte auch noch zwei Geschwister, einen zwei Jahre älteren Bruder, der aber doof war, eine Memme, ein Weichei und der versuchte, uns ständig zu ärgern, anzuschwärzen, mit irgendetwas zu verpetzen, und er freute sich einen Keks, wenn wir erwischt und bestraft wurden. Wewe war auch deutlich kleiner als sein Bruder, aber trotzdem hat er sich ihm immer gestellt, es gab ständige Prügeleien zwischen den beiden, und meistens zog der deutlich größere wiedererwartend den Kürzeren. Er war halt ne Memme. Wir versuchten, ihm so gut es ging aus dem Weg zu gehen, aber manchmal war eine Konfrontation unausweichlich, so auch an jenem Tag, ich erinnere mich, als ich vor der Haustür auf Wewe wartete, doch er öffnete nur das Fenster, und mit hängendem Kopf und trauriger Stimme sagte er: *„Kann heute nicht, habe Hausarrest, muss warten bis Papa nach Hause kommt.“* Ohhh, dachte ich – warten, bis Papa nach Hause kommt, war nicht gut, kannte ich auch, das war von allen Möglichkeiten immer die schlechteste! Ich fragte ihn, was er gemacht hatte, und er antwortete mit einem Kopfschütteln, als könnte er es gar nicht verstehen, dass er seinem Bruder das Ohr abgeschnitten hatte. Ok, dachte ich, dass war schon schlimm und tat bestimmt auch weh und ich fragte: *„Kann man das nicht wieder dranmachen“* und konnte es auch nicht verstehen, warum er deswegen nun nicht zum Spielen rauskommen durfte. – Was war passiert?

Es gab mal wieder Streit zwischen den beiden, und Wewe wurde vom Bruder gereizt, gequält und garantiert auch misshandelt, da ergriff Wewe einen kleinen tönernen Blumentopf von der Fensterbank und haute ihn seinem Bruder auf den Kopf. Der Ton zersprang in viele Teile und eine scharfe Scherbe, schrappte am Ohr des Bruders entlang. – *„Isses echt voll ab“,* fragte ich, und Wewe antwortete furztrocken: *„Nee, nicht ganz, hängt noch `nen bisschen dran und wackelt.“* Auf jeden Fall konnten wir an diesem Tag nicht mehr zusammen spielen, und da konnte ich ihm auch als bester Freund leider nicht helfen, denn wie gesagt, warten auf den Vater war immer doof und endete auch meistens mit einem geschwollenen Hintern. Als wir uns dann am nächsten Tag zum Spielen trafen, da fragte ich ihn wie es am Abend mit dem Vater gelaufen war. Wewe war schon echt ein harter Typ. *„Na, ja, Papa war sauer und nen Hintern habe ich auch voll gekriegt“,* aber damit war es dann auch erledigt, und wir suchten uns für die nächsten zwei Tage Dinge zum Spielen, bei denen man nicht sitzen musste.

Der Bruder lief in den nächsten Tagen mit dick verbundenem Ohr herum und machte fortan einen großen Bogen um Wewe und mich. Den Namen Wewe durften im Übrigen auch ausschließlich seine Mutter, seine kleine Schwester Bärbel und natürlich ich benutzen, im Gegenzug nannte Wewe seine jüngere Schwester dafür *„Pummi“*. Sie war nicht nur jünger, auch kleiner als er und eigentlich gar nicht pummelig, aber Wewe nannte sie so und hatte ein wirklich gutes und herzliches Verhältnis zu ihr, er war halt der große Bruder – und ich somit irgendwie auch.

Wewe und ich waren wie die Unzertrennlichen, entdeckten jeden Tag etwas Neues, hatten weder Playstation noch Handy, wir hatten Ideen und Abenteuerlust. Zwei eng zusammenstehende Bäume hinter dem Haus waren unser Jeep, in den wir uns hineinsetzten, das heißt, wir saßen einfach mit dem Hintern auf dem Erdboden, sind stundenlang damit gefahren und hatten riesigen Spaß. Eines Tages spielten wir an einem Bachverlauf, der zunehmend breiter wurde. Wir machten einen kleinen Wettbewerb, wer noch bis zu welcher Breite darüber springen konnte. Sprung hin, einen Meter weiter und Sprung zurück. Anlauf war natürlich erlaubt. Das ging so eine ganze Zeit lang gut, doch irgendwann ist überall mal Schluss, so auch bei uns, genauer gesagt bei meinem Sprung. Es war an der Stelle schon richtig breit, so aus kindlicher Einschätzung einige hundert Meter, und ich lief mit den kurzen Beinen eines Stoppelhopsers an, fand auch den richtigen Absprung, und noch während ich in der Flugphase war, da dachte ich so, oh, oh, das geht schief, kam noch auf der anderen Seite an, bekam aber einen Drall nach hinten und – genau: Platsch, saß ich auch schon im Wasser. Wir waren nicht aus Zucker, der Lederhose und mir machte das überhaupt nichts aus, aber ich hatte eine graue Strickjacke an, und die saugte sich innerhalb kürzester Zeit voll wie ein Schwamm. Bis nach Hause waren es vielleicht dreißig Minuten Fußmarsch, und Wewe hatte die glorreiche Idee. *„Wenn du die Jacke ausziehst und wir sie von Ärmel zu Ärmel nehmen und den ganzen Weg nach Hause zwischen uns drehen und schleudern, dann sollte sie bis zu Hause wieder trocken sein, und es gibt auch keine Schimpfe.“* War irgendwie einleuchtend und genau so machten wir es. Wewe nahm den einen und ich den anderen Ärmel und los ging's. Die Abendsonne und unser Schleuderprogramm arbeiteten auf Hochtouren. Die Lederhose war schon trocken, die Unterhose noch nicht ganz, und als wir vor der Haustür ankamen, da war die Strickjacke zwar trocken, allerdings hatte sie nun auch eine Ärmellänge von zwölfmeterfünfundzwanzig gehabt. Wir hätten uns beide zweimal darin einwickeln können. Ich glaube, sie hätte selbst meinem Vater nicht mehr gepasst, denn nur die Ärmel hatten sich zu dieser exorbitanten Länge vergrößert, der Rest war genauso geblieben wie zuvor. Viel Schimpfe gab es gar nicht, die Mutter war es schon gewohnt, dass fast täglich irgendetwas zu Bruch ging.

So ging sie hin die Zeit, und der Ernst des Lebens rückte näher, die Einschulung stand kurz bevor. Das heißt eigentlich nur meine Einschulung, denn Wewe war etwas jünger als ich, also vom Jahrgang her ein *„Kann-Kind“* und musste in diesem Jahr noch gar nicht los. Doch als er mich mit der Zuckertüte sah und nun alleine zu Hause bleiben sollte, war das für ihn überhaupt nicht denkbar. Mehr als die Hälfte unseres bisherigen Lebens waren wir zusammen – hört sich zunächst gewaltig an, doch so war es, denn ich war sechseinviertel, Wewe fünfdreiviertel, und nun sollten sich unsere Wege brutal trennen? Nach einigen Gesprächen mit der Schulleitung entschied man sich dafür, ihn doch zeitgleich mit mir einzuschulen, und wir kamen beide in die selbe erste Klasse. Dort hatten wir vier Tische für jeweils sechs Personen, und jeder Tisch hatte einen Gruppennamen. Ich glaube, ich war am Bärchen- oder Dinosauriertisch, und Wewe am Mäuse- oder Affentisch. Vielleicht war es auch der Marienkäfertisch, ich kann es nicht mehr sagen, war aber auch nicht so wichtig, denn wir hatten unsere Zuckertüte, und nur das zählte zu diesem Zeitpunkt. Schon nach ein paar Minuten hatte Wewe die Nase voll, nahm seine Jacke, fragte mich, ob ich mitkäme und ging aus dem Klassenzimmer, er wollte lieber draußen an den Spielgeräten turnen. Ich, der ja schon deutlich älter und reifer war, rollte mit den Augen und versuchte, ihn davon abzuhalten, jedoch ohne Erfolg. Am nächsten Tag beschlossen wir für uns, dass das Abenteuer *„Schule“* zwar ganz ok war, es dann aber auch nach dem einen Tag genug damit war. Was wollte uns die Schule auch überhaupt beibringen, fragten wir uns, die wahren Dinge des Lebens lernte man doch auf der Straße, was allerdings unsere Mütter wiederum ganz anders sahen und uns in den nächsten Tage persönlich bei der Schule abgaben, damit wir auf dem Weg dorthin nicht versehentlich falsch abbogen oder von irgendwelchen anderen Dingen abgelenkt wurden. In die gleiche Kerbe hauten dann auch die Lehrer, die Wewe und mich bereits nach der ersten Woche trennten und in unterschiedliche Klassen steckten. Wir hatten keine Chance, es war so eine frühe Art der Isolationshaft, mussten wir so hinnehmen und unsere gemeinsamen Aktivitäten auf die Zeit nach dem Unterricht verschieben. So ging es bis zum Beginn des zweiten Schuljahrs, doch dann zog ich mit meiner Familie in einen anderen Stadtteil und musste somit auch in eine andere Grundschule gehen, was wiederum bedeutete, dass wir uns auch nach der Schule nicht mehr sehen konnten.

Mit dem Fahrrad waren es zirka dreizehn Kilometer quer durch die Stadt, und Busfahrten allein und dann noch mit Umsteigen am Marktplatz waren auch nicht drin. So drifteten wir immer weiter von einander weg, es kamen die dritte und die vierte Klasse, und im zarten Alter von neuneinhalb Jahren konnten wir mit Fug und Recht behaupten: Wir hatten uns auseinander gelebt! Wewe, in der Zwischenzeit auch weggezogen, ging seinen Weg, fand neue Freunde; klar, ganz sicher nicht so einen wie mich – wie auch ich meinen Weg ging, auch neue Freunde fand und auch keinen so wie Wewe, das war auch mal klar, aber so war es nun mal, das Leben zeigte sich für uns gerade von seiner grausamsten Seite.

Dann kam die fünfte Klasse, und es stellte sich die Frage der weiterführenden Schule. Mittelschule oder Gymnasium – genau das war die alles entscheidende Frage, das heißt, eigentlich nicht für mich, als vielmehr für meine Eltern, doch die Antwort beziehungsweise Einschätzung kam von meinen damaligen Lehrern, die mich als den klassischen Realschüler sahen und der Auffassung waren, dass ich für das Gymnasium noch nicht die nötige Reife hatte, man aber gern nach ein bis zwei Jahren auf der Realschule noch einmal prüfen und über einen möglichen Wechsel zum Gymnasium nachdenken könnte. Eine zum Himmel schreiende Fehleinschätzung, also ICH hätte mich natürlich ganz anders eingestuft. Meine damalige Klassenlehrerein **Frau Hauer** war am Tag dieser Entscheidungsfindung garantiert nicht mit dabei, denn zu ihr hatte ich eine ganz besondere Verbindung, sie bekam einmal von mir zum Valentinstag eine rote Rose geschenkt, und SIE hätte in mir garantiert den Akademiker von morgen gesehen – hätte, wenn und aber; ich wurde Realschüler, aber dafür ein megastolzer, denn es ging nicht auf irgend eine Realschule, es ging auf die Voigtschule, und schon das allein erfüllte mich mit Stolz und Freude, denn mein Onkel und Vater gingen bereits auf diese Schule, es gab also schon fast eine vorprogrammierte Dynamik, die Berufung lag uns sozusagen im Blut.

Der Vollständigkeit halber sei aber noch erwähnt, dass ich an dem besagten Valentinstag auf dem Heimweg von der Schule natürlich noch eine zweite Rose, nämlich für meine Mutter, gekauft hatte; ja, ich wusste schon früh wie es ging – oder gehen könnte!

Mit der Realschule ergaben sich dann ganz neue Dimensionen, und ich betrat eine vollkommen neue Welt. Schon der Weg zur Schule mit dem Bus war neu: nicht mehr bummeln und herumschlunzen, pünktlich zum Bus und sich an der überfüllten Bushaltestelle irgendwie einen Weg durch die Massen der *„Großen“* bahnen, möglichst nicht untergehen auch wenn man körperlich fast zu den Kleinsten gehörte – man musste sich als Neuling behaupten, was einfacher gesagt, als getan war, denn im Bus saßen natürlich nur die *„Großen“*, wir Kleinen schleuderten bei jeder Bremsung hin und her, es sei denn, man hatte einen Platz an der Seite gefunden und konnte sich irgendwo festhalten. Die Halteschlaufen waren ganz oben für uns Zwerge unerreichbar an Stangen befestigt, passend für die Großen, aber die saßen ja. Die Stopp-Signalknöpfe lagen auf gleicher Höhe direkt daneben, für uns Schrumpfgermanen natürlich auch nicht erreichbar. Es war ein täglicher Kampf, und ich träumte schon früh davon, wie es einmal sein würde, wenn ich dann zu den Großen gehörte und die durcheinander rollenden Zwerge von meinem Sitzplatz aus beobachten konnte. Doch hier schon einmal vorweggenommen: Als diese Zeit kam, da standen die kleinen Terrorzwerge an der Bushaltestelle, schubsten, traten dir vor das Schienbein, und ehe man sich versah, waren sie auch schon vor dir im Bus, machten sich auf den Sitzplätzen breit und du musstest wieder stehen, aber wenigstens kam man jetzt an die Halteschlaufen.

Was brachte die Realschule noch Neues mit? Anstatt Schulranzen hatte man nun eine Umhängetasche; die alte sorgfältig sortierte und aufgeräumte Federmappe wurde von der Federtasche abgelöst, in die alles wild durcheinander gewirbelt und hineingestopft wurde. Das Radiergummi wurde vom Tintenkiller abgelöst, und anstatt Frühstücksbrot holten wir uns auf dem Weg von der Bushaltestelle zur Schule am Kiosk, Mohrenkopfbröchen, Caramac oder andere lebenserhaltenden Dinge. Und natürlich das wöchentlich neu erschienene Magazin *„Zack“* und *„Mad;,* die Mädchen und die Weichgespülten holten sich die *„Bravo“* und die ganz Harten kauften sich die *„Pop“* oder *„Popfoto“*. So war man bestens ausgerüstet und für den Tag präpariert. Der Schulhof wirkte nass, kalt, unpersönlich und düster – anders als bei der Grundschule, wo unser Hof für die Verkehrserziehung aufgemalte Straßen- und Verkehrszeichen hatte, wir hatten Spielgeräte, aber auf dem neuen Schulhof gab es nichts außer einen alten abgeranzten Fahrradständer, für den man auch noch eine Karte als Zugangsberechtigung benötigte, für Neue undenkbar, und die Alten gaben sie nicht her, auch wenn sie schon längst nicht mehr mit dem Fahrrad kamen.

Anstatt einer Drehspinne, die zuvor Treff- und Sammelpunkt der ABC-Schützen war, gab es hier eine Raucherecke, bei der unglaubliche Typen mit wilden Frisuren durch eine Wolke von Dunst und Qualm zum Vorschein kamen. Diese Typen hatten auch fast alle die gleiche Kleidung an, speckige Flickenjeans, Motorradjacken und Helme unter den Armen. Die Raucherecke machte uns Kleinen echt Angst – und so manchem Lehrer auch!

Zum Betreten des Schulgebäudes gab es zwei gewaltige Treppenaufgänge mit massiven, ausgetretenen Steinstufen, die ganz sicher auch so manche Geschichte erzählen konnten. In den großen langen und vor allem hohen Gängen schallte es wie in einem Museum, Türe knallten beim Verschließen grundsätzlich immer laut, und wenn dann noch die megaschrille Klingel hinzukam, spätestens dann war man wach und sich darüber im Klaren: Die Zeiten des warmen Grundschulgongs, des gesitteten Aufstellens vor dem Eintreten ins Gebäude, des gesitteten Treppe Hochgehens war nun vorbei.

An meinem ersten Tag ging es dann auch gleich bis nach ganz oben in die Aula, denn dort wurden die Neuzugänge begrüßt und auf die neuen Klassen verteilt. Nachdem der Direktor Spange uns begrüßt hatte, verabschiedete er sich auch gleich wieder, denn wie so oft im Leben: Die einen kommen, und die anderen gehen. Seine Dienstzeit als Rektor endete mit dieser letzten Tätigkeit, er wünschte uns allen einen guten und erfolgreichen Weg, übergab das Mikrofon und das Wort an seine Stellvertreterin **Frau Sünamis**, die fortan als Konrektorin die Geschäfte von **Herrn Dr. Spange** übernahm. Das war zu dieser Zeit nicht ganz einfach, denn die damaligen Schulen waren noch streng nach Mädchen- und Jungen aufgeteilt, die älteren Lehrer sprachen sogar noch von Lehranstalten, ja, ja, da herrschte noch Zucht und Ordnung, und auch diese Realschule war noch bis kurze Zeit davor eine reine Jungenschule, wie auf vielen Aushängen noch deutlich sichtbar war: ***Voigtschule, Realschule für Jungen***. Wir waren gerade mal die dritte gemischte Klasse in der Schulhistorie, was in den Pausen insbesondere auf dem Schulhof unschwer zu erkennen war; die fünften, sechsten und siebten Klassen waren gemischt, während die achten, neunten und die zehnten Klassen noch ausschließlich mit Jungen besetzt waren, auch wenn es nach den Frisuren und Haarlängen bei einigen schwer festzustellen und zuzuordnen war.

Dann kam die Verteilung und Zuordnung in der großen, ehrfurchterweckenden Aula, mit der gewaltigen Orgel, die sich am Ende des Saals wie in einer Kirche aufbaute. Die Namen in Verbindung mit den dazugehörigen Klassen wurden verlesen und mein Name ging in die *„5b“*. Unmittelbar danach hörte ich den Namen meines alten Kumpels Wewe, der ebenfalls der *„5b“* zugeteilt wurde. Mein Blick kreiste suchend durch die Aula, und dann sah ich etwas abseits beim Treppenabgang ein kleines Männlein stehen, akkurat mit blauem Sakko gekleidet, Seitenscheitel und noch mit Schulranzen auf dem Rücken. – *„Eyyy Wewe“,* rief ich laut durch die Menge, lief zu ihm, packte ihn an den Schultern und schüttelte ihn hin und her. (So begrüßte man sich früher, wenn man nicht zu viel Zuneigung und Nähe preisgeben wollte, es waren ja schließlich auch neue Mädchen dabei, die einen ebenso bemusterten, wie wir, die neuen Jungs uns so präsentierten!) Allerdings war das in diesem Moment nicht wirklich so wichtig, denn – wir waren wieder zusammen. Doch leider war die große Eypherie auch genauso schnell wieder verflogen und wir spürten, dass es irgendwie anders war, die Zeit hatte uns verändert, denn es fühlte sich nicht mehr so wie bei der ersten Prügelei im Sandkasten an, wie beim Pastor, als wir die Äpfel klauten oder als wir gemeinsam unser Viertel unsicher machten. Wewe hatte sich verändert und das Gleiche wird er bestimmt auch von mir gedacht haben und eigenartigerweise setzten wir uns auch nicht nebeneinander, und in den Pausen waren wir nicht allein unterwegs, es waren immer irgendwie andere mit dabei, dabei gab es doch so viel was es zu erzählen gab. Es war kühler zwischen uns geworden. Beide hatten wir neue Leben begonnen, ich spielte aktiv Fußball, war viel am Trainieren, Wewe hing mit eigenartigen Typen herum, ältere Typen, die immer gut frisiert und gut gekleidet waren und die Pausen meistens auch in der Raucherecke verbrachten. Wir sprachen miteinander, aber irgendwie verstanden wir uns nicht mehr, es war so wie beim Turmbau zu Babel, wo über Nacht durch Gottes Zorn alle eine andere Sprache bekamen, nur bei uns war es nicht Gottes Zorn, vielleicht war es die Raucherecke oder aber auch die Typen, die darin standen, wer weiß. Unsere gemeinsamen Aktivitäten beschränkten sich fortan nur noch auf die Schulzeit, auf eine kühles Hallo, guten Tag und guten Weg. So dümpelten wir von der fünften über die sechste bis in die siebte Klasse, hatten uns mit den beiden neuen Welten arrangiert, in denen wir uns nun bewegten und versuchten dennoch einen Neuanfang, einen Hauch von alter Freundschaft zu reaktivieren und beteiligten uns gemeinsam an einem sehr interessantem Projekt der Schule.

Im alten klassischen Schulsystem hatten die Jungen pro Woche zwei Stunden Werken und die Mädchen Handarbeitsunterricht. Als wir in die siebte Klasse kamen, hatten wir im Zuge eines neuen emanzipierten Projektes die Wahl, uns dafür frei zu entscheiden, natürlich nicht ob *„ja"* oder *„nein"*, so weit ging die Freiheit dann doch nicht, die Möglichkeiten beschränkten sich auf das eine oder eben das andere Unterrichtsfach, was sich jedoch auch sehr schnell wieder relativierte, denn die Zahl der möglichen Teilnehmer war auf sage und schreibe vier Schüler reglementiert, zwei Jungen und zwei Mädchen – zu mehr reichten der Mut, das Vertrauen, die Emanzipation oder einfach nur das alte Denken der einstigen Jungenschule dann doch nicht. – Und noch während sie alle am Überlegen und Nachdenken waren, hoben Wewe und ich wie aus der Pistole geschossen den Arm, bei den Mädchen waren es Antje und Anke, und der Wechsel ins Frauenlager war perfekt, ganz zum Leidwesen der kleinen Handarbeitslehrerin, die zu allem Übel auch noch ein ganzes Stück kleiner als Wewe war und die wir in den nächsten Wochen zur Weißglut bringen sollten. Ihr Name war **Frau Rewissen**, und Wewe nannte sie *„Little Willi"*, natürlich nur, wenn sie nicht in unserer Nähe war, und ich erinnere mich, als sie einmal auf dem Schulhof in einer Gruppe von Mädchen stand und sich über verschiedene Strickmuster oder Maschen unterhielt, da kam Wewe von hinten in die Gruppe und wollte eines der Mädchen ärgern und klatschte seine Hand auf den knackigen Po, doch als sich das Mädchen kreischend und empört umdrehte, da blickte Wewe direkt in das Gesicht von ihr, – von unserer neuen Lehrerin, **Frau Rewissen**, und ich stand, wo auch sonst, natürlich direkt daneben, was schlussfolgernd bedeutete, dass wir beide, Wewe und ich, nur kurze Zeit später einen Termin bei **Frau Sünamis** im Rektorat hatten. Die Sachlage wurde geschildert, alles war schnell erklärt, als peinliches Missverständnis und *„Dummer-Jungen-Streich"* eingestuft; erzieherische Maßnahme: Eine Woche Schulhof Ordnungsdienst mit Zange und Mülleimer!

Grundsätzlich war so ein Ordnungsdienst nicht schlimm, saublöd war nur die Tatsache, dass du eine Woche lang von allen begafft wurdest, und sie alle erfuhren, dass du Mist gebaut hattest, zu blöde warst, dich hast erwischen lassen und man dir darum diese Strafarbeit aufgebrummt hatte. Für diese Woche warst du bei allen Mädchen ausnahmslos – RAUS! Das sind dann die Momente, da denkst du mit dem Eimer in der einen und der Zange in der anderen Hand fast pausenlos über die tollen Ideen deines Kumpels nach.

Während die Mädchen beim Handarbeitsunterricht nähten und verbissen mit ihren Stücken fast schon verschmolzen waren, so, als gäbe es kein morgen mehr, hatten Wewe und ich eher etwas weniger Motivation, lümmelten uns auf den Tischen herum, schickerten mit den Mädchen und versuchten, irgendwie über die Zeit zu kommen. Einige waren allerdings so unschlagbar verbissen, Wewe nannte sie immer die *„Kneif-zangen"*, die brachten wir zur Weißglut, indem wir ihnen von hinten, natürlich ohne dass sie es bemerkten, den laufenden Faden der Nähmaschine durchschnitten, was sie aber erst nach gefühlten Minuten, am Ende der genähten Bahn, feststellten. Das gerade Genähte hielt nicht und fiel begleitet von großem Geschrei wieder auseinander. Und immer wenn das Geschrei zu heftig wurde, mussten Wewe und ich nur eine Tür weiter, denn da lag direkt das Vorzimmer zum Rektorat, **Frau Gretling** kannte uns mittlerweile schon so gut, dass sie uns schon bald direkt beim Namen ansprach.

Wewe und ich schafften es, während des kompletten Schuljahres im Handarbeit-unterricht nichts, aber auch rein gar nichts Konstruktives zustande zu bringen, wir schwammen irgendwie im Strom mit, bis wir gefragt wurden, was wir eigentlich erstellen wollten, da mussten wir nicht nur Farbe bekennen sondern auch gleich noch drei Dinge, die dann auch noch bis zum Schuljahresende abzugeben waren. Gefütterte Topf-, Kochhandschuhe, eine Schürze mit Tasche und einen Schlapphut wollten wir nähen, was von **Frau Rewissen** emotionslos zur Kenntnis genommen und notiert wurde. Damit war es amtlich. Woche für Woche schoben wir das Problem vor uns her, vertrösteten unsere Lehrerin ständig damit, dass wir noch einmal in die nah angrenzende Stadt gehen und die dafür notwendigen Materialien kaufen mussten, verschwanden und kamen natürlich jedes Mal erst kurz vor Ende des Unterrichts mit hängenden Köpfen und fadenscheinigen Ausreden zurück. Ich glaube, **Frau Rewissen** empfand es auch ganz angenehm, dass wir nicht dabei waren, möglicherweise lief es so auch für alle entspannter und ruhiger ab, und ohne den Ausdruck schon jemals gehört zu haben, konnte man von der vielleicht ersten *„win-win"* Situation in unserer Laufbahn sprechen, und wir waren ganz sicher, dass sich bis zur Abgabe der Stücke schon noch eine passende Lösung fand. Vielleicht gelang es uns ja auch, einige der Mädchen auf unsere Seite und somit auch in eine Hilfe mit einzubeziehen, allerdings hatten wir uns damit deutlich verkalkuliert, unsere bösen Aktivitäten der Vergangenheit holten uns ein: Durchtrennter Faden und so hatten nicht nur die Erde als vielmehr sämtliche Hilfsbereit-schaft der Mädchen verbrannt.

Das Schuljahr neigte sich dramatisch schnell dem Ende entgegen, und als wir von der Lehrerin erneut zur Abgabe der drei Dinge aufgefordert wurden, da lief es uns beiden kalt und heiß den Rücken runter, während unsere Kollegen beim Werkunterricht im Übrigen große tolle und durchaus brauchbare Lautsprecherboxen mit Hoch- und Mitteltonlautsprechern und natürlich mit einem mega Bass gebaut hatten!

Irgendwie lief es gerade nicht so richtig gut für uns, ich überlegte kurz, da erinnerte ich mich an den Valentinstag und die Rose, allerdings war mir auch klar, dass dieses Problem hier nicht mit einer läppischen Rose zu lösen war, doch ich hatte einen Plan. Der Plan hieß – wie schon so oft, wenn nichts mehr ging – die Tante! Ich glaube sogar, dass sie Schneiderin war, wusste es aber nicht so genau und legte mir mit Wewe eine nahezu perfekte Strategie zurecht, bei der sie nicht zurück und schon gar nicht NEIN sagen konnte. Es wurden hochwertige Bestechungsutensilien gekauft. Das Sortiment war breit und kalorienreich gefächert, ging von Mozartkugeln über verschiedene Buttertrüffel bis hin zum teuren Pralinenkasten mit den Edlen Tropfen, und ich meldeten uns zu einem Besuch bei der Tante an. Pfiffigerweise hatten wir natürlich die bisher gekauften Materialien – Nessel, Baumwolle, Molton und so weiter gleich mit dabei und mit dem Charme von zwei jungen, lieben und gut aussehenden Gigolos, bezirzten wir sie, und immer wenn die Situation zu kippen drohte, fischten wir ein paar mehr Kalorien aus der Tüte. Die Tante rollte mit den Augen und stimmte schlussendlich zu, aber wahrscheinlich mehr aus dem Grund, uns wieder loszuwerden. Bei der Terminfrage beruhigten wir sie und sagten, dass sie es entspannt angehen lassen konnte, die Abgabe war ja erst drei Wochen später. Das Augenrollen fror ein, ein geöffneter Mund kam hinzu, begleitet von einem unüberhörbaren Auspuster, und noch ehe sie etwas sagen konnte, rief ich: *„Habs doch gewusst, dass du das hinbekommst und uns nicht im Stich lässt, aber bitte mach es nicht zu perfekt, ein paar kleine Fehler dürfen schon dabei sein, bisschen krumm, bisschen schief, sonst glaubt uns niemand, dass wir es selbst gemacht haben",* Wewe nickte und ein: *„Genau, bisschen krumm und schief",* waren das einzige, was er beitragen konnte. Nun noch schnell einen schönen Tag wünschen und noch schneller die Kurve kratzen bevor die Tante wieder zur Besinnung kam und uns möglicherweise doch noch eine Absage erteilte. – Puh, dachten wir, das war schon eine knappe Kiste, denn hätte die Tante uns nicht geholfen, oh, oh, eine Alternative hätte es nicht gegeben, nur ganz sicher einen neuen Termin, mit garantiert längerer Aussprache im Rektorat bei **Frau Sünamis**.

Die drei Wochen vergingen wie im Flug, bei der Abholung bekam die Tante noch eine Rose, ganz nach dem Motto: *„Nach dem Spiel, ist vor dem Spiel“,* denn wer wusste es schon, wofür wir ihre Hilfe vielleicht doch noch einmal benötigten, und da war so eine kleine Rose doch schon mal eine gute Investition in die Zukunft, *„pro aktiv“* hatte ich mal gelernt, und als Wewe und ich die Dinge begutachteten, da traf uns fast der Schlag, denn in keinem Geschäft dieser Welt, hätte man so etwas Sauberes und Gutes und dann auch noch in einer solchen Qualität bekommen können. Wieder befanden wir uns im Wechselbad der Gefühle, kalt, heiß, hoch und runter, und als die Tante uns dann noch Stellen zeigte, an denen der Unterfaden wohl nicht ganz korrekt ... , Schwindel, weiche Knie und Übelkeit vermischten sich mit dem immer noch bestehendem Kalt und Heiß. Wir sahen uns mit großen Augen an, standen fast vor der Ohnmacht, packten die Sachen in eine Tasche und verließen mit einem schwachen, monotonen DANKE, fast wie in Trance die Wohnung der Tante. Im Treppenhaus sah mich Wewe an, stellte sich vor mich und rief: *„Na ganz toll, jetzt haben wir aber auf Sand gefurzt, und wie kommen wir da jetzt bitteschön heraus“,* und seine Augen bekamen das erste Mal seit wir uns kannten einen feuchten, ja fast schon ängstlichen Glanz. Ok, dachte ich, das wird uns auf jeden Fall keiner abnehmen, dass wir es selbst gemacht haben, aber das Gegenteil konnten sie uns auch nicht beweisen. Auch hier hatten wir keine Alternative, also Namen dran und beim Lehrerzimmer zu Händen von **Frau Rewissen** abgegeben.

Die Uhr tickte, der Countdown lief und es dauerte auch gar nicht lange, denn bereits nach der großen Pause, die neue Unterrichtsstunde hatte gerade begonnen, da bekamen wir die frohe Kunde, dass wir uns direkt bei **Frau Sünamis** melden sollten. Donnerwetter, dachten wir, das kam deutlich früher als erwartet, viel Zeit für eine plausible Erklärungsformulierung hatten wir nun nicht, es blieb also nur noch *„Mut zur Lücke“*, dachte ich, klopfte selbstbewusst an die Tür und wir wurden auch gleich von **Frau Gretling** wie von ihrem Verkehrspolizisten durchgewunken. Irgendwie erinnerte die Situation an das Gesellschaftsspiel Monopoly: *Gehen sie ins Gefängnis, gehen sie direkt dort hin, nicht über Los und ziehen sie keine 4.000 Euro ein.* Doch leider war es alles andere als ein unterhaltsames Gesellschaftsspiel, das heißt, unterhaltsam war es ganz sicher auch, jedoch lag das an der Sichtweise des Betrachters und natürlich auch an der Seite des Schreibtisches an der man stand oder saß, denn schon beim Betreten des Rektorats war die Sachlage klar, deutlich und unmissverständlich erkennbar.

Wie zur Präsentation der neusten Modewelt, lagen unsere Designerstücke auf dem fetten Eichenschreibtisch übersichtlich ausgebreitet und gaben dem Rektorat für einen Moment das Flair einer Mailänder Nobelboutique und an der Stirnseite des Schreibtisches, sozusagen am Ende des Laufstegs, stand **Frau Rewissen**, mit einem garstigen Gesichtsausdruck und die Hände kampfbereit in die Hüften gestemmt. Ok, Ring frei zur ersten Runde, dachte ich, jedenfalls signalisierte das ihr düsterer Gesichtsausdruck und die kleinen Blitze, die aus ihren Augen schossen, und klar war auch: Leugnen war jetzt hier die falsche Strategie, Angriff die scheinbar beste Variante, und noch bevor sie etwas sagen konnte, guckte ich zu Wewe und rief: *„Hey Wewe, guck mal unsere „Haute Couture“, jetzt werden wir bestimmt gesondert ausgezeichnet.“* Dabei kreiste mein Blick durch die Runde und es war wirklich interessant, denn unterschiedlicher konnten die Reaktionen nicht sein. Wewe, bei dem ich mir sicher war, dass er den Ausdruck gar nicht kannte und darüber hinaus auch bestimmt gedacht hatte, – maaaan, was redet der da, tänzelte nervös von einem Fuß auf den anderen, knetete unsicher die Hände und wünschte sich bestimmt, dass die Situation ein schnelles Ende fand. Bei **Frau Rewissen** hingegen war eine ganz andere Reaktion zu erkennen, sie atmete immer schneller, pumpte sich auf, war auf Krawall gebürstet, wie man so schön sagte und stand kurz vor dem Ausbruch, was zum Glück auch **Frau Sünamis** erkannte, die ein unverkennbares Schmunzeln im Gesicht hatte, einige Stücke in der Hand hielt und mit einem Lächeln die Qualität bestätigte, nickte und zustimmend sagte: *„Donnerwetter, wirklich sehr gute Arbeit, – ganz liebe Grüße an eine deine Mutter“* und sah mich dabei mit dem souveränen Blick einer erfahrenen Rektorin an. Noch während Wewe mit der drohenden Ohnmacht zu kämpfen hatte, antwortete ich: *„Die Tante, aber vielen Dank, ich werde es ihr ausrichten“,* schmunzelte ebenfalls, denn alles andere hätte ja gar keinen Sinn gemacht. Allerdings dachte ich nun an ein Feuerwerk der Vorwürfe, Beschimpfung und Bestrafung, sah mich gedanklich schon bis zum Ende der Schulzeit mit Eimer und Zange herumlaufen, doch noch bevor **Frau Rewissen** auch nur einen Ton dazu sagen konnte, entließ uns **Frau Sünamis** zurück in die Klasse, was wir uns natürlich nicht zweimal sagen ließen, drehten auf dem Absatz und wie vom Katapult angetrieben war es Wewe der als erster wie ein Pfeil nach draußen schoss. Ich folgte ihm und muss gestehen, dass ich mit so einer Reaktion nun auch nicht gerechnet hatte und schloss verunsichert hinter uns die Tür.

Auf dem gesamten Weg zurück in die Klasse war es zwischen Wewe und mir still geworden, erst in der nächsten Pause ging das Feuerwerk dann richtig los. Wewes schulischen Leistungen waren alles andere als gut, er stand schwer auf der Kippe und konnte sich nichts, noch nicht einmal einen Ausrutscher in Handarbeit leisten und hatte wahrscheinlich auch genau deswegen diese kurzzeitige Schnappatmung. Er hatte sich verändert, interessierte sich noch nicht einmal mehr für den kleinen blonden Wuschelkopf aus der *„d“*, die im laufenden Schuljahr aus Freiburg zu uns auf die Schule kam und die immer eine Traube von Typen aus den höheren Klassen um sich herumgescharrt hatte. Sie war eine kleine süße Maus, auch nur ein laufender Meter so wie Wewe, und sie anzusprechen, traute sich kaum einer, aber sie hatte ja auch genug mit den *„Großen“* aus der Raucherecke zu tun, den Typen mit den Lederjacken und den Motorradhelmen unter dem Arm. Das Schuljahr ging zu Ende, die Zeugnisse wurden verteilt, und was soll ich sagen, wir bekamen in Handarbeit die Note drei, befriedigend, und ich überlegte, ob ich Berufung einlegen sollte? – Das war natürlich nur Spaß, denn ich denke, dass wir so sehr gut aus der Nummer herausgekommen waren, keiner sprach mehr davon, und das war auch gut so, und die große Pralineninvestition durfte man natürlich auch nicht vergessen. Fazit – puh, noch mal Schwein gehabt oder aber: Es war ein unglaubliches Glück, mit **Frau Sünamis** eine Rektorin bekommen zu haben, die nicht nur die Situation erkannte und richtig einschätzte, sondern auch den Konflikt, der sich unübersehbar zwischen **Frau Rewissen** und uns aufbaute, mit den entsprechenden Maßnahmen souverän, lehrreich und vor allem eskalationsfrei zum Ende brachte!

Doch Wewe half es trotzdem nicht, er hatte es nicht geschafft und war, wie man damals so schön sagte, sitzen geblieben und musste die siebte Klasse wiederholen, eine Ehrenrunde drehen, was ja nicht weiter schlimm war, aber er kam in die *„c“* und das war mehr als Höchststrafe. Es fühlte sich an, wie eine Mischung aus *„Archipel Gulag“,* dem über die Sowjetunion verteiltem Lagersystem der Zwangs- und Arbeitslager, über das so eindrucksvoll, wie vielleicht von sonst keinem anderen beschrieben und berichtet wurde, als vom Literaturnobelpreisträger Alexander Issajewitsch Solschenizyn, der selbst zu acht Jahren Zwangsarbeit verurteilt wurde und mehrerer dieser Lager im *„Gulag“* zu überleben versuchte, ihre ganze Brutalität und Härte zu spüren bekam und es in seinem 1973 veröffentlichten, gleichnamigen Buch der Literaturwelt mitteilte und auch für sich selbst ein Stück weit verarbeiten konnte – und der *„Iles du Salut“* oder auch *„Archipel der Verdammten“* genannt, der alten französischen Strafkolonie, die von

1852-1951 auf der sogenannten *„Teufelsinsel“* in Französisch-Guayana und da half es auch nichts, das die Küste bereits 1498 vom großen Entdecker Christoph Kolumbus auf einer seiner ersten Reise entdeckt wurde, die ja eigentlich ein Wettlauf mit Portugal um den besten Seeweg nach Indien war. Interessanterweise war das erste Ziel seiner Reise eine Hafenstadt in China, die aber zur damaligen Zeit zum Sprachgebrauch Indiens gezählt wurde. – Gut, zugegeben, der Vergleich hinkte ein wenig, vielleicht war es auch etwas hoch gegriffen und zu dramatisch dargestellt, Fakt aber war und blieb, – Wewe war sitzen geblieben und kam nun in die *„c“*!

In der *„a“* waren immer die Streber, die meinten, dass sie etwas Besseres waren, die Lackaffen, die Muttersöhnchen; die *„b“*, na was soll ich da jetzt sagen? *„b“* war halt *„b“* und stand irgendwie für Elite, Energie, Feuer – nicht, dass sich die Lehrer um uns rissen, aber wahrscheinlich waren sie *„begeistert“*, und dafür stand das *„b“*. Die *„c“* waren da noch einen Zacken schärfer, genau das Gegenteil der *„a“*, um in der *„c“* zu überleben, musste man entweder geistig unterbemittelt oder ein Schläger sein oder sogar beides, denn oft lagen diese beiden Charaktere dicht beieinander. Ja, ich weiß ich eigentlich gar nicht mehr so genau, die in der *„d“* fielen nie so richtig auf und überhaupt gar nicht ins Gewicht. Man sah sie nicht, man hörte sie nicht, aber trotzdem waren sie da. Waren nicht Fisch und nicht Fleisch, so die stille Fraktion, wahrscheinlich steckten sie all jene dort rein, die nicht in die *„a“*, *„b“* oder *„c“* passten. Ich hatte mal eine kleine Freundin, die war tatsächlich auch zwei Klassen unter mir in der *„d“*, sie war auch anders als ich, war still, ruhig, schüchtern, na, ja, man war so befreundet. Und natürlich war auch die kleine Freiburgerin in der *„d“* – sie machte nichts kaputt, war aber auch nicht die Heldin, einfach nur schön zum Ansehen, klein, süß, blond und hatte einen *„Knackarsch“,* wie Wewe immer sagte und nun kam gerade **ER** in die *„c“*, der Untergang schien vorprogrammiert!

Die Schere zwischen uns ging immer weiter auseinander, wir sahen und sprachen uns nur noch selten, er war fast nur noch mit diesen eigenartigen Typen zu sehen. Rauchen, Alkohol, Spielhallen und andere Geschäfte über die ich nichts wissen wollte. Die Schulzeit war zu Ende, und spätestens ab da sollten wir uns nun vollends aus den Augen verlieren.

Es vergingen vielleicht zehn Jahre, da stand ich bei einem Einkauf mit meiner Schwester an der Kasse im Supermarkt, und vor mir stand eine hübsche, junge Frau. Ich sah sie an, und irgendwie erinnerte sie mich an jemanden. Sie spürte, dass ich sie bemusterte, wurde ganz huschig, und ich war mir fast sicher, gleich ein paar geflammt zu bekommen, hatte aber immer noch keinen Schimmer, wo ich sie hinstecken sollte. Erst als ich neben ihr eine ältere Dame mit schneeweißem Haar stehen sah, da erkannte ich Wewe`s Mutter und schlussfolgerte bei der jungen Frau die Tochter, also Wewes Schwester, tippte ihr auf die Schulter, und als sie sich etwas distanziert und genervt umdrehte, rief ich freudig und laut: *„Meeeensch Pummi"* und nahm sie in den Arm. Spätestens da wäre es der richtige Moment für eine Ohrfeige gewesen, und ein leichtes Zucken ließ es auch vermuten, doch dieses *„Pummi"* hielt sie irgendwie zurück, denn so durften sie ja NUR die Mutter, Wewe und ich nennen, auch wenn mittlerweile einige Jahre vergangen und aus der kleinen Bärbel eine hübsche junge Frau geworden war. Wir waren noch damit beschäftigt, die Gedanken zu sortieren, da drehte sich die Mutter um, sah mich und rief mindestens doppelt so laut meinen Namen, dass man es auch noch am Ende des Supermarktes bis hin zur Wursttheke hören konnte, allerdings den Namen, den sie für mich seit der Kindheit her benutzte und ein schrilles, ***„Büüüübie"*** durchdrang schon fast kreischend den Supermarkt. Meine Schwester lachte, Pummi ebenso, und der Rest der Besucher sah mich unter großem Gelächter an, und ich hörte wie sie tuschelten, den Namen *„Bübi"* wiederholten, und stand da mit knallroter Birne.

Als wir den Kassenbereich passierten, stellten wir uns etwas an die Seite, sprachen über die alten Zeiten, und ich hatte echt Angst, mich nach Wewe zu erkundigen, denn ich befürchtete, nichts Tolles über ihn zu erfahren. Sein Umfeld und die Schritte seiner Entwicklung ließen schon erahnen, wohin sein Weg hätte gehen können, doch dann fasste ich mir ein Herz und fragte ganz vorsichtig, schon fast leise und mit leicht gesenktem Kopf, – *„... und Wewe, was ist aus ihm geworden",* und ich sah die Mutter mit den gleichen feuchten Augen an wie damals Wewe, als er sich mit unserer Mode-kollektion fast in die Hose gemacht hätte. *„Tja"*, sagte die Mutter, *„Wewe",* presste die Lippen zusammen, seufzte etwas dabei, und dann erzählte sie, dass er eines Tages zu ihnen ins Wohnzimmer kam und sagte, dass er sich jetzt für einen Weg entscheiden müsste, ob er nach rechts oder nach links gehen sollte, denn er stand bereits mit einem Bein auf der dunklen, der Schattenseite des Lebens oder besser gesagt des Gesetzes, und glücklicherweise hatte er sich für die richtige Seite entschieden, war verheiratet, hatte zwei Kinder und arbeitete als Hauptkommissar in Hannover.

Wow dachte ich und ganz ehrlich, darüber hatte ich mich sehr gefreut und bat die Mutter, ihm ganz liebe Grüße auszurichten oder noch besser, bei einem nächsten Besuch mich zu verständigen, damit wir uns vielleicht wiedersehen konnten. Doch die Mutter sagte, dass er nicht mehr so häufig nach Hause käme, denn wie es halt so oft im Leben und in Partnerschaften passierte, war auch diese Ehe leider in die Brüche gegangen. Tatsächlich bekam ich aber dann doch irgendwann einmal seine Telefonnummer heraus und rief ihn an. Wir sprachen über die alten Zeiten, den Sandkasten und über das abgeschnittene Ohr des Bruders, aber irgendwie war es so, wie bei unserem letzten Kontakt in der Schule, bevor wir uns dann aus den Augen verloren. Die Zeit hatte uns verändert, zwei unterschiedliche Leben mit unterschiedlichen Wegen. Er erzählte mir, dass er in einer Kriminalsendung als Berater im Fernsehen zu sehen war, dort von einer alten Freundin erkannt wurde, und dann nahm das Schicksal seinen Lauf. Schnelle Kontaktaufnahme, er packte seinen Koffer, ließ sich nach Augsburg versetzen und zog mit der alten Freundin zusammen. Schnell wurde geheiratet und am Ende des Telefonates wurde er ganz still und sprach ganz, ganz leise weiter: *„Und ich soll dich ganz lieb von meiner Frau grüßen“,* sagte er, wartetet einen Moment, bevor er genauso leise weiter sprach. *„Von meiner Frau grüßen, die in Freiburg geboren ist, dann irgendwann als Teenager in eine andere Stadt zog, in eine neue Schule ging und dort in eine „d“-Klasse gesteckt wurde“.* Wieder wurde es still, und nun war ich es, der wie ein Hauptkommissar die Fakten aneinander reihte. Wewe nutzte die Stille, genoss es scheinbar, mich im Trüben fischen zu lassen, dann sagte er mit lachendem Unterton: *„Sie ist immer noch ein kleiner blonder Engel und halt dich fest“,* machte eine erneute Pause, bevor er fast schon flüsternd weiter sprach, *„und den ‚Knackarsch‘ hat sie immer noch“,* dann lachte er, als hätte er damit seinen letzten Trumpf ausgespielt und das Spiel gewonnen. Ich freute mich für ihn, ja, für beide, und ich war mir ganz sicher, dass wir uns nun nicht mehr wirklich aus den Augen verlieren und uns bestimmt sehr bald auch wiedersehen würden – doch leider ist es dazu nicht gekommen.

Das war zwar keine Prüfung, aber manchmal entwickelt sich so etwas im Sandkasten und noch heute muss ich Schmunzeln, wenn ich gefragt werde, *„noch ein Stück Sandkuchen dazu?“*

Und so trieben mich meine Gedanken voran durch den stillen Weg zwischen den Feldern, die von den Wassergräben umgeben waren, und ich hatte schon fast den Fuß des Deiches erreicht. So viel wieder einmal zum Unterbewusstsein, meine Gedanken waren bei meinem Freund Wewe in der Vergangenheit, und mein Unterbewusstsein steuerte und koordinierte die Schritte, hielt die Richtung und führte mich bis an das kleine Gatter, das die Deichschafe zurückhielt. Ich steppte die Treppe mit den kurzen Stufen empor und blickte auf das Wasser, das heute gut und ausreichend zu sehen war. Zielstrebig steuerte ich auf Georgs Kiosk zu und wollte mal sehen, was bei ihm so am Dienstag früh los war, was heißt früh, 11 Uhr war schon durch, das Mittagessen konnte ich damit wohl ausfallen lassen, aber dafür saß ich ja bestimmt am Abend noch lang genug im Haus. Am Kiosk angekommen konnte ich zwar **Georg** hören, sah ihn aber nicht, er steckte hinter der kleinen Bude und arbeitete an einem Boot. Dazu hatte er seine dicken schwarzen Stiefel an und machte mit einem Pinsel bewaffnet ein paar Wartungsarbeiten. Als er mich bemerkte, rief er mir ein kurzes und knappes aber dennoch langgezogenes *„Mooooin“* entgegen und fragte mich, was mich denn schon so früh zu ihm verschlagen hatte. *„Na, ja, der Zaubertrank war es jedenfalls nicht“,* erwiderte ich und lachte dazu und erzählte ihm, dass ich einfach nur so einen Spaziergang zum Gedankensortieren machen wollte und wie von einem Magnet angezogen schwupps auch schon wieder da war. *„Soviel zum Zaubertrank“,* sagte er mit hochgezogenen Augenlidern und lachte ebenfalls. Aber ein Alkoholfreies, das ging eigentlich immer und **Georg** rollte mit den Augen, marschierte in die Bude und ich konnte nur noch ein paar Wortfetzen verstehen, die er sich wie schon beim letzten Mal in den Bart gemurmelt hatte: *„Kann man, – muss man aber nicht“,* den Rest konnte ich dann nicht mehr verstehen. Aber das war mir egal, denn wenn ich jetzt diese Zauberdröhnung getrunken hätte, dann hätte ich für heute Abend schwarz gesehen oder vielleicht sogar – blau! *„Wenn`se noch was brauchen, einfach rufen“,* sagte er, stellte das Bier mit dem Glas auf den kleinen Tisch vor mir ab, zeigte in Richtung der Bude und sagte: *„Bin dann wieder beim Boot, der Lack ist ab“,* drehte sich um und verschwand. Doch kaum war er hinter der Ecke verschwunden, da blickte sein Kopf noch einmal um die Ecke zurück, sah mich an und korrigierte: *„Nur das se` das auch richtig verstanden haben – vom Boot is` der Lack ab“,* hob dabei mahnend den Pinsel in die Luft und verschwand wieder. Nichts anderes hatte ich gedacht und auch nicht erwartet und überhaupt, die Gedanken waren ja frei.

Ich blickte aufs Meer, beobachtete die Möwen, die im Sturzflug wie ein Jagdbomber nach unten düsten, um Nahrung aus der See fischten. Dazu trank ich gemütlich mein alkoholfreies Bier und machte mir einen gedanklichen Plan, wie ich den restlichen Tag verbringen wollte. Lange konnte man bei **Georg** nicht sitzen, nicht dass es nicht entspannend oder schön war, nein, nein, ganz im Gegenteil, es war zu ruhig und man neigte dazu, wegzunicken und einzuschlafen, also beschloss ich für heute, es nur bei einem Kurzbesuch zu belassen, und bevor er mich dann doch noch zu einem seiner hochprozentigen Dinge verführen konnte, ging ich um die Ecke, steckte im das Geld in die Jackentasche und verschwand. Er blickte mich an, hob den Arm was soviel wie ein Danke, Tschüss oder bis bald heißen konnte und ging auf der Deichkrone den Weg entlang, der mich Schritt für Schritt vom Haus entfernte. Es war ein anderer Weg als beim letzten Mal, Zeit hatte ich ja genug und musste mich nur später irgendwo nach links orientieren, dann sollte ich auch schon wieder bis zum Haus zurückkommen. Es war ein angenehmer Weg, etwas fürs Auge, frische Luft ging um die Nase, und hin und wieder konnte man sogar einen kleinen Kutter vorbeischippern sehen. Mit strammem Schritt kam ich gut voran, und als ich mich einmal umdrehte, um meine zurückgelegte Strecke anzusehen, da war der kleine Kiosk kaum noch zu erkennen. Im weiteren Streckenverlauf zog sich der Deich in leichtem Linksbogen der Küstenlinie entlang, wo dann am Horizont die Umrisse einiger Häuser zu erkennen waren, auf die ich zielstrebig zusteuerte.

Um in die Siedlung, zu den Häusern zu gelangen, musste ich nun den Deich verlassen, ging ein Stück auf der kiesbedeckten Straße, na, ja, eher auf einem Weg, der direkt in den kleinen Ort führte. Schon nach ein paar Häusern und Gassen erkannte ich, in welchem Ort ich mich befand, spätestens als ich vor dem Scharfen Eck stand, war es eindeutig und klar. Ich war einfach nur von der anderen Seite, der Küstenseite in den Ort gekommen und freute mich gerade sehr, einen neuen Pausenpunkt gefunden zu haben, der mir auch noch bestens vertraut schien. Das Wetter war schön, und ich setzte mich an einen der drei Tische in dem kleinen Garten, der natürlich längst nicht so prunkvoll hergerichtet war, wie die anderen Vorzeigerestaurants an der Promenade in dem nicht weit entfernten Kurort, aber es sah gemütlich aus, und das war es, was ich wollte. Ich war knapp zwei Stunden unterwegs, es war kurz nach halb zwei und genau der richtige Zeitpunkt für eine weitere Pause.

10.2__ Sylke mit Y, – nicht Siiieeelke

Ich ging ins Lokal, um meine Bestellung aufzugeben, doch nicht der Wirt stand mir da gegenüber, eine junge Frau mit großer schwarzer Brille und Lockenkopf lächelte mich an und begrüßte mich mit einem fröhlichen: *„Bitteschön."* Ja, was wollte ich denn eigentlich, zuerst etwas trinken und dann vielleicht ein Eis, ja, genau, Eis, dachte ich, das war eine gute Idee. Ich fragte die Bedienung, ob sie auch Eis im Programm hätten, und sie zeigte mir am Ende der normalen Speisekarte eine kleine Auswahl von Eisvariationen: Gemischtes Eis, Vanilleeis mit heißen Himbeeren, Banana-Split oder Coupe Denmark. Ehrlich gesagt, hatte ich das jetzt gar nicht erwartet und entschied mich für ein Vanilleeis mit heißen Himbeeren und zuvor ein frisches, kühles, gezapftes Bier. Ich war um diese Zeit tatsächlich der einzige Gast im Lokal, noch nicht einmal der alte Mann, der auf dem Thekenhocker festgewachsen schien, war zu sehen. Das Bier war in Arbeit, das Eis auch und ich ging zurück zum Tisch nach draußen in den kleinen Vorgarten. Dort konnte man auch gut sitzen und einfach nur nichts tun, dachte ich und beobachtete mein Umfeld. Es waren einige Geräusche zu hören, Straßen- und Verkehrsgeräusche, die von der Durchgangsstraße durch die kleinen Gassen bis zum Scharfen Eck drangen. Ich griff mir eine Zeitung, die auf der Sitzfläche des Nachbarstuhles lag, und überflog ein wenig die fetten Überschriften, als auch schon mein frisch gezapftes Bier mit einem freundlichen Lächeln und einem: *„Wohl bekomms"* von der netten Bedienung gebracht wurde.

Und so saß ich da, hielt mein kühles Bierglas mit beiden Händen und sah verträumt ins Nichts und hatte irgendwelche Gedanken, allerdings könnte ich jetzt noch nicht einmal sagen, über was ich da gerade nachdachte. Das war so eine Situation, wie sie ein jeder schon tausend Mal erlebt hat. Du sitzt da herum und staunst Löcher in die Luft und denkst an nichts. Genau so eine Situation hatte ich ja bereits beschrieben, als ich von meiner Klassenkameradin in der *„5b"* eine geflammt bekam, weil sie dachte, ich hätte ihr einen Handkuss zugeworfen, dabei hatte ich auch damals einfach nur dagesessen und an eben NICHTS gedacht! Und genau solche Gedanken werden aus der tiefsten Erinnerung abgerufen, wenn man beginnt nachzudenken, zu träumen oder wenn man einfach an gar nichts denkt. Vom einen Traum ging es nahtlos in den anderen über, denn das knirschende Geräusch vom Kies unter den Schritten der netten Bedienung signalisierte mir – Eis ist da. Wow, dachte ich, lecker, denn Eis hatte ich tatsächlich schon lange nicht mehr gegessen, Kuchen fast täglich, – Eis nicht.

„Vielen Dank an die Küche“, gab ich an die freundliche Bedienung weiter, als sie den Becher mit den dampfenden heißen Himbeeren vor mir abstellte. Sie blickte mich mit einem Lächeln an und erwiderte: *„Vielen Dank, nehme ich gern so an, denn bis 18Uhr bin ich Wirt, Bedienung und der Küchenchef, denn erst dann, wenn es hier etwas lebhafter wird, kommen der Chef und die Chefin“,* gemeint waren der Wirt und seine Frau, die dann am Abend für die leckeren Dinge aus der Küche zuständig waren. *„Ok, dann eben eine herzliches Dankeschön an das Tagesteam, bin ja seit neuestem auch Stammgast hier“*, lachte und fügte ein *„bin heute immerhin schon zum dritten Mal hier“* hinzu, streckte meine Hand entgegen und stellte mich vor. *„Wow, das dritte Mal schon“,* sagte sie mit weit geöffneten Augen und hochgezogenen Lidern, *„Donnerwetter, dann haben sie mir sogar etwas voraus, denn heute ist es erst mein zweiter Tag“* und lachte dabei noch herzhafter als zuvor, streckte mir ebenfalls die Hand entgegen und stellte sich als Sylke vor, mit *„Y“*, nicht mit *„i“*, denn sonst würde es ja Siiiieeelke heißen, drehte sich mit einem Schmunzeln um und verschwand zurück im Lokal.

Der Duft der Himbeeren stieg mir in die Nase, und es war schon ein kleines Feuerwerk, als ich den ersten gefüllten Löffel mit dem Gemisch aus kalt und heiß in den Mund schob und es auf der Zunge zergehen ließ. Im Grunde genommen hätte ich auch dabei die Augen schließen können, denn dieser Moment gehörte nur meinen Geschmacksnerven und dem Eis. Ich glaube, ich war in der richtigen entspannten Vorbereitung für den Abend, erst der Spaziergang, eine Pause hier, eine Kleinigkeit da, etwas Träumen, alles war völlig entspannt, doch was ist eigentlich eine richtige Vorbereitung? Auch da gibt es ganz sicher die verschiedensten Möglichkeiten. Ein Sportler muss sich durch Training nach Plan auf den entsprechenden Wettbewerb vorbereiten. Bei den Boxern zum Beispiel habe ich gehört, dass sie sich unmittelbar vor dem großen Kampf einmal völlig auspowern, damit sie über den Punkt der ersten Erschöpfung hinweg sind und dann erst mit dem sogenannten *„Tunnelblick“* in den Ring gehen können. Bei der Vorbereitung auf einem Nachtmarathonlauf erinnere ich mich daran, dass wir schon einige Tage zuvor unglaublich viele Nudeln als Energiespeicher zu uns genommen hatten und am Tag vor dem Start noch den nötigen Schlaf dafür vorholten. Vor einer großen Denksportaufgabe schließt man auch gern für einen Moment die Augen, um so eine größere Konzentration zu finden und unwichtige Dinge auszublenden. Bei einer Weinprobe nimmt man zwischen den Kostproben auch gern ein Stück Käse oder Weißbrot, das den vorherigen Geschmack neutralisieren soll, um für den neuen Wein eine objektive Bewertung abgeben zu können.

Selbst gut durchtrainierte Sportler müssen unmittelbar vor dem aktiven Einsatz ihre Bänder und Muskeln vorbereiten, damit sie verletzungsfrei auf Betriebstemperatur kommen, und auf eine OP wird man mit entsprechenden Untersuchungen vorbereitet, vor Kälte schützen wir uns mit entsprechender Kleidung oder machen uns durch Bewegung warm, und bei Wärme präparieren wir uns genau umgekehrt. Eigentlich muss man nur vorher analysieren, was im Falle des Falles alles schiefgehen oder passieren könnte, nicht muss, aber kann, und darauf könnte man hinarbeiten, sich präparieren und entsprechend vorbereiten.

10.3__ Manager, Meister, Vorbereitung

Und genau so tat ich es auch vor einigen Jahren, als mir eine große und wichtige Prüfung bevor stand – meine Meisterprüfung. Der Meistervorbereitungskurs dauerte nur knapp ein Jahr; ein Jahr, in dem sich für mich vieles verändert hatte. Bislang war man täglich von früh bis spät an seinem Arbeitsplatz gewesen, stand den ganzen Tag unter Strom, war konzentriert und brachte Höchstleistung nicht selten zwischen vierzehn und sechzehn Stunden täglich. Samstag ein paar Stunden, Sonntag die Planung und Vorbereitung für die neue Woche, Freizeit, Familie und Gesundheit wurden ganz weit hinten angestellt. Workaholic war nicht der zweite, sondern mein erster Vorname, aber der Körper war diesen Dampf, Stress und Rhythmus gewohnt, was nicht bedeuten sollte, dass das eine vorbildliche und schon gar keine gesunde Lebensweise war, doch mit vierundzwanzig Jahren steckte der Körper es noch gut weg, und man war leider nicht genügend darauf sensibilisiert, welche Folgen, ja sogar spätere Schäden sich daraus entwickeln konnten.

Und so packte ich meine sieben Sachen und machte mich auf den Weg nach Süddeutschland in Richtung Bodensee, ins Schwäbische Land, nach Biberach an der Riss. Im Grunde genommen eine sehr gemütliche und bescheidende Gegend, geprägt vom, *„schaffe, schaffe, Häusle baue“*, der Schwäb`schen Eisenbahn und natürlich von den Spätzle oder auch Kässpatzen genannt, die nur ein kulinarischer Grund waren, das Ländle einmal zu besuchen. Und genau dort startete ich mit dreiundzwanzig anderen jungen Männern den Meistervorbereitungskurs.

Das ersten Treffen war es zunächst noch ein gegenseitiges Bemustern und Abschnuppern, wie sieht der denn aus, wo kommt der her, und schnell hatte man seine Bilder und Einschätzungen der neuen Kollegen gewonnen und abgespeichert. Beim späteren Kennenlernabend bildeten sich dann auch gleich die entsprechenden Gruppen; so, als hätte man sich gesucht und auch gleich gefunden, und an diesem Abend war die Wirtschaft fest in unserer Hand – die jungen Meisterschüler zu Gast im *„Alten Haus“*.

Die schüchterne, zugeknöpfte Seitenscheitelgruppe hatte sich schnell an den hinteren Tischen eingefunden, solidarisierte sich mit den Cola-, Saft- oder Schorletrinkern und bildete schnell eine gemeinsame Interessengemeinschaft – die *„Frühgeher-Gruppe“*. Zurück blieben die Lauten, die Prahlärsche, die Vieltrinker und Spätgeher. Etwas abseits am Nebentisch, einem Stehtresen mit der Möglichkeit, den Fuß locker und lässig darunter zu stellen, standen oder saßen auf den Barhockern die Arroganten, die Überheblichen, die weder zu der ersten noch zu der zweiten Gruppe gehörten und nicht nur glaubten, dass sie etwas Besseres waren, sondern es auch noch fest davon überzeugt in jeglicher Art und Weise demonstrieren und zur Schau stellen mussten. Sie waren die Allwissenden, die geistigen Überflieger, die jede Antwort schon parat hatten, noch bevor die Frage überhaupt gestellt war. Sie konnten alles, waren schon überall und spielten fast den ganzen Abend lässig mit dem Autoschlüssel in der Hand, damit auch noch der letzte im Lokal erkennen konnte, das da vor der Tür ein dicker Sportwagen oder eine fette Limousine stand, die aber, wie sich später bei fast allen dieser tollen Hechte herausstellte, eine freundliche Leihgabe vom Papa daheim war.

Und eine ganz scharfe Gruppe war die, die an diesem ersten Abend gar nicht mit dabei war, denn die gemeinsamen Interessengebiete hatten sie schon frühzeitig, bereits beim ersten Zusammentreffen im Klassenraum erkannt, gefunden oder besser noch errochen, denn während wir anderen Neulinge noch damit beschäftigt waren, den für uns besten Platz im Raum zu finden, hockten diese Typen schon dicht beieinander und tauschten nicht nur ihr Gedankengut, sondern auch kleine Geschenke untereinander aus. Wahrscheinlich reichte ein Blick in die Augen, und man wusste, mit wem man es zu tun hatte, ich war dafür zu blöd und wahrscheinlich auch zu naiv und hätte wahrscheinlich noch saudumm gefragt, ob derjenige erkältet war, weil er so glasige und gerötete Augen hatte.

Ja, zu welcher Kategorie gehörte ich? Eigentlich passte keine so richtig, die letzte der verschnupften Kollegen war es definitiv nicht, vielleicht gab es da dann noch eine fünfte Gruppe, die sich aber erst in den nächsten Tagen finden und bilden sollte. Wir waren so eine Absprengung, wir, das waren Holger, Bernhard, Simon und ich. Holger und Bernhard kamen beide aus der Pfalz, Simon aus der schwäbischen Region und hatte fast Heimrecht und ich, na, ja, ich war der, der am weitesten entfernt lebte und wurde von allen nur das Nordlicht genannt, obwohl ich eigentlich geografisch fast genau vom Mittelpunkt Deutschlands kam.

Holger war ein grundsätzlich unauffälliger eher stiller Typ, und sein Interesse beschränkte sich eigentlich auf nur zwei für ihn wirklich wichtige Dinge im Leben, Heavy Metall und seinen tiefer gelegten weißen VW Scirocco. Wer einmal das Vergnügen hatte bei ihm mitzufahren, der konnte sich direkt von diesen beiden Macken überzeugen, denn während aus den Lautsprecherboxen der Heavy Metall Sound dröhnte, klopfte er hektisch mit dem einen Zeigefinger im Takt dazu auf das Lenkrad, mit der anderen Hand steuerte er den Wagen sorgsam und fast im Schritttempo über selbst schon geringe Bodenwellen, in der Angst, sein ultimativer Rennwagen könnte dabei aufsetzen und auseinanderfallen.

Bernhard, der im wöchentlichen Wechsel mit Holger Fahrgemeinschaften bildete und somit zwangsläufig auch Heavy Metall geschädigt war, mit dem war schon etwas mehr los, doch leider lief sein Interesse schon sehr früh in eine ganz andere Richtung, genauer gesagt, in Richtung der Kneipe *„Paraplü“*, die nur einige Meter entfernt vom *„Alten Haus“* lag, denn dort hatte er eine Liaison mit der Inhaberin und studierte mehr Bier- und Schnapssorten als tiefgründige Dinge für die Meistervorbereitung – eine schwerwiegende Fehlentscheidung, wie sich schon bald herausstellen sollte, denn die Rechnung kam nicht mit dem Wirt und schon gar nicht mit der Wirtin, sie kam mit dem Tag der Meisterprüfung, als ihn die Realität und die verlorenen Stunden der vergangenen Monate wieder einholten, mit ihr die späte und schmerzhafte Erkenntnis, bei der Wahl der Leistungsfächer, nicht den glücklichsten Griff getätigt zu haben. Jedenfalls nicht mit Sicht auf die Prüfung und den weiteren beruflichen Werdegang.

Ja und dann war da noch der Simon, ich glaube, er war der einzige in unserem Kurs, der das ganze wirklich ernsthaft und konzentriert vom ersten bis zum letzten Tag durchgezogen hatte, auf jeden Fall sah es bei ihm von Anbeginn danach aus, denn bereits beim Betreten des Klassenraumes sah er wie ein wichtiger Geschäftsmann, wie der Manager von morgen aus und wir hatten zunächst Zweifel, ob es sich bei ihm um den Lehrer oder einen Schüler handelte. Trenchcoat, Köfferchen, ordentliches Sakko mit Krawatte. Er setzte sich direkt wie ich auch in die erste Reihe, und uns trennte nur der Mittelgang, der durch die Tischreihen führte. Ich sah ihn an, und mein erster Kommentar war: *„Der Manager",* was dann auch fortan sein Spitzname sein sollte. Simon machte alles mit, war bei allem mit dabei, war aber auch immer zurückhaltend und sehr diplomatisch. Er war still, wenn es sein musste, aber auch laut, wenn auch nur sehr selten, auch wenn es sein musste. Er war so vieles, keiner konnte sich so anpassen wie er, hätte mit jeder der zuvor beschriebenen Gruppen losziehen können, ok, vielleicht mit Ausnahme der *„einen"* und war obendrein auch noch schlau und intelligent. Man sagt ja immer, dass sich zwei suchen und finden, wir hatten uns gefunden, und dass was der eine nicht hatte, ergänzte der andere mit seinen Fähigkeiten, und was zunächst aus Sympathie entstand wurde schon sehr bald zu einer festen Freundschaft, die bis heute besteht und über die ich sehr froh und dankbar bin. In diesem knappen Jahr haben wir vieles erlebt, gemeinsame Reisen unternommen, haben gelacht und geweint, waren kritisch aber auch ernst, vor allem aber immer ehrlich zueinander. Und der Knaller der Geschichte war, dass der Simon noch nicht einmal ein *„Schwab`"* war, obwohl wir das alle dachten. Er sagte einmal: *„Du, I bin koi Schwab`, I bin Badenser",* ich überlegte kurz, sah in an und antwortete: *„Simon, das macht gar nichts, Du weißt doch, es gibt badische und unsymbadische"*, lachte ihn an, womit wir es geklärt hatten, denn er gehörte definitiv zu den ***„badischen"*** Menschen, um nicht zu sagen, zu den ganz ***„symbadischen"!***

Unsere Strategie für die Meisterschule war ebenso einfach wie auch klar: Mitnehmen was geht, krachen lassen wo`s geht, aber alles nur bis zur Halbzeit. Dann sollte es ernst werden, die Gangart wurde um eine Stufe angehoben, die Zügel angezogen, wie man so schön sagte, was bedeutete, dass wir uns jeden Tag für zirka zwei Stunden treffen wollten, um den Stoff des Tages konzentriert zu wiederholen, Defizite aufzuarbeiten und mögliche Lücken, Schwachpunkte, bis hin zu handfesten *„Blackouts"* in Gemeinschaftsarbeit zu klären und zu beheben.

Auch Holger und Bernhard beteiligten sich zunächst noch an dem Programm, doch die Anfangseuphorie war auch genauso schnell wieder verflogen, und Holger war dann der erste, der sich schon unmittelbar nach dem Start wieder aus der Gruppe löste, ja und Bernhard blieb eigentlich auch nicht viel länger. War es die Pfälzer Gruppendynamik, die vielen anderen schönen Dinge des Lebens, die sie davon abhielten oder lag der Ursprung des Problems deutlich früher, bereits im Unterrichtsraum verborgen, wo wir uns am ersten Tag alle trafen und sich jeder einen Platz suchte. Simon und ich orientierten uns in die erste Reihe, was natürlich spießig und steif aussah und alles deutete auf Streber hin, während Holger und Bernhard sich direkt in die letzte Reihe setzten, was zweifelsohne cool war und unbeugsame Größe zeigte, ein Platz für ganze Kerle und richtige Helden, denn dort konnte man schwatzen, schlafen und sich mit anderen Dingen beschäftigen, man war weit weg vom Schuss, und es war fast vorprogrammiert, wo die Reise hinging. Unser damaliger Klassenlehrer, **Herr Meier**, ein hochintelligenter Mann, *„Schweizer Degen"* seines Zeichens (Meister als Buchdrucker und als Schriftsetzer), mit einer unglaublichen Menschenkenntnis und jahrelanger Erfahrung als Lehrer, hatte diese Entwicklung schon sehr früh erkannt, und ich erinnere mich daran, wie er bei einer der vielen Störungen aus der letzten Reihen eben genau diese beiden, Holger und Bernhard, besonnen aber dennoch deutlich zurechtwies. Mit entspannter, ruhiger Stimme sagte er, *„ich beobachte sie beide nun schon eine ganze Zeit, und sie können mir glauben",* dann verstummte er für einen Moment, presste die Lippen zusammen und nickte mit leicht zusammengekniffenen Augen, *„ich werde das Nest dort hinten",* dann zeigte er mit dem Finger in ihre Richtung, *„ich werde das Nest dort hinten schon noch ausräuchern",* nickte abermals und genoss die aufmerksame Stille, die er mit der Ansprache erreicht hatte.

Simon und ich waren eisern, paukten, büffelten und hatten das Ziel fest im Fokus, auch wenn Simon mir schon einen deutlichen Schritt voraus war, denn er war ja schließlich schon der *„Manager"*. Allerdings wollten wir es auch mit dem staatlichen Diplom beenden, und dafür musste man natürlich etwas mehr tun, als nur mit dem Zeigefinger auf dem Lenkrad herumzutrommeln oder bis weit über die Sperrstunde hinter der Theke zu stehen. Wie hieß des doch so schön in dem alten Sprichwort:

– ***Es ist noch kein Meister vom Himmel gefallen!***

Nur weil wir jetzt jeden Tag fleißig am Üben, Pauken und Studieren waren, bedeutete das natürlich nicht, dass wir von da an zur sechsten Gruppe, zur *„Grauen Maus Fraktion"* gehörten, nein, nein, wir stießen halt erst etwas später zur Truppe im *„Alten Haus"* und begannen einen schönen und entspannten Abend, wenn er für einige andere schon längst vorbei war. Wir reduzierten unsere Freizeit auch nicht nur auf Kneipe und Saufen, wir gingen ins Kino, saßen in Biergärten, machten Ausflüge und fühlten uns damit genauso wohl. Auch die zweite Halbzeit verging schnell, die Schulleitung gab uns die Prüfungstermine bekannt, und plötzlich war die so wichtige Prüfung fast zum Greifen nah. Natürlich wurden auch wir etwas kribbeliger, aber es passierte nichts, was wir nicht vorher schon wussten und worauf wir nicht konzentriert in den letzten Monaten hin gearbeitet hatten. Da ging es so manch anderen aus dem Kurs deutlich schlechter, als sie realisierten, dass es nun fünf Minuten vor zwölf war, ihnen die Zeit davonlief und sie nervös mit Panik in den Augen wie aufgescheuchte Hühner herum sprangen. Fast jeden Abend klingelte irgendjemand bei Simon oder mir an der Tür, und es begann fast immer mit denselben Worten:

„Kannst du mal gerade ..." oder *„weißt du wie ..."* oder *„hast DU das verstanden?"*

Wir halfen gern, hatten aber auch unseren eigenen Plan und darüber hinaus keine Lust, das ganze Jahr in Fragmenten als Schnellkurs noch einmal abzuarbeiten, zumal auch wir noch nicht durch waren, denn eine ganz besonders wichtige und gleichermaßen schwierige mündliche Prüfung stand uns noch bevor, und eine sehr aufwendige und zeitintensive Vorbereitung war dafür notwendig. Die täglichen Störungen waren da wenig hilfreich und warfen uns permanent zurück. Diese wichtige mündliche Prüfung war die Unterweisungsprüfung, in der ein vom Prüfungsausschuss vorgegebenes Thema einem Auszubildenden vermittelt werden musste, den auch wir erst wenige Minuten unmittelbar vor der Prüfung kennenlernten. Ein halbes Jahr zuvor mussten wir beim Prüfungsausschuss drei mögliche Themen schriftlich formuliert einreichen, und erst eine Woche vor der entsprechenden Prüfung bekamen wir das ausgewählte Thema genannt. Nun war es nicht möglich, sich gleichermaßen intensiv auf alle drei Themen vorzubereiten, wie schon beschrieben, umfasste es eine sehr umfangreiche Recherche, Ausarbeitung und Übung, die sich über mehrere Wochen zog. Man musste also pokern und hoffen, dass das man sich für das richtige Thema entschieden hatte.

Doch wie bei so vielen anderen Dingen im Leben konnte man auch hier einiges mit Köpfchen oder mit logischer Schlussfolgerung abwägen und die Entscheidung nicht ausschließlich dem Glück als vielmehr dem eigenen Verstand zu überlassen – gesetzt dem Fall man hatte Köpfchen, und so legte ich mir mit Simon, von dem ich überzeugt war, dass er *„Köpfchen"* hatte, eine vielversprechende und recht wahrscheinliche Strategie zurecht. Mir war bekannt, dass der Prüfungsausschuss fast ausschließlich Themen aus dem Werkstattbereich bekam und sich damit unglaubliche Probleme ergaben. Die Werkstätten waren hoffnungslos überfüllt, die Unterrichtsräume standen leer, und damit es keine Engpässe gab, machte ich genau das, was sie hören, beziehungsweise auf meiner Themeneinreichung lesen wollten! Mit aller Macht versuchten sie vermehrt, Unterrichtsraumthemen zu generieren und genau die bekamen sie von mir! Ich reichte zwei Werkstattthemen ein, von denen ich mit größter Wahrscheinlichkeit davon ausging, dass sie nicht oder aber nur äußerst ungern angenommen würden, wenn alternativ noch ein Unterrichtraumthema zur Verfügung stand, denn mein dritter Vorschlag lautete; Herstellen einer Faltschachtel aus einem Planobogen, Hilfsmittel: Schere, Unterrichtsraum mit Tisch und zwei Stühlen. Ich sah förmlich die Prüfer jubeln und frohlocken, wie sie den Vorschlag lasen und konnte mich nun ausgiebig und ausschließlich auf dieses Thema vorbereiten. Auch Simon entschied sich für diesen Weg und studierte sein Unterrichtsraumthema ein. Natürlich konnte er nicht das gleiche wählen und wir fanden ein ähnlich interessantes, über das man nicht nur gut referieren konnte, darüber hinaus mussten auch noch zweiunddreißig vorgegebene Punkte angesprochen und abgearbeitet werden. Es gab dabei einfache und schnelle Punkte wie die Begrüßung und persönliche Vorstellung, kurzer Smalltalk mit dem Auszubildenden, Sicherheitsaspekte und gewünschte Lernziele, aber auch längere Bereiche wie das Vor- und Nachmachen der einzelnen Übungsschritte und das ganze dann auch noch in der vorgegebenen Zeit von gerade einmal dreißig Minuten, mögliche Fragen und Pannen nicht eingerechnet. Es war ein wirklich strammes Programm, das ein jeder für sich wieder und wieder akribisch gebüffelt und einstudiert hatte – bis es saß.

Dann war es soweit, der Tag der Prüfung rückte näher, und wir konnten uns in einer gewünschten Reihenfolge der Prüfungsabsolventen eintragen, wann genau man mit der mündliche Prüfung beginnen wollte, und ich dachte, Angriff war die beste Verteidigung und trug mich als erster Prüfling direkt für den ersten Prüfungstag gleich früh am Morgen um 8 Uhr ein.

Simon schnaufte noch einmal tief durch und setzte sich gleich dahinter, frei nach dem Motto, *„durch ist durch“* und *„weg ist weg“,* hatten wir eine Sorge weniger und konnten uns gezielt auf die anderen noch ausstehenden Klausuren und Prüfungen vorbereiten. Mein Vater, der durch seine langjährige Tätigkeit im Prüfungsausschuss beste Erfahrungen gesammelt hatte, empfahl mir, bereits eine Woche vor den Prüfungen die Bücher und Arbeitsmappen zu schließen und ruhen zu lassen, denn was ich bis dahin nicht im Kopf hatte, bekam ich auch in der letzten Woche nicht mehr hinein und hätte mich wahrscheinlich nur noch durcheinander gebracht. Das leuchtete ein und mit *„Mut zur Lücke“*, packte ich alles in den Kofferraum des Autos und transportierte es eine Woche vor der Prüfung, sechshundertfünfzig Kilometer bis nach Hause, womit dann auch die letzte Möglichkeit, doch noch einmal umzufallen und in die Bücher zu schauen, nicht mehr gegeben, erledigt und aus der Welt war. Entschieden war entschieden, zurück blieben lediglich die Schreibutensilien, Taschenrechner und viele gute Vorsätze, war selbstbewusst und, wie ich selbst meinte, auch gut vorbereitet.

Die letzte Woche gestalteten wir dann auch nicht grundlegend anders als sonst, viele verfallen dann ins Extreme und pauken noch bis spät in die Nacht, sind übermüdet, unkonzentriert, oder sie machten es genau umgekehrt und gingen extrem früh zu Bett, der Körper konnte mit dem neuen Rhythmus auch nichts anfangen, wachte mehrmals in der Nacht auf und war in den nächsten Tagen wie gerädert. Ich wollte so wenig wie möglich verändern, aufstehen wie sonst, viele entspannte Dinge unternehmen, Spaziergänge im Wald, frische Luft und Energie tanken, vielleicht eine Runde Minigolf, am Nachmittag gemütlich im Biergarten sitzen, noch ein oder zweimal ins Kino, ein gemütliches Abschlussbier oder Glas Wein am Abend, etwas lesen, aber nicht mehr lernen, pauken oder mit Dingen belasten, die den Meisterkurs betrafen und nicht extrem früher oder später ins Bett gehen, als wir es üblicherweise gewohnt waren. Das war meine und eigentlich auch Simons Strategie für die letzte Woche vor der Prüfung. Allerdings schwächelte Simon ein wenig, was das Wegbringen der Unterlagen anging, da war mein Mut zur Lücke deutlicher ausgeprägter als seiner, oder aber er hatte darin weniger Sinn gesehen, aber im Großen und Ganzen orientierten wir uns an diesem Plan und konnten es gar nicht gebrauchen, wenn alle Nase lang jemand vor der Tür stand, klingelte und aufgeregt von uns erwartete, dass wir die Defizite und Lücken seiner unrühmlichen, vergangenen Tage korrigierten und schlossen, was ohnehin in einer Nacht nicht Möglich war.

Die Tage vergingen und ja, auch bei uns erhöhte sich der Druck und ich glaube es war ein jeder mehr als nur froh, als es dann endlich losging. Am späten Nachmittag, dem Nachmittag vor der großen Prüfung, klingelte es an meiner Tür, und ich dachte, dass es wieder einer von den Experten *„Industriemeister über Nacht"* war, öffnete sichtlich genervt die Tür, doch weit gefehlt, es war Simon, der nervös und durcheinander vor mir stand. Plötzliche Zweifel zerfraßen ihn, und er bat mich, seine Unterweisung noch einmal vortragen zu dürfen und ehrlich zu bewerten. Na, gut, dachte ich, eigentlich kein Ding, wenn es ihn beruhigte, mehr Stabilität und Sicherheit gab, warum nicht und er legte los. Ich drückte auf die Stoppuhr, denn die Zeit war ein ebenso entscheidender Punkt, nahm mir die Checkliste mit den zweiunddreißig Punkten und einen Stift, um mir Anmerkungen oder evtl. Verbesserungen zu notieren.

„Grüß Gott, mein Name ist Simon Mettner, ich besuche hier den Meistervorbereitungskurs und möchte ihnen heute, im Zuge dieser Unterweisung, die Grundfalzarten erklären. Mit wem habe ich denn das Vergnügen, wenn sie sich vielleicht auch kurz einmal vorstellen würden." – Läuft doch, dachte ich, der Einstieg war gut und die ersten drei Punkte angesprochen und abgehakt. Eigene Person vorstellen, Ziel, wer sind sie!

Doch dann lief es irgendwie aus dem Ruder, denn bci der zu unterweisenden Person mussten wir zunächst davon ausgehen, dass es nicht nur Auszubildende unserer Branche waren, sondern aus ganz anderen Gewerbe kommen konnten, also ohne Grundkenntnisse und schon gar nicht mit fachspezifischen Ausdrücken umgehen konnten. Das – und genau das war ja Gegenstand und die Kunst unserer langen Übungen und Vorbereitungen! Inhaltlich hatte Simon alles richtig gemacht, aber leider setzte er zu viele Dinge als selbstverständlich voraus, was sehr schnell passiert, wenn man sich jahrelang in seinem Beruf mit Kollegen austauscht, dann fachsimpelt man sehr gern in einer eigenen Sprache, was auch gern als *„Fachchinesisch"* bezeichnet wird. In Anbetracht der knappen Zeit von nur dreißig Minuten und ganz sicher vielen gestellten Fragen des Auszubildenden, wollte ich Simon nicht ins offene Messer laufen lassen und musste ihm nun irgendwie behutsam vermitteln, dass sein Vortrag grundsätzlich, fachlich gut und richtig, aber für die Prüfung ein totales Desaster war.

Die Übungsaufgabe, mit der wir einige Wochen zuvor begannen, lautete:

„Erklären sie einer Person, von der sie davon ausgehen müssen, dass sie keine, aber auch wirklich gar KEINE Grundkenntnisse des Themas hatte, das fachlich korrekte und störungsfreie Öffnen eines handelsüblichen alten Garagentors?"

Zunächst sollte man denken, dass das in ein paar Minuten, mit wenigen Sätzen und Erklärungen erledigt und abgetan war, so dachten auch wir, rümpften die Nase und schmunzelten leicht überheblich, doch es war unglaublich, was sich plötzlich für Fragen und immer wieder neue Stolpersteine ergaben. Wir begannen in Gruppenarbeit draußen vor dem Haus, auf dem Hof, vor einem nicht vorhandenen, fiktiven Garagentor und notierten wahnsinnig viele Punkte, um ein fachgerechtes Öffnen zu ermöglichen. Eine sehr interessante Arbeit, die man zum Nachstellen wirklich empfehlen konnte, denn mit, *„stecken sie einfach den Schlüssel ins Schloss",* war es nicht getan, denn was war überhaupt ein Schlüssel beziehungsweise ein Schloss? Was war mit längs oder mit Bart nach unten gemeint, was war überhaupt ein Bart? Wir wurden auf diese Aufgabe so sensibilisiert, dass es glasklare Anweisungen und Erklärungen geben musste, mit denen selbst der Ureinwohner aus dem Dschungel oder ein aufgetauter Steinzeitmensch in der Lage war, eben dieses Garagentor zu öffnen.

Also, was bedeutete das nun im Einzelnen für uns? Simons Ausarbeitung musste so umgestrickt werden, dass es selbst für Volldeppen klar und verständlich war und sich unter Berücksichtigung der anzusprechenden Punkte auch noch im vorgegebenen Zeitfenster von dreißig Minuten bewegte, und das vielleicht Schwierigste an der ganzen Sache war, dass wir nun unmittelbar vor der bevorstehenden Prüfung standen, um nicht zu sagen, wir sprachen nur noch von wenigen Stunden. Blöderweise hatten wir nun genau das erreicht, was wir überhaupt nicht gebrauchen konnten und worauf wir in den vergangenen Tagen sorgsam, mit Bedacht hingearbeitet hatten – wir hatten Stress und Druck! Aber es soll ja Menschen geben, die gerade unter Druck solche besonderen und außergewöhnliche Leistungen vollbringen können, und möglicherweise gehörten auch wir zu diesem erlauchtem Kreis, stellten uns der Aufgabe, viele Alternativen gab es ja auch nicht mehr, begannen noch einmal ganz vorn, formulierten sein Thema und starteten durch: – *Die Grundfalzarten!*

Der Anfang, der Einstieg, war immer ein heikles Thema, der Knackpunkt, doch wenn man den erst einmal überwunden hatte, dann lief es wie Butter an der Sonne, wie mein Vater immer so schön sagte. Der Anfang war ja auch gar nicht so falsch: Eigene Person vorstellen, Ziel, wer sind sie, dann die Überleitung zum Thema und ich empfahl ihm, es etwas lustig, unter Einarbeitung eines kleinen Gags zu starten und machte ihm den Vorschlag, den Weg über einen Brief an die Liebste zu wählen: *„Stellen sie sich einmal vor, sie möchten der Liebsten einen großen, sehr großen Brief zukommen lassen"*, dafür hatten wir einen sehr großen Bogen Papier vorbereitet. *„Diesen Brief können wir ja so jetzt nicht bei der Post aufgeben, also müssen wir ihn verkleinern, und da gibt es mehrere Möglichkeiten."* Dann nahm er den großen Papierbogen und zerknüllte ihn zu einem kleinen eng gepressten Papierball. *„Sehen sie"*, sagte Simon, *„jetzt ist er klein, aber dafür auch nicht mehr besonders schön und ansprechend, und in einen Kuvert bekommen wir ihn auch nicht mehr rein. Alternativ gibt es natürlich noch den Postflieger"*, dann nahm er ein zuvor vorbereiteten Papierflieger, den er aus dem Brief gefaltet hatte und warf ihn durch den Raum. *„Aber auch nicht wirklich zweckmäßig"*, sprach er weiter, denn der Flieger stürzte bereits nach einigen Metern vor uns auf den Boden. *„Nehmen wir also eine dritte Variante und falten das Papier einmal, zweimal, dreimal oder viermal, und genau dafür gibt es auch fachliche Ausdrücke, die ich ihnen zum einen zeigen, erläutern und auch erklären möchte."* Das war der Einstieg, ein guter Einstieg wie ich meinte und dann konnte Simon loslegen: Einbruch, gleich Lagenfalz, Parallelbruch, Zickzack- oder Leporellofalz, Fensterfalz, Altarfalz bis hin zum Vierbruchkreuzfalz und so bekam man es dann auch zum Versand in den entsprechenden Umschlag. Simons Stimmung wurde von Minute zu Minute besser und entspannter, die Lücke schien sich zu schließen, wie auch meine Lücke zwischen den Augen, denn es war schon verdammt spät in der Nacht, beziehungsweise in den frühen Morgenstunden.

Dann war sie da, die Stunde der Wahrheit! Um 7:30 Uhr trafen wir uns an der Schule, ein Großteil der Kollegen war ebenfalls so früh dabei, standen nervös mit den Händen in den Taschen und auf der Stelle tippelnd im Halbkreis um uns herum und wollten sich am Ablauf der doch so wichtigen Prozedur orientieren, denn auch sie standen ja unmittelbar davor. Dann wurde es ernst, um kurz vor 8 Uhr öffnete sich die Tür, ein Mann mit Klemmbrett bewaffnet blickte heraus, rief meinen Namen, gefolgt von einem wenig Mut machendem, *„auf geht`s"* und wie auf dem Weg zum Schafott folgte ich ihm zwar aufrecht und selbstbewusst, aber dennoch mit weichen, schlotternden Knien.

Auf dem Weg in den ersten Stock passierten wir einen kleinen Aufenthaltsraum, in dem einige Auszubildende warteten, und ich wurde aufgefordert, einen von ihnen als Unterweisungsprüfling auszuwählen. Ich öffnete die Tür und sah ein junges Mädchen, einen jungen Mann und einen mittelalten Herren dort sitzen. Mein Blick kreiste von einem zum anderen, und als der Blickkontakt vom jungen Mädchen erwidert wurde, da nickte ich ihr zu und fragte sie, ob sie mich auf dem Weg und bei der Aufgabe begleiten wollte. Mit einem leisen: *„Ich weiß jetzt aber gar nicht, was ich machen soll“,* folgte sie mir schüchtern, und ich beruhigte sie und antwortete, *„das macht nichts, – ich weiß es auch nicht“,* lachte sie an und versicherte ihr, dass wir es schon gemeinsam meistern würden, – denn dafür war ich ja schlussendlich auch da..

Dann ging es in die Höhle der Löwen. Fünf Prüfer standen im Halbkreis aufgebaut, jeder mit einem Klemmbrett versehen, und kaum waren wir im Raum, da ging es nach einer kurzen Ansprache des Prüfungsleiters auch schon los, und ich hörte nur noch seine letzten Worte, *„… dann startet die Zeit – jetzt.“* Ein letzter Blick zur Seite aus dem Fenster, wir befanden uns im ersten Stock des Gebäudes, und meine Kollegen standen draußen auf einem Wall, waren fast auf Augenhöhe mit mir, konnten zwar nichts hören, aber den weiteren Verlauf sichtbar mitverfolgen und sich gedanklich auf ihre eigene Prüfung darauf einstellen. Ich spulte mein Programm wie einstudiert ab, natürlich gab es ein paar kleine vorher nicht zu greifende Stolpersteine, so verstand ich den Namen meiner Auszubildenden zunächst nicht, die so ängstlich und schüchtern antwortete, dass ich ihr zuerst etwas Angst nehmen musste und positionierte sie etwas anders stehend im Raum, damit sie nicht die ganze Zeit mit dem Blick auf die fünf Prüfer gerichtet, wie die Kuh vor der Schlachtbank stand. Doch leider verstand ich auch beim dritten Versuch ihren Namen immer noch nicht und sprach sie einfach mit dem Namen an, von dem ich vermutete, dass er der richtige war oder wenigstens Teile davon: Frau Violaklos, sie war Schweizerin und Friseurlehrling im ersten Lehrjahr, und im Grunde genommen klappte alles recht gut, als ich beim Punkt fünfundzwanzig auf der Liste angekommen war und der Prüfungsleiter mit lauter und ernster Stimme sprach: *„Die 30 Minuten sind um, bitte kommen sie zum Ende.“* Gut, dachte ich, nur nicht nervös werden, was aber leichter gesagt, als getan war, denn immerhin ging es um die Meisterprüfung und nicht um die Aufforderung beim Tanztee. Trotzdem versuchte ich, die Konzentration aufrecht zu halten, mich nicht aus der Bahn werfen zu lassen, spulte das Restprogramm ab, und am Ende wurden zweiundvierzig Minuten als Gesamtzeit protokolliert.

Der Prüfungsleiter bedankte sich bei der Auszubildenden, entließ sie und forderte mich auf, vor der Tür zu warten. Auch ich bedankte mich bei ihr und drückte ihr vor der Tür im Treppenhaus fünfzig Mark in die Hand, so war es als kleines Dankeschön allgemein üblich, und plötzlich bekam auch sie wieder entspannte Gesichtszüge und etwas Farbe unter die Haut. Bevor wir uns dann trennten, bat ich sie allerdings noch einmal, mir ihren Namen klar und deutlich zu sagen, und als sie langsam sprach und wieder etwas mehr Kraft in der Stimme hatte, da konnte man es dann auch verstehen, und es war nicht etwa Frau Violaklos, wie von mir fälschlicherweise verstanden – Klos war der Name, Vorname Viola, was aber für die Bewertung und den späteren Ausgang der Prüfung unbedeutend war.

Es dauerte nur ein paar Minuten, da hatten sich die Prüfer besprochen, und ich wurde erneut in den Raum gerufen. Einen ausführlichen Bericht bekamen wir natürlich noch zu einem späteren Zeitpunkt, aber eine erste kurze Bewertung und natürlich die alles entscheidende Frage wurde dann gleich vor Ort beantwortete. Hatte man die mündliche Prüfung bestanden oder nicht bestanden? Im Prinzip hätte ein Ja oder Nein, ein Daumen hoch oder runter schon vollkommen ausgereicht, doch die Prüfer machten es natürlich etwas ausführlicher und spannender. *„Also“,* begannen sie, *„im Großen und Ganzen ganz gut, sie sind auf die Fragen eingegangen, haben die Punkte vollständig angesprochen, Position und Blickkontakt waren gut, Lernziel erreicht, allerdings den Zeitrahmen um zwölf Minuten und damit deutlich überschritten – hier und heute vierundneunzig Punkte“,* bekam einen nüchternen Handschlag von allen und durfte den Raum verlassen – *„und schicken sie gleich den nächsten rein, Mettner, Simon“,* riefen sie mir noch nach, bevor ich durch die Tür verschwand und die Treppen nach unten lief. Als ich das Gebäude verließ, stürzten sie mir natürlich alle ausnahmslos entgegen und wollten alles, bis ins kleinste Detail wissen. Doch meine ersten Gedanken lagen bei Simon, ich klopfte ihm auf die Schulter und schob ihn durch die Tür. Nachdem ich dann meinen Kurzbericht abgegeben hatte, die Kollegen damit mehr oder weniger beruhigt oder vielleicht nun erst richtig wuschig gemacht hatte, positionierte auch ich mich auf dem Wall und verfolgte Simons Auftritt. Er entschied sich für den mittelalten Herrn aus dem Warteraum, was ich von draußen erkennen konnte. Als ich dann den großen Papierknödel durch den Raum fliegen sah, den Simon lässig und unbeeindruckt der Prüfer nach hinten wegwarf und mit einem Lächeln dann auch noch den Papierflieger startete, da war auch bei mir die Spannung raus, und ich wusste, dass jetzt nicht mehr viel schiefgehen konnte und es zum Bestehen allemal reichen sollte.

Auch Simon hatte es geschafft, verließ kurze Zeit später das Haus, und als wäre es das normalste der Welt gewesen, stand er völlig gelassen, fast schon abgebrüht cool in der Runde und berichtete. Einmal bekam er allerdings etwas weiche Knie, gab er ehrlich zu, als sie sich zu Beginn, einander vorstellten und ich überlegte, was da denn hätte schief gehen können, hatten wir doch versucht, im Vorfeld sämtliche Stolpersteine und Eventualitäten auszugrenzen. Doch er schmunzelte und begann mit dem einstudiertem Satz der Begrüßung: *„Grüß Gott, mein Name ist der Simon Mettner, ich besuche hier den Meistervorbereitungskurs und möchte ihnen heute im Zuge dieser Unterweisung die Grundfalzarten erklären. Mit wem habe ich denn das Vergnügen, wenn sie sich vielleicht auch kurz einmal vorstellen würden",* und dann kam der große Knall, denn der gute Mann antwortete:

„Mein Name ist Huber, ich bin **Buchbindermeister** *und mache zur Zeit eine Umschulung zum Druckformhersteller*", als ob Buchbinder nicht schon gereicht hätte aber dann auch noch – MEISTER!!

Das sind dann genau die Momente, bei denen sich Kalt und Heiß, Oben und Unten, Geister- und Achterbahn miteinander verbinden und du mittendrin stehst! Doch Simon ließ es gar nicht erst zu einem Problem werden und konterte völlig souverän: *„Na ausgezeichnet, dann können sie mich ja auch gleich korrigieren, wenn ich etwas falsch erkläre"* und spulte sein Programm wie einstudiert ab. Am Ende fragten dann die Prüfer den vermeintlichen Auszubildenden, ob Simons Vortrag so in Ordnung war, und der Buchbindermeister war höchsten Lobes, besser hätte er es auch nicht erklären können, bedankte sich und gratulierte Simon als erster. Also eine Punktlandung, fast auch noch im vorgegebenen Zeitfenster, und als wir ihn anguckten, um die Punktzahl aus ihm herauszulocken, da kam ein furztrockenes: **„96 Punkte**" über seine Lippen – und jeden einzelnen davon hatte ich ihm von Herzen gegönnt. Das war dann die erste von insgesamt fünf mündlichen, neun schriftlichen und drei praktischen Prüfungen, bis wir das staatliche Diplom beziehungsweise den Meisterbrief überreicht bekamen. Fast alle Kollegen hatten es geschafft, der eine mehr, der andere weniger, nur zwei hatten Schiffbruch erlitten, die hörten weiter Heavy Metal in ihrem weißen tiefergelegtem Scirocco oder studierten *„Kneipologie"* mit der Wirtin im *„Paraplü",* und wie sich später herausstellte, hatte sich das *„Nest"* dann selbst ausgeräuchert, auch ohne dass **Herr Meier** etwas dazu tun musste! Ja, manchmal wusste man schon lange vorher, wie es später einmal ausgehen konnte, und dafür braucht man kein *„Schweizer Degen"* zu sein.

So sahen unsere Vorbereitungen aus, und es ging damals um eine richtig große und vor allem wichtige Veranstaltung, also waren die Erlebnisse von einst gar nicht so schlecht, wenngleich dieses Mal natürlich längst nicht so ein Druck auf dem Ganzen lag, man selbst natürlich auch einige Jahre älter und reifer geworden und nicht mehr so ein 25-jähriger Jungsporn, wie bei dem Abenteuer zuvor.

Das Eis war längst aufgegessen, das Bier fast leer, und ich beschloss, mich nun langsam zurück in Richtung zum Haus zu bewegen, zahlte und verabschiedete mich bei der netten Bedienung mit der großen Brille und trat den Heimweg an. Auf der Uhr war es gerade viertel nach Drei, und wenn ich Glück hatte, dann erwischte ich noch ein Stück Kuchen und legte gleich noch einen Schritt zu. **Opa Hentrich** saß wie gewohnt an seinem Platz, wie gewohnt mit Blick Nord-Nordost, ein Moin im Vorbeigehen und wie gewohnt keine Reaktion, nur eine schwaches Moin, was fast nicht hörbar und ohne die Lippen zu bewegen herausgebrummelt kam. Es war ein Moin, bei dem man immer irgendwie das Gefühl hatte, dass er es zwar gesagt hatte aber nicht wirklich registrierte, wer da gerade an ihm vorbeigegangen war. Rein ins Haus, wo ich dann deutlich freundlicher begrüßt wurde, nicht von einem Wesen sondern von einem wohligen Kaffeegeruch, der lag überall im Treppenhaus und Flur verteilt und lud förmlich zu guter Laune ein. Mittag hatte ich schon ausfallen lassen, und als ich erfuhr, was es Leckeres gab, da ärgerte ich mich doch schon ein wenig, denn auf dem Speiseplan stand Hühnerfrikassee mit Salzkartoffeln, auch ein Klassiker meiner Kindheit und Jugend, und ich nahm mir vor, es bei nächster Gelegenheit, ob im Haus oder wo auch immer, ganz weit vorn auf meine gedankliche *„Todo-Liste“* zu setzen. Ich betrat den Frühstücksraum, steuerte auf das Kuchenbuffet zu und nahm mir ein Stück vom Zwetschgenkuchen, der in kleinen Stücken direkt auf einem Blech neben den Kaffeekannen stand. Eine große Schale mit geschlagener Sahne stand direkt daneben. Grundsätzlich war ich kein großer Freund von Sahne, doch beim Zwetschgenkuchen gehörte sie einfach dazu wie das Salz in der Suppe, ich verpasste meinem Stück gleich einen ordentlichen Schlag oben drauf, marschierte mit einem Henkelmann voll Kaffee nach draußen und setzte mich an einen der Tische im hinteren Gartenbereich. Ja, dachte ich, eigentlich nichts geschafft, aber `ne Menge gefuttert, musste dabei schmunzeln und schob mir dabei die erste Gabel genüsslich in den Mund. Nichts geleistet, war ja auch nicht ganz richtig, denn immerhin hatte ich ja schon einen strammen Spaziergang in drei Etappen zurückgelegt und ausreichend Kalorien verbrannt, und dieser Energiespeicher musste nun wieder aufgefüllt werden.

Mittlerweile war es 16 Uhr durch, ich war seit dem Verlassen am Morgen gar nicht mehr auf dem Zimmer gewesen und spürte schon ein wenig den Wunsch nach Ruhe, Füße hochlegen und vielleicht sogar für einen Moment die Augen zu schließen, ich räumte meine Tasse und Teller auf den Geschirrwagen in der Ecke des Raumes und verschwand still und leise durch die Tür zum Treppenhaus und *schwubbdiwupp* war ich auch schon in der ersten Etage und stand vor meiner Zimmertür. Als ich die Tür öffnete begrüßte mich mit einer freundlichen Einladung mein immer noch aufgeklapptes Bett, das ich am Morgen nach dem Frühstück gar nicht mehr ordentlich hergerichtet hatte, was aber bei meiner *„Ein-Mann-Wirtschaft“* nicht so ein Drama war, doch grundsätzlich gehörte das Bett wie auch das ordentliche Verlassen des Zimmers bei mir mit zu den Grundtugenden, die ich schon in frühester Kindheit gelernt und mitgebracht hatte.

10.4__ 1 Zimmer, Küche, Bad

Als ich nach meiner Bundeswehrzeit als 19-jähriger junger Mann das Elternhaus verließ und eine eigene kleine Wohnung bezog, da waren Sauberkeit, Ordnung und klare Strukturen von Anfang an gesetzt. Ich hatte ein Zimmer mit 35 Quadratmetern Flur, Küche, Bad und baute um ein großes französisches Bett einen Raumteiler, der das Bett fast zu einem eigenen Schlafzimmer werden ließ, und schon war aus dem einen ein zweiter wenn auch kleinerer Bereich entstanden. Wohnzimmer mit Tisch und Couchgarnitur, ein paar Blumen und auch Gardinen vor dem Fenster waren mir sehr wichtig und gaben der ersten Wohnung eine gemütliche Wärme. Licht mit Dimmer und ein weicher, flauschiger Flokati rundeten das Bild noch ab. In der Küche ein kleiner, schmaler Tisch, zwei Stühle und viele Dosen befüllt mit Tee, Müsli und anderen nötigen oder unnötigen Dingen, Herd und eine Junggesellen Grundausstattung von Töpfen, einer Pfanne und Geschirr, zusammengewürfelt aus Resten und Dingen, die man von Zuhause mitgenommen hatte. Da stand dann natürlich genauso noch die Tasse mit dem Namen drauf im Schrank, wie auch Dinge, die mich während der Kindheit und Jugend begleiteten und im Badezimmer eine Waschmaschine, die ich vom ersten selbstverdienten Geld gekauft hatte! Der Kleiderschrank stand im Flur, was aber überhaupt nicht störte, eine kleine Nische in der Ecke war genau passend, wie dafür vorgesehen und die günstig angeordneten Schiebetüren nahmen auch keinen Platz weg, denn der war neben der neuen Waschmaschine mit das höchste Gut in der ersten eigenen Bude.

Als meine Mutter einmal mit meinen Schwestern zu Besuch kam und ich ihnen stolz Tee und Kekse anbot und dazu noch eine Kerze auf den Tisch stellte, da wurde natürlich alles auf Ordnung und Sauberkeit durchleuchtet und kritisch geprüft, und als meine Mutter dann auch noch einen Blick in den Kleiderschrank warf (Mütter waren früher so, wenn der einzige Sohn von Zuhause auszog) und zwischen der Wäsche kleine Seifenstücke sah, da war es dann vorbei, und meine Schwestern bekamen DEN Vortrag ihres Lebens. In der ersten Wohnung meiner ältesten Schwester sah es bei weitem nicht so aus wie bei mir, was aber vielleicht auch an den zahlreichen Besuchern lag, denn meine ältere Schwester war schon über viele Jahre im Jugendzentrum und mit der Jugendarbeit sehr aktiv, war nach frühpubertären, familiären Spannungen mit den Eltern bereits im Alter von sechzehn Jahren ausgezogen, hatte immer viele Leute um sich herum, viele auch mit eigenartigen Frisuren, mit viel Haar auf dem Kopf und im Gesicht, aber so war das damals halt, und wo ich eine Kerze stehen hatte, da hatte sie gleich einen ganzen Schrein lodernder und glimmender Räucherstäbchen, und wenn ich mein Licht über den Dimmer herunterregelte, legte sie einfach einen alten Kissenbezug über den selbstgemachten Lampenschirm. Tee gab es bei ihr im Überfluss, allerdings kam meiner von der Nordsee oder vom Supermarkt um die Ecke und ihrer direkt aus Indien vom Taj Mahal, die Räucherstäbchen übrigens auch und statt Couchgarnitur gab es Matratzen mit vielen Kissen und Schlafsäcken darauf, und die ersten Möbel waren sogenannte *„Jaffa-Möbel"*, alte Orangenkisten, die umgedreht als Tisch genutzt oder offen zu Regalen umgebaut wurden. Kleiderschrank, das konnte ich nicht beurteilen, eigentlich hatte ich in ihrer ersten Bude gar keinen gesehen, nur eine selbstgebaute Stange, an der Shirts, Blusen und Jacken hingen. Hosen, zu der Zeit Jeans, lagen entweder wild ausgezogen mit einem Bein auf links gedreht und eins halb verknotet in der Ecke auf einem Wäschestapel, eine andere hing auf einer selbstgespannten Leine und die dritte, ja, die hatte sie an. Vielleicht war das dann auch der Grund dafür, dass mich meine Geschwister gar nicht so häufig besuchten und eigentlich jeder damit begann, seinen eigenen Weg zu finden, und die Treffen gestalteten sich so wie auch bei den Eltern, wenn man mal abends zum Besuch vorbeischaute und nicht wie sonst, als man sich noch täglich morgens vor dem Bad, in der Küche, nach der Schule, am Abend und auch an den Wochenenden auf den Geist ging. Es war eine ganz entscheidende Phase, Abnabelung könnte man es auch nennen, selbstständig werden, Erfahrungen sammeln, und das machte jeder wie er es für das beste hielt, ob mit Seife zwischen der Wäsche oder mit verknoteten Jeans auf dem Wäschestapel – und das war auch gut so!

10.5.__ Der richtige Platz

So nahm ich also gern die Einladung des aufgeklappten Bettes an, stellte mir aber vorsichtshalber den Wecker auf halb sechs und legte mich mit einem entspannten und von tief unten kommenden Ausatmer, schon fast ein Seufzer, aufs Bett und muss auch recht schnell eingeschlafen sein. Die frische Luft, die vielen Gedanken machten mich scheinbar genauso müde wie andere Dinge auch, die dem Körper Kraft und Energie raubten. Und irgendwie hatte es der Körper wohl auch gebraucht, denn tatsächlich wurde ich erst wieder mit dem summenden Weckton aus dem Reich der Träume zurückgeholt. Recken und Strecken, kurz gesammelt bis auch die restlichen Organe aufgewacht waren, dann konnte es in die letzte und alles entscheidende Runde des Tages gehen. Als ich das Zimmer in Richtung Treppenabgang verließ, hörte man schon das Klimpern der Teller und Bestecke und das unüberhörbare Geräusch wenn Stühle dumpf auf dem Boden hin- und hergeschoben wurden. Also die typischen Abendessens-geräusche. Als ich die Tür zum Essensraum öffnete wurden sie lauter, und wie schon gewohnt ging ich ans Buffet und füllte meinen Teller ebenfalls wie gewohnt mit Graubrot, Schwarzbrot, Schmierkäse und etwas Wurst. Dazu einen Pott Tee, das heißt, mit heißem Wasser, den dazugehörigen Tee nahm ich mir als Beutel mit.

Das Abendessen war mäßig besucht, nicht mehr und nicht weniger als sonst auch, und es gab noch genügend freie Plätze. Ich hätte lügen müssen, wenn ich nicht tatsächlich schon mit meinen Gedanken ein paar Stunden weiter gewesen war, versuchte es mir aber nicht anmerken zu lassen, denn alle anderen im Raum waren ja schließlich auch entspannt. Noch eine Käsestulle zum mitnehmen, ich füllte noch einmal meinen Teepott und trug mein kleines Herrengedeck nach nebenan in den Gemeinschaftsraum und war mir nicht mehr ganz sicher, wann es überhaupt losgehen sollte, war es 19 Uhr oder hatten wir gesagt im Anschluss an das Abendbrot, ich wusste es nicht mehr und stellte mein Brot mit dem Pott auf den großen Eichentisch in der Mitte des Raums. Ein paar vereinzelt sitzende Personen hatten sich bereits über den Raum verteilt, das Kaminfeuer knisterte angenehm im Hintergrund und strahlte eine beruhigende, wohlige Wärme aus. Ich ging noch einmal zurück auf mein Zimmer, um die Tasche mit den Schreib-unterlagen zu holen und als ich nach nur wenigen Minuten zurückkehrte, da waren deutlich mehr Personen dazugekommen, die stumm und wie an einer Perlenschnur aneinander gereiht, mit kurzen, bedächtigen Schritten den Raum betraten und sich einen freien Platz suchten.

Interessanterweise setzte sich niemand zu mir an den großen, massiven Eichentisch, erst als ich aufstand und mich mit meinem Teepott im Zimmer bewegte und für einen Moment am Kamin verweilte, da erst setzten sich die ersten an den Tisch, weil es angenehmer war, die Hände auf der Tischplatte aufzulegen, oder weil es ihnen einfach so wie mir erging, als ich den Klassenraum zu meinem Meistervorbereitungskurs betrat und mich direkt für den Platz in der ersten Reihe entschied.

Auch diesen Tipp bekam ich einst von meinem Vater, *„in der ersten Reihe bist du immer aufmerksam, bekommst alles mit und nun kommt das paradoxe, du selbst fällst dort am aller wenigsten auf, wenn du einmal unaufmerksam, abgelenkt bist oder sonst irgendein Dönekens machst."* Das lag daran, dass die Lehrer entweder direkt vor dem Tisch oder daneben im Gang standen, alles gut im Blick hatten, nur nicht die erste Reihe, die aufgrund des Winkels nur schemenhaft am Rand erkennbar war, man nahm sie zur Kenntnis, doch der Fokus fiel auf die Reihen dahinter. Und genau so war es tatsächlich, denn in den ersten Tagen der Meisterschule hatten wir große Probleme, nicht einzuschlafen und wach zu bleiben. In den Betrieben standen wir den ganzen Tag oft mehr als acht Stunden an großen Maschinen, waren in Bewegung, es war laut, wir sprangen von links nach rechts und waren es nun natürlich überhaupt nicht gewohnt, einfach nur dazusitzen und zuzuhören. Hinzu kam die verbrauchte, schlechte Luft im Raum und die Tatsache, dass der Kurs in den dunklen Wintermonaten des gerade erst neuen Jahres begann. Also mit anderen Worten: Reihenweise schliefen wir ein. und bei den ganz harten Fällen kreiste der Kopf über den Nacken bis er sich nach einer Umrundung selbst wieder fing oder vorn mit der Stirn auf der Tischplatte aufschlug. Ein Bild für die Götter, wie erwachsene, gestandene Männer, manchmal Schulter an Schulter mit dem Nachbarn zusammen in der Bank saßen und gemeinsam vor sich hinsäuselten. Wir brauchten zirka zwei bis drei Monate, bis wir diesen neuen Rhythmus verinnerlicht hatten und mussten tatsächlich erst wieder lernen, aufmerksam zuzuhören und dabei auch noch wach zu bleiben.

Ein Freund meines Vaters gab mir einen ähnlichen Tipp mit auf den Weg und riet mir, so ich einmal zur Bundeswehr gehen müsste und wir mit den Kameraden das erste Mal die Stube betraten, ich den *„Aha-Moment"* nutzen und meinen Seesack ungeachtet aller direkt hinter die Tür auf das untere Bett werfen sollte, denn noch während sie alle am Überlegen waren, ob sie im Bett links, rechts, oben, mitte oder unten schlafen wollten, hatte ich schon meinen Platz, einen guten Platz wir er meinte, gefunden, denn immer wenn jemand spontan in die Stube gestürzt kam, ein Vorgesetzter, jemand der sauer, grantig oder vielleicht sogar beides war, der packte sich immer zuerst den, der als erstes im Blickfeld war und DER war dann gnadenlos dran. Ob das richtig, falsch oder gar gerecht war, das sei mal dahingestellt, Fakt war, hinter der Tür lebte es sich deutlich ruhiger und entspannter, und auch das konnte ich so bestätigen und unterschreiben.

Der Raum füllte sich mehr und mehr, es bildeten sich kleine Gruppen und Sitzpaare, und aus der anfänglichen Stille entwickelte sich ein munteres Stimmengewirr, das immer lauter und lauter wurde, was die anfänglich angespannte Situation etwas auflockerte und von daher gar nicht so schlecht schien. Ich überflog den Raum, erkannte natürlich alle vom Sehen, aber trotzdem suchte ich und wusste eigentlich gar nicht, wen beziehungsweise wonach ich überhaupt suchte. Aber um so mehr freute ich mich über jedes mir vertraute Gesicht, **Frau Oruè** zum Beispiel, der ich ein freudiges Nicken zuwarf, die **Gräfin von Naumburg** sah ich etwas abseits mit ihrer Freundin **Frau Bockels** sitzen und in der anderen Ecke, der deutlich lauteren Ecke, da sah ich gleich eine ganze Traube mir vertrauter Herren stehen, **Willi Kluge** und **Herrn Schneemann** und natürlich **Iwan**, mit einem breitem Grinsen und dem Blick mir zugewandt und als ich mich zurück zum großen Eichentisch drehte, da saßen dort wie bei einer Podiumssitzung nebeneinander aufgereiht: **Herr Wucherpfennig**, **Herr Kleinhans**, **Herr Weitemeier**, ihnen gegenüber, **Frau Kobold** und natürlich direkt daneben keine geringere als meine herzallerliebste Vorstandsvorsitzende Frau **Berta Möller** mit einem ebenso breitem Grienen wie es zuvor bei **Iwan** deutlich zu erkennen war.

10.6__ ... vom Reden bis zum Speed-Dating

Mit einer eindeutigen Winkbewegung bestellte sie mich zu sich, erklärte mit knappen Worten die weitere Vorgehensweise, und hielt es für besser, sich zunächst etwas zurück zu halten und überließ mir die Eröffnung und Erklärung was, wer und worum es eigentlich ging und würde dann, so es der richtige Zeitpunkt war, an der entsprechenden Stelle einsteigen und ihren Kommentar dazu abgeben. Dabei erkannte man bei ihr deutlich gerötete Wangen, denn bei so einer Menge Menschen und dann auch noch frei zu sprechen, das war nicht unbedingt jedermanns Sache, doch ich hatte damit zum Glück noch nie wirklich ein Problem gehabt.

Inzwischen war es kurz nach 19 Uhr, der Raum war richtig voll, die Geräuschkulisse dementsprechend, und ich beschloss, den Anfang zu machen, nahm mir meine Mappe mit den Aufzeichnungen der letzten Tage zur Hand und ging in die Richtung des Kamins, denn dort war der taktisch klügste Platz, mit der Begrüßung und Moderation zu beginnen und durch den Abend zu führen, und außerdem war wie bei einem Magneten das Kaminfeuer der Hingucker, alle blickten in diese Richtung und somit auch zu mir, und darüber hinaus konnte auch ich sie von dort aus alle sehen, hatte die Tür im Auge, was auch nicht schlecht war und konnte gleich erkennen ob noch ein Nachzügler dazu stieß und entsprechend reagieren. Ich hatte gerade die Position eingenommen und versuchte, mir mit einem lauten *„Liebe Freunde“* und einer kurzen Redepause etwas Gehör zu verschaffen, und tatsächlich reduzierte sich der Geräuschpegel schlagartig, und viele Stimmen verstummten. Als ich fortfahren wollte, da öffnete sich die Tür, und wie gerade noch gemutmaßt kam tatsächlich noch ein Nachzügler reingerutscht, der mit einem fröhlichen Lächeln fragte, ob er zu spät war, die Tür schloss, sich mit einem Pott Tee in der Hand durch die Personen durchschlängelte, sich etwas seitlich von mir mit dem Rücken an die Wand gelehnt neben den Kamin stellte, und es sah ein wenig so aus, als würden wir beide zusammengehören, als wäre er mein Co-Kommentator gewesen.

Auf jeden Fall konnte auch er frei vor großen Menschenmassen sprechen, denn es war kein geringerer als **Pastor Schulte**, der es tatsächlich noch pünktlich geschafft hatte. – *„Von mir aus können sie weitermachen“,* sagte er laut, nickte mir dabei zu, und ich legte los. Was ich nicht wollte war ein langer Vortrag, ich erinnere an die Meisterschule, als wir alle reihenweise einschliefen, und es sollte auf gar keinen Fall den Anschein einer Heizdecken-Verkaufsveranstaltung haben, und auch genau so begann ich, erklärte, dass es eben nicht um Heizdecken ging und prompt kam auch gleich der erste Zwischenruf: *„Davon haben wir auch schon genug“,* was unter lautem Gelächter und vielen, durcheinander wirbelnden Stimmen aufgenommen und kommentiert wurde. Im weiteren Verlauf erklärte ich meine Gedanken der letzten Tage, mit dem Resultat und der Idee, an den Dienstagabenden sehr gern gemeinsam mit ihnen zu versuchen, Dinge im Haus zu verändern oder zu verbessern und einige Standards vielleicht etwas attraktiver zu gestalten. Vielleicht konnte man auch die Tagesabläufe verändern oder die Inhalte, die Wünsche und Entbehrungen der Bewohner besser verstehen und mit einbeziehen? Diese Anregungen gab ich zur Diskussion und bat um Hilfe und rege Beteiligung, sehr gern auch als Notiz auf Zetteln, die dann später in Ruhe analysiert und ausgewertet werden sollten.

Ich wollte keine Versprechen machen und ganz sicher blieben einige Träume, auch weiterhin Träume, doch ebenso viele Dinge konnten sich vielleicht ändern und auch umgesetzt werden. Wie genau das eine oder andere später möglich war, dafür hatte ich natürlich auch keine Patentlösung, aber auch dafür war ich für Ideen und Vorschläge offen, denn natürlich durfte es für das Haus, die Einrichtung, den Kostenträger, **Herrn Günther** und Kollegen nicht aufwändiger und schwerer werden, aber vielleicht gab es ja auch Möglichkeiten, es für alle im Haus sogar etwas entspannter und leichter werden zu lassen, und ich dachte da insbesondere an die Küchenhilfe, Gartenarbeit oder Backstube mit Cafe. Abschließend, damit es dann auch nicht zu viel fürs erste wurde, schloss ich mit den Worten: *„Niemand muss, ein jeder kann“,* bedankte mich für die Aufmerksamkeit, bevor ich dann in das Gewühl der Diskussionen eintauchte und fleißig redete, zuhörte, hier und da mal einen kleinen Brocken hinwarf und Kommentare hörte wie: *„Stimmt, daran hatten wir ja noch gar nicht gedacht.“* Auch **Pastor Schulte** war mittendrin dabei und man hatte fast das Gefühl, er gehörte mit zum Team der Überzeuger, der Wahlhelfer, die versuchten das Volk von etwas zu überzeugen und für die Partei zu gewinnen. Auch **Frau Möller** fand zu alter Stärke zurück, wanderte von Tisch zu Tisch, quasselte, verteilte Zettel, und ihre Wangen waren noch roter als zuvor, als man die Verlegenheitsröte sichtbar bei ihr erkennen konnte. Selbst **Frau Oruè** und die **Gräfin** waren aktiv an den Gesprächen beteiligt, und als ich auf die andere Seite des Raumes ging und durch den hart gesottenen Kern der Freitagmorgen-Stammtischjungs ging, sah ich doch an einem kleinen Seitentisch, ich glaube es war nur ein Zweiertisch, eine Gruppe Personen stehen, die miteinander im regen Austausch waren. Wortführer muss jemand am Tisch gewesen sein, den ich zunächst nicht erkannte, mir aber die Stimme vertraut schien und erst, als ich mich von hinten der Gruppe nährte und ein, *„gibt's Fragen“* in die Gruppe warf, da drehten sich einige der Personen zu mir um, und ich erkannte am Tisch den selbsternannten Wortführer, keinen geringeren als **Opa Hentrich**, worüber ich mich ganz besonders freute, denn ihn hatte ich bisher noch nicht gesehen und möglicherweise war er es, den mein Unterbewusstsein anfangs suchte, als mein Blick den Raum und die Personen abscannte.

Im Raum ging es stimmentechnisch rauf und runter, drunter und drüber, und manchmal hörte ich Bemerkungen wie *„ach, das wird doch sowieso nichts“* oder *„wie soll das denn gehen“* oder *„aber doch nicht mehr in unserem Alter“* und auch diese Zwischenbemerkungen nahm ich wohlwollend zur Kenntnis und notierte sie mir als Randnotiz.

Mit so einer Resonanz und Beteiligung hatte ich nicht gerechnet, der Raum brodelte förmlich, und als ich erneut einen anderen Tisch aufsuchen wollte, da traf ich **Pastor Schulte**, der ebenfalls gerade wie beim Speed-Dating am Wechseln war. Mit der rechten Faust drückte er mir an die Brust und ein *„läuft“* waren seine Worte, begleitet von einem zustimmenden Nicken. – *„Wenn ich doch nur einmal am Sonntag in meiner Kirche auch nur annährend so eine rege Beteiligung hätte“,* dabei schob er die Hände in Betstellung, fast schon flehend nach oben und lachte herzhaft dazu. *„Das hatte ich jetzt auch nicht erwartet, und bin gespannt, wie es weitergeht“,* sprach er weiter, legte die Hand an den Mund und flüsterte, *„und mein Produkt“*, dabei zog er die Augenbrauen hoch und blickte ehrfurchtsvoll nach oben, *„werde ich natürlich bei der Gelegenheit auch gleich mit an den Mann bringen“,* nickte erneut mit breitem Grinsen und marschierte weiter zur nächsten Gruppe.

Ich weiß nicht, wie lange diese Stimmung und Geschwindigkeit noch anhielt, auf jeden Fall war der Gemeinschaftsraum seit meiner Ankunft noch nie so gut besucht oder mit ähnlich wilden Gesprächen verstrickt gewesen. Nach einer ganzen Weile kam **Frau Möller** zu mir und hielt mir einen ganzen Stapel Zettel entgegen und sagte: *„Gucken sie mal, gar nicht schlecht was“* und freute sich dabei, denn das waren die Notizen, Ideen, Gedanken, Vorschläge, Wünsche, was auch immer, die ersten Ergebnisse und Reaktionen der Bewohner, die sich damit zu Wort meldeten. Ich verabredete mich mit **Frau Möller** und wen sie gern noch mit dabei haben wollte, für den nächsten Tag, um die vielen Zettel und Informationen in Form zu bringen, auszuwerten und natürlich, um die weitere Vorgehensweise zu besprechen.

Im Raum wurde es spürbar ruhiger, einige Personen waren schon gegangen, einige verabschiedeten sich persönlich bei mir, bedankten sich, und sie hatten einen Glanz in den Augen, der nicht zu beschreiben war, mich aber ein wenig an die Modelleisenbahn erinnerte vor der der kleine Junge erwartungsvoll und mit Ehrfurcht stand. Es war ein schönes und gleichzeitig ein warmes Gefühl, und ich fühlte mich bestätigt, das richtige begonnen zu haben und hoffte inständig, dass auch schon bald einige Dinge davon umzusetzen waren. Ich ging in den hinteren Bereich des Raumes, stand dort ein wenig abseits und allein, schaute durchs Fenster in den Garten, durch das schwache Licht der Gartenleuchten konnte man den Außenbereich fast nur erahnen, denn erschwerend kam hinzu, dass sich der lodernde Schein des Kaminfeuers im Fensterglas spiegelte.

So stand ich da einen Moment und ließ die letzten zwei Stunden noch einmal sacken, da spürte ich ein Tippen auf der Schulter und drehte mich leicht zusammenzuckend um. *„Das haben sie gut gemacht“,* sagte **Pastor Schulte**, der mich da alleine in der Ecke stehen sah und hielt mir eine Flasche Bier entgegen. *„Woll`n se auch eine“* und lachte dabei. Na klar, dachte ich aber woher hatte er jetzt hier die Flaschen Bier und fragte ihn. *„Bier“,* sagte er mit hochgezogenem Kopf und einem breitem Grinsen, wenn sie hier ein Bier wollen, das gibt es bei dieser Fraktion und zeigte zu der *„Freitagmorgen-Stammtischtruppe“,* die den Blick erwiderte und uns beiden alle mit einer Flasche Bier zuprosteten. Na dann, dachte ich, stieß mit ihm an, und bevor wir zum ersten Schluck ansetzten, verriet ich ihm mein Insiderwissen, dass das Bier gar kein echtes Bier war, das Etikett vertauscht und sich im Inhalt kein Alkohol befand. *„Na dann probieren sie mal“,* antwortete er, hob erneut die Flasche, und mit einem lauten Prost und einer nickenden Geste zu der Männerrunde setzte er an und sprach, *„das mag ja sein, aber das hier, das ist ein echtes, leckeres und obendrein auch noch gut gekühltes Bier“,* nickte noch kräftiger als zuvor und setzte die Flasche wieder ab. *„**Gartenkühlung**“,* wenn sie verstehen und zwinkerte mir mit einem Auge zu. Donnerwetter und ich dachte, die Männer würden denken, dass **Schwester Anna** dachte, doch vielleicht war es besser, nicht weiter darüber nachzudenken, auf jeden Fall hatte er Recht, das Bier schmeckte wirklich lecker. – Wir unterhielten uns noch eine ganze Zeit über die Möglichkeiten, und egal was daraus entstand, bot er seine Hilfe an und verabschiedete sich anschließend mit den Worten: *„Ich bin auf jeden Fall mit dabei, egal was gemacht wird“,* zeigte den Daumen nach oben, drehte sich um und stoppte noch einmal kurz bei der Männergruppe, die fast noch die einzigen, übrig gebliebenen Personen der Versammlung waren, bevor er dann den Raum verließ.

Ich trank in Ruhe mein Bier aus, wieder mit dem abwechselnden Blick ins lodernde Kaminfeuer und nach draußen in den Garten, obwohl man da nicht allzu viel erkennen konnte, aber es war auch mehr ein Nachdenken, wie schon zuvor, einfach die Gedanken sacken lassen, und scheinbar fiel ich dort hinten in der Ecke auch niemanden auf, denn als ich mich einmal zurück in den Raum drehte, da waren sie alle fort. Vielleicht war ich aber auch so tief in meinen Gedanken versunken, dass ich es gar nicht mitbekommen hatte, – verließ dann als letzter den Raum, war mit dem Verlauf und der regen Beteiligung hoch zufrieden, freute mich auf die Auswertung am nächsten Tag und musste gestehen, dass ich schon recht neugierig war, was da alles zum Vorschein kam und vor allem, welche Möglichkeiten sich daraus ergeben konnten.

Sichtlich geschafft ging ich mit der leeren Flasche Bier nach oben, denn die konnte ich ja nun nicht da unten im Gemeinschaftsraum stehenlassen, dann hätte es bei dem einen oder anderen am nächsten Tag bestimmt Erklärungsnot gegeben. Gegen 22 Uhr war ich zurück im Zimmer, wollte mir noch ein paar Aufzeichnungen und Notizen machen, aber die vielen Gedanken, die mir durch den Kopf gingen, ließen sich am besten im bequemen Ohrensessel verarbeiten – bei geöffnetem Fenster, gelöschtem Licht, in eine Decke eingemuckelt, mit Blick in die Nacht, die von den zirpenden Grillen und dem Blöken einiger nachtaktiver Schafe, liebevoll, fast schon romantisch dazu einlud.

Informationstafel

Frühstück	Mittag	Kaffetrinken	Abendessen
7:30 - 9:00	**12:00 - 13:30**	**15:00 - 16:00**	**18:00 - 19:30**

Montag

Musikabend

Donnerstags

Früh: Friseur / Fr. Dr. Stern

Abend: Kinoprogramm

Dienstag

Gemeinschaftsabend

Freitag

Sport / Gymnastik

Fingerfertigkeit, Krafttraining, Team- und Gruppenarbeit

Mittwoch

Früh: Schwimmen

Abend: Gesellschaftsspiele

Samstag

Fernseh- / Spieleabend

Sonntag

Gottesdienst

Und die Reise geht weiter ...

Albert Rode

Lebens-Wert ...anders

Band 2
21 x 21cm, ca. 400 Seiten,
Kapitel 11 - Kapitel 16

Aus dem gegenseitigen Abschnuppern und der ersten Kennenlernphase entwickelten sich interessante Momente mit abenteuerlichen Geschichten. Wie bei einem Bummelzug, der gemütlich von Station zu Station rollte, beteiligten sich immer mehr Personen, an der außergewöhnlichen Fahrt – und die Reise ging weiter! Mauern begannen zu bröckeln, Barrieren wurden verschoben und beim schüchternen Blickaus dem Schneckenhaus, war nicht nur Licht am Horizont, als vielmehr Neugierde, Freude und Lebensmut zu erkennen und für viele wurde es – lebenswert … anders!